Moederpassie

Majgull Axelsson

Moederpassie

Vertaald uit het Zweeds door
Janny Middelbeek-Oortgiesen

DE GEUS

Oorspronkelijke titel *Moderspassion*, verschenen bij Brombergs
Oorspronkelijke tekst © Majgull Axelsson en Brombergs
Bokförlag AB, 2011
Nederlandse vertaling © Janny Middelbeek-Oortgiesen en
De Geus BV, Breda 2012
Omslagontwerp Berry van Gerwen
Omslagillustratie © Imgorthand/Getty Images
ISBN 978 90 445 2110 8
NUR 302

Wilt u het gratis magazine *Geuzennieuws* met informatie over onze
nieuwe uitgaven ontvangen, ga dan naar www.degeus.nl en meld u aan.

De wind waait over de zeeën
Het duister is grenzeloos naakt
Je zou zo mooi zijn geworden
op het portret dat nooit werd gemaakt.
TOVE JANSSON

Minna

De deur gaat open en dat dwingt me uit een aangenaam nergens naar een licht weerzinwekkend ergens. Ik wil niet wakker worden, maar wat helpt dat? Geel lamplicht spreidt zich als een waaier uit over de vloer, iemand glipt naar binnen en doet de deur achter zich dicht, werpt me een snelle blik en een glimlach toe. Het is een meisje. Of een jonge vrouw. Haar blonde haar is strak naar achteren gekamd en in haar nek wipt een heel kort paardenstaartje. Ze draagt een blauwe tuniek met een V-hals en een witte broek.

Op hetzelfde moment weet ik weer wie ik zelf ben. Ik schuif dat besef meteen ter zijde. Weg. Vort. Aan de kant ermee.

Het meisje doet heel zachtjes. Ze loopt naar de witte kasten naast mijn bed en opent een ervan. De deur piept een beetje als hij opengaat en ze vertrekt haar gezicht, wendt zich dan tot mij en glimlacht nog een keer terwijl ze haar wijsvinger naar haar bovenlip brengt en die even aanraakt. Het is een overbodige daad. Ik heb niets gezegd, ik kan niet eens wat zeggen, ik doe gewoon mijn ogen dicht en probeer terug te zinken in het niets. Dat lukt niet. Ik hoor hoe het meisje in de kast aan het rommelen is, er ritselt iets, en wanneer ze hem sluit piept de deur opnieuw. Heel even is het volkomen stil, dan voel ik een koele hand op mijn voorhoofd.

'Sorry', fluistert het meisje.

Ik reageer niet, houd gewoon mijn ogen dicht en gebruik al mijn energie om mezelf weg te schuiven. Ik ben er niet. Besta niet. Ik ben slechts een paar ogen dat het landschap achter een paar oogleden bekijkt. Het is een turkooizen landschap, met donkere bergen en lichte dalen. Heel mooi. De verpleegkundige blijft even staan, maar dan hoor ik haar voorzichtige stappen wanneer ze naar de deur loopt. Enkele seconden lang dringt het gedempte geluid naar binnen van een stem op de gang, maar dat wordt midden in een zin afgebroken. Het meisje is naar buiten gegaan en heeft de deur achter zich dichtgetrokken. Ze heeft me verlaten. Aan mezelf overgeleverd.

Mijn ogen gaan vanzelf open. Het is donker in de kamer, slechts een zwak grijs licht sijpelt ergens vandaan naar binnen. Misschien is het nog nacht. Als het geen middag is, een donkere Zweedse namiddag in de herfst. Buiten giert de storm nog steeds en het regent, maar misschien niet meer zo veel als gisteren. Het gekletter tegen de ruit is ietsje trager, het klinkt meer als gevit en gezeur dan als een woede-uitbarsting. Bedankt. Heel erg bedankt. Kleine zegeningen zijn ook zegeningen.

Mijn ogen weer proberen te sluiten helpt niet. Ze gaan opnieuw open, ze willen zien en weten. Waar ben ik? Niet op een ziekenzaal, maar wel in een ziekenhuis. In een soort berging. Veel kasten en een aanrecht. Een reservekamer, zo eentje die alleen wordt gebruikt als het ziekenhuis overvol is, wanneer er in elke tweepersoonskamer drie bedden staan. Maar alle uitrusting is er, zie ik. Glimmende knopjes op de muur naast me. Een korte slang met een mondstuk dat aan een ander mondstuk gekoppeld moet worden. Een wat grotere rode knop. Een noodbel. Waar dat nou goed voor is?

Ik sluit opnieuw mijn ogen en verdraai mijn hoofd, maar die beweging is te abrupt en ik moet daarna stil blijven liggen om te zorgen dat de wereld ophoudt met draaien. Dat duurt even en terwijl ik wacht, hoor ik een zacht gorgelen. Het duurt maar heel even, maar het is luid genoeg om zeker te weten dat het echt een gorgel is. Niet van een kraan, want hier druppelen of lopen geen kranen. Het is ook niet van een radiator. Het is van een mens. Er ligt hier blijkbaar een gorgelende mens naast me. Toch ben ik niet in staat mijn ogen te openen om te zien wie het is, mijn ogen die net nog alles wilden zien en weten, willen dat opeens niet meer. Ze willen alleen dat de wereld ophoudt met draaien, maar de wereld wil niet ophouden. Die draait door, steeds sneller, die keert en kantelt, en ik voel een misselijkheid opkomen die opeens als een brok in mijn keel zit. Maar daar trek ik me niets van aan, ik heb meer zintuigen dan mijn gezichtsvermogen, ook al zijn ze niet helemaal onbeschadigd, dus ondanks de pijn strek ik mijn linkerarm uit om te voelen. En jawel, er staat een bed naast het mijne. Vlakbij. Op slechts twintig centimeter afstand. Ik kan het laken en de ruitjes van de wafeldeken onder mijn vingers voelen ...

Dan moet ik braken.

In een tiende van een seconde schiet het door mijn hoofd dat dit voor mij de gelegenheid is, dat de poort naar de eeuwigheid eindelijk op een kier staat, dat als ik mijn hoofd slechts iets verdraai en daarna volkomen roerloos blijf liggen, ik in mijn eigen braaksel zal stikken. Een tel later trekt mijn lichaam zich in een kramp samen en uit mijn maag welt niet alleen een stinkende smurrie, maar ook een geluid, een gutturale brul, gevolgd door nog zo'n brul wanneer mijn lichaam zich opnieuw samentrekt. De deur gaat open, ik hoor een stem en gedempte kreten, meerdere verpleegkundigen verdringen zich om me heen, ze dwingen me omhoog en opzij, zorgen ervoor dat het laatste braaksel op de vloer belandt. Iemand houdt mijn voorhoofd vast, iemand anders staat vlak voor me, en door de stank van mijn eigen braaksel heen kan ik vernemen dat ze naar zeep ruiken. Ze zijn schoon en fris en ruiken naar zeep.

'Voorzichtig', zegt een van de verpleegkundigen en de anderen gehoorzamen haar. Ze tillen me met sterke handen op en laten me boven het bed zweven, vervolgens laten ze me op een schoon laken zakken, ze knopen mijn nachthemd open en trekken me een nieuw aan, ze gaan met een lauw washandje over mijn gezicht. Ik kijk hen niet aan, nog geen tiende van een seconde doe ik mijn ogen open, maar toch meen ik dat ik hen kan zien, drie identieke meisjes, met blauwe tunieken met een V-hals en witte broeken. Ann, Anna en Annika. Misschien is het een drieling. Ze hebben dezelfde glimlach, dezelfde gebaren, hetzelfde strak gekamde kapsel met een heel kort paardenstaartje dat opwipt in de nek.

'Rustig maar', zegt een van hen en de anderen echoën haar na. 'Rustig maar, rustig maar ...'

Weer een koele hand op mijn voorhoofd, dan zijn ze weg.

Nu lig ik op mijn zij. De wereld komt langzaam tot bedaren. Ik steek mijn tong uit en lik mijn lippen af, maar ik ben opeens zo moe dat ik het niet eens kan opbrengen om te jammeren. De poort der eeuwigheid is voorlopig dicht, maar dat maakt niet uit. Ik lig met mijn linkerarm zo dicht bij mijn gezicht dat ik met mijn neus het dunne weefsel van het verband kan aanraken, en ondertussen bekijk ik de kleuren aan de binnenkant van mijn oogleden. Die zijn veranderd. Nu is het landschap geel en rood, en op de maat van elke polsslag trekken trage vlammen langs de roestkleurige hemel. De verpleegkundigen hebben blijkbaar een lampje aangedaan en dat bij het weggaan niet uitgedaan. Dus is het geen nacht. Dus is het ochtend, avond of middag.

Het wezen naast me begint opnieuw te gorgelen. Het is een akelig geluid, papperig en slijmerig, het komt van diep uit de keel. Een hagedissengeluid. Ik open mijn ogen en probeer te kijken, maar doe ze meteen weer dicht. Ik moet mijn oogleden heel zachtjes, millimeter voor millimeter, optrekken om niet opnieuw duizelig te worden. Eerst zie ik iets geels. De wafeldeken. Daarna iets grijs. De radiator bij het raam. Iets gestreepts. Neergelaten luxaflex. Een infuusstandaard bij het andere bed. De lakens bij het gorgelende wezen helemaal opgetrokken tot over de schouders. Ik vang een glimp op van een rimpelige hals, maar dat is ook alles, daarna moet ik mijn ogen dichtdoen en mijn hoofd heel langzaam een centimeter optillen. De wereld begint te schommelen en in mijn maag speelt de misselijkheid weer op, maar die pareer ik en ik blijf doodstil liggen tot die weggetrokken is. Daarna doe ik mijn ogen weer open. En ik zie jou.

Jawel. Jij bent het. Weliswaar ben je slechts een profiel, maar het is een heel bekend profiel. Ik zou het overal herkend hebben. De aristocratische neus. Het hoge voorhoofd. De krullen, die er zelfs hier in het ziekenhuis, waar jij ligt te gorgelen als een hagedis, uitzien alsof je net van de kapper komt. Alleen je mond is anders. Die heb je nu niet samengeknepen zoals voorheen, je dunne lippen zijn niet samengeperst, je glimlacht niet je koele hagedissenglimlachje. Je mond is opengevallen. Je gaapt. Zo zien mensen eruit wanneer ze aan het sterven zijn. Jij ligt daar te sterven.

'O, nee', zegt iemand en het duurt een tel voordat ik besef dat ik die iemand ben. Ergens klappert de Koperen Engel met zijn vleugels. Dat is een rappel. Ik heb mijn stem niet teruggekregen, maar toch hoor ik die.

'Nog niet!' zeg ik. 'Nog even niet.'

Je reageert niet, maar volgens mij hoor je me. Heel mijn binnenste gloeit van de overtuiging dat je elk woord hoort dat ik te vertellen heb.

* * *

13

De lucht werd gisteren helemaal geel. Ze gloeide heldergeel in een rand boven de horizon.

Een paar seconden had ik het idee dat het bos aan de overkant van het water van de baai in brand stond, maar toen beheerste ik me. Het bos stond niet in brand, dat kon gewoon niet branden. Het was doorweekt, te nat en zwanger van vocht. Het regende immers al weken. Toch hing er een gele rand boven het bos in de verte. Ik begon met mijn ogen te knipperen. Kon het de zonsondergang zijn? Nee. De verkeerde kleur. Bovendien kon je de zonsondergang niet zien, de wolken waren te dik en te grijs.

Ik legde mijn hand op de natte klink van het portier van de auto, maar maakte het niet open. Ik bleef gewoon een poosje staan om naar het geel te staren, tot me te binnen schoot dat je je in deze stad niet eigenaardig mocht gedragen en dus rechtte ik snel mijn rug en opende ik het portier. Ik gooide het plastic tasje, dat ook nat was, naar binnen. Ik wurmde me uit mijn regenjas, smeet die op de achterbank en ging achter het stuur zitten. Mijn auto stond met de neus naar het noorden geparkeerd en mijn blik bleef hangen bij de Drievuldigheidskerk. De witte gevel had een licht zwavelgele tint aangenomen. Een afspiegeling van de lucht.

Verbeelding, dacht ik nijdig terwijl ik het contactsleuteltje omdraaide en de motor liet brommen. Het gedreun van de pompen beneden in de haven drong niettemin tot in de auto door; het waren hartslagen, ver weg, die een gevoel van geborgenheid gaven. Een vrouw snelde voorbij over het trottoir, een vrouw van middelbare leeftijd met een gebogen rug, die haar paraplu als een schild tegen de regen voor zich hield. Heel even haalde ik het me in mijn hoofd dat jij het zou kunnen zijn, maar ik besefte dat ik me vergiste. Die vrouw was veel jonger en lang niet zo keurig. Ze had bovendien gewone stevige schoenen van Ecco aan haar voeten en zulke schoenen zou jij nooit aantrekken. De zwarte lange broek van de vrouw was van onderen al doornat, dat kon je zien, de pijpen zaten verwrongen en helemaal vastgeplakt rond haar enkels toen ze met grote stappen tegen de helling op liep.

Jij was het dus niet. Als jij in dit weer naar buiten was gegaan, als jij überhaupt had kunnen lopen, dan zou je je op de een of andere magische manier droog hebben weten te houden en je zou met een kaarsrechte rug hebben gelopen, met je paraplu in de juiste hoek boven je hoofd, ook al waren alle andere mensen genoodzaakt vanwege de wind in elkaar te duiken. Misschien zou jij je groene tweedmantelpakje hebben gedragen, dat pakje dat van zo'n goede kwaliteit is dat het er ook na vijftien jaar nog gloednieuw uitziet, en je zou beslist een paar degelijke wandelschoenen aan je voeten hebben gehad. Van bruin leer natuurlijk, met een halfhoog hakje. En een gesp van geel metaal op de bovenkant, als het ware een concessie aan je koketterie, een signaaltje aan de buitenwereld dat je warempel niet zomaar iemand bent.

Hoewel iedereen dat natuurlijk toch wel weet. Mijn grootmoeder van vaderskant is warempel niet zomaar iemand.

Zelf droeg ik rubberen laarzen, nieuwe rode rubberen laarzen, en daar had ik mijn broekspijpen in gestopt. Niet dat dit iets uitmaakte. Ik was van mijn knieën tot halverwege mijn dijen kletsnat. Bovendien was ik stijf bevroren. Mijn handen waren verstijfd in hun greep om het stuur, en uit een haarlok liep een ijskoude druppel water over mijn neusrug. Voordat ik wegreed, wierp ik een snelle blik in de achteruitkijkspiegel om mezelf te bekijken. Nee. Ook dit jaar zou ik niet Miss Universe worden. Jammer. Echt jammer.

Ik moest een grote omweg maken om de straten in het centrum die onder water stonden te vermijden, een omweg die me door een wijk met vrijstaande huizen voerde. In bijna alle huizen brandde licht. De mensen zouden vandaag wel snel uit hun werk naar huis zijn gekomen om te controleren hoe het er in de kelder uitzag. Ik glimlachte een beetje. Uitzicht op het meer was de laatste jaren populair. Een echt statussymbool. Maar uitzicht op het meer in je hobbyruimte was misschien niet zo populair.

Ik werd meteen gestraft voor mijn schampere gedachte. Vlak voor me kwam een andere auto een oprijlaantje af. Hij zag eruit als een zwaan, een witte zwaan die aan het opstijgen was. Enorme massa's water stonden als gebogen vleugels aan de zijkanten, mijn voorruit werd overspoeld en ik moest vaart minderen en heel langzaam rijden om de afstand te vergroten. Na een poosje sloeg de auto links af. Ik slaakte een zucht van verlichting.

Op de provinciale weg was het heel donker en rijden met groot licht hielp niet; er viel te veel regen. Het enige wat ik zag, waren grote grijze hoeveelheden water die over de voorruit heen en weer werden geduwd. Er zat niets anders op dan met dimlicht te rijden en me over het stuur te buigen om turend te trachten uit te vinden waar de weg liep. De auto vibreerde op het asfalt en het duurde een poosje voor ik besefte dat dit door de regen moest komen. Ook de weg kwam blank te staan. En het waaide nu nog harder, al was er aan weerskanten bos. Soms had ik het gevoel of iemand de auto naar de kant probeerde te trekken, alsof een reuzenkind probeerde hem tussen duim en wijsvinger te pakken en het bos in te duwen. Maar dat reuzenkind kende mij nog niet. Ik liet me niet dwingen, ik deed rustig aan en reed doelbewust in een lage versnelling tegen de hellingen op, ik remde zachtjes wanneer het heuvelafwaarts ging en hield de reflectorpaaltjes langs de kant van de weg goed in de gaten. Ik wist wat ik deed, ik had deze weg al minstens tienduizend keer gereden. Ik ken elke scheur in het asfalt, elke verkeerd aangelegde bocht. Toch werd ik een beetje verrast toen ik onder aan de steilste helling

kwam. Een nieuw geluid. Geborrel. Alsof ik recht door deci-
meters water reed. Misschien deed ik dat ook wel. Ik duwde
met mijn rechtervoet het gas in, maar dat hielp niet, ik kon de
snelheid niet verhogen. Het water verzette zich.

'Voorzichtig!' zei ik hardop tegen mezelf, maar ik gehoorzaamde niet. Toen ik bij de volgende helling kwam, ging ik
juist harder rijden. Nu ging het beter. De wind probeerde de
auto weliswaar weer te pakken en naar rechts te duwen, maar
ik wist dat de weg een beetje naar links afboog en ik volgde
die. Toen ik de top bereikte, zag ik eindelijk de lichten van
mijn eigen huis. Mijn erfgoed. Beneden aan de weg straalden
de rode neonlichten en uit de hoge ramen van het restaurant
glom geel licht. En boven, op de eerste verdieping, brandde
een lichtje in de kamer van Sofia.

Mijn huis ligt op een heuvel. Het kan niet onder water
komen te staan. Maar het heeft natuurlijk wel uitzicht op het
meer.

* * *

Op jouw leeftijd weet jij natuurlijk hoe het tegenwoordig zit
met het woord. Jij zult ook weten dat het groeit, dat het alleen maar groter en groter wordt, dat het zich verwijdt als een
pupil in het donker. Ooit was het klein als een speldenknop,
het herbergde alleen mijn moeder en mij, een flatje in Botkyrka en een speelplaats op de binnenplaats, maar tegenwoordig
is het groot, donker en diep, en biedt het plaats aan Arvika,
Stockholm en de hele wereld, herbergt het de droom over het
barmhartige water van de Lethe, evenals de nagedachtenis aan
Sally en haar glimlach, de zwijgende Tyrone en de praatgrage
Annette, de eeuwig dronken Sonny, en Ritva met haar licht
verwilderde blik, de bijna mooie Marguerite en de door en
door cynische Henrik. Plus aan jou, uiteraard, en aan je zoon.

17

En aan Sofia, uiteraard. Vooral aan Sofia.

Om gewoon maar een paar namen te noemen van al die duizenden mensen die in mijn geheugen zijn opgeslagen. Want er staan me dingen bij. Dus ik besta. Al wil ik niet bestaan, noch dat me dingen bijstaan.

Toch zijn mijn herinneringen niet allemaal even duidelijk. Bij de dag waarop mijn tante Sally, de zus van mijn moeder, mij dertig jaar geleden op het spoorwegstation ophaalde, de dag waarop ik ook jou voor het eerst zag, loopt een grens. Van vóór die tijd is het meeste troebel en tamelijk warrig. Alles daarna is glashelder en scherp. Ik weet nog dat Sally glimlachte, mijn koffer pakte en daarna haar linkerhand tussen mijn schouderbladen legde. Het was een heel lichte aanraking, goed gedoseerd voor de veertienjarige die ik toen was. Geen omhelzing maar een belofte, en het was een belofte die ik nodig had, maar niet in staat was te aanvaarden.

'Alles goed?' vroeg ze terwijl we wegliepen, maar een tel later beantwoordde ze die vraag zelf. 'Nee. Wat stom. Natuurlijk niet.'

Ik reageerde niet, liep gewoon zwijgend naast haar.

'Maar het komt wel goed', zei Sally. 'Mettertijd. Geloof me.'

Inwendig grimaste ik. Tuurlijk. Ik geloofde haar. Alles zou vast goed komen, ook al zou dat niet zijn op de manier die Sally dacht. Ik ging natuurlijk niet in dit gat wonen. Mijn moeder zou gezond en fit uit de oncologiekliniek naar huis komen en ik zou in de deuropening van het paradijs staan, dat wil zeggen onze tweekamerflat in Botkyrka, die flat die kortgeleden, vorige week nog, helemaal geen paradijs was geweest, om haar te ontvangen. Het zou voorjaar zijn en mooi weer, de balkondeur zou openstaan, en buiten op de binnenplaats zouden kinderen spelen zoals ze altijd hadden gespeeld. Hun schelle stemmen zouden doordringen tot in onze woonkamer, die ook mijn slaapkamer was. Op de salontafel zou een door mij geplukt boeketje leverbloempjes staan en dat zou mijn moeder meteen opvallen.

'O, zie je dat?' zou ze met een duidelijke pauze tussen de woorden zeggen. 'Die kleur is zo intens dat hij bijna verdwijnt ...'

En ik zou instemmend knikken omdat me dat zelf ook net was opgevallen, en daarna zou ik koffie en een taart gaan halen, een echt grote slagroomtaart met aardbeien en gelei, en mama zou naar me glimlachen wanneer ik met een eetlepel aankwam. Zou ze eindelijk taart met een eetlepel mogen eten? Jawel, want daar was ze nu warempel mager genoeg voor ...

Die fantasie staat me vandaag de dag nog volkomen helder voor de geest, zelfs helderder dan wat eraan was voorafgegaan. Tegenwoordig kan ik me niet eens meer herinneren hoe mijn moeders gezicht eruitzag. Het enige wat ik me herinner is haar naakte lichaam. Hangende borsten, een uitpuilende buik, dikke vetrollen op haar rug. Mijn moeder had veel woorden voor die toestand. 'Mollig' of 'gevuld', wanneer ze in een goed humeur was, en anders 'dik' en 'echt verrekte moddervet'. Want de woorden herinner ik me. Uit mijn moeder kwam een enorme woordenstroom en elk van die woorden zat vast aan een ander woord. *Wanneerikslank bengaikmeteeneetlepeltaarteten,jadatiswaar,ikgaeengroteaard beientaartmetslagroomkopenendangaikdiehelemaalzelfopeten. Meteeneetlepel.Maardietaartmoetikdanmaarindebinnenstad kopenwanthieriseraltijdiemanddiejezietenbegintteroddelenen vanroddelhebikwarempelvoormijnhelelevenalgenoeggehad.Nu ishetgenoeg!Snapjewel!Zoishetmeerdangenoeg.Enjekunttrouw ensnietindiebroekrondlopen,dieisvanachterenkapotendanzul lenzezeggendatikeenslonsbendienietvoorhaarkindkanzorgen,*

nee, diemoetjeechtmaken. Spreekmeniettegen. Maakdiebroek, zeg
ik, anderswordikboosopje...

Ik vertel dit nooit aan iemand. Na dertig jaar schaam ik me
nog steeds, omdat het klinkt alsof ik mijn moeder zwartmaak
en dat wil ik niet, ik wil echt niet slecht over haar spreken of
slecht over haar denken. Ik begrijp immers waarom ze zo veel
moest praten, waarom ze zich achter een muur van woorden
moest verbergen, voor wat en voor wie ze zich moest afscher-
men. Jij weet het misschien ook? Of je vermoedt het? En ik
zou zo graag willen zeggen dat ze niet altijd zo geweest is,
dat er momenten waren waarop ze stil en rustig was en glimlachte, of andere momenten waarop ze met gedempte stem
sprak en met duidelijke pauzes tussen de woorden. Maar de
waarheid is dat ik me zulke momenten niet kan herinneren,
ik herinner me alleen mijn eigen irritatie, en die groeide naar-
mate ik zelf groeide. De jeuk in mijn oren. De pogingen om
elke opening van mijn lichaam te dichten om te ontsnappen.
Toen ik twaalf was, begon ik watten in mijn oren te stoppen wanneer ik naar bed ging, waarna ik mijn oorlelletjes
omhoogvouwde en aanduwde om te proberen haar buiten te
sluiten. Maar dat lukte natuurlijk niet. Ze drong toch binnen,
ze zat immers op slechts een paar meter bij me vandaan tv te
kijken. De rook van haar eeuwige sigaretten prikte in mijn
neus, het gerinkel van de fles wanneer die tegen de rand van
haar wijnglas stootte zocht zich ook een weg naar binnen, en
als het zaterdagavond was, hoorde ik hoe ze aan weer een van
haar eeuwige gesprekken begon met die vent op tv. Hoewel ik
in die tijd natuurlijk nog niet wist dat hij mijn vader was; ik
wist alleen dat mijn ma niet goed snik was, zoals ze daar met
een vent op de buis zat te kletsen ...

Het is merkwaardig dat ze verstomde toen ze te horen kreeg
dat ze kanker had. Ze werd volkomen sprakeloos. Daarom
was ik ook degene die naar Sally moest bellen om te vertellen

dat mijn moeder in de oncologiekliniek was opgenomen. Ik stond in een telefooncel in een beige gang en probeerde te beschrijven wat er was gebeurd. De woorden kwamen er eerst hortend en stotend, een voor een, uit, maar daarna begonnen ze bijna net zo snel als bij mijn moeder naar buiten te stromen en ik kon ze niet tegenhouden. Ik vertelde hoe mijn moeder eerst een rare kleur in haar gezicht had gekregen, gelig op de een of andere manier, en dat ik had gedacht dat dit door een nieuwe gekleurde dagcrème kwam. Totdat ik zag dat haar oogwit ook geel was geworden. Dat ze wekenlang had geweigerd om naar het medisch centrum te gaan, *wantdan weetjewelhoeergeroddeldwordt,onee,daarbedankikvoor,hetiszo welgoed*, maar dat haar buik vervolgens begon op te zwellen en dat ze misselijk was geworden en pijn had gekregen en dat ze er ten langen leste mee had ingestemd om naar de dokter te gaan. Natuurlijk op voorwaarde dat ik meeging. En dat deed ik. Uiteraard deed ik dat, hoewel mijn klas die dag een schoolreis had; we zouden naar het Natuurhistorisch Museum gaan en dat was een uitstapje waar ik me al weken stiekem op verheugde. Maar daar zag ik dus van af, en ik ging met mijn eeuwig pratende moeder mee naar het medisch centrum. Ik ging met haar mee naar binnen bij de dokter en hoorde haar verstommen toen ze te horen kreeg dat ze meteen naar de oncologiekliniek moest. Met de taxi. Maar we hadden geen geld, dat wist ik, dus de verpleegkundige bij het medisch centrum gaf me een briefje dat ik in plaats van geld aan de taxichauffeur moest geven. En toen we aankwamen, werden we meteen binnengelaten. Eerst kwam er één dokter en daarna kwamen er nog twee en uiteindelijk kwam er een professor, dat stond op het plastic naamplaatje dat hij op zijn witte jas droeg, en ze wierpen elkaar snelle blikken toe en daarna zeiden ze dat dit er niet goed uitzag. Ik werd naar de gang gestuurd of zo, en mijn moeder werd naar een soort röntgenafdeling gestuurd. En daarna, uren later, kwam ze terug op een brancard waarop ze een klein kamertje werd binnengerold en ik moest mee naar binnen. En toen kwam de eerste dokter terug en hij zuchtte en zei: Nou, helaas, je moeder heeft helaas overal kanker, vooral in de lever, en meta…, meta… nog wat op een heleboel andere plaatsen. Dus moest ze worden opgenomen. In de oncologiekliniek. Mijn moeder zei niets, geen woord, maar ze zag er zo vreemd uit: ze hield de hele tijd haar ogen dicht en ze had op een beetje een geheimzinnige manier haar lippen naar binnen gezogen zodat ze verdwenen en ze hield ze op elkaar geknepen, ja, het was onbegrijpelijk maar waar: mijn moeder was gestopt met praten.

Zwijgend luisterde Sally naar mijn geklets en daarna slaakte ze een diepe zucht.

'O', zei ze ten slotte. 'Dat het nou zo moest gaan. Arme Kristin.'

Ik wist niet wat ik daarop moest zeggen, al mijn woorden waren opeens op.

'Kom hiernaartoe', zei Sally. 'Je bent te klein om hier in je eentje voor te staan.'

Het bliksemde me voor mijn ogen. Te klein? Beweerde dat stomme mens dat ik te klein was? Ik was verdomme veertien jaar en werd over vijf maanden en drie dagen al vijftien! Maar ik reageerde niet, want ik wist dat ik al te veel had gezegd, en het leven had me geleerd dat zwijgen de absoluut beste manier was om je zin te krijgen. Dus legde ik zonder iets te zeggen de hoorn neer en verliet ik met kaarsrechte rug de oncologiekliniek. Ik zag mijn moeder niet meer, bezocht haar niet om haar te troosten en te beloven dat ik gauw terug zou komen. Ik vertrok gewoon. Ik nam de bus naar het centraal station en zat doodstil op een stoel helemaal voorin, zonder ergens aan te denken en zonder enige emotie. Ik pulkte wat aan een pukkeltje vlak onder mijn rechtermondhoek. Bekeek de lichten van de stad buiten voor het raam, de glinsterende, knipperende en felle lichten van de etalages en restaurants. Ik snoof de stadsgeur van benzine en frituurolie op. Ik was rustig. Volkomen rustig. Maar toen ik bij het centraal station aangekomen was en de trap naar de pendeltrein nam, hoorde ik hoe een paar jongens me nafloten en weer bliksemde het in mijn hoofd, het werd me helemaal glimmend wit voor de ogen. Ik draaide me om en balde mijn vuisten. De jongens lachten me uit, maar waren verstandig genoeg om de trap af te glippen en te verdwijnen. Dat was maar goed ook. Als ze niet waren verdwenen had ik ze geslagen. Dan had ik ze doodgeslagen.

Toen ik thuis de deur opende, ging de telefoon. Het was Sally.

'Je kunt kiezen tussen mij en maatschappelijk werk', zei ze. Ik liet mijn schouders zakken en besefte dat ze gelijk had.

Daarna was het allemaal binnen een paar dagen bekeken en opeens stond ik op de Grote Markt van Arvika met de hand van mijn tante tussen mijn schouderbladen. Het was oktober, laat in de middag, de straatlantaarns waren aan en het licht werd weerspiegeld in de straatstenen, die nat waren van de regen. Sally strekte haar arm uit en glimlachte.

'Welkom bij je wortels', zei ze.

Ik keek om me heen. Er was bijna niemand op het plein, alleen een vrouw die in haar eentje de markt overstak. Ze droeg een beige jas van uitstekende kwaliteit, met een grote bontkraag, het moet wasbeer of blauwvos geweest zijn, en een bijpassend hoedje. Haar benen waren volkomen recht, er zat bij de enkel niet de minste kromming, maar aan haar voeten droeg ze een paar glimmende wandelschoenen met een halfhoge hak en een gespje dat blonk als goud. Dure schoenen. Dat kon je zien. Tijdens het lopen hield ze haar blik in de verte gericht, ze had haar mond dicht en hield haar beige paraplu kaarsrecht boven haar hoofd.

'Kijk daar eens', zei Sally met gedempte stem. 'Daar komt je grootmoeder van vaderskant aan.'

Misschien hoorde jij wat Sally zei, want je wierp een snelle blik in mijn richting. Daarna rechtte je je al rechte rug nog iets meer en liep je ons voorbij zonder ons aan te kijken. Je groette niet. Natuurlijk groette je niet.

Sally bleef even stilstaan en zag hoe ik je nakeek. Toen boog ze zich voorover om mijn koffer op te pakken.

'Kom', zei ze. 'Het regent immers.'

Dat zegt eigenlijk alles over Sally. Zo was ze. Mijn zuster die eigenlijk mijn tante was en die na verloop van tijd mijn moeder werd. Mijn vriendin die me nooit verwijten maakte of ergens van beschuldigde.

Ze is nu al jaren dood, maar ik weet zeker dat als ik op de markt in Arvika een willekeurige man van boven de vijfendertig zou aanhouden, dat hij dan zou glimlachen en zich haar zou herinneren. Er is geen man die Sally vergeet, althans, geen van de mannen die haar in haar eerste veertig jaar tegenkwamen. Misschien ook niemand van degenen die haar de laatste drie jaar kenden, zij het om heel andere redenen. De late Sally probeer ik te vergeten. Aan de vroege, de echte Sally, denk ik met blijdschap terug. Haar deinende heupen. Haar handen, die altijd in beweging waren. Haar donkere krullen, die ze altijd vervloekte maar waar ze diep in haar hart oneindig trots op was. Haar glimlach. Haar lachgrage ogen. Haar ivoorwitte wangen.

Het was geen wonder dat de zaken goed gingen. Ze had Sally's Café-Restaurant nauwelijks geopend of elk manspersoon in Arvika voelde de dringende behoefte om er onderweg naar Sulvik minstens één keer in de week te gaan lunchen of koffiedrinken. Als ze hun vrouw en kinderen al niet gewoon in de auto laadden om er op zondag naartoe te rijden en op het terras de maaltijd te gebruiken. Sally glimlachte en telde geld, nam een trek van haar sigaret en telde geld, liet decolleté zien en telde geld. En nooit lachte ze tevredener dan wanneer ze klaar was met tellen en even langs de bank was gereden.

Kristin, mijn moeder en de oudere zus van Sally, was niet zo verrukt als ik. Eerlijk gezegd leed ze aan de vierde doodzonde. Sally had zich immers nooit hoeven inspannen. Ze was immers nooit zwanger geworden (chagrijnige blik in de richting van *yours truly*), maar had ook nooit – en dat wilde Kristin echt benadrukken – mogen ervaren hoe het was om een kindje helemaal van jezelf te hebben. Eigenlijk was het niet meer dan juist. Want iemand zoals Sally, die de natuur zo grof voor de gek houdt, wordt uiteindelijk zelf door de natuur voor de gek gehouden. Zo was het. De natuur had Sally voor de gek gehouden, wat je zowel rechtvaardig *(haha!)* als onrechtvaardig *(er potverdomme tussenuit knijpen!)* kon vinden, afhankelijk van de vorm van de dag. Van de vorm van de dag waarin Kristin verkeerde, dus.

Sorry. Dit is een zijspoor in het verhaal, maar een zijspoor dat je op zichzelf wel zou moeten interesseren. Vooropgesteld dat je je Kristin nog herinnert en dat doe je natuurlijk, of je dat nou wilt of niet. Twee jaar ouder dan Sally en als zeventienjarige van school gestuurd omdat ze zwanger was geraakt. Dag, jouw zoon en mijn lieve vader, werd daarentegen niet van school gestuurd. Volgens wat Sally mij na verloop van tijd toevertrouwde, keek hij een week lang somber, maar trok hij weer bij. Hij deed eindexamen, studeerde een paar jaar aan de universiteit in Uppsala en kreeg uiteindelijk werk bij de televisie.

Maar inmiddels was het vijftien jaar later, mijn moeder lag in de oncologiekliniek, en ik was aangekomen in de plaats waar ik ooit was verwekt en liep naast Sally in de richting van haar gele Fiat. Die was bijna nieuw. Ik ging voorin zitten en liet me door Sally helpen om mijn veiligheidsgordel vast te maken. Ik had nog nooit een veiligheidsgordel om gehad. De waarheid was dat ik bijna nog nooit in andere auto's dan een taxi had gereden en dat ik nog nooit voorin had mogen zitten. Maar Sally maakte geen opmerkingen over mijn gestuntel; ze glimlachte slechts en hielp me, stak vervolgens het sleuteltje in het contact en startte de wagen. De radio ging aan en ik staarde naar de bleke groene lampjes daarvan, terwijl Sally het geluid zachter zette zodat de stemmen gedempt werden tot een vaag gemompel op de achtergrond.

Een grootmoeder van vaderskant? Een echte? Die vraag flitste in het donker van de auto op, maar ik probeerde die ter zijde te schuiven. In dat geval had ik immers ook een vader. Een echte. Woonde die dan ook hier in Arvika? Zou hij willen … Nee, natuurlijk wilde hij dat niet. Ik was immers het kind van Kristin. Weg. Vort. Aan de kant ermee.

Maar dat magische riedeltje hielp ditmaal niet. Opeens begon mijn fantasie op gang te komen en ik meende dat ik je als een koningin door de Hoofdstraat kon zien lopen. De mensen bogen zelfs toen jij daar liep, ze bogen, maakten een reverence en sloegen hun ogen neer. Jij knikte vriendelijk en een beetje hooghartig naar hen, waarna je naar een groot zwart stenen huis afsloeg, door een donkere en heel protserige tuin liep, haast een park, en een enorme dubbele deur van eikenhout bereikte. Je deed zelf de deur open en stapte de hal binnen. Die was heel groot, met plafondschilderingen en eiken lambriseringen. Binnen stond een propperige vrouw te wachten; ze droeg een zwarte jurk en een wit schort, als een dienstmeid uit een film uit de jaren dertig, en ze maakte een reverence toen je binnenkwam. Daar werd met een afgemeten knikje op gereageerd. Jij trok je mantel uit, overhandigde die aan haar en ging daarna voor een kolossale spiegel met een glimmende mahoniehouten lijst staan om je hoed af te zetten. Die gaf je ook aan de dienstmeid en je vroeg, zonder haar aan te kijken, of de jongeheer thuis was. En de dienstmeid maakte opnieuw een reverence en antwoordde dat hij dat inderdaad was. Mevrouw kon hem in de bibliotheek vinden …

Tja. Dat waren natuurlijk alleen maar fantasieën. Ik wist destijds niets over Arvika, had geen idee dat er aan de Hoofdstraat nooit een zwart stenen huis midden in een park had gestaan, of dat echt deftige mensen er niet over zouden peinzen om in het centrum van deze stad te gaan wonen. Feit is dat ik niet eens echt sjoege had van wat een landhuis was. Ik had zo'n huis immers nooit gezien, zelfs niet op tv. Nu is dat anders. Nu heb ik je huis gezien: Tynneberg, het landhuis van het geslacht Tynne. Dat wil zeggen: van buiten.

'Het is langgeleden dat je hier was', zei Sally, en opeens was ik terug in de gele Fiat van de realiteit. Ik begon met mijn ogen te knipperen.

'Inderdaad. Vier jaar geleden.'

'Toen je oma werd begraven.'

'Ja.'

Het bleef even stil en ik kneep mijn ogen dicht om er niet aan te hoeven denken hoe mijn moeder destijds klonk, hoe schel haar stem werd toen ze haar moeders tafelzilver in haar handtas propte en zei dat ze daar recht op had, *ikhebdaarechtrechtop*, omdat Sally vast elke öre van oma's pensioen had afgepakt. Hoe zou ze het zich anders hebben kunnen veroorloven om een eigen wegrestaurant te kopen? *Nou?Waseriemanddie datkonuitleggen?*

Sally raadde wat ik dacht.

'Ik heb een lening bij de bank genomen', zei ze rustig. 'Maar dat begreep jouw moeder niet. Ze weet niet hoe je dat doet …'

Ik maakte een geluidje dat van alles kon betekenen. We reden langs de Pastorieweg. In de vrijstaande huizen rechts van ons waren achter de ramen schemerlampjes aan, witte, gele en rode; ik keek er even naar voordat ik mijn hoofd omdraaide en over de baai uitkeek. Boven het donkere water hing een donkergrijze hemel, maar achter de wolken vermoedde ik een witschijnende vollemaan.

'Ik heb een kamer voor je klaargemaakt', zei Sally. 'Dat was echt leuk.'

Het begon in mijn buik te kriebelen – een eigen kamer? – maar ik paste goed op dat ik niets liet merken en deed mijn best om op precies dezelfde toon te blijven praten als eerst.

'Dank je wel. Maar ik blijf natuurlijk niet lang. Alleen maar tot mijn moeder uit het ziekenhuis komt.'

Sally reageerde niet meteen. Ik kon horen dat ze haar adem een poosje inhield. Vervolgens liet ze langzaam de lucht ontsnappen in iets wat op een zucht leek.

'Jawel. Maar dat kan natuurlijk nog even duren. Ik heb met haar dokter gesproken; hij vond dat het beter was dat we dat begrepen. Dus daarom heb ik ook naar de school gebeld. Je mag maandag beginnen.'

Op school beginnen? Hier? De wereld begon te deinen, misschien kwam dat omdat Sally links afsloeg naar de provinciale weg, misschien kwam het doordat ik iets besefte wat ik niet wilde. Ik was niet op bezoek. Ik was verhuisd. En ik zou op een nieuwe school moeten beginnen. Een school zonder mijn beste vriendin Ulrika. Een school met nieuwe leraren. Een school waar niemand zou weten hoe ik heette, waar ik het nieuwe meisje zou zijn …

De provinciale weg werd donkerder. Aan weerskanten stond het bos er zwart en zwijgend bij. We bleven een behoorlijk lange poos zwijgen, reden door een gehuchtje en volgden de weg toen die abrupt naar links afboog, gleden de ene helling af en de andere op, de ene af en de andere op ...

'We zijn er', zei Sally. 'Daar is het. Mijn wegrestaurant.'

Ik stapte uit en zag een rode neonreclame aan een pilaar bij de weg: Sally's Café-Restaurant. Het witte huis glinsterde; achter alle ramen brandde licht, achter de grote ramen op de begane grond en achter de kleinere op de bovenverdieping. We bevonden ons op een heuvel, niet ver van de oever van de Glafsfjord. Naast het huis stond een enorme eik, die zijn naakte takken naar de hemel uitstrekte, diezelfde eik die ik gisteren iets beter heb mogen leren kennen dan me eigenlijk lief was. Hij was donker, maar het water was nog donkerder. Aan de overkant van de baai glinsterden een paar gele lichtjes. En het was stil. Stiller dan het om mij heen ooit was geweest.

'Hallo', zei Sally. Ze stond vlak achter me en gaf me mijn koffer aan.

'Sorry', zei ik. 'Het was niet mijn bedoeling om ...'

Sally schoot in de lach.

'Sorry voor wat? Kom, dan laat ik je mijn huis zien.'

Het was een oude school, een witgeschilderde oude school uit een tijd toen ook de bossen rondom Arvika nog bevolkt waren. Ooit had het gebouw plaats geboden aan drie grote klaslokalen op de begane grond en twee kleine wooneenheden op de bovenverdieping, maar nu bood het dus plaats aan Sally's Café-Restaurant en aan Sally's eigen woning. Haar ogen glinsterden toen we het gebouw naderden en ze ging vlak naast me lopen, schoof haar arm onder de mijne en zei: 'Mooi, hè ...? Het was een bouwval toen ik het kocht, maar nu is het mooi, hè?'

En het was echt mooi, misschien het mooiste huis dat ik ooit had gezien. Voor de ingang met de blauwgeverfde dubbele deuren was er een veranda met houtsnijwerk, en aan de achterkant, met uitzicht op het meer, lag een geplaveid terras.

'Het heeft drie jaar gekost', zei Sally. 'Ik heb drie jaar als eerste serveerster bij restaurant Statt in Arvika gewerkt en elke vrije minuut besteed aan het renoveren van deze plek. Ik heb geen nieuwe kleren gekocht, ging nergens naartoe, nam thuis alleen het ontbijt en at verder op het werk. Ik heb elke öre gespaard. Om te zorgen dat ze me met zware dingen kwamen helpen, heb ik me bij een heleboel kerels ingelikt met de belofte dat ze gratis konden komen eten als het hier klaar was ... De enigen die ik betaald heb, waren de elektricien en de man die de restaurantkeuken regelde, dat moest ik wel, anders had ik geen horecavergunning gekregen, maar de rest heb ik zelf geregeld. Ik heb elke millimeter aan de buiten- en aan de binnenkant zelf geverfd. Tegels gezet in de badkamer. Muren gesloopt. Ramen gekit. Oud linoleum verwijderd en de vloeren geschuurd.'

Ik keek naar haar. Ze keek verliefd. Opeens voelde het alsof we even oud waren. Alsof we echt vriendinnen zouden kunnen worden.

'Het is ontzettend mooi', zei ik oprecht. 'Echt ontzettend mooi.'

In het licht van de ramen kon ik zien dat ze vochtige ogen had.

'Ja', zei ze. 'Dat is het. En het is van mij. Ik ben de eigenaar. Soms kan ik dat nog steeds niet geloven ...'

Terwijl we naar het huis keken, deden we er een ogenblik het zwijgen toe. Toen drukte Sally mijn arm even en ze zei: 'Kom, dan laat ik je je kamer zien!'

En zo liepen we, nog steeds dicht tegen elkaar aan, naar de keukeningang aan de zijkant.

Die kamer is tegenwoordig van Sofia. Mijn dochter. Mijn mooie, getalenteerde dochter. Ik weet niet precies hoe hij er op dit moment uitziet, maar de laatste keer dat ik er naar binnen sloop, was er niets veranderd. Het bed stond nog steeds tegen de muur en de oude gehaakte sprei lag er nog steeds bovenop. Het witte bureau stond bij het raam, waar het altijd heeft gestaan, de boekenkast ernaast en de mooie oude rotanstoel stond ook nog in zijn hoekje. Nou, er was trouwens één ding nieuw. Of twee. Ik heb nieuwe gordijnen en een nieuw vloerkleed gekocht toen Sofia dertien werd, maar ik heb goed opgelet dat die er bijna hetzelfde uitzagen als hun voorgangers. Alleen wat beter. In plaats van het oude, bonte kleed ligt er nu een kleed met geometrische patronen, maar het is nog steeds blauw en heeft smalle turkooizen strepen in het donkere oppervlak. Het is heel mooi. En de gordijnen zijn net zo wit als de gordijnen die er eerst hingen, misschien nog wel witter.

Ik ben thuis, dacht ik onwillekeurig toen ik voor het eerst over de drempel stapte. Eindelijk ben ik thuis.

Ik heb mijn moeder nooit meer gezien. De kist was gesloten toen Sally en ik anderhalve maand later op de begrafenis kwamen. Na afloop stonden we vlak naast elkaar om de andere begrafenisgasten de hand te schudden. Birgitta en Douglas van mijn moeders werk. Veronika, die het portiek met ons deelde. En Tove, met wie mijn moeder altijd uit dansen ging. Meer waren er niet. Ik nam elk van hen heel onderzoekend op. Waren dit nou de mensen voor wie ze bang was geweest? Voor hun geroddel? Hun geklets achter haar rug?

Nee. Dat dacht ik niet. De mensen die hadden geroddeld over mijn moeder waren anderen. Vreemdelingen. Boze geesten. Fluisterende gedaantes uit het verleden.

Jij kent ze misschien?

De volgende dag ging ik naar mijn vriendin Ulrika om afscheid te nemen. Ze deed de deur open en staarde me aan alsof ze een geest zag, maar daarna slaakte ze een zucht en nodigde me uit in de kamer die ze de hare noemde, maar die ze eigenlijk deelde met haar twee broertjes. Die probeerden ook binnen te komen en rukten telkens de bruine multiplexdeur open. Uiteindelijk verloor Ulrika haar geduld. Ze gaf de oudste een oorvijg. Het moet een harde oorvijg geweest zijn, want zijn hoofd ging heen en weer en hij viel hard op zijn kont op de vloer. Hij staarde haar aan en deed zijn mond open alsof hij wilde gaan huilen, maar ze hoefde haar hand maar weer op te steken of hij werd al stil. Zonder zijn ogen van haar af te wenden slofte hij zwijgend achteruit. Een paar seconden bleef ze hem roerloos staan aankijken, daarna deed ze heel zacht de deur dicht. Ze draaide zich om, stak haar handen in de achterzakken van haar spijkerbroek en keek me aan.

'Zo', zei ze. 'Dus je moeder is doodgegaan …'

Ik knikte en wendde mijn blik af. Ik keek naar een bruine streep op het behang. Waar twee banen tegen elkaar zaten, was er blijkbaar eentje losgegaan en iemand had het losse stuk eraf getrokken.

'Lullig', zei Ulrika.

'Ja.'

'Waar ga je nu dan wonen?'

Ik bewoog wat met mijn schouders, in een mislukte poging ze op te trekken.

'Bij m'n tante … In Arvika.'

Ulrika trok haar wenkbrauwen op en liet een glimlachje spelen bij haar mondhoek. Ze was knap om te zien. Ze was nog steeds even blond en knap en had nog steeds dezelfde kille blik als altijd.

'Dus niet bij je vader?'

Ik wierp haar een snelle blik toe.

'Je weet dat ik niet weet wie mijn vader is.'

Mijn stem was tamelijk kil, ik klonk bijna net als Sally wanneer ze nog een pilsje serveerde aan een al te aangeschoten heer. Zo had ik nog nooit geklonken. Ik wist dat je Ulrika niet ongestraft kon blootstellen aan iets wat misschien op een belediging leek en ik voelde hoe mijn nekspieren aanspanden en zich opmaakten voor de verdediging. Maar gek genoeg haalde ze slechts haar schouders op en ging ze er verder niet op in. Misschien kwam dat door het onderwerp. De vraag wie de vader van wie was, was altijd een beladen kwestie geweest, niet alleen voor mij.

'Maar ik heb een oma van vaderskant', zei ik. 'In Arvika.'

'Een oma van vaderskant? Een echte?'

Nu was ik degene die glimlachte.

'Hoezo echt? Een oma is toch een oma?'

Ulrika liet zich op een van de bedden zakken en staarde me aan.

'Is ze aardig?'

'Wie?'

'Je oma, natuurlijk. Is ze aardig?'

Ik vertrok even mijn gezicht.

'Niet bepaald. Maar ze is wel rijk.'

Ulrika haalde haar neus op. Ik wist wat dat betekende. *Leugens! Alsof jij, alsof iemand als jij, een rijke oma zou kunnen hebben!* Ik liep naar het raam, draaide haar de rug toe en bekeek de huizen aan de overkant van de speelplaats. Een buitenwijk. Grijze gevels. Honderden identieke flats. In geen van de keukens brandde licht, maar in sommige kamers glinsterden schemerlampjes. Het was namiddag. Schemertijd. De tijd van tieners.

'Ze weet niet van mij', zei ik ten slotte. 'Ze weet niet dat ik besta. Sally heeft haar alleen maar aangewezen.'

'Sally? Je tante?'

Ik knikte, maar draaide me niet om. Buiten fladderde een engel voorbij, een glinsterende metalen engel, met enorme

33

koperkleurige vleugels en witglanzend haar. Ik begon met mijn ogen te knipperen en hij verdween.

'Maar ze heeft niets gezegd over je pa?'

Ik schudde zwijgend mijn hoofd. Kneep mijn ogen dicht om de tranen te bedwingen die opeens opwelden. Weldra zou alles weer net zo worden als voorheen. Al over een klein poosje zou ik het nieuwe leven waaraan ik begonnen was vergeten, weldra zou mijn moeder uit haar graf opstaan en beginnen te praten, weldra zou ik gedwongen worden terug te keren naar een leven als beste vriendin van Ulrika. Maar, nee, misschien niet. Misschien was er ook iets met Ulrika gebeurd, want nu hoorde ik haar opstaan en naar het raam lopen. Ze ging dicht bij me staan. Dichtbij maar niet te dichtbij. Ik deed mijn ogen open. Ze waren weer droog.

'En je tante dan? Is die aardig?'

Haar stem was nu anders. Haast een beetje verdrietig. Als Ulrika althans verdrietig kon worden.

'Jawel', zei ik. 'Ze is aardig. Echt aardig.'

Ulrika zuchtte even. Ik wist wat die zucht betekende, maar dat kon ik niet laten merken, dus rechtte ik mijn rug maar en zei ik: 'Ik heb een eigen kamer gekregen. Met witte meubels.'

Ulrika sloot haar ogen en er ging een steek van medelijden door me heen. Ik hief half mijn hand op om haar over haar wang te strelen, maar ik liet hem weer zakken voordat ze iets had kunnen merken.

'Maar soms moet ik van haar wel in het restaurant meehelpen', zei ik toen. 'En ik krijg er niets voor betaald.'

Die leugen hielp. Ulrika wierp me een snelle blik toe en gooide haar hoofd in de nek.

'Ja, zie je wel, wijven!'

'Precies', zei ik. 'Wijven!'

Toen ik een tijdje later naar mijn moeders tweekamerflat terugliep, wist ik dat ik Ulrika nooit meer zou zien. En zo ging
het ook. Ik heb Ulrika nooit een brief geschreven en ik heb
van haar ook nooit een brief ontvangen. Eigenlijk was dat niet
gek. Ik wilde Ulrika en haar leven gewoon net zo graag vergeten als ik aannam dat ze mij en mijn leven wilde vergeten.
Ik wilde niet denken aan hoe het moest zijn om te leven met
een moeder die zichzelf bewust de dood injoeg door drugsge-
bruik, en Ulrika zou de gedachte wel niet kunnen verdragen
dat er veertienjarigen waren die gered werden en daardoor een
ander leven kregen, meisjes die 's middags aan hun witte bureau mochten zitten uitkijken over het water van de Glafsfjord
terwijl ze nadachten over de volgende zorgvuldig geformuleer-
de zin in hun dagboek. Meisjes die uit vrije wil boeken waren
gaan lezen, meisjes die echt nooit in het restaurant van hun
tante hoefden te helpen en die bovendien, totaal onverdiend,
elke vrijdag in een witte envelop ruim bemeten zakgeld kregen.

Ik hield halt bij de flat die ooit mijn thuis was geweest, ik
bleef daar een poos doodstil staan en zag hoe de schemering
zich tot duisternis verdiepte. Ik dacht na. Ik haalde herinneringen op. Ik zag mijn schuld onder ogen. Hoe zou het zijn
gegaan als mijn eerste fantasie bewaarheid was geworden? Als
mijn moeder gezond en fit uit de oncologiekliniek naar huis
was gekomen? Als ik leverbloempjes had geplukt? Als ik een
aardbeientaart had gekocht?

Verschrikkelijk. Het zou verschrikkelijk zijn geweest.

Opeens zat mijn moeder ongelukkig te kijken op een bank
naast de zandbak. Ik keek haar aan en zij keek mij aan, maar
er was niets wat we konden zeggen of doen om elkaar te bereiken. Ik spreidde mijn handen in een onmachtig gebaar: waar
had ik leverbloempjes moeten plukken? Ik had in Botkyrka
mijn hele leven nog niet één leverbloempje gezien, zeker niet

in december. En ik zou het me nooit hebben kunnen veroorloven om een hele aardbeientaart te kopen, niet als ik in
Botkyrka moest blijven wonen, niet als ik nog steeds Kristins
dochter moest zijn. Dat was de waarheid. Zo zat het.

Ik keek om me heen. Een kind had een rood emmertje in
de zandbak laten liggen, en op het bobbelige oppervlak van
de glijbaan lag een smal spoortje grind. Alles was net als anders. Maar in de slaapkamer van mijn moeder brandde licht
en ik zag dat Sally daar de gordijnen naar beneden haalde, ze
uitsloeg zodat het stof opwarrelde en ze opvouwde tot twee
gladde vierkanten. Haar mond stond geen moment stil.

'Ze zingt', zei ik ten slotte tegen mijn moeder. 'Je zuster
Sally zingt voortdurend.'

Mijn moeder reageerde niet. Ze stond gewoon op en keerde
me de rug toe. Ze vertrok. Ik keek haar een poosje na, tot ze
volledig in de duisternis was opgegaan. Toen liep ik naar mijn
oude trappenhuis, duwde voor de laatste keer de deur open
en ging naar binnen.

Het kostte maar een paar uur om de schoonmaak te vol-
tooien. Daarna ging ik naast Sally in de gehuurde bestelwa-
gen zitten om naar Arvika te rijden. Achter ons glinsterde
de kerstversiering van het winkelcentrum van Alby, maar ik
draaide me niet om om naar de lichtjes te kijken. Ik wilde
niet omzien. Er was in Botkyrka niets wat ik zou gaan missen.

* * *

Het regende gisteren dus. Zoals het al weken regent.

Toen ik thuis uit de auto stapte, keek ik meteen naar de
horizon. De gele rand was weg, de lucht hing zwaar en donkergrijs boven het water. Opeens voelde ik hoe verzadigd van
water de grond onder me was; mijn laarzen zakten weg en bleven steken in wat een maand geleden nog een grasmat moest

zijn geweest. Ik bleef staan en keek naar mijn voeten, en ik overwoog of ik mijn auto niet beter op de parkeerplaats aan het meer zou kunnen zetten, maar ik realiseerde me dat die vast al onder water stond. Ik trok mijn rechtervoet op. Met een smakkend geluid liet de modder los en mijn voetafdruk vulde zich meteen met water. Nieuw gras, dacht ik. Ik moet hier tegen het voorjaar nieuw gras inzaaien ...

Opeens nam de wind weer toe en stortte zich op me. Hij rukte de capuchon van mijn hoofd en greep mijn regenjas. Het hele achterpand werd gevuld als een spinaker en dwong me mijn rug te buigen. Ik drukte het plastic tasje van de boekhandel tegen mijn buik en liep op een holletje naar de keukeningang. Ondertussen haalde ik stuntelig de sleutel tevoorschijn. In het voorbijgaan keek ik slechts vluchtig omhoog naar de bovenverdieping. Heel even wenste ik dat ik Sofia achter haar raam had gezien, dat ze daar had gezeten en me met haar blik had gevolgd, dat ze haar hand groetend had opgestoken toen ik de mijne opstak, maar zo was het natuurlijk niet. Weg. Vort. Aan de kant ermee.

Met moeite lukte het me de sleutel in het slot te steken; de schemering was al te dicht geworden, en ik moest zoeken en tasten voor ik hem erin kreeg. 'Van mij' ging het even door mijn hoofd terwijl ik met door de kou verstijfde vingers de deurklink naar beneden drukte. Mijn huis. Mijn wegrestaurant. Dat denk ik altijd wanneer ik deze deur open, dat dacht ik ook in de tijd dat het noch mijn huis noch mijn wegrestaurant was, toen de hele boel aan Sally toebehoorde en ik niets anders dan een arm nichtje was, bijna een pleegkind. Sally kreeg immers voor me betaald. Dat wist ik, dat had ik gehoord toen die vrouw van maatschappelijk werk op bezoek kwam, nauwelijks een paar dagen nadat we van mijn moeders begrafenis waren teruggekeerd. Maar dat maakte niet uit; mijn nieuwe leven was zo oneindig veel beter dan het leven dat ik daarvoor had gehad. Heel langzaam raakte ik eraan gewend een eigen kamer te hebben, na school naar de bibliotheek te gaan en daarna de bus naar huis te nemen, beneden in de keuken van het restaurant snel te eten en na sluitingstijd samen met Sally een kopje thee te drinken. Zij was een volwassene, maar ze leek niet op mijn moeder of op andere volwassenen die ik kende. Ze liet me mijn eigen beslissingen nemen over hoe ik me zou kleden en wat voor kapsel ik wilde hebben, ze luisterde wanneer ik sprak en verweet het me nooit als ik zweeg, ze liet me mijn gedachten altijd afmaken en zelf bepalen welke ik wilde delen en welke ik voor mezelf wilde houden. Maar soms gebeurde het dat ze over haar eigen gedachten vertelde.

Ze deed dat voor het eerst op een avond in januari toen we in de woonkamer zaten te lezen, zij op de blauwe bank, ik in de versleten leren fauteuil. Het moet een maandag zijn geweest, want Sally had de zaak vroeg gesloten en we hadden boven gegeten. Daarna hadden we in de tegelkachel het vuur aangestoken, de plafondlamp uitgedaan en ons elk onder een leeslamp geïnstalleerd om in onze boeken op te gaan. We hadden er waarschijnlijk al meer dan een uur het zwijgen toegedaan, en buiten, rond het witte huis, rustte de winter even stil.

'Ik geloof er niet in', zei Sally opeens. Ik keek naar haar op, zoals ze daar met onder zich opgetrokken benen zat, maar ik ging niet op haar opmerking in. Ze keek me niet aan, ze had haar boek nog steeds opengeslagen, maar haar blik naar de kachel gericht. Misschien zat ze in zichzelf te praten.

'Nee', zei ze toen hoofdschuddend. 'Nee. Ik geloof niet dat het allemaal ellendig hoeft te zijn alleen maar omdat het ellendig was toen je zelf klein was. Een mens kan zich heus opnieuw uitvinden. Dat weet ik.'

Ik trok mijn wenkbrauwen een beetje op.

'Was het ellendig toen jij klein was?'

Heel even keek ze beduusd, alsof ze vergeten was dat ik daar zat, maar ze vermande zich en terwijl ze haar hand uitstrekte naar haar sigaretten keek ze me aan.

'Je hebt er wel iets over gehoord, toch? Via Kristin?'

'Niet zo veel. Ze heeft alleen verteld dat oma haar sloeg. En dat ze vond dat jij verwend werd.'

Sally haalde briesend haar neus op.

'Ach, dat is gewoon onzin. Ik werd helemaal niet verwend. En oma heeft haar maar één keer geslagen en dat was omdat ze wat gepikt had, dus die oorvijg had ze wel verdiend ... Nee, we hebben het bij ons thuis nooit ellendig gehad. Alleen maar in de stad.'

'In de stad?'

'Ja. De reputatie, weet je ...'

'Welke reputatie?'

'Oma's slechte reputatie.'

Ik glimlachte een beetje.

'Had oma een slechte reputatie?'

Sally pakte de boekenlegger van de salontafel, stopte die in het boek en sloeg dat dicht. Ze wierp me een zijdelingse blik toe.

'Weet je dat dan niet?'

Ik sloeg mijn boek ook dicht. Dit wilde ik horen.

'Dat oma een slechte reputatie had? Nee. Daar heb ik nooit een woord over gehoord.'

'Had Kristin het nooit over haar?'

'Jawel, ze had het weleens over haar ... Maar ze heeft er nooit iets over gezegd dat oma een slechte reputatie had. Waarom stond ze slecht bekend? Wat had ze gedaan?'

Sally grimaste.

'Ze werd twee keer zwanger. Van twee verschillende mannen. En ze was niet getrouwd. Dat was genoeg. In die tijd was dat meer dan genoeg om het stempel te krijgen dat ze een ...

Ja, dat ze iemand was die zich ervoor liet betalen.'

Zich ervoor liet betalen? Mijn oma? Die gedachte was zo absurd dat ik bijna in de lach schoot. Zou dat lieve grijsharige vrouwtje, dat ik in mijn jeugd maar een paar keer had ontmoet maar dat altijd, steevast, elk jaar een briefje van vijftig kronen stuurde voor mijn verjaardag en ook voor Kerstmis, en dat tussendoor lieve kaartjes met schattige poesjes en puppy's stuurde die alleen aan mij waren geadresseerd ... Zou zij een hoer zijn geweest?

'Kijk niet zo gechoqueerd', zei Sally. 'Het was niet waar. Het was allemaal gewoon kletspraat. Maar het was kletspraat waar Kristin en ik de hele tijd mee moesten leven. In die tijd kon je iemand nog een hoerenjong noemen. En we waren amper in de puberteit gekomen of er werd van uitgegaan dat we in je oma's voetsporen zouden treden.'

'Is dat waar?'

'Zeker is dat waar. Het verbaast me dat je er niet over gehoord hebt. Kristin had het er steeds over. Althans, tot ze zelf zwanger werd.'

Nu kwam ze in de buurt van dat onderwerp waarvan ik zonder iets te zeggen had geprobeerd haar er niet over te laten praten. Ze kwam er te dicht bij in de buurt. Ik wreef snel in mijn oog, alsof ik er iets in gekregen had. Ik wilde niet weten wie mijn vader was, op dit moment niet in elk geval, niet voordat ik daar klaar voor was. Sally wierp me een snelle blik toe en leek het te begrijpen. Ze inhaleerde diep en keek toen opnieuw in het vuur.

'Mijn pa heette Rosso. Of zo werd hij genoemd. Toen ik klein was, is hij een paar keer bij ons thuis opgedoken. Hij was een asociaal. Hij dronk zo nu en dan nogal stevig, maar verder was hij aardig. Tegen mij tenminste. Hij is verdronken toen ik zeven was.'

'Verdronken?'

'Ja. Dat heb ik in elk geval gehoord. Ik weet het natuurlijk niet. Màar het lijkt redelijk logisch. Drie zuipschuiten die samen gaan vissen in een klein bootje ...'

Ze zweeg en ik keek naar het boek op mijn schoot. Op het omslag stond een man. Een man die je de rug toekeerde.

'Maar wie was de vader van mijn moeder dan?' vroeg ik uiteindelijk. 'Mijn opa.'

Sally haalde haar schouders een beetje op.

'Dat weet ik niet. Niemand weet dat. Je oma heeft het nooit verteld, ook al werd er flink wat druk op haar uitgeoefend ... In die tijd kregen alle buitenechtelijke kinderen immers een voogd van de kinderbescherming toegewezen en het was natuurlijk een van de belangrijkste dingen voor die figuur om uit te zoeken wie de vader was. Maar je oma zweeg als het graf. Ze gaf geen kik over wie het was. Dus ...'

Sally nam een stevige trek van haar sigaret en blies daarna de rook langzaam uit.

'Dus daar kun je wel uit concluderen dat hij getrouwd was. En je oma was een goeie ziel, dus ze zal hem er wel niet bij hebben willen lappen ...'

Het bleef een poosje stil.

'Maar mijn moeder dan?' zei ik ten slotte. 'Heeft zij nooit te horen gekregen wie het was?'

Sally drukte haar sigaret uit.

'Volgens mij niet. Toen ze klein was, beweerde ze weleens dat ze wist wie het was en dat ze zelfs bij hem mocht komen wonen, maar dat waren natuurlijk alleen maar fantasieën ... En daarna raakte ze zelf zwanger en was ze rap verdwenen. Wat waarschijnlijk verstandig was, gezien ...'

Ik stond op en maakte me op om te vluchten. Toch lukte het me om met vaste stem te spreken toen ik zei: 'Dus heeft ze mij uitgevonden in plaats van zichzelf.'

Sally stond ook op en glimlachte.

'Nee', zei ze. 'Kristin heeft jou niet uitgevonden. Dat mag je zelf doen. Je kunt gewoon worden wie je maar wilt. Op voorwaarde dat je je huiswerk maakt, natuurlijk.'

De toon waarop ze sprak was voldoende om mij te kalmeren. Ik liet mijn schouders zakken en reageerde met een glimlach.

'Ik maak altijd mijn huiswerk, Sally. Dat zou je moeten weten.'

Mijn huiswerk was belangrijk voor Sally. Maar dat vond ik niet hinderlijk; ik was immers iemand anders geworden en daarom maakte ik mijn huiswerk ook heel zorgvuldig. Ik wilde immers niet dom overkomen. Ik wilde immers omringd blijven door de enigszins betoverende schittering die me vanaf de eerste dag op de nieuwe school had omgeven. Dat was ik niet gewend, maar het was gemakkelijk om ervan te genieten. Ik had immers nooit eerder geschitterd. Daarom was ik gereserveerd, paste ik er wel voor op om iets te vertellen over degene die ik werkelijk was en over het leven dat ik in feite had geleefd, daarom reageerde ik op alle vragen met een introvert glimlachje en een zo beknopt mogelijk antwoord. Liever bestudeerde ik mijn klasgenoten heel zorgvuldig, leerde ik om te zien wat als goed werd beschouwd en wat als slecht.

Het was chic om de dochter van een dokter te zijn, maar zoon zijn van een eigenaar van een fabriek of een groot landgoed was nog chiquer. Uiteraard vooropgesteld dat je aan je sociale status de juiste inhoud wist toe te voegen. Een lelijke dochter van een dokter telde niet, en hoewel haar vader chefarts was stond Alice met haar rattenkleurige haar er dus slecht op. En Pontus ook. Die zou weliswaar op een dag een groot landgoed erven, bijna een kasteel, maar hij was nog niet in de puberteit gekomen, ook al was hij al vijftien. Aan de andere kant kon Jeanette haar vaders minderwaardige werk als conciërge compenseren met haar oneindig mooie tinten (bruine ogen, donkerblond haar, een perzikkleurige huid), en kon Anders zich een bepaalde status aanmeten door ironie, sarcasme en een algeheel intellectueel imago, ook al had hij helemaal geen vader en werkte zijn moeder gewoon in een supermarkt. Zowel Jeanette als Anders haalde de neus op voor het eten in de schoolkantine en ze gingen iedere lunchpauze naar koffiehuis Ritz met de anderen van het populaire clubje: de zonen en dochters die voldoende goed bedeeld waren om een directeur, tandarts of architect als maker te hebben, en ook nog het talent bezaten zich precies zo te kleden en eruit te zien als je je moest kleden en eruit moest zien.

In mijn eerste jaar in Arvika ging ik nooit naar de Ritz, ook al vroegen Anders en Jeanette me allebei mee. Dat gebeurde op de allerlaatste dag voor de kerstvakantie en ik stond in de gang bij mijn locker toen Jeanette opeens opdook en de magische vraag stelde. Had ik zin om mee te gaan koffiedrinken in de Ritz? Een tel later stond Anders met een schuine glimlach achter haar.

Maar dan moest ik wel tegen de rook daarbeneden kunnen, want in de kelder van het café was het mistiger dan in de kruitdampen van de slag bij Lützen, hahaha. Heel even stond ik in de verleiding, hoewel ik wist waarom ze me erbij wilden hebben, hoewel ik begreep dat ze alleen maar tegen me aan wilden schurken zodat iets van het magische Stockholmse stof dat mij bedekte ook van hun schouders zou afstralen. Ik glimlachte echter vriendelijk en zei dat het leuk zou zijn geweest, maar dat ik helaas aan mijn tante Sally had beloofd om een boodschap voor haar in de stad te doen. Een andere keer misschien? Ze glimlachten onzeker terug en zeiden ja, jawel, natuurlijk, een andere keer. Maar ze vroegen me nooit meer.

Mijn sociale status was een beetje onduidelijk. Het feit dat ik geen ouders had, maakte het moeilijk om mij een plek te geven in de hiërarchie van de school, het feit dat ik me bovendien afzijdig hield en over mijn oude leven zweeg, maakte me af en toe zo mysterieus dat het de mensen irriteerde. Volgens mij probeerden een paar klasgenoten – Helena misschien, en eventueel ook Johanna, die allebei uit families kwamen die al generaties lang in Arvika woonden – de oude geruchten over mijn oma weer nieuw leven in te blazen, maar de roddel kreeg nooit echt vaste voet aan de grond. De tijden waren veranderd en bovendien had ik Sally aan mijn zijde. Ze stond in de hele stad bekend om haar uiterst succesvolle wegrestaurant en haar steeds dikkere bankrekening, een feit dat mij boven de meisjes zou hebben geplaatst van wie de ouders winkels hadden en vlak onder de jongens die een fabriekje zouden erven, maar dan had ik wel echt haar dochter moeten zijn. Anderzijds kwam ik natuurlijk uit een geslacht van alleenstaande moeders, en als Sally echt mijn moeder was geweest en ook alleenstaand – iets anders kon ik me niet voorstellen – dan was ik een paar treden op de ladder gezakt. Maar ik was nu eenmaal niet haar dochter, alleen maar haar nichtje, en waar het de mannen betrof was Sally onberispelijk. Ze glimlachte weliswaar voortdurend haar uitnodigende glimlach en ze deinde met haar heupen, maar geen mens had haar ooit gearmd met een man gezien, en haar al helemaal niet tijdens een dansfeest voor de rijpere jeugd zich tegen iemand aan zien vlijen.

'Er is maar één ding waar ik bang voor ben', zei ze een keer toen we aan onze avondthee zaten. 'En dat is dat de mensen me een mannengek noemen. Dus ik kijk goed uit.'

'Waarom?'

'In deze stad zijn ze niet mals voor vrouwen die manziek zijn.'

'Wat doen ze dan?'

Ze vertrok haar gezicht.

'Roddelen. En dat is niet goed voor de zaken. Je moeder ...'

Ik deed mijn ogen dicht en dat was voldoende, ze onderbrak zichzelf. Het duurde even voordat ze opnieuw het woord nam. Nu glimlachte ze: 'Bovendien heb ik de ervaring dat de kosten van kerels hoger zijn dan de baten. Knoop dat in je oren. Want dat geldt ook voor jongens.'

Er schoot een herinnering door mijn hoofd. Ulrika en ik en een brommerclub in Botkyrka ... Handen. Vet haar. Geuren. Ik schoof heen en weer om de herinnering aan knokige vingers die tussen mijn benen tastten te verdrijven.

'Ik ken hier geen jongens. Dus dat is geen probleem.'

Sally nam een slokje van haar thee.

'Mooi. Wees gewoon voorzichtig.'

En ik was voorzichtig. Zo voorzichtig dat ik tijdens mijn eerste jaar in Arvika echt eenzaam was. Ik zat onderweg naar school alleen in de bus en op de terugweg net zo alleen. Ik leende het ene boek na het andere uit de bibliotheek, maakte mijn huiswerk heel netjes, besteedde uren aan het strijken van al mijn nieuwe bloesjes, T-shirts en ondergoed, aan het zorgvuldig manicuren van mijn nagels en het uitgebreid aanbrengen van gezichtsmaskers. Maar ondertussen dacht, peinsde en piekerde ik voortdurend. Miste ik mijn moeder echt niet? Nee. Ik kon het niet voelen, hoe diep ik ook in mijn binnenste wroette. Hield ik eigenlijk meer van Sally dan van mijn eigen moeder? Misschien. Maar in dat geval: waarom? Was het alleen maar omdat zij me een eigen kamer en een heleboel kleren had gegeven? Of omdat ze me met rust liet als ik daar behoefte aan had? Maar waarom bewaarde ze zo zorgvuldig afstand? Was dat omdat ze diep in haar hart wist en begreep dat ik een weerzinwekkend persoon was, een beroerd wezen dat niet eens om haar overleden moeder kon rouwen? Een lafaard die niet over haar eigen vader durfde te praten, die niet eens de moed had om uit te zoeken wie hij was en hoe hij heette? En waarom droomde ik elke nacht over hem, zieke dromen over hoe hij kwam aanzweven alsof hij een zeppelin was en opeens boven me neerdaalde, zijn buik opende en mij daarin opnam? Dat was toch ziek? Totaal krankjorum. Wie had er nou ooit gehoord over een vader die rondliep met een kind in zijn buik? *Nou?Ikwordgekvanjestomidiootkind!*

En waarom voelde ik me vaak zo ongelukkig? Dat kon ik niet begrijpen. Alles was toch zo goed geworden? Ik had eten en kleding en een eigen kamer en was bijna de beste van de klas. Ik rouwde niet om mijn moeder. En ik zorgde er goed voor dat mijn vader me geen moer kon schelen, net als ik hem geen moer had kunnen schelen. Dus waarom had ik dan zo vaak de neiging in huilen uit te barsten? *Omniets.Omdatjeal-leenmaarzoverschrikkelijkveelmedelijdenmetjezelfhebt,jankepot! Maarmetjouhoefjegeenmedelijdentehebben,erzijnnamelijkmen-sendiedoodzijn!Hoorjedat?Echthartstikkedood!*

Dus was ik niet ongelukkig. Dus was ik gewoon leuk om te zien, was ik spannend en deed ik goed mijn best op school. Ik stond 's ochtends vroeg op om me met zorg aan te kleden en op te maken, aan de ontbijttafel nam ik mijn huiswerk nog een keer door en daarna zat ik met gevouwen handen in de bus naar Arvika en probeerde ik niet naar het bos langs de weg te kijken, dat bos dat me aantrok met zijn duisternis, zijn zwartheid en zijn belofte dat het me kon transformeren tot niets. En wanneer ik het schoolplein opstapte, sloeg ik mijn ogen neer zodra een jongen naar me keek, ik ging opzij, haal-de snel een hand door mijn haar en liep gauw door naar de ingang. Wanneer de lunchpauze aanbrak, haastte ik me even snel de andere kant op. Ik had immers dingen te doen, zaken die ik voor mijn tante Sally moest regelen. Meestal waren dat gewoon een of twee brieven die ik moest posten, *leugenbrie-venbedrogbrievenwanteigenlijkhoefijhelemaalnietvoorSallyop-*

deposttedoensmerigkind, en ik liep ver, langs de ene brievenbus na de andere, zodat ik daarna gewoon naar school terug moest rennen om niet te laat te komen.

Op een dag zag ik jullie, tijdens zo'n wandeling. Jou en je zoon. Het was in het voorjaar, een paar dagen later zou de paasvakantie al beginnen. Jij kwam uit een winkel, Arvika Kunstnijverheid was het, en liet je blik snel over me heen glijden. En je herkende me. Ik weet dat je me herkende, want gedurende een tiende van een seconde stokten je bewegingen. Vervolgens zette je nog een stap op het trottoir en je wendde je tot de blonde man die na je naar buiten kwam. Je zoon. Dag Tynne. De man die in zijn grote nederigheid het woordje 'van' in zijn naam had laten vallen.

Ik herkende hem meteen. Dat was die vent op tv tegen wie mijn moeder altijd zat te praten. De man die de Nobelprijswinnaars altijd interviewde. De man die de nodige, oneindig smaakvolle entertainmentprogramma's had. De man die – en dat wilden de tv-recensenten echt benadrukken – een bijna magisch talent had om door de beeldbuis heen te reiken. En nu stond hij daar, gekleed in een lichtgrijze lange jas, zijn gladde tv-glimlach naar jou te glimlachen, waarna hij zich omdraaide en zijn glimlach over heel Arvika liet schijnen.

Mijn vader. Papa.

Misschien aard ik naar jou. Volgens mij wel. Want ik glimlachte niet terug, ik trok gewoon mijn hoofd tussen mijn schouders en bedwong de misselijkheid die bij me opkwam, ik rechtte mijn rug en wrong me langs jullie heen. Ik kwam zelfs heel even tegen je aan, liet mijn elleboog tegen jouw elegante voorjaarsjas komen.

'Jeetje', zei Dag Tynne achter mijn rug. Daarna moest hij lachen en jij sloot je daarbij aan, met een hol *haha*. Hij wist niet wie ik was. Maar jij wel.

Ik draaide me niet om. Ik ging er juist op een holletje vandoor en na een poosje ontdekte ik dat ik niet langs één, maar langs wel drie brievenbussen was gerend. Dat maakte niet uit. In feite deed het er allemaal helemaal niet toe.

'Voel je je niet lekker?' vroeg Sally toen ik uren te vroeg in het restaurant verscheen.

'Nee', zei ik. 'Ik ben misselijk ...'

'Het is beter als je even gaat liggen. Ik kom naar boven wanneer de lunch achter de rug is.'

Ik antwoordde niet. Ik knikte alleen maar en liep daarna met mijn ogen halfdicht de keuken uit, zonder iemand van het personeel daar te groeten. Ik duwde de deur van de garderobe bij de keukeningang open en rende de trap op. Ik hield mijn hand voor mijn mond. Ik wás immers ook misselijk.

Zeurkous!

Maar inmiddels was het een regenachtige middag in oktober, vele jaren later, en alle stemmen in mij waren verstomd en de witte lamp aan het plafond bescheen een erg keurige garderobe met zachtgele wanden en twee witte deuren, eentje naar de keuken van het restaurant en eentje naar de wc. Ik wierp een blik op de trap links, de trap die naar het woongedeelte op de bovenverdieping voerde. Mijn woning. Of die van mij en Sofia. Zou ze naar beneden komen? Zou mijn dochter ooit weer van die trap naar beneden komen?

'Thuis', zei ik hardop terwijl ik mijn regenjas uittrok. 'Thuis.'

Ik stokte midden in mijn beweging. Niet in jezelf lopen praten! Hoe vaak moest ik dat nou tegen mezelf zeggen! Ik wierp mijn spiegelbeeld een nijdige blik toe en kreeg een even nijdige terug. Ik slaakte een zucht, sloot mijn ogen en maakte me op om de rol van mezelf te spelen. Vrolijk. Opgewekt. Maar niet om mee te spotten. Dus deed ik allereerst mijn beroemde imitatie van de dame die van afschuw vervuld is als ze zichzelf in de spiegel ziet. *Arrrgh!* Dat was leuk. Hartstikke leuk. Ik was een dolkomisch figuur. Het volgende moment duwde ik de deur naar de keuken open en gooide ik het plastic tasje op het aanrecht naast de deur.

'Hoi!'

Mijn stem is hees en dat hoor je in de betegelde keuken altijd zo duidelijk. Ik klink als een verstokte roker, hoewel ik mijn hele leven nog niet één trekje genomen heb. Daar staat tegenover dat ik eerst met een moeder leefde die je nooit zonder een peuk in haar mond zag, en daarna met Sally, die voor twee rookte voordat ze uiteindelijk door longkanker geveld werd en mij van een aarzelende alleenstaande moeder in een doortastende erfgenaam en directeur van een wegrestaurant omtoverde.

'Hoi', antwoordde Annette zonder zich om te draaien. Haar stem is veel helderder. Breekbaar, zou ze zelf zeggen als het ooit bij haar opkwam dat je een stem met dezelfde woorden kon beschrijven als een uiterlijk. Ze maakt helemaal een breekbare indruk. Ze is zo dun, bleek en asblond dat je haar nauwelijks ziet staan, hetgeen op zichzelf een wijze strategie zou kunnen zijn voor iemand die getrouwd is met een zuipschuit, maar in Annettes geval komt dat helaas niet bepaald met de werkelijkheid overeen. Ze ziet er slap uit, maar ze heeft een geraamte van titanium. Ze is een volhouder, een overlever, een geboren winnaar, ook al zou ze zich liever laten executeren dan dat toe te geven. Zelf vindt ze namelijk dat ze fragiel is. Ronduit zwak. En nu stond ze met een licht gebogen rug boven de gootsteen, in een houding die uitstraalde dat je veel medelijden met haar moest hebben. Met Annette moet je altijd medelijden hebben. In de vijftien jaar dat ze nu in Sally's Café-Restaurant werkt moet je in feite elke dag medelijden met haar hebben.

'Nog gasten?' vroeg ik terwijl ik de deur van de vriescel

49

opende en mijn blik over de overvolle planken liet gaan. Ik probeerde de zucht van tevredenheid die altijd wil opkomen wanneer ik een blik in mijn propvolle vriescellen werp tegen te houden. Voedsel. Ik had zo veel voedsel dat Sofia en ik gewoon wel altijd zouden kunnen overleven. Zuchtend gaf Annette antwoord: 'Nee. Niet een.'

Terwijl ik de deur van de vriescel liet dichtgaan doofde ik ook mijn lach uit en ik haalde mijn schouders op.

'Geen wonder. De halve stad is afgesloten en in de straten bij het meer staat bijna een meter water en op de markt dertig centimeter. En het stijgt voortdurend. Het is gewoon een kwestie van tijd voordat de provinciale weg ook helemaal onder water staat.'

Zoals te verwachten was Annette geschokt, ook al had ze voorbereid moeten zijn. Het water was immers al dagen aan het stijgen. Toch draaide ze zich snel om met haar hand voor haar mond.

'Is dat waar?'

Ik leunde tegen het aanrecht en maakte het zakje open om het nieuwe boek eruit te halen. Ik bekeek het en streek met mijn hand over het glimmende omslag. Misschien zou het haar opvrolijken. Mijn Sofia.

'Ja, hoor. En op de radio zeggen ze dat het gewoon een kwestie van tijd is voordat alle busverkeer wordt stopgezet.'

'Goeie god! Hoe moet ik dan vanavond thuiskomen?'

Nu moest je enorm medelijden hebben met Annette. Met haar rechterhand pakte ze haar linker beet en beide lagen nu opeens tegen het kuiltje van haar keel. Ik knikte in de richting van de telefoon.

'Bel het busbedrijf maar om het na te vragen … Je mag weg wanneer je wilt, nu de situatie toch is zoals ze is.'

Annettes ogen vernauwden zich en haar stem werd opeens minder zwak.

'Wordt dat dan van mijn loon ingehouden?'

Ik verborg mijn glimlach door naar het boek te kijken en streek opnieuw met mijn hand over het omslag. Sofia zou het mooi vinden. Dat wist ik zeker.

'Nee', zei ik toen. 'Het wordt niet van je loon ingehouden.'

Annette sloeg haar armen over elkaar.

'Mag ik jouw regenlaarzen lenen?'

Ik keek op.

'Nee, dat kan natuurlijk niet. Die heb ik toch zelf nodig.'

Annette rechtte haar rug.

'Je hebt toch meerdere paren ...'

Ze bedoelde die van Sofia. Dat verrekte mens had het hart om daar te staan zeggen dat ze Sofia's regenlaarzen wilde! Ik kon niet anders doen dan me omdraaien en begon met het plastic zakje te rommelen. Ik stopte het boek erin en probeerde me te vermannen.

'Nee', zei ik en ik sprak dat woord heel duidelijk uit. 'Dat heb ik in feite niet.'

Annette klonk een beetje zuur toen ze antwoordde.

'O. Dat heb je niet.'

Ik had mijn gezicht inmiddels weer in de plooi en draaide me om. Ik zette mijn handen in mijn zij en keek haar aan.

'Nee', zei ik opnieuw. 'Dat heb ik in feite niet.'

Annette wist nu niet meer waar ze kijken moest. Ze slaakte een zucht.

'Dan kan ik niet naar huis.'

Ik bleef staan, volkomen roerloos.

'Tja. Doe wat je wilt.'

Annette zuchtte weer en slaagde erin die zucht bijna als een snik te laten klinken. Alsof mij dat wat kon schelen.

'Nou ja', zei ze toen met slechts een lichte trilling in haar stem. 'Madeleine is bij mijn moeder. Dus dat zal zo'n vaart niet lopen.'

Madeleine is haar dochter van negen. Die is bijna voortdurend bij haar oma, hetgeen een troost is voor ons, die van ter zijde Annettes huwelijk met de onvermoeibare alcoholist Sonny Karlsson gadeslaan. Ik pakte het zakje op en drukte het tegen mijn buik.

'Nee. Dat zal wel niet.'

Daarna liep ik de eetzaal in.

Daar was alles in orde. De vele oude tafels, allemaal van donker hout en ooit door Sally op de ene na de andere boerenveiling ingekocht, stonden keurig op hun plek. De zorgvuldig gepoetste oude koperen kandelaars, op dezelfde veilingen gekocht, stonden precies in het midden van de gesteven witte servetten die als tafellaken dienstdeden. De tegelkachel was uit en de koperen luiken waren dicht. Alle vuile vaat was afgeruimd en de schemerlampjes voor de ramen brandden, de dienbladen stonden keurig opgestapeld bij het buffet, de blauwe plastic bakken waren vol met afgewassen glazen en witte koffiekopjes, de zelfgebakken frambozencupcakes lagen netjes op een rij en ernaast lagen een paar verse broodjes. Ik nam er een van, eentje met kaas en ham, en schonk een kop koffie in. Daarna liep ik naar een van de tafels aan een raam. Ik kon het me veroorloven om aan een raamtafeltje te gaan zitten, want het risico dat er gasten zouden verschijnen leek niet heel groot. Nu kon ik me wijden aan mijn favoriete bezigheid: genieten van de regen.

Toen ik nog op de middelbare school zat, hield ik van dit soort dagen, donkere herfstdagen waarop er geen gasten waren en het enige wat je hoorde het gefluister van de regen tegen de ruit was, dagen waarop ik soms een boek meenam naar het restaurant en helemaal in mijn eentje in de stilte ging zitten. Als het echt donker was, zwart als de nacht, dan kon je soms een boordlicht of twee buiten over het kikkermeer zien strijken. Ik hield van die boordlichten, die prikkelden mijn fantasie. Ooit, dacht ik, zou ik ook naar zee gaan, ik zou met een witte plunjezak over mijn schouder over de loopplank lopen en de zak op het dek laten ploffen, daarna zou het schip de trossen losgooien en mij de Glafsfjord op voeren, en dan verder naar het water van het Vänern, we zouden de rivier de Göta in glijden en algauw, heel gauw, zouden we in het Kattegat zitten en de steven naar het noordwesten wenden, naar de Atlantische Oceaan. En niemand, geen mens in New York, Buenos Aires of Tokio, zou weten wie ik was ...

Waaruit blijkt dat ik ondanks mijn mooie cijfers behoorlijk mesjogge was. Alsof een meisje in die tijd matroos had kunnen worden. Alsof niet de hele bemanning in staking zou zijn gegaan op het moment dat ik voet aan dek zette, omdat vrouwen aan boord, vooral vrouwen onder de bemanning, ongeluk brengen. Dat weet ik tegenwoordig immers.

Het was nog niet helemaal nachtzwart buiten, alleen maar donker. Een donkergrijze lucht boven een nog donkerder water. Op het meer zag je geen boordlichten. Verstandig. Dit was een storm die misschien ook de meest avontuurlijken deed aarzelen. De regen kletterde tegen de ruit, eigenlijk harder dan hij minder dan een uur geleden tegen de ruiten van mijn auto had gekletterd. De wind gierde en rukte aan de berken op de helling naar het meer, hij zwiepte en ranselde de spireastruiken voor het raam en veranderde het licht van de lantaarns beneden bij het terras aan de oever tot een geel gefladder. De wind was toegenomen. Het waaide en regende harder dan ooit. Letterlijk harder dan het hier ooit gewaaid en geregend had.

Ik vroeg me af hoe het was begonnen. Hoe begint een storm eigenlijk? Sofia zou dat natuurlijk hebben geweten, maar ik kon de gedachte niet verdragen om naar boven te lopen en te proberen het aan haar te vragen. Wat zou het voor verschil maken? Bovendien, zo hield ik mezelf snel voor, kwam er aan Sofia's antwoorden nooit een einde. Als ze al besloot om tegen me te praten, dan kon ze urenlang doorgaan, maar dan moest ik wel in het juiste humeur zijn om te luisteren. Ze merkte het meteen als ik mijn belangstelling verloor, als mijn blik begon weg te dwalen en ik snel even aan iets anders dacht. *Hoe is het eigenlijk met haar?* Dan vertrok ze haar gezicht tot een chagrijnig maskertje en keerde ze me de rug toe. Dan liep ze naar haar kamer en trok de deur met een klap achter zich dicht.

Ik kan haar gesloten deur niet verdragen. Die drijft me tot vertwijfeling, wanhoop, razernij. Geen leegte, geen nadelige positie kan erger zijn dan dat je bemint zonder zelf bemind te worden. En toch zou ik dat allemaal met gemak hebben verdragen als ze maar …

Weg. Vort. Aan de kant ermee.

Sofia. Mijn dochter. Mijn oneindig mooie dochter. Mijn buitengewoon getalenteerde dochter.

De wereld werd anders toen zij werd geboren. Frisser. Kleurrijker. Ze kreeg scherpere contouren. Alle stemmen werden duidelijker, alle gebaren kregen een meer uitgesproken betekenis, elke toonval een diepere inhoud. De tijd werd ook anders. Elke seconde werd belangrijk. Elke minuut. Tijdens de eerste weken zat ik urenlang aan haar wiegje om haar te bestuderen terwijl ze sliep, ik volgde gespannen elke in- en uitademing. Sally begreep dat. Zij vond niet, zoals het personeel beneden in de keuken, dat ik gek was, zij besefte dat Sofia mij en mijn blik nodig had om überhaupt te willen ademen en om haar hart te laten kloppen. Daarom bracht ze me eten op een blad, daarom loste ze me af en zat ze naast het wiegje wanneer ik moest douchen of naar de wc moest, daarom streek ze me zelfs over mijn wang toen ik in de rotanstoel in slaap was gevallen en fluisterde ze dat ze Sofia's wieg naast mijn bed zou zetten zodat ik mijn hand op haar zou kunnen laten rusten wanneer ik zelf slaap. Want ik had immers slaap nodig. Een moeder die net bevallen was, had nergens zo veel behoefte aan als aan slaap.

En ze had gelijk. Ik had slaap nodig. Zelfs Sofia begreep dat. Ze gaf de hele nacht geen kik en lag met haar ogen open toen ik de volgende ochtend wakker werd, ze lag daar volkomen stil en wakker naar het plafond te kijken, en toen ik me over de wieg boog, glimlachte ze. Ze glimlachte voor de allereerste keer. Mijn hart bleef bijna stilstaan. Mijn dochter glimlachte naar me.

Die dag gingen we naar buiten. Ik droeg haar in een draagzak op mijn buik en liep door het zomerbos van Värmland om haar alle heerlijkheid van de wereld te laten zien. Midzomerbloemen. De prille blaadjes van de berken. Het glinsteren van de zon op het water van de Glafsfjord. Ze bleef glimlachen. Ik ging op een steen zitten om naar haar te kijken, en het viel me voor het eerst op dat haar ogen van kleur veranderden, dat de porseleinblauwe tint van de pasgeborene bezig was over te gaan in een lichte koffiebruine kleur en dat haar wimpers heel lang waren.

Ze was het volmaakte kind. Volkomen volmaakt.

En volmaakt bleef ze. Alle gasten moesten glimlachen wanneer ze op de wiebelige beentjes van een eenjarige door de eetzaal hobbelde. Ze liet Sally de dood vergeten wanneer ze in haar armen kroop en haar tweejarige hoofdje tegen haar borst vlijde. Ze legde haar driejarige handpalmen op mijn wangen en troostte me toen Sally ten slotte heenging. En ze wist me tot tranen te roeren toen ze als vierjarige al leerde lezen.

Zo mooi. Zo getalenteerd.

Andere moeders bekeek ik met een zekere verbijstering. Sommigen leken niet te begrijpen dat hun kinderen levende wezens waren. Ze behandelden hen als poppen. Kochten voortdurend nieuwe kleren, kleedden hen aan en kleedden hen uit, voerden hen af en toe, maar waren zich meer bewust van de blikken van andere vrouwen dan van de zoekende ogen van hun eigen kind. Anderen lachten wanneer hun kinderen huilden, lachten, donderjaagden en probeerden hen te overstemmen. Dat verontrustte me, dat was immers als lachen om iemand die net uit Auschwitz is bevrijd. Weer anderen beangstigden me met hun openlijke woede. Het schelle keffen van een moeder tegen een jongetje met bolle wangen dat zijn hand naar de snoepjes op de toonbank uitstak. De verachting in de blik van een andere, een tel voordat ze haar sjaal afrukte en die in het gezicht gooide van een jammerend meisje in een buggy. De trillende dreiging die op de loer lag bij een derde die zich over een vertwijfeld huilend jongetje boog. Hij zou weleens wat zien, dat verrekte jong! Hij zou weleens wat zien als ze thuis waren!

Sofia keek naar die moeders en wendde zich dan tot mij. Ik schudde bijna ongemerkt mijn hoofd en ze begreep het, zonder dat ik dat met woorden hoefde te zeggen, dat het zowel voor ons als voor die arme kinderen beter was dat we niets zeiden. Daarom wendden we onze blik af, keken we door het raam van de bus naar buiten of liepen we snel verder over het trottoir terwijl we net deden of we niets zagen. Maar we zagen het wel, Sofia en ik, en het gebeurde weleens dat Sofia heel zachtjes begon te huilen. Ik sloeg meteen mijn armen om haar heen en drukte haar tegen me aan. Niet verdrietig zijn! De wereld is verschrikkelijk, maar niet alleen maar verschrikkelijk. Kijk naar de lijsterbessen en de rode herfstbladeren. Kijk naar de zwanen op de Glafsfjord. Kijk naar de donkere sterrenhemel die zich boven ons welft. De wereld is ook fantastisch. Niet alléén maar fantastisch, maar toch behoorlijk fantastisch.

Vaak wilde ik haar om vergeving vragen voor het feit dat ik haar ter wereld had gebracht, maar ik heb het nooit gedaan.

Ik pakte gewoon haar hand en trok haar mee naar de boekhandel, de speelgoedwinkel of de speelplaats. Kijk! Dit kan allemaal van jou zijn! En omdat ze het volmaakte wezen was dat ze was, was haar reactie een glimlach en begon ze enthousiast een boek, een stuk speelgoed of een spelletje uit te kiezen.

Pas na negen jaar ontdekte ik aan mijn dochter voor het eerst iets wat niet helemaal perfect was. Ze begon op haar nagels te bijten. Ik weet nog dat ik rilde toen ik dat zag, dat ik rilde en een blik op mijn eigen afgekloven nagels wierp. Een tel later glimlachte ik weer en spreidde ik mijn armen, maar ditmaal kwam ze niet aanrennen zoals anders. Ze liep naar me toe, maar ze liep tamelijk langzaam voordat ze zich met een vermoeide uitdrukking op haar gezicht in mijn armen liet zakken.

Toen ze nog ouder werd en in de bovenbouw van de basisschool zat en met schitterende cijfers voor elke toets thuiskwam, waren haar nagels zo afgekloven dat haar vingertoppen er gezwollen uitzagen, maar dat was iets waar ze niet over wilde praten. Tegen die tijd begon ze me met een zekere neerbuigendheid te behandelen. Zoals bijvoorbeeld toen we die documentaire over donkere materie bekeken, die documentaire die door haar opa, mijn vader, was ingesproken. Niet dat ze wist dat hij haar opa was en als ze het wel had geweten had het haar toch niets kunnen schelen. Zij was immers geïnteresseerd in inhoudelijke kwesties. Epigenetica. Neurologie. Natuurwetenschap. Ja, lieve mama, het is echt mogelijk dat er materie bestaat die niet op atomen gebaseerd is. En ja, die partikeltjes waarvan we niet weten of ze echt bestaan, die we niet kunnen zien of kennen, wegen of meten, hebben al een naam. Neutralino's. In tegenstelling tot neutrino's, die namelijk wel iets wegen, ook al is het oneindig weinig. Om nog maar te zwijgen over neutronen, die in vergelijking met neutrino's groter zijn dan heel deze planeet, en in vergelijking met neutralino's – ja, groter zelfs dan het hele zonnestelsel …

Zo sprak ze tegen mij. Zo vond ik altijd dat mijn dochter Sofia tegen me sprak.

Bedankt voor de informatie, had ik eigenlijk moeten antwoorden. Enorm bedankt, schat, voor alle informatie waar ik niet op zit te wachten. Maar dat deed ik niet. Zo antwoordde ik haar nooit. Ik zweeg liever. Ik zweeg en liet de stilte het overnemen, ik zweeg en liet me door haar zwijgen plagen. Dus had ik er lak aan hoe deze storm begon en liet ik de vraag onbeantwoord. Deze storm kon me sowieso niets schelen. Mijn wegrestaurant kon niet onderlopen en ik had vier vriescellen, drie koelkasten en een koelruimte vol voedsel. We zouden ons weken kunnen redden. Het zou net vakantie zijn, en de goden moesten weten dat ik wel aan vakantie toe was. Aan volkomen rust, stilte, kalmte.

Opeens trok er een ijzige wind door de eetzaal. Iemand had de deur opengedaan en een tel later stond die iemand zich bij het buffet uit te schudden. Hij droeg een stijf regenpak, in feloranje met witte reflecterende strepen over zijn romp, en het duurde even voordat tot me doordrong wie het was.

'Tyrone?'

Hij deed zijn capuchon af en vertoonde zijn magere gezicht.

'Inderdaad.'

Niet meer dan dat. Natuurlijk niet. Sally beweerde altijd dat Tyrone geboren was om krijgsgevangene te worden; hij gaf zijn naam en nummer, maar meer niet. Vooropgesteld dat ze hem niet aan zware marteling onderwierpen, bijvoorbeeld door hem koffie aan te bieden en vriendelijk tegen hem te praten. Dan kon het zijn dat hij nog de een of andere inlichting verschafte. Ook al was dat dan in zware gewetensnood.

Tyrones moeder was gek op de bioscoop, vandaar zijn naam. En de namen van zijn broers. Die heten Burt en Marlon. Alle

drie worden gekenmerkt door een zekere ingehouden strijd-
lustigheid, om het voorzichtig uit te drukken. Alle drie zijn ze
even stil, kortaf en wantrouwend, ze stralen nooit, vooral niet
als er van hen verwacht wordt dat ze zich presenteren. Sally
zag wat hun ontbrak, waar ze naar verlangden, en ze was een
goede imitator. Wanneer het restaurant 's avonds laat gesloten
was en wij nog alleen in de keuken waren, kromde ze soms
plotseling haar rug, streek ze haar haren achter haar oren en
werd ze een ander.

'Ik ben een man', mompelde ze soms. 'Een gewone man.
Ik doe mijn rits dicht. Het vuur probeert me aan te vallen. Ik
trek mijn nieuwe handschoenen aan. Door de rook moet ik
mijn ogen dichtknijpen. Ik ben een man. Een gewone man.
Maar een held. Ik ga iemand redden.'

En ik begon te grijnzen bij de vaatwasser: 'Tyrone!'

Sally glimlachte en zette haar handen in de zij, opeens was
ze zichzelf weer. Verder zei ze eigenlijk nooit wat over Tyrone
en zijn broers, maar dit was voldoende. Daardoor kreeg ik oog
voor hun verlangen naar normaliteit. En nu stond deze oneindig gewone man met zijn oneindig ongewone naam voor me
water op de grond te druppen.

'Wat doe jij met dit weer buiten?'

Hij schudde zich uit en keek vervolgens naar de grond. Er
waren plasjes om hem heen ontstaan, maar dat weerhield hem
er niet van nog een keer met zijn armen te klapperen voordat
hij de rits van zijn jack opentrok. Nog meer plassen.

'Werken.'

'Nu?'

'Ja. Voor de reddingsbrigade.'

'Ik dacht dat jij met pensioen was …'

'Dat is ook zo. Drie maanden geleden ben ik met pensioen gegaan. Maar nu roepen ze zelfs ons op, degenen die hun
beste tijd gehad hebben.'

Oei. Dat waren veel mededelingen in één keer. Heel even keek Tyrone zelf verbaasd. Daarna draaide hij zich om naar het buffet om een dienblad te pakken. Ik glipte naar de kassa.

'De dagschotel is hachee.'

Tyrone reageerde met een grom. Ik aarzelde even, maar besloot toen dat dit geluid een instemmend geluid was, Tyrones manier om 'oké' te zeggen. Ik liep naar het luikje en riep de bestelling. In de keuken klonk gerammel, de deksels vlogen van de aardappelschaal, de kom met de rode bieten en de hacheepan. Annette zette het bord glimlachend neer.

'Hoi, Tyrone!'

Zij sprak zijn naam uit zoals alle anderen, met een duidelijke y en een hoorbare e aan het eind. Tyrones reactie bestond uit een knikje, maar hij keek haar niet aan. Ze liet zich niet uit het veld slaan, maar leunde juist naar voren en glimlachte nog breder.

'Dus jij bent met dit weer buiten ...'

Tyrone gromde opnieuw en ik schoot hem te hulp.

'Hij is aan het werk. De reddingsbrigade heeft zelfs gepensioneerde brandweerlieden opgeroepen.'

Annette rechtte haar rug.

'Is er brand? Waar dan?'

Tyrone zuchtte en gaf me een briefje van honderd kronen. Mompelend antwoordde hij: 'Er is geen brand. Overstroming.'

Annette wendde zich tot mij: 'Wat? Wat zegt hij?'

Ik legde het wisselgeld in Tyrones geopende hand.

'Hij zegt dat er geen brand is. Dat ze op pad zijn om te helpen bij de overstroming.'

'O.'

Annette verdween van het luik en een tel later glipte ze door de klapdeur het restaurant in. Met drie snelle passen was ze bij de tv om die aan te zetten.

'Het nieuws', zei ze.

Tyrone knikte en ging aan een tafel zitten, turend naar de buis. Ik onderdrukte een zucht en ging mijn koffiekopje halen. Einde van de vakantie.

De overstroming was op tv gekomen. Openingsnieuws. De verslaggever stond in lieslaarzen met het water tot aan zijn knieën op de markt in Arvika. Hij keek blij, zo blij en verwachtingsvol dat hij bijna over zijn woorden struikelde. De elektriciteitsvoorziening was kennelijk veiliggesteld, althans, voor dit moment. En gedurende de nacht zouden er bootjes beschikbaar zijn voor acute ziektegevallen en ongelukken. Er waren ook motorboten ingezet om mensen op sleutelposities binnen de ziekenzorg en de reddingsbrigade naar hun werk te brengen. Er waren echter geen middelen om het personeel na werktijd weer naar huis te brengen en dat betekende dat werknemers van het ziekenhuis en een aantal zorginstellingen de nacht op hun werk zouden moeten doorbrengen.

'Verdomme', zei Tyrone.

Ik draaide me om en keek hem aan.

'Wat is er?'

Tyrone liet zijn vork met hachee op zijn bord vallen.

'Ach. Ik denk aan onze kat.'

'Jullie kat?'

Even keek hij oprecht bezorgd, maar toen leek hij zich te herinneren wat mannelijkheid vereiste. Hij pakte zijn vork weer op en schoof de hachee naar binnen. Met gefronste wenkbrauwen kauwde hij en hij nam een slok melk. Toen zei hij: 'Maggie werkt vanavond. En als zij vannacht niet thuiskomt, weet ik verdorie niet hoe het met de kat gaat ...'

Ik haalde mijn schouders op.

'Dat beest redt zich wel. En hier zitten we in elk geval droog.'

'Voorlopig nog wel, ja', zei Annette chagrijnig.

Het bleef een poosje stil en we wendden alle drie onze blik naar de tv. Het hoofd van de reddingsbrigade werd geïnterviewd. Hij droeg lage schoenen en stond op vaste bodem. Min of meer vast.

'Wat doe jij eigenlijk?' vroeg Annette opeens.

'Eten', zei Tyrone.

Ze zuchtte ongeduldig: 'Als je op pad bent. Wat doe je dan?'

Tyrone kauwde een poosje. Misschien overwoog hij of het met de Geneefse Conventie verenigbaar was om überhaupt antwoord te geven. Dat was het.

'Mensen redden. En verder heb ik grind aangevuld.'

'Grind?'

'Ja. Op de lage delen van de wegen. Daar hebben we grind aangevuld, zodat de mensen niet met hun auto's vast komen te zitten in het water. En nu heb ik een rupsvoertuig waar ik mee kan rondrijden als er iemand gered moet worden. Niet dat ik iemand heb gezien, maar ...'

Hij zuchtte alsof het oneindig vermoeiend was geweest zo lang te praten. Daarna schrokte hij weer een hap hachee naar binnen, ondertussen Annette een boze blik toewerpend. Ze keek hem aan en heel even leek het of ze overwoog om gekrenkt te zijn, gekrenkt of boos, maar ze maakte een heel licht blaasgeluidje, bijna alsof ze haar neus wilde ophalen, en draaide zich toen weer om naar de tv.

'Het komt door de auto's', zei ze. 'Daarom is het tegenwoordig van dat rare weer. De milieuverontreiniging.'

Tyrone en ik gingen er geen van beiden op in. Wat viel er te zeggen? Bovendien waren we helemaal gebiologeerd door wat er op tv te zien was. Er verscheen een foto, een foto van een persoon die voor ons allemaal heel goed herkenbaar was. De grote zoon van deze stad. Nog steeds knap, ook al was zijn blonde haar grijs geworden en hadden de jaren diepe sporen in zijn door de zon gebruinde gezicht gekerfd. Ik begon te rillen, pakte de afstandsbediening uit Annettes hand en zette het geluid harder. Ze liet zonder protest los.

'… mensen in paniek hun auto's hebben verlaten en zijn weggezwommen of weggewaad om te proberen vaste grond onder de voeten te krijgen. Onze eigen medewerker Dag Tynne daarentegen zit nog in zijn auto en wij hebben net contact met hem via zijn mobiele telefoon. Dag, waar zit je?'

Er klonk een schraperig geluid van de telefoon. Misschien was de ontvangst niet perfect, maar de stem was onmiskenbaar die van jouw zoon.

'Ik weet mijn positie niet exact. Een kilometer of tien ten noordwesten van Arvika.'

Tyrone had net zijn vork in zijn mond gestopt. Die trok hij er nu weer uit. Met de hachee er nog op.

'Wel potverdomme …' zei hij.

De man in de tv-studio keek bezorgd.

'En hoelang zit je daar nu al?'

'Bijna twee uur …'

Tyrone zat nog steeds met open mond: 'En dan uitgerekend hij. Die verdomde …'

Hij wierp mij een snelle blik toe, hield zich in en streek met zijn hand over zijn gezicht. Ik zei niets, ik stond slechts roerloos met de afstandsbediening naar de tv gericht. De man in de studio fronste bezorgd zijn wenkbrauwen.

'En je hebt nog steeds geen hulp gekregen?'

De mobiele telefoon begon te knetteren: 'Nee. Ik heb een paar keer met de reddingsbrigade in Arvika gesproken, maar zonder resultaat … Ze zeggen dat ik geduld moet hebben, dat er auto's, rubberboten en helikopters in de buurt moeten zijn, maar die heb ik de laatste uren anders niet gezien … Het enige wat ik zie is regen.'

'Hoe ben je er dan aan toe?'

'Nou, het begint hier in de auto aardig nat te worden. Het water staat ongeveer tot halverwege de portieren en begint nu binnen te sijpelen … En het elektrische circuit doet het niet meer, dus het begint behoorlijk koud te worden.'

'Stomme lul …'

Tyrone legde mes en vork weg en stond op om zijn jas aan te trekken. De man in de tv-studio wendde zich tot de foto op de achtergrond: 'Ben je de auto al uit geweest?'

Even was het stil, daarna begon de mobiele telefoon weer te knetteren.

'Nee, maar ik vermoed dat er straks niets anders op zit. Mijn auto staat half in een greppel en volgens mij bestaat het risico dat hij helemaal vol water komt te staan … Verderop staan wat bomen; ik neem aan dat ik moet proberen om daar in te klimmen. Of op een grote steen of zo. Het probleem is alleen dat het nogal hard waait …'

Weer knetterde het en de verbinding werd verbroken. De man in de tv-studio keek heel even verschrikt, maar vermande zich en wendde zich tot de camera.

'In onze volgende uitzending komen we met meer informatie over de storm in West-Zweden en de overstromingen in Arvika. We gaan nu over naar …'

Ik liet mijn hand met de afstandsbediening erin zakken. Tyrone haalde zijn handschoenen tevoorschijn en trok een gebreide muts uit zijn zak. Hij fronste zijn wenkbrauwen en vermeed mijn blik. Achter me kwam Annette opeens tot leven. Ze probeerde een beroep op Tyrone te doen, bezorgd over het feit dat zijn chagrijn opeens zo compact was geworden. Ze hield haar hoofd schuin en probeerde vriendelijk te klinken.

'Wil je niet wat koffie meenemen?'

Tyrone trok zijn rits dicht en wierp haar een boze blik toe: 'Ik heb toch verdorie geen tijd om koffie te drinken als ik op pad ben …'

'Voor de mensen die je oppikt, bedoel ik.'

Tyrone trok zijn muts bijna tot in zijn wenkbrauwen en wierp nu een boze blik in de richting van de tv.

'Zoals Dag Tynne? Nee, hoor. Die klootzak moet zich maar redden zonder koffie.'

Dat zei hij dus over jouw hoogst unieke zoon. Vervolgens keerde hij ons de rug toe en ging naar buiten, de storm tegemoet.

* * *

Ik bleef lang op de wc. Liet het ijskoude water over mijn polsen en handen lopen. Ik observeerde mijn handen en zag hoe de blauwe aderen op de rug van mijn hand krompen, hoe de vingers slanker leken te worden. Nog even en ik zou het gevoel in mijn vingertoppen verliezen. Mooi. Ik wilde al mijn gevoel verliezen.

Dag Tynne. Jouw zoon. Mijn stille metgezel. De man aan wie ik tegenwoordig eigenlijk nooit meer dacht, niet bewust, maar die me diep van binnen bij elke stap die ik zette had gevolgd. De man wiens blik ik alleen maar in het voorbijgaan op straat had gekruist, maar wiens stem ik mijn hele leven avond in, avond uit had gehoord. De man met wie ik nooit had gepraat, maar tegenover wie ik inwendig toch opschepte en prat ging zodra ik iets had gedaan waarover ik kon opscheppen en waarop ik prat kon gaan. Zie je mijn mooie cijfers? De beurzen die ik heb gekregen? Dat ik echt toegelaten ben tot de Handelshogeschool? Dat ik langs Sveavägen in Stockholm loop met mijn haren geknipt zoals alle andere meisjes op de opleiding, in dezelfde kleren als zij, en dat ik een kleine hulde aan jouw moeder breng in de vorm van een paar bruine wandelschoenen aan mijn voeten, met een halfhoog hakje en op de bovenkant een gespje dat blinkt als goud?

Jawel. Zo was het. Er was een tijd dat ik probeerde op jou te lijken. Een heel korte tijd. Maar nu stond ik in de wc van mijn eigen wegrestaurant, leek ik helemaal niet meer op je en probeerde ik te kalmeren. Dat lukte niet. Ik moest mezelf ertoe dwingen.

'Bij de les blijven', zei ik hardop tegen mezelf. 'Blijf nou bij de les ...'

En ik bleef bij de les. Ik vulde mijn handen met ijskoud water en ging ermee over mijn gezicht, ik droogde me zorgvuldig af en keek mezelf weer in de ogen. Beter. Absoluut veel beter. Ook al was het niet echt goed. Ik kon ze allebei nog in mijn gezicht zien. Zijn blauwe ogen en blonde haar. Haar smalle neus en ronde wangen. Mijn lippen waren van mezelf, ze hadden geen van beiden zo'n volle mond als ik. Die had ik van Sally. Mijn mond was haar cadeau aan mij ...

Ik deed mijn ogen weer dicht. Bij de les blijven! Ik was immers een navelloze mens. Een moeder, geen dochter. Ik had geen behoefte aan ouders, nooit gehad ook. Dag Tynne had vroeger gewoon bij Tyrone op school gezeten en bij mijn al lang geleden overleden moeder. Verder niets. Gewoon een man.

Aan de andere kant is mijn relatie tot mannen altijd enigszins gecompliceerd geweest. Van Bertil, de oude zuipschuit van een verloofde met wie mijn moeder thuis aankwam toen ik negen jaar was, tot Staffan, de kok in mijn eigen wegrestaurant. Bertil had rode handen waar ik zo ver mogelijk bij uit de buurt bleef, en zijn braaksel stonk verschrikkelijk. Hij smeet me een keer op mijn moeders bed en stak zijn grove middelvinger tussen mijn benen. Dat was mijn eigen schuld, zei hij toen mijn moeder in de deuropening verscheen. Hij had dat nooit gedaan als ik niet met mijn kont voor zijn neus had lopen draaien. Mijn moeder was het wel niet direct met hem eens, maar toen hij eenmaal definitief was vertrokken moest ze toch huilen en zei ze dat het mijn schuld was. Omdat ik me uitdagend had gedragen en ervoor had gezorgd dat hij zich schaamde, terwijl ik in feite degene was die zich moest schamen. Dus schaamde ik me en paste ik er wel voor op om ooit nog met een van haar mannen te praten. Liever zat ik urenlang op een bankje voor onze flat te hangen. En zo is het gebleven. Ik ben bang voor mannen. Voor alle mannen. Ik krijg soms nog knikkende knieën van het slechte humeur van Staffan, ook al toon ik dat nooit. Om nog maar te zwijgen over de jongens op de Handelshogeschool, die vroegen of je bij hen kwam eten en die je hand wilden vasthouden, maar die nooit ophielden met praten over zichzelf en wier zoenen nat en koud waren. Misschien waren zij het die me 's nachts de metro in joegen, op zoek naar een soort warmte, een soort werkelijk leven onder mijn handen ... Als het althans niet het feit was dat ik mezelf steeds vaker in het donker terugvond voor de tv-studio, waar ik avond aan avond stond te wachten in een soort vage hoop dat hij, jouw zoon en mijn vader, in zijn eentje naar buiten zou komen en mij in de gaten zou krijgen, mij zou zien staan en me op de een of andere magische manier zou herkennen, dat hij met een glimlach naar me toe zou lopen, zijn arm om me heen zou slaan en me zou vragen hoe het met mijn laatste tentamen was gegaan. En ik zou me tot hem wenden, teruglachen en zeggen dat het goed was gegaan. Het was echt, echt goed gegaan.

Maar zo ging het natuurlijk nooit. Hij kwam weliswaar bijna elke avond door die glazen deuren naar buiten en soms was hij ook nog alleen, had hij zijn arm niet om een jonge vrouw geslagen en keek hij zelfs naar me, maar hij herkende me nooit. En daar stond ik, in de echte realiteit, terwijl ik wist dat ik eigenlijk thuis zou moeten zitten studeren, dat ik het me niet kon veroorloven om nog een tentamen te verknallen. Maar ik stond daar dus wel naar die man te staren die toen het licht op groen sprong snel de straat overstak en op een holletje naar de taxistandplaats iets verderop liep.

Ik bleef een poosje roerloos staan en probeerde alles waaraan ik niet mocht denken weg te schuiven – Weg! Vort! Aan de kant ermee! Ik speelde liever met de gedachte dat ik naar boven zou kunnen gaan. Ja, in feite zou ik een dienblad voor Sofia kunnen klaarmaken, ik zou er een bord met hachee en bietjes op kunnen zetten en een glas ijswater, ik zou haar aan het eten en drinken kunnen krijgen. Dat zou kunnen lukken! Een paar tellen was ik daar zeker van, maar ik zuchtte en gaf het op. Wie probeerde ik voor de gek te houden?

Sofia. Mijn vaderloze dochter.

Misschien is het zo dat het vreemdelingschap van ouders zich een weg zoekt in het kind, dat dit het kind tot een vreemdeling voor zichzelf en de hele wereld maakt. Jawel. Zo zou het kunnen zijn. Zo is het. Daarom ben ik een vreemdeling voor mezelf en de hele wereld. Net zoals mijn moeder ooit was en mijn dochter altijd zal zijn. Want haar vader was een vreemdeling. Een wildvreemde vreemdeling.

De herinnering aan hem drong zich op en ik liet hem komen. Zijn magere lichaam. Zijn scherpe profiel. Zijn lange, licht gekrulde wimpers. Ik wist nog hoe ik op een avond even na middernacht op een bankje in metrostation Hötorget had gezeten en hem had nagekeken, hem alsmaar heen en weer over het perron zag lopen, ongeduldig wachtend op een trein die nooit leek te komen. Toen die eindelijk wel kwam, haastte hij zich naar binnen en ging hij op een van de groene banken zitten. Ik glipte door dezelfde deur naar binnen en nam tegenover hem plaats. Hoewel de wagon bijna leeg was. Hoewel er voor en achter me genoeg lege plekken waren. En ik zat te glimlachen, ik keek hem recht in de ogen en glimlachte.

Waarom deed ik dat? Waarom hing die tweeëntwintigjarige

studente uit Värmland 's nachts überhaupt in de metro rond, dat meisje dat juist aan haar derde semester op de Handelshogeschool was begonnen, dat meisje dat een mooi studentenkamertje had gekregen, dat meisje dat omringd was door een heleboel geslaagde types van dezelfde leeftijd, meisjes met een smalle glimlach en jongens met glinsterende wolvenogen? Waarom zocht ze iets anders, iets vreemds, iets wat alleen aan haar zou toebehoren?

Dat weet ik niet. Dat zal ik nooit begrijpen. Maar ik herinner me de rilling die door mijn lichaam ging toen de man tegenover me mij aankeek. Eerst keek hij een beetje verbaasd, daarna glimlachte hij en legde hij zijn hand op zijn borst.

'Abdullah.'

Ik antwoordde met hetzelfde gebaar.

'Minna.'

Hij glimlachte nog breder en herhaalde: 'Minna.'

Dat was het enige wat we ooit tegen elkaar zeiden. Aan wat er daarna gebeurde, heb ik alleen maar fragmentarische herinneringen, maar ik weet dat we bij Odenplan uitstapten en zonder elkaar aan te kijken zwijgend naast elkaar liepen. Bij Dalagatan sloeg Abdullah zijn arm om me heen en hij draaide me naar rechts, voerde me verder naar Frejgatan, een portiek in. In een achterhuis liepen we drie trappen op, waarna hij een sleutel uit zijn zak haalde en een deur opende. Hij voerde me verder door een donkere gang. Achter ons deed iemand anders een deur open en diegene riep iets in een vreemde taal. Abdullah duwde me zijn kamer in, draaide zich toen om en gaf in dezelfde taal antwoord. Ze moesten lachen. Zowel Abdullah als de man in de gang moest lachen.

Twee uur later stond ik weer op straat. Ik weet nog dat ik het koud had en dat ik een zoete smaak in mijn mond had, een smaak die ik pas jaren later zou gaan definiëren als de smaak van vreemdelingschap. Misschien genoot ik ervan. Ik weet het niet. Ik kan het me niet herinneren. Maar ik weet nog wel dat ik metrostation Hötorget verruilde voor dat van Odenplan, en dat ik daar avond aan avond, nacht na nacht zat te wachten of hij weer zou verschijnen. En dat deed hij ook. Een week na onze eerste ontmoeting bleef hij abrupt staan toen hij mij in de gaten kreeg. Hij aarzelde een seconde of twee, maar gaf me ten slotte een knikje en liet me meegaan. De hele weg naar zijn kamer liep ik twee passen achter hem en toen hij met me naar bed ging, hield ik mijn ogen dicht. Die avond zeiden we geen woord tegen elkaar en hij kwam niet uit bed toen ik wilde weggaan, hij rolde gewoon op zijn zij om toe te kijken terwijl ik me aankleedde. Twee avonden later stapte hij hand in hand met een meisje uit de metrowagon, een donker, glimlachend meisje met witte tanden en bruine ogen, en hij wierp me een snelle blik toe, de blik van een vreemdeling. Toen ze langs me heen liepen, sloeg hij zijn arm om haar schouders en trok haar dichter tegen zich aan. Hij glimlachte. Rook even aan haar haren. Ik bleef zitten. Ik weet niet meer hoe ik daar ben weggekomen, maar ik weet wel dat ik nooit meer terug ben gegaan naar metrostation Odenplan. Met rondhangen in de metro stopte ik helemaal. In plaats daarvan ging ik 's avonds slapen; ik ging al om half zeven naar bed. Toch was het bijna onmogelijk om 's ochtends op tijd mijn bed uit te komen en dat najaar miste ik het ene college na het andere. Ik weet ook nog dat ik door een hoestende Sally werd ontvangen toen ik in de kerstvakantie thuiskwam. Ze keek naar me, eerst naar mijn gezicht, toen naar mijn licht bollende buik, daarna opnieuw naar mijn gezicht, waarna ze zuchtend haar hoofd schudde. Ze deed haar schort af en over-handigde dat aan mij. Zelf ging ze op haar kamer op bed liggen. Toen in mei van het jaar daarop Sofia geboren werd, was Sally haar teleurstelling echter vergeten en werd ze Sofia's oma, een voortdurend glimlachende, gniffelende en kirrende oma, die het kind alleen maar af en toe moest wegleggen om zich om te draaien om de longen uit haar lijf te hoesten. Drie jaar later, vlak na Sofia's verjaardag, was ze zo mager als een lat en moest ze in een rolstoel het ziekenhuis ingereden worden, waar ze haar oneindig trage overlijden zou afwachten. Maar ze glimlachte wel. Tot op het allerlaatst keek ze glimlachend naar mijn dochter.

En Abdullah? Tja. Die heb ik nooit meer gezien. Eén keer, vlak voordat ik Stockholm voorgoed verliet, ben ik teruggekeerd naar Frejgatan, maar hoe ik ook zocht, ik kon het portiek waar wij naar binnen waren gegaan niet meer vinden. Het was weg. Het had misschien nooit bestaan. Misschien had Abdullah ook niet bestaan, misschien was hij slechts een vreemde djinn, tijdelijk in Zweden op bezoek, waarna hij weer vertrok naar Turkije of Arabia Felix of waar hij ook vandaan kwam. Het maakte niet uit. Helemaal niets. Ik weet nog dat ik volkomen rustig was toen ik in de richting van Sveavägen terugliep, want diep van binnen had ik immers altijd geweten dat het zo zou gaan. Misschien was het gewoonweg wat ik had gewenst. Een kind, maar geen man.

Ik bracht mijn kind jubelend ter wereld. Het was een moeilijke bevalling en zo nu en dan was ik behoorlijk groggy, maar hoe suf ik ook was, ik smeekte de vroedvrouw niet of ze het allemaal kon stoppen en me van de afdeling verloskunde wilde laten verdwijnen, zoals mijn moeder ooit had gedaan. En toen ik mijn dochter eindelijk te zien kreeg en haar in mijn armen mocht sluiten, toen ze met knipperende ogen op mijn buik lag, toen ze probeerde te zien en te begrijpen waar ze terechtgekomen was, toen besefte ik dat iedereen had gelogen. Vooral mijn moeder. Ik mocht dan een rimpelige lelijkerd zijn geweest die ze nauwelijks wilde aanraken, maar dat gold niet voor alle pasgeborenen. Niet iedereen was een lelijkerd. Sommigen waren oneindig mooi. Sommigen waren tere elfjes met een donker plukje haar op de schedel en volkomen mistige porseleinblauwe ogen. Sommigen hadden volmaakte miniatuurvingers met roze nageltjes, fijn getekende wenkbrauwen en een miraculeus rozenknopmondje. Sommigen huilden niet in wild protest omdat ze geboren waren, ze snikten alleen maar een beetje, kalmeerden snel en vielen daarna aan hun moeders borst in slaap. En de moeder lag volkomen stil op de verloskamer, ze lag volkomen stil naar het plafond te staren terwijl ze haar lust om luid van vreugde te zingen en te huilen bedwong.

Ik herinner me dat half uur als een moment van grote dankbaarheid ten opzichte van God en Abdullah. Dankzij hen zou ik nooit meer eenzaam hoeven zijn. Dankzij hen zou ik door het leven gaan met een volmaakt dochtertje aan mijn zijde. Dat was wat ik dacht, destijds. Dat ik nooit van mijn leven meer eenzaam zou hoeven zijn …

Nu ben ik eenzaam. Tegenwoordig wil ik zelfs eenzaam zijn. En toen ik gisteren in mijn wc stond, vlak naast de keukeningang van mijn eigen wegrestaurant, was ik er ten diepste en stelligste van overtuigd dat als Tyrone jouw zoon daar in de overstroming niet zou vinden, dit absoluut het beste was wat er kon gebeuren. Ze mochten wat mij betreft samen of elk afzonderlijk verdrinken of van de kou doodgaan, het zou mij echt geen moer uitmaken. Als ze me maar met rust lieten. Als ik maar alleen mocht zijn.

Met mijn ogen toegeknepen hing ik de handdoek aan het haakje. Ik draaide me naar de deur om die te openen, maar keek pas om me heen toen ik weer in de garderobe stond. Ik keerde opzettelijk mijn rug naar de spiegel en haalde een keer diep adem om degene te worden van wie ik aannam dat ik die moest zijn. Pas daarna deed ik de deur van de restaurantkeuken open. Binnen stond Annette aan de telefoon te praten. Of te snikken. Net hoe je het wilde bekijken.

'Dat mag je niet doen. Het is levensgevaarlijk om naar buiten te gaan! Je zou binnen de kortste keren doodvriezen ... Of verdrinken.'

Ze pauzeerde even, maar verhief toen haar stem. Ze had Sonny blijkbaar aan de lijn.

'Ja, maar, dat zou ik niet aankunnen. Madeleine en ik zouden dat geen van beiden aankunnen ...'

Sonny maakte blijkbaar nog een tegenwerping en zij luisterde met open mond: 'Ja, maar, jij bent toch haar lieve pappie. Je weet hoeveel ze van je houdt. En ik ook! Dat weet je toch, dat moet je weten!'

Ze begon weer te snikken: 'Nooit. Dat zweer ik. Ik ben toch gewoon op mijn werk. Ik kan hier niet weg. Er is toch een overstroming. Ja maar, wacht even, dan geef ik je Minna.'

Ze legde de hand op de hoorn en riep mijn naam. Toen ze besefte dat ik vlak achter haar stond, schrok ze. Ik vertrok mijn gezicht en leunde tegen het aanrecht: 'Wat is er?'

Annette begon met haar ogen te knipperen, vermoedelijk in de hoop dat er een traantje over haar wang zou rollen. Ze vindt traantjes heel aantrekkelijk, maar helaas, ditmaal lukte het niet. Dus snikte ze maar: 'Alsjeblieft, kun jij niet met Sonny praten? Hij gelooft niet dat ik nog hier ben ... Hij denkt dat ik bij een ander ben!'

Actreutel, dacht ik. Toch moest ik inwendig lachen, want dit was precies wat ik nodig had. Iemand om mijn tanden in te zetten. Ik strekte mijn hand uit naar de hoorn: 'Luister eens, Sonny, hou op met dat onzinnige geklets en kijk eens door het raam naar buiten. Het regent, dat zie je, en het heeft zo verrekte hard geregend dat er nu een overstroming is, de ergste in honderd jaar. Bovendien stormt het. Er rijden geen bussen meer. Daarom moet Annette op haar werk blijven. Ze kan gewoon niet naar huis komen.'

Onduidelijk gekibbel van Sonny als antwoord; het was niet

precies te verstaan wat hij zei, maar ik meende dat ik er een samentrekking uit kon opmaken … *nander*.

'Doe niet zo belachelijk', zei ik. 'Ze heeft geen ander.'

Sonny stootte nu een aantal kreten uit. Geen daarvan was te verstaan, maar ik antwoordde toch.

'Bekijk het van de positieve kant; je kunt nu zuipen zoveel je wilt. Je kunt zelfs rustig het kleed in de woonkamer onder kotsen … Niemand zal zich ermee bemoeien.'

Gesteun aan de andere kant van de lijn. Ik legde de hoorn erop en wendde me tot Annette. Die stond met open mond naast me en zette nu haar handen in haar zij. Illustratie IA in het handboek van de roddelbladen over menselijke emoties, dacht ik. Het hoofdstuk over woede.

'Jij bent gewoon niet goed bij je hoofd', siste ze.

Ik glimlachte vriendelijk.

'O?'

'Dat is toch ziek.'

'O, is dat zo?'

'Waarom ben je zo boos op Sonny? Hij heeft jou toch niks misdaan?'

Even ging er een steek door me heen en ik sloeg mijn armen over elkaar.

'Hij is een dronkenlap.'

'Gaat jou dat wat aan? En hij is trouwens geen dronkenlap. Hij drinkt alleen iets te veel. Omdat hij verdriet heeft.'

Ik haalde mijn neus op.

'En daar trap jij in?'

'Waarin?'

'Jij trapt erin dat hij verdriet heeft.'

'Ja maar, dat is toch duidelijk. Soms moet ik de hele nacht rechtop in bed zitten zodat hij zijn hoofd op mijn schoot kan leggen. En dan huilt hij en heeft hij ontzettend veel verdriet.'

'Met tranen?'

'Hoezo met tranen? Hij huilt toch, verdomme!'

Ze begon nu echt boos te worden. Ik glimlachte een beetje: 'Jezus christus, hij is een verslaafde. Hij heeft geen enkele echte emotie in zijn lijf. Dat huilen doet hij alleen om het bestaan een beetje op te peppen. Om te spelen dat hij leeft. Hij liegt wat bij elkaar, zodat de mensen geloven dat hij een mens is ...'

Annette trok wit weg. Ik was te ver gegaan, dat realiseerde ik me. Mijn woede was weggeëbd, die was verdwenen en had eigenlijk ook nooit op Annette en haar Sonny betrekking gehad, maar dat kon ik natuurlijk niet zeggen. Het enige wat ik nog voelde was die nervositeit, dat gevoel dat het onderhuids jeukte. Maar Annette was boos. Gewoonweg woest.

'Jij moet niet kletsen', zei ze met trillende stem terwijl ze naar me toe kwam en zelfs een gebalde vuist naar mijn gezicht ophief. 'Snap je? Jij bent wel de laatste die iets mag zeggen over wie er liegt en wie er niet liegt ...'

Ik zette een stap naar achteren, stak mijn handen omhoog en maakte het eeuwige vredesgebaar: Ik geef me over!

'Sorry dan.'

Dat hielp niet. Haar speeksel spatte in het rond terwijl ze vervolgde: 'Jij bent niet goed bij je hoofd, Minna. Hoor je dat! Niet goed bij je hoofd! Jij zou verdomme opgesloten moeten worden, want jij bent zo gek als een deur ...'

Er was blijkbaar iets met mijn gezicht gebeurd, want opeens zette ze met een benauwde blik een stap naar achteren. Bijna bang. Het werd stil in de keuken; het enige wat je hoorde was de wind buiten. Ik keek haar aan, ze zette nog een stap naar achteren en sloeg haar ogen neer. Ik rechtte mijn rug en zei: 'Ben je klaar?'

Ze gaf geen antwoord. Het bleef nog even stil en ik staarde haar ononderbroken aan. Ze duwde snel een pluk haar achter haar oor, maar ze wilde me niet aankijken. Ik deed mijn best om net als anders te klinken: 'Heb je niks zinnigs te doen?'

Annette wierp me een afwachtende blik toe: 'Wat dan? Wat moet ik doen?'

'De vaat afruimen. Tyrone zal wel wat hebben laten staan in de eetzaal.'

Annette aarzelde een tel, maar haalde toen haar schouders op.

'Krijg ik dan een overwerktoeslag?'

Ik wierp een blik op mijn horloge.

'Nee. Nog niet. Je hebt nog een half uur.'

Annette zuchtte. Alles was weer net als anders. De tragische heldin boog voor de wrede werkgever.

'Ik ga al, ik ga al …'

Ze liep naar de deur van de eetzaal en stootte die open. Ik bleef alleen achter.

Ik wreef snel in mijn ogen en keek om me heen. Werk. Werken. Maar ik had waarachtig geen zin om naar mijn kleine kantoortje te gaan, en hier was niets te doen. Al het aardewerk stond op zijn plek, alle oppervlaktes waren blinkend schoon. Ik keek omhoog. Jawel, zelfs de gratineeroven was geboend en schoon aan binnen- en buitenkant. De kookplaat zag eruit als nieuw, alsof hij nog nooit gebruikt was, ook al had hij al tientallen jaren elke dag gewerkt. En ik wist dat als ik in de vrieskisten en in de koelcel keek ook daar alles perfect zou zijn …

Ik was niet degene die alles zo keurig op orde hield. Dat was Annette. Ik deed de inkoop en de administratie, en Staffan deed de menukaart, maar het was Annette die kookte wanneer Staffan vrij was en zij was degene die ervoor zorgde dat Sally's Café-Restaurant nog steeds de schoonste en mooiste eettent van de streek was.

En haar had ik zonet aangepakt. Schamper en neerbuigend. Op een manier die haar bijna leek te beangstigen.

Misschien had ze gelijk. Misschien was ik niet goed snik.

Misschien zou ik opgesloten moeten worden. Anderzijds was zij natuurlijk de enige mens op aarde die zo tegen me kon praten en de enige die dat na het overlijden van mijn moeder ooit had gedaan. En misschien zat het probleem nu juist in die overeenkomst. Jawel. Zo zat het. Ik kon Annette niet verdragen, omdat ze veel te veel op mijn moeder leek. Ze was net zo leugenachtig, aanstellerig, gemaakt …

Ik draaide me om en draaide de kraan open, spoelde mijn handen opnieuw met ijskoud water af. Daarna liep ik naar de garderobe om mijn handtas te pakken. Ik zou me opmaken en kammen, ervoor zorgen dat ik in elk geval aan de oppervlakte onberispelijk was, zodat niemand, zelfs Annette niet, zou kunnen zien wie ik eigenlijk was. Wat ik eigenlijk was.

Ik had net mascara op mijn rechteroog aangebracht toen ik buiten door het huilen van de wind heen het geluid van een motor hoorde. Maar ik hield mezelf nu kort en stond geen onzin toe, dus daarom boog ik me naar voren om ook op mijn linkeroog mascara aan te brengen. Vervolgens haalde ik een kam door mijn haar en glimlachte naar mezelf in de spiegel.

Nu zou ik wie dan ook onder ogen kunnen komen. Lucifer zelf als het erop aankwam. Of mijn lieve vader.

* * *

De buitendeur ging wijd open, de storm gaf een brul en rukte eraan, en ondertussen tuimelde een groen wezen naar binnen dat de deur weer achter zich dicht probeerde te trekken. Dat duurde even; de wind was duidelijk toegenomen. Het groene wezen stond bovendien een paar seconden stil met de deurklink in de hand om te voorkomen dat de deur niet weer opeens open zou waaien. Zo te zien doodsbang. Het wezen draaide zich om, zette de capuchon af en bleek een vrouw te zijn.

'Godverdomme, zeg', zei ze terwijl ze een paar stappen naar voren zette en zich toen op een stoel liet ploffen. 'Ik had wel dood kunnen zijn. Godsamme, ik ben bijna kapotgevroren ...'

Ze was in de veertig, had donker, kortgeknipt haar en een serie bleke sproeten op haar neus. Het groene regenpak was haar te groot, en ontevreden bekeek ze haar uitmonstering een ogenblik. Toen stond ze op. Ze trok haar laarzen uit, wurmde zich uit haar jas, die ze op de grond liet vallen, en stak haar duim in het elastiek van haar broek. Annette en ik staarden haar aan; Annette van achter de kassa en ik van bij de keukendeur.

'Waar is Tyrone?' vroeg Annette ten slotte.

De vrouw fronste haar wenkbrauwen en trok haar regenbroek uit. Er kwam een zwarte spijkerbroek onder vandaan.

'Welke Tyrone?'

'Tyrone', herhaalde Annette.

'Van de reddingsbrigade', zei ik.

De vrouw haalde haar schouders op en sloeg de regenbroek uit zodat de druppels eraf vlogen. Daarna legde ze hem heel keurig over de rugleuning van de stoel.

'Weet ik veel. Ik heb niemand van de reddingsbrigade gezien, ik heb urenlang buiten gezeten maar een reddingsbrigade was nergens te bekennen ... Godallejezus, zeg. Godallejezus. Mijn kont is bijna van mijn lijf gevroren.'

Ik had me nog steeds niet verroerd, maar deed nu een paar stappen naar voren en ging bij het buffet staan.

'Hoe ben je dan hier gekomen?'

Ze boog voorover om haar regenjack van de vloer te vissen. Dat schudde ze ook uit en daarna begon ze in een van de zakken te wroeten en haalde ze een mobiele telefoon tevoorschijn.

'Met de jeep van Micke. Waar ben ik?'

Annette was blijkbaar opgehouden met denken. 'Hier', zei ze, terwijl ze een gebaar met haar hand maakte.

De vrouw sloeg haar ogen ten hemel en keek daarna mij aan: 'Åmotsfors? Sulvik? Knäckebrohult?'

'Aan de weg naar Sulvik', zei ik. 'Een eindje buiten Sulvik. Dit is Sally's Café-Restaurant.'

Ze vertrok haar gezicht even.

'Potverdorie, zeg. Dan heeft hij toch min of meer koers gehouden, die stomme idioot ... Neem me even niet kwalijk.'

Ze keerde ons de rug toe en toetste een nummer in. Ik liep naar het raam, leunde met mijn voorhoofd tegen het koude glas en probeerde naar buiten te kijken. Het was veel erger gaan stormen, dat zag en hoorde je. De vrouw achter me begon in haar mobieltje te praten: 'Ja, hoi. Met Ritva. Is Hasse er ook? Jawel, verdomme. Geen probleem.'

Ze zweeg even en wachtte blijkbaar op iemand. Toen ze opnieuw sprak, was haar toon anders. Onder de montere buitenkant zat een klein element van smeken verborgen.

'Hoi, met mij. Ik zit ergens onderweg naar Sulvik. In een soort wegrestaurant. Mijn kont is van mijn lijf gevroren, maar Micke is doorgereden met de jeep. Hij zou een paar mensen oppikken die vastzaten met een auto. Het worden goeie foto's.'

Ritva pauzeerde even. Ik draaide me om om haar te bekijken. Ze stond met haar benen dicht bij elkaar en leunde een beetje voorover. Haar rechterhand hield ze beschermend tegen haar slaap.

'Hoe laat moet je de tekst hebben?'

Het antwoord maakte dat ze haar rug rechtte: 'Ja, maar jezus, ik heb toch geen laptop bij me. Is er dan niemand die het kan opnemen? Als ik het met de hand opschrijf en voorlees?'

Nu draaide ze zich om en keek naar mij, maar zonder me echt te zien. De persoon aan de andere kant van de lijn was blijkbaar lang en druk aan het praten.

'Vertellen? Ja maar, dan is het toch niet mijn tekst …'

Ze viel even stil. Keek vervolgens naar het plafond en was naar alles te oordelen opeens heel kritisch tegen degene met wie ze praatte.

'O', zei ze langzaam. 'Zo. Dat zeg jij …'

Opeens haalde ze de telefoon van haar oor en deed ze net of ze niets verstond.

'Hallo!' riep ze terwijl ze met een nagel over het mobieltje kraste. 'Hallo! Ik hoor niets … Hallo!'

Ze zette haar mobieltje uit en smeet het met een chagrijnige blik op tafel, waarna ze naar mij opkeek.

'Typisch!'

Ik glimlachte een beetje.

'Problemen?'

Ritva haalde haar schouders op.

'Dat kun je rustig zeggen. Is hier ook wat te eten?'

Ik knikte naar het schoolbord met daarop het menu. Ze bestudeerde dat even en haalde opnieuw haar schouders op.

'Ik neem een hamburger.'

Achter het buffet slaakte Annette een zucht, maar ik negeerde haar en wierp alleen een heel duidelijke blik op mijn horloge. Ze had nog tien minuten te gaan van haar normale werktijd. Annette keek op haar eigen horloge en kon er niets tegen inbrengen, maar toch deed ze een laatste poging om niet aan de hamburger te hoeven beginnen.

'Onze dagschotel is hachee.'

Ritva staarde haar aan: 'Maar ik wil toch een hamburger. En een biertje. En koffie na.'

Dat ik een stap naar voren deed, was voldoende. Annette glipte de keuken in en ik nam haar plek achter de kassa in. Ritva pakte een dienblad en graaide in de bestekbak. Daarna ging ze aan een tafel bij het raam zitten. Ik pakte een flesje bier, opende dat, pakte ook een glas en liep naar haar toe. Ze keek op en knikte.

'Bedankt.'

Ik zei daar niets op, maar glimlachte een beetje en liep terug. Ritva zei ook niets meer. Ze pakte alleen haar servet om daarmee haar gezicht af te drogen. Ze zag er moe uit.

In de keuken klonk demonstratief gerammel en Ritva keek een ogenblik in die richting, maar ze zei nog steeds niets, ze schonk gewoon haar bier in en begon er met lange genotvolle slokken van te drinken. Vervolgens zette ze haar glas neer en keek ze door het raam naar buiten.

De deur van de keuken ging open en daar kwam Annette met het bord aan. In tegenstelling tot wat ze normaal deed, liep ze helemaal naar de tafel toe om het bord voor Ritva neer te zetten.

'Alsjeblieft', zei ze. Op hetzelfde moment tilde ze haar linkerarm op en keek ze heel demonstratief op haar horloge. Nog twee minuten te gaan. Ritva keek naar haar hamburger, wendde zich vervolgens tot Annette en glimlachte: 'Zelfgemaakt?'

'Natuurlijk', zei Annette. 'Van vers rundergehakt uit Arvika.'

'Heerlijk', zei Ritva terwijl ze de hamburger met beide handen oppakte. 'Ik heb honger als een beer.'

Zwijgend at ze. Annette keek in de eetzaal om zich heen, liep een rondje, verschikte een tafelkleed dat wat scheef lag, haalde een verwelkte bloem uit de grote hibiscus in de hoek en keek toen opnieuw op haar horloge. Daarna keek ze mij glimlachend aan. Haar werktijd zat erop. Ze knoopte haar schort los, legde dat op een stoel, liep naar het buffet waar ze een kop koffie inschonk en een frambozencupcake pakte en ging vervolgens aan een tafel vlak naast die van Ritva zitten.

'Poeh', zei Ritva ten slotte terwijl ze achteroverleunde in haar stoel. 'Dit was keilekker.'

'Mooi', zei Annette.

Ik schonk een kop koffie in, legde een chocolaatje op het schoteltje en liep naar haar toe.

'Wat een service', zei Ritva. 'Hartstikke bedankt.'

'Graag gedaan.'

Ze sloeg haar armen om zichzelf heen.

'God, wat lekker om binnen te zitten. Ik dacht dat ik daarbuiten dood zou vriezen.'

'Ja', zei ik terwijl ik door het raam naar buiten keek. 'Het lijkt wel erger geworden ...'

Ritva nam een slok koffie.

'Nou, een uur geleden stak de wind echt goed op ... Jezus, wat ging het tekeer. Maar hier is het natuurlijk lekker warm. En de elektriciteit doet het.'

Ik ging bij Annette aan tafel zitten.

'Inderdaad', zei ik. 'Hier zitten de leidingen in de grond. Dat is de reden.'

Het bleef een poosje stil. Ritva begon het zilverpapier van haar chocolaatje te peuteren en Annette nam een slok koffie.

'Met hoeveel mensen zijn we hier?' vroeg Ritva ten slotte.

Annette wierp me een snelle blik toe. Ik keek haar niet aan, ik keek gewoon langs haar heen naar de duisternis en de storm.

'Met zijn vieren', zei ik toen. 'Wij drieën en boven zit mijn dochter.'

'O', zei Ritva. 'Dus je hebt een dochter?'

Annette stootte een kreetje uit, iets tussen een zucht en een steun in. Ik negeerde haar en hield mijn blik nog steeds gericht op de duisternis buiten.

'Ja. Sofia.'

Ritva glimlachte.

'Sofia. Dat betekent wijsheid ...'

Ik keek haar aan en beantwoordde haar glimlach.

'Ik weet het. Daarom heb ik haar die naam gegeven.'

'Hoe oud is ze?'

'Over een maand wordt ze achttien.'

'Jezus christus', zei Annette en ze stond snel op, pakte haar koffiekopje en schort en liep met snelle stappen naar de keuken.

'Wat is er met haar?' zei Ritva.

'Geen idee', zei ik. 'Misschien is ze misselijk. Dat heeft ze wel vaker.'

Er begon een telefoon te rinkelen en het duurde een paar tellen voordat ik besefte dat het geluid van Ritva's mobieltje afkomstig was. Dat lag nog op de tafel een stukje verderop en ze keek ernaar, maar ze liet niet blijken het gesprek aan te willen nemen. Pas na het vierde signaal stond ze op en liep ze er langzaam naartoe. Ze keek even op het display en glimlachte toen.

'Dat dacht ik wel', zei ze halfluid. 'Maar dat kun je vergeten.'

Ik kon me niet inhouden: 'Wie? Wie kan wat wel vergeten?'

Ritva stopte haar mobiel glimlachend in haar achterzak. 'Die lieve Louise. Ze moet niet denken dat ik van plan ben op te nemen als zij belt. Want dat ben ik niet van plan. Nooit van mijn leven.'

Ik glimlachte terug: 'En wie is die lieve Louise?'

Ritva ging weer bij haar kopje koffie zitten en nam eerst een slok. Daarna zei ze: 'Die lieve Louise is een domme troel uit zo'n rijkeluisbuurt in Stockholm. Zo'n dom blondje dat komt invallen en dat niet met Mickes jeep naar buiten wil wanneer het stormt en er overstromingen zijn. Daarom mag lieve Louise lekker warm op de redactie blijven zitten, terwijl ik er met die halfgare Micke op uit moet ...'

Ik trok mijn wenkbrauwen op: 'Micke Lundgren? De fotograaf?'

Ritva knikte.

'Ken je die?'

'Ja. Hij zat vroeger bij me in de klas.'

'Halfgaar? Heb ik gelijk of heb ik gelijk?'

'Je hebt gelijk. Absoluut.'

Annette was gekalmeerd en ze was weer uit de keuken gekomen. Nu stond ze bij de kassa te luisteren.

'Ik ken hem ook', zei ze opeens. 'Sonny en ik mochten een keer met hem in zijn jeep meerijden. *Offroad.* Zo het bos in. Dat was supergaaf.'

Ik negeerde haar, keurde haar geen blik of woord waardig, maar Ritva draaide zich glimlachend naar haar om: 'Ik weet het. We zijn de halve weg vanaf de stad offroad gereden.'

'Jezus! Dat je dat durfde', zei Annette. Ze haalde diep adem: 'Ben jij ook fotograaf? Werk je ook bij de krant?'

Ritva slaakte een zuchtje: 'Ik ben verslaggever. Maar het is maar tijdelijk. En het ziet er niet naar uit dat ik iets vasts krijg, ook deze keer weer niet. Hasse de Hufter geeft de baan vast aan die lieve Louise.'

Annette klonk opeens verward: 'Hasse de Hufter? Wie is dat?'

Ritva haalde haar neus op: 'Hasse Berg. Een grote klootzak. En verder is hij de hoofdredacteur.'

'Ik ken hem', zei ik.

Ritva keek mij aan. 'Ken jij iedereen hier?'

'Bijna.'

'Zat hij vroeger ook bij jou in de klas?'

'Nee. Maar ik ken hem wel. En je hebt gelijk. Het is een klootzak.'

Ritva glimlachte opeens: 'Dus dat zeg jij …'

Ik glimlachte terug: 'Ja. Dat zeg ik.'

'En wat heeft Hasse de Hufter jou aangedaan?'

'Ach. Hij heeft zich ooit stom gedragen. Hij wilde niet afrekenen. Maar dat is een oude kwestie. Vertel over die lieve Louise. Wie is ze?'

Ritva keek ons aan, ze liet haar blik van mij naar Annette gaan en toen weer terug naar mij.

'Nou', zei ze. 'Het zit zo: ik als arm asfaltbloempje uit een arme wijk die nooit van haar leven in een jeep heeft gezeten moet een reusachtig stom regenpak aantrekken en eropuit gaan in de storm, terwijl die lieve Louise met haar bleke wangen, push-up beha, string en Joost mag weten wat nog meer, op de redactie mag blijven zitten. Ze is namelijk bang. En – zoals ze het zo treffend uitdrukte toen we de zaak bespraken – ze heeft de moed om toe te geven dat ze bang is. En omdat ik zo verrekte laf ben dat ik weiger toe te geven dat ik bang ben en bovendien het lef heb toe te geven waar geen enkele journalist voor uitkomt, namelijk dat ik gek ben op rampen, ben ik dus degene die naast die halfgare Micke in de jeep moet klimmen. En dat doe ik. Want ik ben namelijk een persmuskiet. Een echte. Ik doe namelijk wel mijn werk, in tegenstelling tot die lieve Louise, die alleen maar met haar wimpers knippert en met haar mondje pruilt en onzin uitkraamt ...'

Ik kon een glimlach niet onderdrukken: 'Dus dat doet ze.'

Ritva glimlachte niet terug. Ze leunde alleen over de tafel en vervolgde: 'Dat doet ze. Ze weet namelijk niet zeker of ze zich echt aan de journalistiek wil wijden. Maar als ze in haar wijsheid besluit zich wel aan dat onwaardige beroep te wijden, dan gaat ze in elk geval de journalistiek vernieuwen. Het verhaal uitdiepen. Zich met literaire journalistiek bezighouden ...'

Ze maakte een scheetgeluid met haar lippen en liet zich met een zucht terugzakken tegen de rugleuning.

'En wanneer ik nou naar de redactie bel en bereid ben mijn degelijke ooggetuigenverhaal van de overstroming te schrijven – ook al zou ik het met alleen lippenstift op een stom servet moeten doen als dat nodig was! – wat krijg ik dan van die heerlijke Hasse te horen? Nou, dat ik niet hoef te schrijven. Dat ik alleen mijn belevenissen maar aan lieve Louise hoef te vertellen, dan zal zij ze voor me opschrijven. Tof. Want dan is het opeens haar verrekte verhaal en dan heeft zij morgenochtend het openingsartikel met fotobijschrift en al. Godverdomme.'

Annette keek verward: 'Openingsartikel?'

Ritva wierp haar een zure blik toe: 'Ja. Dat je bovenaan staat. De grootste kop hebt op de voorpagina.'

'En dat is belangrijk?'

Ritva keek mij aan. Ze zag er opeens weer moe uit. En ze klonk nog vermoeider.

'Inderdaad. Dat is belangrijk. Als je ooit een vaste baan wilt, dan is dat verrekte belangrijk.'

Het bleef een poosje stil. Annette ging voor een van de ramen staan en probeerde naar buiten te gluren.

'Je vraagt je af hoeveel arme stakkers er buiten vastzitten', zei ik tegen Ritva. 'Heb jij iemand gezien?'

Ze zuchtte. 'Ja. Een eind verderop zagen we een half verzopen auto. Er zaten twee mensen in. Goeie foto's, denk ik. Striemende regen. Twee bleke gezichten achter de voorruit. Paniek in hun ogen. Ze hadden het verrekte koud. Daarom is Micke ook teruggereden toen hij mij hier had gedumpt.'

Ik trok mijn wenkbrauwen op: 'Is Micke teruggereden om hen te helpen?'

Ritva knikte. Ik streek met mijn hand over de tafel.

'Dat is niks voor hem.'

Ritva fronste haar wenkbrauwen: 'Hoe bedoel je?'

'Ach. Niets bijzonders.'

Ritva glimlachte een beetje. 'Jawel, het is vast iets bijzonders. Wat bedoel je?'

'Ach. Dat is een oude kwestie. Oude roddels.'

Ritva tikte sommerend op tafel en glimlachte begerig: 'Ik ben gek op roddel. Voor de draad ermee!'

Bij het raam draaide Annette zich om. Ze wierp me een kille blik toe en greep in. 'Hij heeft een teddybeer op de weg gelegd ... Dat bedoelt ze.'

Ik wierp haar een boze blik toe, maar dat hielp niet.

'Wat?' zei Ritva. 'Vertel!'

Annette deed een paar passen naar voren en plofte op een stoel naast Ritva. Opeens was ze haar allerbeste vriendin.

'Nou,' zei ze terwijl ze haar haren van haar voorhoofd streek zonder mij ook maar een blik waardig te keuren, 'er was een verkeersongeluk. Een heel gezin dat wilde gaan zwemmen ... Die werden aangereden door een vrachtwagen. Pats. Boem. Beng. Vier doden. Een heel gezin. De vrachtwagenchauffeur raakte bekneld. Micke reed er vlak achter. Maar het verhaal gaat dat hij de ambulance niet heeft gebeld. Eerst heeft hij een teddybeer uit het autootje gehaald en dat op de weg gelegd. En toen heeft hij een foto van de beer vlak voor het autowrak genomen.'

Ritva keek ernstig.

'O, heeft hij dat gedaan ...'

Annette werd nog enthousiaster. Ze leunde wat naar Ritva over en dempte haar stem: 'En pas daarna heeft hij de ambulance gebeld. Ook al was de vrachtwagenchauffeur de hele tijd aan het gillen ...'

Ik rechtte mijn rug. Probeerde gedecideerd te kijken.

'Ach. Er is toch niemand die echt weet of dat ...'

Annette wierp me een onverschillige blik toe: 'Jawel, hoor. Tyrone. Die kwam daarna met de ambulance mee. Dat is degene die het heeft verteld.'

Ik haalde mijn neus op: 'Tyrone? Doe niet zo belachelijk. Die vertelt toch nooit wat?'

Annette leunde over de tafel en siste: 'Aan jou misschien niet. Maar aan mij wel.'

'Ik heb jullie nog nooit zien praten.'

Annette haalde ook haar neus op: 'Misschien praten wij wel als jij er niet bent! Bijvoorbeeld over mensen die geen onderscheid kunnen maken tussen fantasie en werkelijkheid ...'

Ik balde mijn vuisten en begon overeind te komen. Ritva stak beide handen omhoog. Opeens was zij de vredestichter.

'Sorry, maar wie is Tyrone?'

We deden er allebei het zwijgen toe, maar begonnen op hetzelfde moment weer te praten. Annette gaf zich meteen gewonnen, ik mocht antwoord geven. Dat was niet meer dan terecht.

'Tyrone is een oude brandweerman. Ooit zat hij bij mijn moeder in de klas. Hij is nu net met pensioen. Behalve vanavond dan, want vanavond heeft de reddingsbrigade een paar gepensioneerde brandweerlieden opgeroepen om met rupsvoertuigen rond te rijden en mensen te redden die onderweg zijn komen vast te zitten ...'

'Hij was hier net nog', zei Annette. 'Vlak voordat jij kwam. Maar toen hoorden we op het nieuws dat Dag Tynne, je weet wel, die man van de tv, hier ergens in een kuil vastzat, dus nu is hij op pad om hem te zoeken ...'

Ritva staarde haar aan. Daarna keek ze mij aan.

'Is dat waar?'

Ik knikte.

'Yes!' zei Ritva en opeens moest ze lachen. 'God bestaat! Dus Dag de Spetter zit ergens in de nattigheid ...'

'Dag de Spetter?' vroeg ik.

Ritva greep haar mobieltje.

'Zo wordt hij genoemd', zei ze. 'Bij de tv.'

'Ken je hem?'

Weer lachte ze: 'Kennen is een groot woord ... Dat weet ik

niet. Maar ik heb bij het nieuws gewerkt.'

Annette begon met haar ogen te knipperen: 'Van de tv?'

Ritva knikte en boog zich over haar mobieltje. Ze begon toetsen in te drukken. Ze was blijkbaar een sms'je aan het versturen.

'Het was maar invalwerk', zei ze. 'Jaren geleden. Maar het was wel bij de tv. En ik zat een paar keer naast Dag de Spetter in de kantine.'

Ze bleef op haar toetsen drukken. Ik deed mijn ogen dicht en dwong mezelf rustig te ademen.

'Tyrone haalt hem vast hiernaartoe', zei Annette terwijl ze stilletjes zat te glimlachen. 'Dat hoop ik.'

Ritva zat boven haar mobieltje te glimlachen: 'Ik hoop het ook. Ik stuur nu een sms'je naar Micke, zodat hij weet waar hij naar moet zoeken.'

Ik keek naar hen en probeerde zo kalm en koel mogelijk te blijven. Annettes blik kruiste de mijne. Enkele seconden keek ze me aan met iets wat een glimlachje zou kunnen zijn, maar daarna wendde ze zich naar het raam om de duisternis in te staren. Ze zei niets en dat siert haar. Ze was zo verstandig om te zwijgen.

* * *

Het huis trilde. De kozijnen kraakten. De wind loeide en gierde.

'Kijk', zei Ritva, die bij het raam stond. 'Die boom ...'

Ik stond op en liep naar een van de andere ramen. Annette ging vlak bij Ritva staan. Alle drie stonden we zwijgend te kijken hoe een van de berken op de helling naar het meer weerstand probeerde te bieden. De storm rukte en trok aan de boom, schudde hem door elkaar en dwong hem ertoe zich zo diep te buigen als hij maar kon. Daarna liet de storm los om nieuwe krachten te verzamelen, hij rukte er opnieuw aan en boog de boom …

Toen de berk ten slotte brak, was het net een stomme film. Er had lawaai moeten komen, maar we hoorden het niet; het gebrul van de storm overstemde alle andere geluiden. In het licht van de lampen beneden aan het meer konden we zien hoe de stam van de boom in het midden brak en hoe de bijna naakte kroon tegen de grond smakte. Enkele seconden bungelde hij nog aan een sliert, maar de wind begon opnieuw, tilde de kroon op, rukte hem los en liet hem over het gras tollen naar het terras beneden aan het water. Mijn terras. Dat ik had aangelegd. Wat hogerop stond de vernielde stam nog, met ontblote gele ingewanden …

Sofia zou hebben genoten als ze het had gezien. Als ze het zag. Ze vond noodweer altijd fijn, mijn dochter.

Ritva's mobiel begon te piepen. Ze pakte hem op om het bericht te lezen.

'Micke komt hiernaartoe met die twee die we op de foto hebben gezet … Maar daarna gaan we Dag zoeken.'

Ik keek op mijn horloge. Tyrone was al meer dan anderhalf uur weg. In mijn hart begon een wilde hoop op te fladderen, maar die duwde ik weg. Ik moest me schamen. Weg. Vort. Aan de kant ermee.

'Dat is maar beter ook', zei ik met mijn verstandigste stem. 'Er moet iets gebeurd zijn …'

'Heeft hij ook een mobieltje, die Tyrone?'

Annette en ik keken elkaar aan, maar schudden vervolgens allebei ons hoofd.

'Wij hebben in elk geval geen nummer van hem', zei ik.

Annette vouwde haar handen voor haar keel. 'O', zuchtte ze. 'Als hun maar niks overkomen is …'

Ik sloot mijn ogen en keerde haar de rug toe. Ik kon het gewoon niet verdragen die verdomde leugenaarster te zien. Ik besloot in elk geval snel de keuken in te gaan, maar toen ik daar eenmaal was, bleef ik zo abrupt recht voor me uit staan staren dat ik de klapdeur in mijn rug kreeg.

Ik zette nog een stap naar voren en probeerde me te herinneren wat ik ook alweer ging doen?

Opdekken. Ja, dat was het. Ik zou misschien een tafel moeten opdekken voor die mensen die er nu aankwamen. Misschien zou ik ook een paar handdoeken van boven moeten halen, zodat ze zich konden drogen en warm konden worden. Maar ik wist inmiddels dat ik niet naar boven wilde. Alles, maar dat niet. Waar had ik trouwens dat boek neergelegd dat ik gekocht had, dat mooie glimmende boek met een foto van menselijke hersenen op het omslag? Ik keek om me heen. Verdwenen. Het was helemaal verdwenen. Misschien was Sofia beneden in de keuken geweest om het op te halen? Maar dat geloofde ik eigenlijk niet. Sofia komt tegenwoordig nooit naar beneden. Nooit van haar leven.

In de duisternis buiten voor het raam blonk een licht. Dat moest de jeep zijn. De jeep van Micke. Ik ging met mijn handen over mijn gezicht en draaide me om. Diep ademhalend liep ik terug de eetzaal in.

De deur ging langzaam open, heel langzaam, maar Annette noch Ritva leek aanstalten te maken om te helpen. Ze stonden dicht naast elkaar helemaal bij het raam te staren naar wat er gebeurde. Ik schoot toe en gooide heel mijn gewicht tegen de deur; ik duwde net zo hard als er buiten iemand trok. Uiteindelijk lukte het ons de deur op een kier open te krijgen, maar door de ijzige wind buiten liet ik bijna los. Ik voelde hoe die wind zich een weg zocht in mijn halsuitsnijding en ik kreeg kippenvel. Een man wrong zich naar binnen, maar toen hij eenmaal op de deurmat stond liet hij de deur meteen los. Ik zei niets, ik worstelde gewoon verder om de deur open te houden voor een vrouw die zich langzaam na hem naar binnen wrong. Buiten ontwaarde ik de rode achterlichten van een wegrijdende jeep. Micke was alweer vertrokken. Ik liet de wind de deur dichtsmijten en draaide me om zodat ik de beide nieuwkomers kon bekijken. Een stel van mijn leeftijd, of misschien iets ouder. Hij was gekleed in een lange blauwe overjas en had zijn kraag opgezet, een natte pluk haar hing over zijn voorhoofd. Hij zag heel bleek, maar zijn blote handen, waarmee hij met stijve bewegingen zijn jas probeerde open te knopen, zagen donkerrood van de kou. Zij droeg een tamelijk gekreukelde bruine mantel en had een zwarte sjaal om haar hoofd gewikkeld. De hakken van haar elegante laarzen waren scheef afgelopen. Een verlepte schoonheid met diepe groeven in haar gelaat.

Ze plofte op de dichtstbijzijnde stoel neer en zuchtte: 'Goeie god!'

Ritva deed een stap naar voren.

'U zat toch in die auto, hè? In die rode Audi ... Waar is Micke?'

De man verroerde zich een seconde lang niet; hij bleef doodstil staan met zijn vingers aan de derde knoop van zijn jas, maar zonder haar aan te kijken. Daarna wendde hij zich tot haar. Hij was lang, zo lang dat hij letterlijk op Ritva moest neerkijken.

'Welke Micke?'

'De man met de jeep. Jullie zijn toch met hem meegekomen? Met de fotograaf?'

De vrouw keek op naar de man en deed haar mond open alsof ze antwoord wilde geven, maar ze deed hem weer dicht zonder iets te zeggen. De man trok langzaam zijn lange jas uit en overhandigde die aan mij. Zonder te weten waarom nam ik hem aan. Opeens stond ik daar gewoon met de jas van die vent in mijn handen. De jas was zo nat dat hij zwaar

was geworden. De man boog zich voorover om zijn schoen-
veters los te maken en zijn schoenen uit te trekken. Hij plofte
neer op een stoel en trok ook zijn sokken uit. Hij keek er een
ogenblik naar en wrong ze toen uit. Een paar druppels vielen
op de grond.

'O', zei hij terwijl hij ook de sokken naar mij uitstrekte.
'Dus hij was fotograaf?'

Ik was weer tot mezelf gekomen en stapte achteruit. Hij
moest zelf maar voor zijn natte sokken zorgen.

'Ja', zei Ritva. 'Waar is hij?'

Op hetzelfde moment begon haar mobieltje te rinkelen. Ik
ging snel de jas op een hanger aan de kapstok hangen terwijl
de anderen naar Ritva staarden. Ze pakte haar telefoon uit
haar zak en keek naar het display.

'Sorry, Louise', zei ze terwijl ze op een knopje drukte. 'Er
wordt hier verdomme niks ten koste van mij weergegeven.'

De vrouw was inmiddels bezig de ritsen van haar laarzen
open te trekken, maar stopte opeens en keek met open mond
naar Ritva. Haar stem klonk hees en een beetje gedempt.

'Wat zei je?'

Ritva trok haar schouders op.

'Dat doet er niet toe. Waar is hij? Die vent met de jeep?'

De man stond nog steeds met zijn natte sokken in zijn
hand, alsof hij verwachtte dat iemand daar voor hem iets mee
zou gaan doen. En opeens deed iemand dat. De vrouw stak
haar hand uit en nam ze aan. Ze legde ze netjes over een leu-
ning van een stoel en streek ze met de rug van haar hand glad
voordat ze zich weer over haar eigen laarzen boog. De man
wiebelde even met zijn tenen en keek toen naar Ritva.

'Hij is weer weggereden.'

Ritva deed een stap naar voren.

'Zonder mij? Stomme idioot. Wat mankeert hem, verdomme?'

93

De vrouw was begonnen haar mantel open te knopen en onthulde een roze trui.

'Was hij fotograaf? Was hij degene die door de voorruit foto's van ons heeft genomen?'

Ritva rechtte haar rug: 'Yep.'

De vrouw kneep haar bovenlip samen en keek alsof ze een vieze smaak in haar mond had gekregen.

'Als ik dat geweten had, dan ...'

De man stond op, trok zijn jasje recht en wierp zijn vrouw een minachtende blik toe: 'Wat dan? Had je dan niet mee gewild? Slimmerik.'

Zijn vrouw leek niet te reageren; ze wierp de man alleen een snelle blik toe en trok daarna haar mantel en laarzen uit. De man zag er eigenaardig uit, zoals hij daar stond in zijn grijze kostuum, lichtblauwe overhemd en grijsblauwe stropdas, maar met blote voeten. Ze waren erg wit. Bijna lichtgevend. De vrouw stond op en ging naast hem staan, met een schuin hoofd en haar handen gevouwen voor haar schoot. Haar panty was ook nat, maar die hield ze aan.

Ritva viste een notitieblokje uit haar achterzak.

'Jullie hoeven ons niet te bedanken. Vertel alleen maar wie jullie zijn en hoe jullie in de overstroming zijn terechtgekomen ...'

De man schoot in de lach. De vrouw staarde Ritva een paar tellen aan en leek toen te besluiten haar te negeren. In plaats daarvan wendde ze zich tot mij. Glimlachend strekte ze haar hand uit.

'Dag. Ik ben Marguerite Sörensson. Dit is mijn man Henrik. Is dit een restaurant?'

Ik betrapte mezelf erop dat ik mijn handen aan mijn broek afveegde voordat ik haar een hand gaf.

'Inderdaad.'

Ritva keek naar ons, eerst naar de een en toen naar de ander. Daarna haalde ze haar schouders op en maakte ze een aantekening. Henrik wrong zich langs haar heen en stak ook zijn hand uit.

'Zo. Mooi. Dan zou u misschien een maaltijdje voor ons kunnen regelen.'

Ik rechtte mijn rug en probeerde me te vermannen.

'Jawel. Uiteraard. Bekijk de kaart maar even ...'

Henrik begon in zijn handen te wrijven.

'Laten we eens even kijken. Hachee als dagschotel. Hm. Hamburger met pommes frites. Niet echt. Gehaktballetjes met roomsaus en vossenbessen. Zelfgemaakte?'

Hij wendde zich met zijn koele glimlach tot mij. Ik knikte.

'Kijk eens aan, kijk eens aan. Zelfs de saus?'

Annette deed een stap naar voren en zei met een schuin hoofd en een glimlach: 'Alles is hier zelfgemaakt. Bijna alles in elk geval.'

Henrik liet zijn blik over haar heen glijden, maar reageerde niet op haar. Hij draaide zich weer naar het menu.

'En verder zalm natuurlijk. In de oven gebakken met een hollandaisesaus. Niet zelfgemaakt, vermoed ik, omdat het verkeerd gespeld is. Aah. Buitengewoon. Wat een verwennerij voor de mond!'

Ik staarde naar de menukaart. 'Hollandaisesaus' was niet verkeerd gespeld. Ik begon me een beetje te ergeren en stond op het punt hem dat te vertellen toen Marguerite naar voren stapte en een hand op mijn arm legde.

'Sorry. We zijn nogal koud en hongerig, we hebben sinds vanmiddag drie uur in de auto vastgezeten ...'

Henrik wierp haar een blik toe en keerde zich toen naar mij: 'Half drie. Het was half drie toen deze dame het stuur de verkeerde kant op besloot te draaien ... Wordt hier geschonken?'

Marguerite begon met haar ogen te knipperen en keek geneerd: 'Ik besloot toch niet ...'

Henrik stak zijn rechterhand op: 'Ssst, ssst ... Je mag een ander niet in de rede vallen, dat weet je toch wel? Dus: wordt hier geschonken? Zou het mogelijk zijn om een glas wijn bij een van deze schotels te krijgen? Of althans een glas bier?'

Heel even zag ik mezelf de deur openen en hem een schop onder zijn kont geven, maar ik glimlachte vriendelijk naar hem. Een brede, volkomen onbewogen glimlach: 'Jawel, hoor. Zeker. U kunt zowel wijn als bier krijgen ...'

'Buitengewoon', zei Henrik en hij glimlachte even breed als ik. 'Zou men dan een blik op de wijnkaart mogen werpen?'

Ergens achter ons was Ritva een telefoongesprek begonnen. Nu zei ze half schreeuwend: 'Micke! Ik kan je nauwelijks verstaan. Waar zit je?'

Ze zweeg even, maar schreeuwde daarna nog harder: 'Hallo! Hoor je me? Kom terug!'

Henrik trok zijn wenkbrauwen op, draaide zich om en keek even naar Ritva, die bleef schreeuwen: 'Micke, verdomme! Je moet me komen halen!'

Henrik slaakte een lichte zucht, sloeg vervolgens zijn handen op zijn rug en keek mij opnieuw aan.

'De wijnkaart dus. Dat is meestal een vel papier met namen, jaartallen en prijzen van de wijnen die men exploiteert ...'

Marguerite legde haar arm op de mouw van zijn jasje. 'Henrik, alsjeblieft ...'

Hij legde zijn hand op de hare.

'Wat, Henrik, alsjeblieft? Heb ik iets verkeerd gedaan?'

Marguerite schudde haar hoofd. 'Nee, hoor. Maar doe gewoon rustig. Ik smeek het je.'

Henrik sloeg zijn arm om haar heen en trok haar tegen zich aan: 'Ja maar, vrouwtje, ik doe rustig. Ik probeer toch alleen maar wat eten te bestellen. En jij hebt toch honger? Het staat me bij dat je dat een aantal keren onder de aandacht hebt gebracht toen we in de auto zaten ...'

Hij schudde zijn hoofd en wendde zich weer tot mij: 'Hoofdpijn had ze ook, de arme schat. Daarom wil ik dat ze wat eet en uiteraard wil ik dat wat zij eet lekker smaakt. En met een glas wijn bloeien de verwelkte rozen op deze bleke wangetjes altijd weer op ... Of niet, vrouwtje? Je knapt toch altijd op van een glaasje wijn of twee?'

Marguerite sloot zuchtend haar ogen: 'Zeker. Absoluut.'

Ik was niet van plan me zo gemakkelijk gewonnen te geven. Integendeel. Eindelijk had ik een waardige tegenstander gevonden, iemand van wie het echt de moeite loonde om de degens mee te kruisen. Ik begon met een stap achteruit te zetten om mijn blik over hem heen te laten gaan, van die natte pluk haar die op zijn voorhoofd hing, via het lichtblauwe overhemd dat misschien niet meer helemaal zo keurig gestreken was als hij het waarschijnlijk wilde hebben, verder naar beneden naar zijn blote voeten. Waar kon je die nou mee vergelijken? Een paar dode padden met hun buik omhoog? Nee. Wat ze waren, was precies goed. Een paar grote witte voeten. Met een plukje dun zwart haar op elke grote teen. Ik liet mijn blik weer omhooggaan, zag dat zijn broek aan de onderkant nat was, dat zijn riem behoorlijk versleten was en zijn stropdas tamelijk ouderwets. Ik liet een spotlachje in mijn ogen opblinken.

'Ja', zei ik terwijl ik net deed of ik mijn glimlach verborg. 'Dit is natuurlijk niet bepaald Hotel Grand. Het is maar een wegrestaurant, maar een wegrestaurant van buitengewoon goede kwaliteit, al zeg ik het zelf. En, zoals ik al zei, we hebben natuurlijk zowel wijn als bier. Daarentegen zijn we vandaag door de champagne heen, net als door de ganzenlever en de Russische kaviaar. De leveranciers hebben moeite om door de overstroming heen te komen, maar ik hoop dat dit voldoet ... Nemen jullie maar plaats aan een tafel, dan brengen wij de wijnkaart.'

Henrik deed er even het zwijgen toe. Marguerite haastte zich om tegen hem aan te leunen terwijl ze naar me glimlachte.

'Ja, ik neem graag de zalm. Als dat kan.'

Ik wilde net antwoorden toen Ritva's mobieltje weer ging. Ze rukte hem uit haar zak, checkte het display en besloot het gesprek aan te nemen.

'Micke', schreeuwde ze. 'Waar zit je verdomme? Ik kan niet verstaan wat je zegt! Kom terug naar het wegrestaurant!'

Henrik wierp een blik over zijn schouder: 'Jeetje. Je vraagt je in dit gezelschap af waarom men überhaupt de moeite heeft genomen mobiele telefoons uit te vinden. Zijn er ook eieren?'

Ik keek hem aan.

'Eieren?'

Hij glimlachte. Nu had hij het overwicht.

'Ja. Eieren. Witte dingen, volmaakt van vorm. Komen van kippen. Van een stuk of drie breek je de schaal, je giet de inhoud in een kom, kloppen, zout en peper erbij en floep, daar heb je een gerechtje dat heel goed kan concurreren met elk onderdeel op deze menukaart ...'

Ik glimlachte terug en trok een stoel naar achteren om te zorgen dat deze verrekte vent eindelijk een keer ging zitten.

'Water', zei ik.

Henrik fronste zijn wenkbrauwen: 'Pardon?'

Mijn glimlach werd nog warmer: 'U vergat het water. Er moeten ook een paar eetlepels water in. Anders wordt het niet veel met de omelet. En jazeker, natuurlijk hebben we eieren. Wilt u ze met kaas en tomaat?'

Ritva smeet haar mobieltje op tafel. Ze klonk alsof ze op het punt stond in huilen uit te barsten: 'Godverdomme. Stomme idioot.'

Henrik smakte met zijn tong in haar richting en liet zich eindelijk op zijn stoel zakken.

'Wat een taalgebruik! Daar zou je een hele energiecentrale op kunnen laten werken.'

Aan de andere kant van de tafel trok Marguerite zelf haar stoel naar achteren om te gaan zitten. Opeens zag ze er verschrikkelijk moe uit. Ze knipperde met haar ogen en haar hele gezicht zakte in. Daarna rechtte ze haar rug, sloeg ze haar armen om zichzelf heen, streek zich over haar bovenarmen alsof ze het nog steeds koud had. Henrik wierp haar heel even een blik toe, maar blijkbaar schoot hem geen nieuw valsigheidje te binnen. Daarom wendde hij zich maar met een grimasje tot mij.

'Kaas en tomaat? Bah, nee. Ik denk eigenlijk dat ik me bij mijn echtgenote aansluit en ook de zalm met de fout gespelde hollandaisesaus neem. En dan de wijnkaart, graag. Als we die zouden mogen zien.'

Annette stond opeens vlak naast ons en overhandigde de opengeslagen wijnkaart. Ze had haar schort weer voorgedaan. Ik wierp haar een dankbare blik toe. Overwerktoeslag! Daar kon je donder op zeggen.

'Nou', zei Henrik met een kille blik naar haar. 'Eindelijk. Dank u wel.'

Annette en ik glipten de keuken in. We draaiden ons om en lieten de klapdeur een paar keer heen en weer gaan voordat we elkaar aankeken.

'Jezus, zeg', zei ik.

Annette wierp een blik in de richting van de deur.

'Wat een klootzak!'

'Regel jij die saus?'

'Absolutemente', zei Annette. Dat was een grapje, dat wist ik, en in normale gevallen zou ik er met moeite om gegrijnsd hebben, maar ditmaal glimlachte ik dankbaar.

'Je krijgt natuurlijk overwerkvergoeding.'

Ze glimlachte terug. We waren weer vrienden. De vijand van mijn vijand is altijd mijn vriend.

'Herken je haar?' vroeg Annette.

'Nee', zei ik en ik haalde de zalm tevoorschijn om die in de oven te stoppen. 'Zou dat wel moeten?'

Annette brak een ei en goot het geel snel van de ene helft van de dop in de andere.

'Ik weet het niet. Ze komt me op de een of andere manier bekend voor. Maar ik geloof niet dat ze hier uit de stad komt.'

'Tja, ik heb geen idee …'

Ik haalde mijn schouders op en liep naar het hok dat we het kantoor noemen. Op de achtergrond was Annette begonnen met kloppen terwijl ik het licht aandeed en in de boekenkast naar een Zweeds woordenboek begon te zoeken. Daar stond het. Helemaal onderin. Ik zocht het woord 'hollandaise' op om het te controleren. Ik had het juist gespeld. Vol-ko-men juist, en als die vent nog één woord over de spelling zou zeggen, dan boorde ik dit boek in een van zijn neusgaten, dat zwoer ik …

Ik sloeg het woordenboek weer dicht en glimlachte in de donkere vensterruit naar mijn spiegelbeeld. Die glimlach verdween echter weer even snel. Het boek dat ik voor Sofia had gekocht lag op mijn bureau. Opengeslagen. De vloer begon onder me te golven. Sinds ik thuis was gekomen was ik hier immers niet geweest. Hoe was het boek hier beland? En waarom was het opengeslagen? Sofia was immers niet op de begane grond geweest, ze kwam tegenwoordig nooit meer naar beneden, dat wist ik zeker, en Annette zou nooit van haar leven aan mijn boeken komen, dat wist ik ook zeker. En toch lag dat boek daar. Opeens moest ik denken aan wat Annette nog maar een uurtje geleden had gezegd … *Jij zou verdomme opgesloten moeten worden, want jij bent zo gek als een deur …*

Ik probeerde diep adem te halen om te kalmeren. Ik was

toch niet gek. Ik ben niet gek. Ik zou als standbeeld voor elk willekeurig gekkenhuis kunnen staan, als model voor een persoon met een goede psychische gezondheid, zij het misschien niet in de pose die ik op dit moment had aangenomen. Met mijn mond enigszins open en mijn linkerhand in een troostrijke greep om mijn rechterhand … Ik rechtte mijn rug en sloot mijn mond. Dit was toch een geschifte fantasie. Een beetje te geschift. Maar als je je bewust bent dat je geschifte fantasieën hebt, dan kun je natuurlijk niet echt geschift zijn. Dat herinnerde ik me, dat had ik ergens gelezen, en absoluut niet in een van Annettes vele weekbladen. Dus trok ik mijn buik in en deed ik het licht uit. Gek? Geschift? Wat waren dat voor woorden? Woorden van onkunde. Onnozele woorden. Woorden die geen mens met een normale opleiding toch ooit serieus in de mond kon nemen.

Ik ben iemand met een normale opleiding. Bovendien psychisch gezond. Absoluut niet schizofreen of borderline of wat voor shitdiagnose tegenwoordig ook maar in de mode is. Ik ben niet eens bijzonder neurotisch. Hoogstens normaal neurotisch. Ongeveer zoals iedereen. Beduidend minder dan Annette, bijvoorbeeld, om nog maar te zwijgen over Tyrone en zijn broers.

In de keuken ging de kookwekker. Ik was gered. Het boek kon blijven liggen waar het lag.

Natuurlijk deugde het eten niet, maar ik wierp Annette een triomfantelijke blik toe toen ik besefte dat het enige waar Henrik over kon klagen het feit was dat de verkeerde groente op het bord lag. In boter gesmoorde spinazie? Waarom stond dat niet op de kaart? Hij had een hekel aan spinazie. Hoe kwam iemand op het idee in boter gesmoorde spinazie te serveren zonder dat eerst te vertellen? Hij vroeg het zich gewoon af.

Ik boog voorover en pakte zijn bord. 'Een ogenblikje, dan

zal ik dat herstellen. Zijn erwten wel goed?'

Hij begon met zijn bestek te zwaaien en had me bijna met zijn vork geprikt: 'Nee, laat staan! Ik heb nu al zo lang op dit eten zitten wachten dat ik het nu wel opeet. Met de in boter gesmoorde spinazie. Begrepen?'

Marguerite zat tegenover hem aan tafel en produceerde een trillend glimlachje.

'Het ziet er lekker uit', zei ze. 'Het is vast verrukkelijk.'

Waarschijnlijk had ook ik haar eerder gezien, realiseerde ik me opeens. Ik kon me alleen niet herinneren waar.

'Een politica?' vroeg ik aan Annette toen ik weer in de keuken kwam. 'Of een of andere debater?'

Annettes bewegingen stokten en ze staarde met een roest-vrijstalen kom in haar hand recht voor zich uit. Langzaam schudde ze haar hoofd, waarna ze de kom in de vaatwasser zette.

'Nee. Daar is ze te mooi voor …'

We ruimden snel de vaat op en toen alles weer net zo schit-terend glom als eerst liep ik naar het kantoortje. Ik tuurde een ogenblik naar het raam en probeerde buiten de eik te zien, maar tevergeefs. Daarna deed ik het licht aan en keek naar mijn bureau. Het boek lag er nog. Ik liet me in mijn bureau-stoel zakken en werd in de deuropening Annette gewaar die naar de eetzaal verdween. Ik slaakte een zucht, keek heel even naar het plafond, maar liet mijn blik zakken om hem te laten rusten op een afbeelding van een beige menselijk brein met blauwe pijlen in allerlei richtingen. Schematisch beeld van de hoofdcomponenten van het episodisch geheugen. Ja, ja. Mis-schien was Sofia op die blauwe pijlen uit, of beter gezegd op de cellen die de blauwe pijlen in de weg stonden. Die zou je eigenlijk moeten kunnen transplanteren, zei ze een keer. Theoretisch gezien. Als je hersencellen kunt transplanteren om, bijvoorbeeld, parkinson te genezen, dan zou je eigenlijk ook het geheugen van een mens moeten kunnen transplanteren en daardoor – voilà! – eeuwig leven scheppen. Want wij zijn immers ons geheugen. Dat is het enige wat we zijn. Wanneer het lichaam versleten was, kon je heel eenvoudig je herinneringen in een nieuw brein laten overplaatsen en opnieuw beginnen. Een baby worden met het geheugen van iemand van vijfentachtig. Ik vertrok mijn gezicht.

'En wat denk je dat die baby daarvan vindt?'

'God, wat ben jij dom', zei Sofia. 'God, wat ben jij zeldzaam, compleet geschift!'

Ze keerde me de rug toe en liep de gang in, marcheerde met hakken die luid tegen de grond sloegen naar haar kamer en smeet de deur achter zich dicht. Ik bleef in de keuken staan, ik liep niet achter haar aan om op de deur te kloppen, ik bood niet mijn excuses aan en probeerde niet uit te leggen wat ik bedoeld had. Ik stond daar maar te staan en keek haar na. Met lichte walging. Want het was immers een walgelijke gedachte. Weerzinwekkend. Het levende lichaam van een ander mens bezetten. Plek opeisen voor je eigen herinneringen in het brein van een kind dat zich niet kon verdedigen. Dat was eigenlijk nog erger dan doodmaken …

Bovendien heb ik nooit de zin ingezien van jezelf een eeuwig leven toewensen. Althans, niet voor mezelf. Integendeel. De vergetelheid die zal komen is een troost. Een grote troost.

Ik zakte ineen boven Sofia's boek. Ik leunde met mijn hoofd op de afbeelding van het brein, zoog de droge geur van papier en lijm van de bladzijden op. Ik sloot mijn ogen. Ik geloof dat ik moe was. Jawel, ik weet bijna zeker dat ik moe was.

* * *

Een licht kuchje. Ik hoorde het, maar bewoog me eerst niet; ik moest mezelf dwingen mijn ogen te openen en daarna mijn rug te rechten. Dat ging langzaam. Heel langzaam. Marguerite stond met een onzekere glimlach in de deuropening.

'Ja', zei ik uiteindelijk. Mijn stem was heser dan anders en daarom rechtte ik mijn rug nog wat meer en streek ik met mijn hand over mijn haren. Marguerite stond al met haar linkervoet over de drempel, maar ze trok zich terug en keek me met knipperende ogen smekend aan. Ze had een glas wijn in haar hand.

'Het spijt me verschrikkelijk om je lastig te vallen, maar de accu van mijn mobieltje is leeg en mijn oplader is in de auto blijven liggen, dus ik vroeg me af of er misschien een telefoon is waar ik gebruik van zou mogen maken?'

Ik knikte en terwijl ik half overeind kwam, wierp ik een snelle blik in de richting van de telefoon op mijn bureau.

'Natuurlijk. Absoluut. Als hij het nog doet … Anders is er in de keuken ook nog eentje.'

Marguerite deed een stap naar binnen en naderde voorzichtig mijn bureau. Ze zette haar glas weg.

'Hartstikke bedankt. Ik heb een oude moeder in Eskilstuna en die maakt zich natuurlijk zorgen. Toen we in de auto zaten, heb ik haar een paar keer gesproken. En nu wilde ik haar even bellen om te zeggen dat we veilig zijn …'

Ze kletst te veel, dacht ik. Legt te veel uit. Iemand die zich laat koeioneren, maar die zeker ook bereid is zelf iemand te koeioneren als de gelegenheid zich voordoet.

'Toe maar', zei ik knikkend. 'Het is prima …'

Mijn stem was weer normaal. Ik sloeg het boek dicht, drukte dat tegen mijn buik en liep naar de keuken terwijl Marguerite achter het bureau ging zitten en haar hand naar de telefoon uitstrekte.

'Je hoeft de deur niet dicht te doen', riep ze me na en ik kon horen dat ze dit weer van haar smekende glimlach vergezeld liet gaan. Ze had klaarblijkelijk helemaal niets te verbergen en om de een of andere reden vond ze het belangrijk om mij dat te laten weten. Er werd nu blijkbaar ook opgenomen, want haar stem werd wat helderder, bijna meisjesachtig.

'Ja, hallo', zei ze. 'Ik ben het.'

Een korte pauze, daarna werd haar stem nog wat hoger.

'Nee, we zijn nu in veiligheid. Bij een restaurant.'

De persoon aan de andere kant van de lijn praatte een poosje, en je voelde dat Marguerite haar best moest doen om ertussen te komen.

'Nee. Langs een weg. Zo'n wegrestaurant, weet je wel. Geen probleem, al moeten we hier vannacht misschien blijven. Tot de storm is geluwd.'

Nu was er van Marguerites kant sprake van een heel lange pauze; haar moeder domineerde kennelijk het hele gesprek. Opeens ging er een windvlaagje door de keuken en ik keek in de richting van het raam. Dat was glimmend zwart. Alleen maar glimmend zwart.

'O jee', zei Marguerite in het kantoortje. Dat herhaalde ze nog eens. 'O jee. O jee. Maar je hebt je medicijnen wel?'

Terwijl ik naar het raam liep en met mijn hand langs de randen ervan ging, glimlachte ik in stilte. De tekst van het oude zondagsschoollied ging door mijn hoofd: Lieve moeder, er is toch niemand in de hele wereld zoals jij?

'O, maar dan komt het wel goed, dat zul je zien', zei Marguerite in het kantoortje.

Er kwam kou langs de ruit naar binnen. Ik moest nodig nieuwe tochtstrips aanbrengen. Dat maakte me eigenaardig tevreden; alleen al de gedachte dat ik op een dag naar Arvika zou moeten rijden om nieuwe witte tochtstrips te kopen kwam me opeens heel aantrekkelijk voor. Ik had er nooit eerder bij stilgestaan, maar ik ben altijd gek geweest op nieuwe tochtstrips. Het witte oppervlak van schuimrubber. Het geluid wanneer je het gele papier er aan de onderkant aftrekt en de zelfklevende kant ontbloot. Het gevoel wanneer je de strip tegen de schoongemaakte laklaag rond de ruit drukt. Het is een beeld van een normaal leven. Een heel gewoon leven zonder eenzaamheid en rampen, zonder spoken en geesten, zonder hopeloos onnozele fantasieën, zonder herinneringen aan bungelende schaduwen ...

Ik rechtte mijn rug en haalde diep adem. Inwendig moest ik even snauwen. *Weg. Vort. Aan de kant ermee. Hoor je dat? Weg. Vort. Aan de kant ermee.*

'Ja, ik begrijp het', zei Marguerite in het kantoortje en ze begon zichzelf te herhalen. 'Ik begrijp het. Ik begrijp het. Jawel, ik zal de dokter voor je bellen ... Jawel. Ik beloof het. Maar nu moet ik ophangen, dit is niet mijn telefoon ...'

Ik meende dat ik de schelle stem van haar moeder aan de andere kant van de lijn kon horen, maar dat was natuurlijk maar verbeelding. Er was echter geen twijfel over mogelijk dat Marguerite elk woord kon horen. Ze verdedigde zich zo goed mogelijk, maar dat was zinloos.

'Jawel, ik begrijp het', zei ze weer. 'Maar dit begint duur te worden ... Jawel, hoor, dat zal ik zeker doen, dat weet je toch. Jawel, hoor. Tot ziens, lieve mama. Tot ziens. Tot ziens. Tot ziens ...'

Het werd helemaal stil in het kantoortje. Doodstil. Bijna een halve minuut bleef ik roerloos in de keuken staan, luisterend naar de wind, en ik begon te rillen toen er weer een windvlaagje via de kieren van het raam naar binnen drong. Dus draaide ik me om en liep ik langzaam naar de deuropening om naar binnen te gluren. Marguerite zat erbij zoals ik er zelf nog maar tien minuten geleden bij had gezeten, gebogen over het bureau met haar hoofd op haar armen. In de deuropening kuchte ik, op precies dezelfde manier als zij had gedaan.

'Gaat het wel?'

Eerst reageerde ze niet. Ze bewoog niet, gaf geen antwoord, lag alleen maar roerloos voorover op het bureau. Toen rechtte ze langzaam haar rug. Ze begon met haar ogen te knipperen, keek me aan en strekte vervolgens haar hand uit naar het wijnglas.

'Dank je wel dat ik de telefoon mocht gebruiken', zei ze en ze nam een grote slok. Ze sloot haar ogen, slikte en nam nog een slok. Ik haalde mijn schouders op: 'Geen dank.'

Marguerite glimlachte bleekjes en nam een derde slok.

'Ze is de vijfentachtig al gepasseerd, mijn moeder.'

'Tsjonge.'

Ze kon een zuchtje niet inhouden.

'Inderdaad. Leeft jouw moeder nog?'

Ik gaf geen antwoord, schudde alleen mijn hoofd. Marguerite zuchtte weer.

'Wat naar.'

Ik glimlachte een beetje.

'Ze is al dertig jaar dood ...'

'O. Maar mijn moeder is gezond. Enorm gezond. Dat vindt iedereen behalve zijzelf.'

Ze pakte haar glas en stond op, ondertussen snel om zich heen kijkend: 'Zeg, ik weet dat je in restaurants niet mag roken, maar ik vraag me af ... In dit weer kun je natuurlijk niet naar buiten. Heb jij geen klein hoekje waar ik even een trekje zou kunnen nemen?'

Ik glimlachte een beetje.

'Je mag hierbinnen wel roken. In mijn kantoor.'

Ze kreeg bijna tranen in haar ogen.

'Mag dat? Hartstikke bedankt. Hij vindt het niet prettig als ik rook, dus ...'

Ze wroette in haar handtas en haalde een pakje Marlboro en een aansteker tevoorschijn. Haar hand trilde een beetje toen ze een sigaret aanstak en diep inhaleerde. Daarna leunde ze tegen de muur en staarde met een lege blik voor zich uit. Ik snoof de welbekende geur op. Het rook naar Sally.

'Is het lekker?' vroeg ik.

Marguerite nam snel een slok uit haar wijnglas en inhaleerde opnieuw diep. Ze glimlachte bleekjes.

'Je hebt geen idee. Ik heb me al zeven uur zitten inhouden.'

Een rookwolkje kwam kringelend uit haar mond tevoorschijn en ze sloot haar ogen.

'Ga gerust zitten', zei ik.

Ze keek op en staarde me even aan alsof ze niet wist wie ik was. Toen knikte ze en ze liet zich weer aan het bureau neerzakken. Ze leunde achterover in mijn blauwe bureaustoel en keek naar haar wijnglas. Ze bewoog het wat heen en weer, waarna ze het met een paar grote slokken leegde. Ze was bezig een gedaanteverwisseling te ondergaan, maar was zich daar zelf niet van bewust. Ze slaakte een lichte zucht.

'Hij raakte gewoon zo geïrriteerd …'

Ik glimlachte ook weer een beetje.

'Is hij snel prikkelbaar?'

Ze keek even op en er ging een zweem van angst over haar gezicht, maar ze hernam zich. Terwijl ze met haar linkerhand een onzichtbaar haartje van de roze mouw van haar trui plukte, ging ze wat meer rechtop zitten en glimlachte ze haar normale glimlachje.

'Nou ja, ik bedoelde het niet zo … Nee. Hij is niet speciaal snel prikkelbaar. Je moet het hem maar niet kwalijk nemen dat hij zich in de eetzaal zo gedroeg. Dat komt gewoon omdat hij gestrest is. Hij heeft morgen een belangrijke afspraak en hij maakt zich waarschijnlijk zorgen dat hij niet op tijd komt.'

Ik haalde mijn schouders op.

'Wat voor werk doet hij?'

Marguerite zakte weer terug tegen de rugleuning.

'Op dit moment werkt hij bij een bank.'

'Bankdirecteur?'

Ze keek me enigszins geïrriteerd aan. Alsof ik beter had moeten weten. Alsof ik had moeten snappen dat zij nooit met zo'n laagstaande levensvorm als een bankdirecteur zou trouwen. Natuurlijk niet.

'Nee, nee. Hij is een soort adviseur, zou je kunnen zeggen. Voor het bestuur en de directie. Hij is eigenlijk professor. In de economie.'

Ik glimlachte een beetje. Kijk eens aan.

'Aan de Handelshogeschool?'

Ze zuchtte opnieuw.

'Ja, dat was hij. Langgeleden.'

'Ik heb op die school gezeten. Langgeleden.'

Ze was duidelijk verbaasd.

'Echt waar?'

'Ja. Maar ik heb geen eindexamen gedaan. Eerst raakte ik zwanger en daarna erfde ik dit hier.'

Marguerite reageerde er niet op. Ze bracht alleen haar glas omhoog, maar haar beweging stokte toen ze zich realiseerde dat het leeg was. Haar stem veranderde weer in die van een klein meisje: 'Sorry, maar heb je hier misschien nog wat wijn?'

Ik glimlachte weer een beetje: 'Zeker. Dezelfde?'

'Ja, graag.'

'Zodat hij niet merkt dat je je glas hebt bijgevuld?'

Ze keek verbijsterd: 'Wat?'

Ik deed geen moeite mijn woorden te herhalen; ik liep gewoon het kantoor uit om een fles te pakken. Toen ik weer terugkwam, had Marguerite de verbijstering van haar gezicht gewist en zat ze met een glimlachje aan mijn bureau met haar handen gevouwen op mijn onderlegger. Alsof zij hier de eigenaresse was.

'Neem zelf ook een glas', zei ze. 'Ik trakteer.'

Ik schonk in en ging met een servet langs de hals van de fles om druppelen te voorkomen. Ik kon maar beter met de fles hier in het kantoortje blijven staan. Ik begon te vermoeden dat deze dame kon drinken.

'Nee, bedankt. Ik drink niet onder het werk.'

Marguerite schoot in de lach. Ik trok mijn wenkbrauwen op: 'Wat is daar zo grappig aan?'

'Niets. Sorry.'

Ik hield mijn hoofd een beetje schuin en voelde hoe mijn ogen zich vernauwden.

'Je denkt misschien dat je niet nuchter hoeft te blijven als je een baan hebt zoals de mijne?'

'Nee, sorry', zei Marguerite. 'Het was niet mijn bedoeling om ...'

Ze zweeg, bleef een paar tellen roerloos zitten en pakte toen haar glas op om er begerig uit te drinken. Daarna zette ze het weg en stak ze snel haar hand uit naar de telefoon, maar ze trok hem even snel weer terug.

'Wil je nog een keer bellen?' vroeg ik.

Nu reikte ze met een licht schouderophalen naar haar tas.

'Nee. Dat heeft geen zin.'

'Geen zin?'

'Nee.'

Het bleef een poosje stil en ondertussen frommelde zij een sigaret tevoorschijn.

'Dus je hebt een kind', zei ze nadat ze haar eerste trek had genomen. 'Een jongen of een meisje?'

Ik leunde tegen de muur. Ik voelde mijn rugspieren een beetje verstrakken. Ik was voorbereid.

'Een meisje. Sofia.'

'Gefeliciteerd.'

Ik schoot in de lach.

'Ze is al bijna achttien.'

Marguerite keek op.

'Ik feliciteerde je niet omdat ik dacht dat ze net geboren was.'

'O.'

'Ik feliciteer je omdat je een dochter hebt. En geen zoon.'

Ik trok mijn wenkbrauwen op.

'Waarom dat?'

'Het schijnt gemakkelijker te zijn.'

'Heb jij een zoon?'

Ze zuchtte.

'Inderdaad.'

'Hoe heet hij?'

'Anton.'

'Hoe oud?'

'Twintig.'

'En wat doet hij? Studeert hij? Of werkt hij?'

Ze gaf eerst geen antwoord. Ze keek alleen maar even naar haar glas waarna ze het oppakte en leegde.

'Geen van beide. Hij zwijgt alleen.'

Ik glimlachte.

'En daar kan hij zichzelf van bedruipen?'

Ze glimlachte niet terug. Ze inhaleerde alleen diep en reikte met het lege glas in mijn richting. Ik vulde het opnieuw.

'Hij hoeft zichzelf niet te bedruipen.'

'O?'

'Nee, hij is namelijk lid van een commune in de buurt van Sulvik en daar krijgt hij voedsel, onderdak en kleding. Op voorwaarde dat hij werkt als een slaaf in hun belachelijke sieradenateliertje en niemand tegenspreekt. En hij spreekt niemand tegen. Dat zou nooit bij hem opkomen.'

Ik rechtte mijn rug.

'O jee.'

Ze keek me half glimlachend aan. Haar lippen waren nog vochtig van de wijn die ze zojuist had gedronken.

'Ja. Nietwaar? O jee.'

Ik wist niet wat ik moest zeggen. Marguerite nam weer een slok. Ze begon aangeschoten te raken.

'Inderdaad', zei ze toen en ze streek met de rug van haar hand over haar mond. 'Mijn zoon is dus lid van een religieuze commune in de buurt van Sulvik, en Henrik en ik zijn daar net geweest om hem op te zoeken ... Maar hij heeft geen woord tegen ons gezegd. We zijn er een uur geweest, we hebben een uur tegenover hem gezeten in dat hok dat ze hun eetzaal noemen en hij heeft geen boe of bah gezegd. Hij zat alleen maar te loeren. Hij zat daar maar naar ons te loeren. Op het laatst werd Henrik razend ...'

'Misschien best begrijpelijk.'

Marguerite vertrok haar gezicht een beetje.

'Jawel, maar daarom hoefde hij hem nog niet te slaan. En ervoor te zorgen dat ze ons eruit smeten.'

Ik haalde mijn schouders een beetje op.

'Nee, natuurlijk niet.'

Marguerite ging met haar hand met de sigaret boven de asbak heen en weer, maar miste. De as belandde op de onderlegger, maar ze leek het niet op te merken.

'Het is niet eens zijn zoon', zei ze toen. 'Ik bedoel, het zou heel wat anders zijn geweest als het zijn zoon was, maar ...'

Ze zuchtte en het bleef een poosje stil. Buiten nam de storm in kracht toe, hij rukte een beetje aan de muren en deed het klinken alsof er honderd kleine kinderen met ouderwetse zondagse schoenen over het dak renden. Tap-tap-tap. De dakpannen. Misschien zou ik hierna wel een nieuw dak moeten leggen.

Marguerite drukte haar sigaret uit en strekte haar glas weer naar me uit. Ik aarzelde even en dat leek ze te merken, want ze bewoog het glas sommerend heen en weer. Ze was een beetje in elkaar gezakt, maar gek genoeg kwam ze daardoor niet zwakker over. Eerder andersom; ze had een glinstering in haar ogen die daar eerst nog niet had gezeten. Een venijnige glinstering.

'Waar ken ik jou van?' vroeg ik, terwijl ik haar glas bijvulde.

Marguerite trok haar schouders op en haalde haar pakje sigaretten weer tevoorschijn.

'Volgens mij ben ik hier eerder geweest. Om te eten.'

Ik schudde mijn hoofd.

'Nee. Dat is het niet. Dus waar ken ik je van?'

'Ik heb geen idee.'

'Jawel. Dat heb je wel. Jij bent iemand geweest, of niet?'

Ze stak een nieuwe sigaret tussen haar lippen en wierp me een zure blik toe: 'Geweest? Iedereen is toch iemand.'

Ik glimlachte.

'O, vind je? Maar sommigen zijn toch iets meer iemand dan anderen. Of niet?'

Ze antwoordde niet en pakte alleen haar glas op om te drinken. Het was alweer halfleeg.

'Jawel', zei ik. 'Ik heb je op tv gezien. Of in bladen. Een paar jaar geleden. Absoluut. Wat voor werk doe je?'

Marguerite sloeg haar ogen neer. Ze klonk bot.

'Soms geef ik les.'

'Ben je lerares?'

'Eigenlijk niet.'

'En je doet het maar af en toe?'

'Laat maar.'

Ze leegde haar glas en strekte het weer in mijn richting. Ik vulde het.

'Drink jíj als je moet werken?' vroeg ik toen.

Marguerite had zich over haar glas gebogen en wilde net een slok nemen, maar nu stokten haar bewegingen. Ze fronste haar wenkbrauwen. Keek echt geïrriteerd.

'Nee, weet je wat ...'

Ik reageerde niet, maar bleef haar wel aankijken. Het was een poosje stil. Vervolgens schudde ze met haar haren en ze inhaleerde diep. Daar liet ze weer een grote slok uit haar wijnglas op volgen. In mijn achterhoofd begon zich een vage herinnering los te maken.

'Jawel', zei ik toen. 'Jij bent toch actrice?'

Marguerite haalde haar neus op.

'Was. Niet ben.'

Ik glimlachte: 'Jij hebt bij de Koninklijke Schouwburg gezeten; zo is het toch?'

'Een paar jaar maar.'

'En toen ben je gestopt. Van de ene dag op de andere.'

Marguerite leegde haar glas, maar keek me niet aan.

'Inderdaad.'

'Waarom?'

Ze hield haar glas naar me op en bewoog ermee.

'Dat gaat jou niks aan.'

Ik legde mijn beide handen rond de hals van de fles en duwde die tegen mijn buik. Geen antwoord, geen wijn. Zo eenvoudig was het en dat leek ze te begrijpen.

'Familieomstandigheden', zei ze, terwijl ze het glas nog maar weer eens heen en weer bewoog.

Ik verroerde me niet.

'Wat voor soort familieomstandigheden?'

'Daar heb jij niets mee te maken.'

'Had het met Anton te maken?'

Blijkbaar. Ze trok haar glas terug en wierp me een boze blik toe.

'Dat zal jou toch een zorg zijn!'

Ik glimlachte een beetje en stak de fles naar voren. Heel even leek het alsof ze haar glas niet naar voren zou steken, maar dat moment was snel voorbij. Haar hand trilde een tikje toen ik begon in te schenken.

'Wat had hij gedaan? Gespijbeld? Drugs gebruikt? Liet hij zich in met rare sektes?'

Terwijl ze dronk, deed ze haar ogen dicht en ze hield ze nog steeds dicht toen ze het glas weer op tafel zette.

'Hij deed een zelfmoordpoging. Probeerde zich te verhangen.'

De wereld begon te slingeren. Buiten voor het raam brulde de storm, het klonk als een spotlach en meteen begonnen de honderd kinderen in hun zondagse schoenen over het dak te rennen, *tap-tap-tap*, om een seconde later te worden gevolgd door honderd pony's, *kloppetie-kloppetie-kloppetieklop*. Het huis begon te schudden en heel even leek het of het zich gepijnigd omwentelde. Ik moest de wijnfles wegzetten op het bureau en steun zoeken bij mijn eigen bezoekersstoel om niet om te vallen.

'Ga zitten', zei Marguerite. 'Je ziet helemaal wit om je neus.'

'Het dak', zei ik, terwijl ik me in de stoel liet zakken. 'Het zal eraf waaien ...'

'Dat denk ik niet.'

Even werd het stil. Buiten voor het raam gaf de storm opnieuw een kreet. Die was helderder. Luider. Bijna schel. Opeens verlangde ik ernaar me daarbij aan te sluiten, om mee te schreeuwen, even hard en vertwijfeld te brullen als de wind. Maar ik kwam tot bezinning en stond op. Zonder een woord te zeggen liep ik naar de keuken om een nieuwe fles wijn en een glas voor mezelf te pakken. Marguerite glimlachte toen ik terugkwam en schonk toen het laatste restje van de eerste fles in haar eigen glas.

'Zo wordt de frisse tint van 't kloek besluit door 't zieke grauw der mijmering ontkleurd', zei ze en ze hief het glas. 'Proost.'

Ik vulde mijn eigen glas en toostte: 'Ook proost.'

Aangenaam gehuld in de duisternis van de kamer deden we er een hele poos het zwijgen toe. Alleen de bureaulamp tussen ons in was aan. Het was een oude lamp, uit Sally's tijd, en hij had nog een ouderwetse gloeilamp die een geel lichtkegeltje over het bureau verspreidde. Verder was het donker.

'Ik hou van duisternis', zei ik uiteindelijk.

Marguerite stak opnieuw een sigaret op en zei: 'Ik ook.'

'Het is fijn wanneer niemand je kan zien.'

'Inderdaad. Heel fijn.'

De wijn was lekker. Rood en heel vol. Net bloed, dacht ik heel even, maar ik schoof die gedachte ter zijde. Begroef haar diep in mijn binnenste.

'Waarom is het zo moeilijk voor ze?' zei Marguerite ten slotte. 'Waarom is het hele leven zo verschrikkelijk moeilijk voor ze?'

Ik gaf niet meteen antwoord. Ik nam alleen een slok en leunde tegen de vensterbank achter me.

'Geen idee.'

'Maar is het voor meisjes ook zo?'

Als de plafondlamp aan was geweest zou ik geen antwoord hebben gegeven, dan zou ik mijn geluk hebben beproefd met een zure glimlach en een slimme formulering. Maar de plafondlamp was uit.

'Ja. Het is moeilijk. Onoverkomelijk moeilijk.'

'Omdat ze er mooi moeten uitzien en zo?'

'Niet alleen dat. Maar dat ook.'

Het bleef een poosje stil. Marguerite slaakte een zucht.

'Denk jij dat het onze schuld is?'

Ik deed mijn ogen een seconde dicht, maar besloot vervolgens om me bij de waarheid te houden.

'Ja. Dat denk ik.'

Marguerites stem werd schel.

'Maar wat hebben we dan fout gedaan? Wat hebben we in godsnaam fout gedaan?'

Ik stak mijn hand op om haar het zwijgen op te leggen.
'Ik weet het niet. Ik heb echt geen idee.'

Opnieuw een stilte. Buiten zong de storm zijn bulderende aria en opeens voelde ik dat ik die storm fijn vond. Ik vond dit noodweer fijn. Het zinloze geraas. De holle woede. De nutteloze razernij.
'Wat is er gebeurd?' vroeg ik ten slotte.
Ze begreep wat ik bedoelde zonder dat ik het ronduit hoefde te zeggen.
'Ik weet het niet. Ik heb nooit begrepen waarom.'
Ze zweeg even en staarde de duisternis in.
'Henrik was niet thuis. Die was ergens naartoe. En ik kwam zoals gewoonlijk laat thuis; dat is altijd zo als je met theater bezig bent. Anton was nog wakker, hij zat zoals gewoonlijk achter zijn computer, maar deze avond was anders omdat hij opeens de keuken binnenkwam om een kop thee met mij te drinken. Hij zei niet zo veel, maar dat deed hij nooit, dus het was eigenlijk tamelijk stil tussen ons. Maar gezellig. Althans, dat vond ik. Een moeder en haar zoon die samen in de keuken zitten te zwijgen ...'
Ik knikte zwijgend en pakte met beide handen mijn glas. Marguerite nam een slok van haar wijn, maar keek me niet aan.
'Ja', zei ze toen. 'Ik ging natuurlijk naar bed. Ik zei welterusten. Hij was toen al naar zijn kamer gegaan en ik wist dat hij niet wilde dat ik binnenkwam, dus ik klopte alleen maar zachtjes aan en opende zijn deur op een kier. Ik keek naar hem. Hij zat weer achter zijn computer, maar draaide zich om en keek me aan. Hij glimlachte een beetje. "Welterusten, mama", zei hij. "Slaap lekker." Dat was zo ongewoon dat ik er helemaal blij van werd. "Ook welterusten", zei ik. En toen ...'
Weer zweeg ze en ze staarde roerloos voor zich uit. Toen ze weer sprak, was haar stem veranderd. Iel. Trillerig.

'En toen ging ik naar bed. Ik lag een poosje wakker en bedacht hoe fijn het was als wij alleen met z'n tweeën thuis waren. En daarna moet ik in slaap zijn gevallen. Ik sliep altijd vast; tot die tijd was ik iemand die rustig door elke willekeurige wereldoorlog heen kon slapen, maar die keer, net die nacht, was dat niet zo … Ik hoorde een bons. En ik werd wakker.'

Mijn stem was niet meer dan een fluistering: 'De stoel?'

Ze knikte.

'Ja. Het was de stoel. Het moet de stoel zijn geweest. En toen werd het volkomen stil. Ik luisterde of ik verder nog wat hoorde, maar er was niets meer te horen. Het was gewoon stil. En God weet wat er in me voer, maar ik gooide het dekbed van me af en ben naar zijn kamer gerend. Ik heb niet eens aangeklopt, maar de deur zo opengerukt. En daar hing hij.'

Ik sloot mijn ogen. De storm deed het hele huis schudden, probeerde het van zijn grondvesten te rukken, de pony's op het dak waren een kudde zware ardenners geworden. *Pa-da-dang-pa-da-dang-pa-da-dang*. Ze zouden het dak breken, de zolder kapotmaken, de bovenverdieping blootleggen. Dat wist ik zeker. Maar wat kon ik eraan doen? Niets. Er was absoluut niets wat ik kon doen om mijn huis tegen deze storm te beschermen.

Marguerite leek het niet te horen. Ze was ver weg, nam alleen een slok uit haar glas en ging toen met haar iele, scherpe stem verder met vertellen.

'Ik vloog op hem af. Greep hem om zijn benen. Tilde hem op. Ondertussen lukte het me met mijn rechtervoet de stoel te pakken te krijgen. Ik weet nog precies hoe het voelde toen ik die onderste spijl onder mijn voetzool kreeg, ik weet nog dat ik God dankte voor die onderste spijl, dat die bestond. Zo wist ik de stoel overeind te krijgen. Anton moet ondertussen al half bewusteloos zijn geweest, maar toen hij de stoel onder

zijn voeten voelde, begon hij weer te schoppen. De stoel viel
opnieuw om. En ik pakte hem weer bij zijn benen, tilde hem
nog een keer op ook al schopte hij ook naar mij. Maar dat kon
me niets schelen … Ik wist de stoel weer naar me toe te wurmen, maar ditmaal stapte ik er zelf op, nog steeds met mijn
armen om zijn benen, en op de een of andere manier lukte het
me hem overeind te houden terwijl ik de strop van de haak
van de lamp losmaakte. Maar toen viel hij. Hij viel zo op de
grond en sloeg met zijn hoofd tegen de vloer, een vreselijke
bons, maar ik trok me er niets van aan, ik sprong gewoon van
de stoel om de strop rond zijn hals weg te halen. Toen ik met
mond-op-mondbeademing wilde beginnen haalde hij opeens
adem en duwde hij me weg. *"Nee!"* schreeuwde hij. *"Kutwijf!*
Donder op, stom kutwijf!"'

Buiten voor het raam floot de wind. Marguerite zweeg en
keek naar haar glas. Ze pakte het op en nam een slok.

'Proost', zei ze. 'Of niet? Breng nou maar een toost uit
met dit kutwijf, Minna. En dank God dat jouw dochter nog
leeft.'

Op hetzelfde moment brak de ruit. En het wijnglas in mijn
hand viel in stukken.

* * *

Nu weet ik wat er is gebeurd. Dat wist ik op dat moment
niet.

Ik wist alleen dat er iets door mijn handpalm drong, en
heel even, of een paar eeuwen, kon ik voelen hoe mijn huid
scheurde, dat er een scherpe punt in de spier gleed die mijn
middelvinger ruim vier decennia liet buigen, dat hij het dunne witte bot daarbinnen schampte, dat hij een ader opende
die daardoor begon te bloeden en dat hij uiteindelijk aan de
bovenkant van mijn hand weer naar buiten kwam.

Het maakte niet uit. Het maakte allemaal niets uit, op dat moment.

Een tel later werd ik overvallen. Een oeroude reus viel boven op me, kwam log tot rust en brak mijn armen, knakte mijn ribben en vermaalde elke spier die hij tegenkwam tot een bloederige pap. De pijn was wit en intens, de wind die volgde was grauwnat en ijzig koud, de klap waarmee de reus met zijn vuist op mijn hoofd sloeg, was intens blauw.

Net zo schitterend blauw als de leverbloempjes die nooit op tafel stonden in mijn moeders huiskamer.

Blauw.

Nu kon ik niet langer ontsnappen. Diep in het blauw kon ik de jaren, maanden en dagen zien die ik met mijn dochter gedeeld had, ze spreidden zich in waaiervorm voor me uit, erop wachtend om bekeken te worden. Daar zette ze haar babyhandje tegen mijn borst en trok ze zich ietsje terug om mijn gezicht te bestuderen, daar maakte ze de eerste koprol van haar leven waarna ze triomfantelijk lachte, daar liep ze vier jaar oud achter mij in de keuken van het restaurant met een prentenboek en vroeg ze me de letter M aan te wijzen.

'Mmm, van mij', zei ze glimlachend. 'De M van mijn. De M van mama. De M van mat. De M van marsepein.'

'Mmm', zei ik terwijl ik een bakplaat met broodjes uit de oven trok. 'De M van mild. De M van miniatuur. De M van melodieus. De M van mengvorm. De M van marmelade.'

'Ik kan lezen', riep Sofia terwijl ze het restaurant in rende. 'Horen jullie dat. Ik heb leren lezen!'

Iemand in het restaurant lachte. Heel goed!

Lang voordat ik mijn ogen opende, hoorde ik hun stemmen. Ik hoorde meer dan dat ik zag dat ze in een kring om me heen door elkaar stonden te praten. Marguerite snikte: 'Hij kwam gewoon binnenvallen … Recht door het raam.'

Annette zeurde op de achtergrond: 'Is ze dood? Nou? Zeg of ze dood is …'

Henrik klonk nog geïrriteerder dan eerst: 'Ze ademt toch. Hoor je dat niet?'

Alleen Ritva klonk net als daarvoor, ook al was haar stem wat donkerder.

'Laten we nou even kalmeren. Is er ergens verband?'

Annette begon weer te zeuren: 'Dat weet ik niet …'

Henrik snauwde: 'Ik dacht dat jij hier werkte. Stom mens! Marguerite! Ren naar de keuken om te zoeken …'

Marguerite was opgehouden met snikken.

'Ga zelf maar! Je bent mijn baas niet.'

'Is ze dood?' jankte Annette. 'Zeg of ze dood is …'

'Maar godverdomme', snauwde Ritva. 'Kun jij niet een keer je bek houden?'

En diep in het blauw riep Sofia: 'Kijk, mama, kijk!'

Ze was zes jaar en stond met een gelukzalige glimlach midden in onze woonkamer. Ze had touwtjes gespannen van de salontafel naar de stoel bij het raam, verder naar de staande schemerlamp en de eetkamertafel die we nooit gebruikten. Over de touwtjes had ze strip- en prentenboeken gehangen, een paar van mijn oude sjaals en haar eigen intens turkooizen sjaal. Opeens gingen mijn gedachten alle kanten op – *Watdoetze? Iszenietgoedsnik?* – maar toen realiseerde ik me door wie die gedachten werden ingegeven en ik besloot precies het tegenovergestelde te doen. Ik probeerde altijd precies het tegenovergestelde te doen van wat mijn eigen moeder zou hebben gedaan.

'Fantastisch', zei ik glimlachend. 'Wat mooi.'

Ze wierp me een scherpe blik toe: 'Vind je het mooi?'

'Ja. Absoluut.'

'Je hoeft niet te zeggen dat je het mooi vindt als je het niet mooi vindt.'

'Dat weet ik. Maar ik vind het mooi.'

'Zeker weten?'

'Zeker weten.'

Het werd even stil. Alles was blauw om ons heen. Een blauwe bank. Een blauw kleed. Een blauwe dag onder een helderblauwe hemel. Alleen Sofia's gezicht was fluweelwit en haar ogen waren donkerbruin, ze had zwart kroeshaar en haar mond stond een beetje open. Ze hield haar linkerhand op dezelfde manier als de hand van haar pop met de slaapogen, met de middel- en ringvinger dicht tegen elkaar en de wijsvinger en duim elk een kant uit stekend.

'Het is mooi', zei ik uiteindelijk. 'Echt mooi.'

Ze glimlachte. Haar tandjes glinsterden als paarlemoer.

De wereld werd weer net als anders. Blijkbaar lag ik op de vloer van de eetzaal. Iemand had een jas of een mantel in elkaar gepropt en onder mijn hoofd gelegd. Hij was droog. Waarschijnlijk was het die grijze wollen jas die al meer dan veertien dagen aan de kapstok hing zonder dat iemand daar aanspraak op had gemaakt. Hoe kun je nou een jas vergeten? Hem aan de kapstok hangen in een wegrestaurant en dan gewoon wegrijden? Zonder ooit om te keren?

Een ijskoude windvlaag ging over de vloer. Iemand had de deur geopend en was naar de keuken gelopen; ik hoorde de klapdeur fluisteren toen hij heen en weer schoot.

En toen zakte ik weer weg. Naar de bodem.

Ergens in het blauw kroop Sofia bij me op schoot, ze sloeg haar armen om mijn hals en leunde tegen mijn schouder.

'Zeg ...' zei ze aarzelend.

'Ja?'

'Niet boos worden …'

'Ik word toch nooit boos op jou, dat weet je.'

'Ja. Jawel. Maar soms word je wel boos.'

Ik streek haar over haar rug.

'Oké. Je hebt gelijk. Maar ik beloof dat ik deze keer niet boos zal worden …'

'Zeker weten?'

'Zeker weten.'

Ze zweeg een seconde, haalde toen diep adem en mompelde: 'Waarom heb ik geen papa?'

Elke spier in mijn lichaam trok samen, verstijfde, en ik moest heel bewust mijn best doen om ze te laten ontspannen. Abdullahs gezicht schoot heel even door mijn hoofd, maar nee, over hem kon ik niet vertellen. Dat verhaal was niet acceptabel. Ik zou moeten liegen.

'Bijna iedereen op de crèche heeft een papa', zei Sofia met een wat hoger stemmetje. 'Alleen Jesper en ik …'

Ik streek haar weer over haar rug.

'Jouw papa is dood, Sofia', zei ik. 'Het spijt me, maar zo is het. Hij is doodgegaan toen jij nog in mijn buik zat.'

Ze zakte wat in elkaar in mijn armen. Ik drukte haar steviger tegen me aan en voelde dat mijn ogen begonnen te branden. Mijn dochter durfde de vraag te stellen. Zelf had ik de vraag nooit durven stellen. Ik zou eigenlijk dankbaar moeten zijn. Ik wás dankbaar.

'Ik weet niet goed hoe ik dit aan je moet vertellen', zei ik. Mijn stem trilde. 'Jouw vader heette Andrew. Hij kwam uit Amerika en de trieste waarheid is dat hij daar getrouwd was. Een vrouw had.'

Sofia maakte haar armen los van mijn hals en rechtte haar rug. Ze keek me argwanend aan.

'Had hij een vrouw?'

'Ja.'

'Heb jij die gezien?'

Ik glimlachte een beetje.

'Nee.'

'Ben je in Amerika geweest?'

'Nee. Hij kwam naar Zweden. Hij was gastprofessor aan de universiteit. Dat is een soort leraar. En toen hebben we elkaar leren kennen en werden verliefd … Ja. En zo ben jij ontstaan.'

Ze begon met haar ogen te knipperen en staarde de kamer in.

'Dus ik ben eigenlijk Amerikaans?'

Ik streek een lok van haar voorhoofd en vertrok mijn gezicht even.

'Nou ja, jij bent Zweeds. Jij bent immers hier in Zweden geboren. En je hebt een Zweedse moeder.'

'Maar mijn vader kwam uit Amerika?'

Ik knikte. Andrew begon nu in mijn binnenste vorm aan te nemen. Een echt knappe vent van het licht verwarde, academische type. In welk vak was hij professor? Natuurkunde natuurlijk. De edelste van alle natuurwetenschappen. Ik glimlachte. Dat vaderfiguur gaf mij macht en mogelijkheden.

'Hij was erg getalenteerd, jouw vader. Daarom ben jij ook zo getalenteerd.'

Sofia glimlachte terug en ik zag aan haar bruine ogen dat het beeld van Andrew vorm begon te krijgen in haar hoofd.

'Rookte hij een pijp?'

Ik wendde mijn blik naar binnen. Deed hij dat? Jazeker, dat deed hij vast. Een tweedjasje, een pijp en een Volvo. Hij was een cliché, maar een cliché waar je gemakkelijk van kon houden. *Do it yourself!* Schep je eigen man!

'Jazeker, hij rookte pijp. Maar alleen 's avonds.'

Sofia staarde de leegte in en bleef bijna een minuut lang zitten zonder zich te verroeren.

'Hoe is hij doodgegaan?'

Ik rechtte mijn rug, Sofia gleed een beetje van me weg, de afstand tussen ons werd groter. Wat moest ik zeggen?

'Het was een ongeluk. Een auto-ongeluk.'

Ze knikte zwijgend. Zelf zweeg ik ook een poosje.

'Het was heel glad', zei ik toen. 'En hij was het niet gewend om met gladheid te rijden ...'

Sofia knikte en staarde nog steeds de leegte in.

'Jij was er niet bij?'

Haar stem klonk bijna volwassen. Even welde er schaamte op in mijn buik, maar die duwde ik weg. *Weg! Vort! Aan de kant ermee!*

'Nee, ik was er niet bij.'

'Wist hij van mij? Dat ik geboren zou worden?'

'Ja, natuurlijk. Hij wilde dat je Sofia zou heten.'

Ze wierp me een snelle blik toe: 'Maar je zei dat jij dat wilde ...'

'Dat was omdat ik wilde wachten met vertellen tot je groter was geworden.'

Ze keek me nauwlettend aan. Misschien vermoedde ze dat de ene leugen de andere voortbracht. Zelf zag ik ze voor me: de Russische poppen, waarbij de ene verborgen zat in de andere. Ik begon met mijn ogen te knipperen, Sofia sloeg haar ogen neer en glipte van mijn schoot.

'Ik ga tekenen', zei ze terwijl ze haar trui rechttrok.

'Doe dat', zei ik terwijl ik achteroverzakte op de bank. Ik sloot mijn ogen.

Wat had ik gedaan?

Wat had ik in hemelsnaam gedaan?

Opeens had ik pijn. Heel veel pijn. In mijn hand. In mijn hoofd. In mijn armen. In mijn borst. Ik kon niet goed ademen. Ik deed mijn ogen half open en ontwaarde Marguerite, die op haar knieën bij me zat. Ze klonk geïrriteerd: 'Een handdoek?'

'Twee schone handdoeken', snauwde Henrik achter haar. 'Dat was het enige wat ik kon vinden.'

'Micke', riep Ritva in de verte. 'Waar zit je?'

'Zou jij hier niet eens een handje kunnen helpen?' vroeg Henrik. 'In plaats van te telefoneren?'

Hij liet zich op zijn knieën zakken: 'Ga eens even opzij.'

Marguerites stem was ijskoud: 'Nee. Dit doe ik.'

'Jij? Je bent niet eens nuchter!'

'Ik ben gewoon net dronken genoeg om jou te kunnen verdragen.'

Ritva's stem was weer opgefleurd: 'Ze komen eraan! Hij heeft Tyrone in elk geval gevonden.'

Annette begon te janken: 'Eèèh! Zien jullie dat?! Er steekt een stuk glas recht door haar hand. O god, wat akelig! O god!'

'Hou je waffel nou eens', zei Marguerite. 'Hou haar vast. Ik trek nu.'

Van de pijn trok mijn hele lichaam in kramp samen. Twintig seconden had ik het gevoel alsof Marguerite een brandende fakkel door mijn hand haalde.

Dat was goed. Dat was wat ik verdiende.

Blauw. Bleek grijsblauw.

Ik stond in de deuropening over het terras uit te kijken. Sofia zat kaarsrecht aan het hoofd van de tafel naar haar gasten te kijken. Drieëntwintig personen. Heel haar klas plus een paar oude vrienden van de naschoolse opvang in Sulvik. Ze propten taart naar binnen, de drie taarten die Sofia zelf gemaakt had met behulp van kant-en-klare taartbodems, slagroom en winegums. Ze draaide haar hoofd opzij om me aan te kijken en vormde vervolgens haar duim en wijsvinger tot een cirkel. Ik reageerde met hetzelfde gebaar. Een geslaagd feestje. Een perfecte manier om je tiende verjaardag te vieren.

Vroeg die ochtend was haar verjaardagswens in vervulling gegaan. Ze had een foto van haar vader gekregen. Die zat al in het lijstje dat ik in de fotozaak gekocht had. Toen ik het lijstje openmaakte om de foto te bekijken zag ik dat er helemaal onderaan MGM stond. Ik was een halve nacht bezig om heel voorzichtig de witte rand en een halve centimeter van de foto zelf af te knippen en daarna moeizaam iets te maken wat eruitzag als een echte passe-partout. Ik beweerde dat het een vergroting van een foto was die ik zelf ooit gemaakt had. Zo was het dus niet. Op de foto stond Dean Martin afgebeeld, een Dean Martin zonder het gebruikelijke whiskyglas, maar met een pijp in zijn hand.

Toen Sofia de foto kreeg, bestudeerde ze die heel grondig. Ze zat er gewoon minutenlang roerloos naar te kijken en daarna wendde ze zich met een glimlach tot mij.

'Ik lijk best op hem, hè?'

Ik knikte zwijgend en hoorde van binnen het klikje toen er weer een leugenpop over een andere heen werd gezet.

'Ik zet deze foto op mijn bureau', zei Sofia met een gelukkige glimlach. 'Altijd! Mijn hele leven.'

'Hallo! Minna! Hallo!'

Ik opende mijn ogen en keek recht in de bruine ogen van Ritva.

'Hoi', zei ze.

'Hoi.'

Dacht ik dat ik zei. Wilde ik zeggen. Maar er kwam geen geluid.

'Nu is ze wakker', zei Ritva.

Er klonk geschraap van stoelpoten. Voeten stampten op

mijn geoliede houten vloer. Opeens stonden ze om me heen. Henrik en Marguerite. Ritva en Annette. Hun gezichten zagen er opgeblazen uit toen ze zich over me heen bogen. Ik likte langs mijn lippen: 'Waar is …?'

Ik gaf het op. Er kwam geen geluid uit mijn mond.

'Het lijkt wel of ze iets probeert te zeggen', zei Marguerite. Ze hield weer een glas wijn in haar hand. 'Is dat zo? Probeer je iets te zeggen?'

Ik knikte, maar dat was niet het juiste om te doen. Als een enorme golf kwam er een braakneiging bij me op.

'O god, draai haar op haar zij …'

Donkerblauw. Dof donkerblauw. Bijna zwart.

'Waarom heb ik krullend haar? Mijn vader heeft toch geen krullend haar?'

Ik zuchtte en stond op, pakte mijn bord en liep ermee naar het aanrecht. Het was maandag, vandaag aten we boven.

'Ik weet het niet', zei ik toen. 'Misschien heb je dat van tante Sally. Zij had immers krullen.'

Sofia dacht daar zwijgend over na.

'Inderdaad', zei ze na een poosje. 'Misschien komt het van tante Sally …'

Ik greep mijn kans om van gespreksonderwerp te veranderen: 'Kun jij je haar nog herinneren? Je weet vast nog wel hoeveel ze van je hield …'

Sofia's blik verdween in de verte.

'Mmm. Jawel …'

Ze zweeg en bleef in de verte staren.

'Zeg …' zei ze toen.

'Ja.'

'Beloof me dat je niet boos wordt …'

Jezus christus! Niet weer! Ik draaide haar de rug toe en

opende de deur van de koelkast om te verbergen hoe boos ik eigenlijk werd.

'Word ik dan altijd zo vreselijk boos?'

'Nee, niet zo vaak. Ik dacht alleen ...'

Ik sloeg met een klap de koelkastdeur dicht en liep naar het aanrecht.

'Ja. Wat dacht je?'

Ze zweeg een poosje, precies lang genoeg om bij mij de gedachte te doen postvatten dat ze zich aanstelde, dat ze daar gewoon toneel zat te spelen, dat ze mij in feite probeerde te manipuleren op haar kinderlijke manier van de elfjarige die ze was. Ik rammelde wat met bestek in de gootsteen om me niet te hoeven omdraaien en om te voorkomen dat ze iets van mijn gezicht zou aflezen. Ten slotte kuchte ze even en zei: 'Weet je zeker dat hij niet nog meer kinderen had?'

Ik draaide me om en keek haar aan, staarde haar recht in haar ogen.

'Ja', zei ik. 'Dat weet ik zeker.'

'Maar zijn vrouw ...'

'Zijn vrouw kon geen kinderen krijgen. Dat heeft hij verteld.'

Sofia zuchtte.

'Dus dan heb ik geen halfbroers of -zussen?'

Er ging een steek van medelijden door me heen. Maar helaas, halfbroers en -zussen zouden het bestaan te gecompliceerd maken.

'Nee, Sofia. Jij bent zijn enige kind.'

'Maar misschien een oma? Of een opa? Een tante? Neefjes en nichtjes ...'

Ik plofte aan de keukentafel neer. Pakte haar hand, keek haar in haar vochtige ogen. Ze keek met een heel serieuze blik terug.

'Het spijt me, Sofia. We moeten het alleen zien te rooien. Helaas.'

Ze zuchtte zacht.

'Ja', zei ze toen. 'Jij en ik alleen.'

Ik glimlachte een beetje.

'Maar zo erg is dat toch niet. Of wel, Sofia? Zo erg is dat toch niet?'

En ze was nog steeds kind genoeg om gewoon haar ogen neer te slaan en met me in te stemmen.

'Nee, hoor. Dat is helemaal niet erg.'

IJswinden zwiepten over me heen, onder me door, bij me naar binnen. Iemand probeerde de buitendeur te openen. Buiten floot de wind verrukt. Die speelde met de gelukkige gedachte dat ze hierbinnen tekeer mocht gaan, de warmte en het licht naar buiten, de kou en de regen naar binnen drijven, maar schudde vervolgens teleurgesteld het hoofd toen de deur weer dichtsloeg, waarbij het huis zo hard trilde dat ik de vloer letterlijk voelde beven. Toen ik mijn ogen opende, stond Sally vlak achter Marguerite. Ze schudde langzaam haar hoofd. Haar donkere haren fladderden in de wind.

Waarom waait het binnen? In mijn restaurant?

Waarom schudde Sally haar hoofd?

Waarom deed het zo'n pijn?

'Wat moeten we doen?' vroeg Marguerite.

'Er is niets wat we kunnen doen', zei Henrik.

'Maar haar dochter dan?' zei Ritva. 'Moeten we haar dochter niet halen?'

Ik deed mijn mond open, maar deed hem weer dicht. Ik probeerde mijn hoofd te schudden. Dat lukte niet. Iets hield het vast.

Iemand hield mijn hoofd in een stevige greep.

IJsblauw. Zo koud dat alleen al het zien van die kleur me deed rillen.

De verandering trad langzaam in, maar was toch onmiskenbaar. Ik glimlachte, maar Sofia glimlachte niet terug. In plaats daarvan trok ze zich snel terug als ik mijn hand naar haar uitstrekte, en ze zuchtte geïrriteerd als ik iets zei. Soms ving ik zelfs een glimp van een grimas op als ik me omdraaide. Dat beangstigde me. Trok mijn dochter werkelijk rare gezichten achter mijn rug? Jawel. Dat was zonneklaar. En uiteindelijk gooide ze me een trui die ik gekocht had recht in mijn gezicht. Die was zo verdomde lelijk! Zo afgrijselijk lelijk! Zo verdomde vreselijk afschuwelijk dat ik die zelf maar moest nemen! Hoorde ik dat? Nou? Ze kon zelf haar eigen kleren wel kopen! Snapte ik dat? Drong dat door?

Benauwd zette ik een stap naar achteren. Haatte mijn dochter me?

Nee. Natuurlijk niet. Ze was gewoon in de puberteit. Dat was normaal. Alles was normaal.

Op een ochtend waren alle meubels in de woonkamer omvergegooid. De schilderijen stonden met de achterkant naar voren tegen de muur. De deurtjes van de tegelkachel stonden open en de as lag in een hoopje op de grond. De bloempotten lagen op de grond in hoopjes donkere aarde. De planten zelf vond ik terug op het terras, zwart en door de vorst aangevreten.

Ze moest het heel stil hebben gedaan, ik had geen geluid gehoord. En ze was heel voorzichtig geweest. Er was niets stukgegaan.

Opeens stond mijn moeder achter me te giechelen.

Ik klopte op Sofia's deur. Er kwam geen antwoord. Ik klopte opnieuw. Deed de deur open. Sofia zat achter haar computer, maar draaide zich snel om en staarde me aan. Eerst zei ze niets, ze liet gewoon haar nieuwe uiterlijk tot me doordringen. Haar oogleden hadden een donkere schaduw gekregen. Haar wimpers waren dik van de mascara. Haar lippen donkerrood. Haar borsten – mijn dochters borsten! – waren voor de helft ontbloot door een diep decolleté.

'Niet binnenkomen', zei ze. 'Waag het niet over die drempel te stappen!'

Ik had mijn voet al opgetild, maar mijn beweging stokte. Het was een vergissing, maar het was nu te laat om die nog te corrigeren. Ik liet mijn voet zakken en probeerde te glimlachen.

'Wat is er in de woonkamer gebeurd?'

Sofia stond op en keek me aan. Ze liet haar blik van boven tot onder over me heen glijden en toen weer terug: 'Wat denk je zelf dat er in de woonkamer is gebeurd?'

'Ik weet het niet ...'

Ze deed een stap naar voren en terwijl ze me met samengeknepen oogjes aankeek, werkte ze me de gang op.

'De leugens hebben een prijs, lieve moeder. Alle leugens hebben een prijs. Dat zou jij toch moeten weten.'

Achter mijn rug lachte iemand. Ik draaide me om en zag mijn moeder. *Netgoed!Netgoed!Netgoed!*

Toen ik me opnieuw omdraaide, had Sofia de deur van haar kamer gesloten.

Buiten het huis werden er door de storm psalmen gezongen en gebulderd. Er schraapte een stoel over de vloer. Stemmen klonken door elkaar heen. Iemand boog zich over me heen, ik kon zijn warme adem op mijn wang voelen.

Heel in de verte riep iemand mijn naam. Ik gaf geen antwoord. Ik kon niet antwoorden.

Blauw. Duifblauw.

Gedurende het laatste jaar gebeurde er iets met mijn ogen. Het doordeweekse bestaan veranderde van karakter, onderging een metamorfose en werd steeds raadselachtiger. Mijn gouden armband die op het nachtkastje lag, bewoog toch?

Die man die net varkenshaas had besteld veranderde toch op-eens in een glimlachende vis en dat gebeurde toch precies op het moment dat Sofia door de klapdeur de eetzaal binnenglipte? En er zat toch zeker een haak aan het plafond waar nooit eerder een haak had gezeten?

Ik ging naar de opticien, maar dat had geen zin. Ik had geen bril nodig.

De nachten veranderden langzaam in nachten vol vrees. Elke avond wanneer ik het restaurant had gesloten en op de begane grond de lichten had uitgedaan stond mijn moeder boven op de gang te wachten. Eerst zag ik haar niet; ik liep langzaam en probeerde Sofia niet te roepen, lette goed op dat ik bij elk lichtknopje bleef staan om de lichten uit te doen. Daarna keek ik om me heen en draaide ik me driehonderd-zestig graden om om te controleren of mijn moeder niet achter me aan sloop, en ik zette nog een stap naar voren ... Met een heftige beweging die me deed schrikken dook ze op, ver-volgens giechelde ze en sloop ze vlak achter me aan, ze blies haar ijskoude adem in mijn nek en bootste elke beweging die ik maakte na. Ze nam niet eens de moeite te verdwijnen toen ik me omdraaide en naar haar siste; ze reageerde slechts met haar triomfantelijke riedeltje: *Netgoed!Netgoed!Netgoed!*

Ik stond roerloos in de gang bij Sofia's kamer. Ik bleef een ogenblik doodstil staan in een poging om erachter te komen of ik haar binnen hoorde bewegen. Het was bijna altijd volko-men stil. Geen enkel geluid. Geen enkele beweging. Ten slotte klopte ik zacht op haar deur, draaide me om en liep mijn slaapkamer in. Ik deed de deur achter me dicht. Met mijn handen verborgen tussen mijn knieën ging ik op de rand van mijn bed zitten wachten tot ze weer thuis zou komen.

Pas wanneer ik haar door de gang hoorde sluipen kon ik gaan liggen en in slaap vallen.

Toen ik weer bijkwam, was er iets veranderd. De geluiden. De warmte. Het klonk alsof Annette in de keuken iets aan het bakken was, en binnen in het restaurant bewogen meer mensen.

'Jezus! Godverdomme!'

Tyrone. Een Tyrone die zich ongebruikelijk goed wist uit te drukken.

'Heb je hem niet eens gezien?'

Een dof gemompel. Dat was absoluut Tyrone.

'Ze moet gewoon naar het ziekenhuis!'

Dat was Marguerite. Als reactie kreeg ze weer geknor en vervolgens slechts één woord.

'Straks.'

De stem van Ritva: 'Maar Micke dan? Waar zit Micke, verdomme?'

Helemaal geen antwoord. Ik probeerde mijn ogen te openen, maar het licht dat naar binnen sijpelde, maakte me misselijk. Ik werd een poosje heen en weer geslingerd, zakte weg in het blauw, maar steeg vervolgens weer op in het licht.

'... volgens mij komt het wel in orde ...'

Henrik. O. Dus volgens hem zou wat het ook was wel in orde komen. Dat dacht Marguerite niet.

'Zo ongelooflijk stom, dat ... Snap je het niet? De boom viel boven op haar. Haar armen zijn vast gebroken. Om nog maar te zwijgen over haar hoofd ...'

Ritva's stem sloeg over: 'Maar haar dochter dan? Die boven zit?'

Tyrone knorde in protest, maar blijkbaar begreep niemand wat dat betekende.

'Ja maar, haal haar dan', zei Henrik. 'In godsnaam!'

'Ja', zei Marguerite. 'Doe dat.'

Het werd even stil. Ritva aarzelde. Toen schraapte haar stoel over de vloer.

'Oké', zei ze. 'Ik zal het doen.'

Op dat moment ging de telefoon. Iedereen begon te rillen en deed er het zwijgen toe. Misschien kwam dat omdat we het signaal herkenden: het was de begintune van het zondagavondprogramma van Dag. Het oneindig populaire programma van mijn vader en jouw zoon. Ik begon met mijn ogen te knipperen. Was hij daar?

Nee. Blijkbaar niet. Want een tel later hoorde ik Ritva de telefoon beantwoorden.

Tyrone

Zo. Daar zit een mens dan. Bij de politie.

Dan kun je het verder wel vergeten, zou ik denken. Dan is het ten slotte gegaan zoals pa altijd al zei dat het zou gaan. En buiten op de gang staat dat verrekte koor te zingen: *mister Mislúúúúkt, mister Idióóóót, meneer Nulnulnulnul ...*

Mijn koor. Mijn geheime koor. Dat koor dat me mijn hele leven al volgt. Ze hebben allemaal een rood colbert met pailletten op de revers, en een ouderwets Brylcreemkapsel. Ze lopen nu al vijftig jaar achter me aan. Altijd even behulpzaam. Altijd even bereid om mij te laten weten dat ik niet goed genoeg ben. Dat ik *mister Mislúúúúkt* ben.

Pa zal de baspartij wel zingen, neem ik aan. Het klinkt ontzettend als hem. En vermoedelijk is Jörgen Andersson de tenor. De man die ervoor gezorgd heeft dat ik hier ben beland. Gezellige kerel. Tof. Het hart op de goeie plek, om zo te zeggen.

Ik zat trouwens aan pa te denken toen ik uiteindelijk in Sally's café aan een eettafel zat, nadat ik alles wat ik had kunnen doen voor Minna gedaan had, ook al schemerde het me voor de ogen en ook al trilde mijn hand, nadat ik de reddingsbrigade in de stad had gebeld en bovendien een kijkje had genomen bij die boom die door het raam naar binnen was gewaaid. Toen begon ik aan pa te denken. Dat was voor het eerst in jaren. Heel veel jaren. Misschien kwam dat door het eten dat ik kreeg. Ik zat gewoon naar het bord te staren. Zalm.

Wie had er nou verdorie om zalm gevraagd? En dan met die smerige saus ...

Wijvenvoer.

Hoewel ik tegelijkertijd besefte dat ik eigenlijk zelf niet zo dacht, maar dat het mijn pa was die zo voor mij dacht, ook al was hij al meer dan vijfentwintig jaar dood. Dat zal het eeuwige leven dan wel zijn. Dat je opgerold als een verrekte adder in het hoofd van je kinderen ligt en je giftanden ontbloot zodra je de kans krijgt ...

Maar daar wordt natuurlijk niet iedereen het slachtoffer van. Sommigen komen natuurlijk nooit in het hoofd van hun kind binnen. Sommigen mogen dankbaar zijn dat hun kinderen hen bij leven überhaupt zien staan. Zoals Lotta. Die stond een keer meer dan een half uur naast me met Maggie te praten zonder me ook maar een blik waardig te keuren. Of een knikje te geven. Of hoi te zeggen. Ik heb de tijd opgenomen. Maar ik heb er natuurlijk niks van gezegd. En van de zalm heb ik ook niks gezegd; je kunt maar beter zwijgen en rustig opeten wat je voorgezet krijgt. Je bord schoonschrapen en ook nog een buiginkje maken, zoals we thuis moesten doen. Ma mag dan een romantische dwaas zijn geweest, maar pa was dat absoluut niet. Orde en netheid, stilzitten, je bord leegeten en verder je bek houden ... Zo was het. Zo gezellig hadden we het bij ons thuis.

Verdomd, wat was ik moe toen ik daar zat. Bekaf. Maar dat kon je natuurlijk niet vertellen. Wat zouden ze daarop gezegd hebben? Wat kon je daarop zeggen? Niks, natuurlijk. En dat je naar huis verlangde, naar je kat, kon je al helemaal niet zeggen, dat in je stoel zitten en je allereigenste kat aaien het enige was wat je in de rest van je leven wilde. Zonder radio aan. Of tv. Maar dat veronderstelde natuurlijk dat je inmiddels alleen was, dat er geen vrouwspersoon rondsjouwde dat de hele tijd liep te kletsen. Hoewel ze voordat ze verdween de vrieskist nog best even mocht vullen. Of meerdere vrieskisten. Want Maggie kan goed koken, dat moet gezegd. Echt eten, dus. Stamppot. Gebakken haring. Maar kletsen doet ze, godsamme nog aan toe. Voortdurend. Elke minuut. Soms zou je willen dat er een knop aan zat om haar uit te zetten, dat je gewoon op een knop kon drukken om haar een poosje in de bezemkast te zetten.

Die club daar in Sally's café was anders ook niet bepaald zwijgzaam. Annette zat in de keuken te jammeren, die Ritva was in haar mobieltje aan het gillen en die kwast van een Henrik, of hoe hij ook heette, schold zijn vrouw uit zodra ze haar mond opendeed. En zij schold terug. Vlak daarvoor hadden die verdomde zotten bedacht dat ik Minna naar het ziekenhuis moest brengen, maar ze leken haar inmiddels te zijn vergeten. Gelukkig maar. Want hoe had ik dat moeten doen? Haar op mijn rug nemen? Minna was de enige die stil was. Ze lag daar maar te liggen en staarde recht voor zich uit, alsof ze niets hoorde of zag. Ze leek geen pijn meer te hebben, maar ze was nou ook niet bepaald aanwezig, om zo te zeggen. En dat was misschien ook geen wonder. Ik had haar immers een injectie met Rapifen gegeven en een poosje daarvoor een klysma met Stesolid, ook al wist ik heel goed dat ik dat niet mocht … Joost mag weten hoe die dosis Rapifen eigenlijk in de noodkoffer was beland. Sterk spul. Spul waar de jonge ambulancebroeders in de kantine stoer over zitten te doen, maar ze zouden wel uitkijken om het aan te raken als er geen dokter in de buurt is.

Toen ik de spuit zag liggen was er geen dokter in de buurt. Daar had ik lak aan. Het ging immers om Minna, de dochter van Kristin, het nichtje van Sally en de arme moeder van die verrekte Sofia. Iemand die al genoeg heeft meegemaakt. En ze had verschrikkelijk veel pijn; voordat ze die spuit kreeg, had ze een totaal verwilderde blik. Ze trok grimassen. Steunde en jammerde. Haast als een dier. Zelf was ik niet in mijn allerbeste vorm, maar ik weet nog dat ik dacht dat als iemand mij zou willen aangeven voor die dosis Rapifen, dat ze dat dan maar moesten doen. Het kon me geen donder schelen. Ik moest haar immers wel wat geven en aan aspirine had ze geen behoefte, dat was wel duidelijk. Een wond recht door haar hand, beide armen gebroken en waarschijnlijk ook een paar ribben. Plus een hersenschudding, vermoedde ik. Ik heb er in elk geval voor gezorgd dat ik haar nek gefixeerd heb, althans zo goed als dat ging. De halskraag lag immers nog in het rupsvoertuig. Het was pure mazzel dat ik in die verrekte storm de noodkoffer nog mee had genomen.

Een boom die door een raam naar binnen waait. Een complete eik. Boven op een levend mens. Het is verdorie niet normaal. Die snob Henrik moest zo nodig laten zien hoe het eruitzag, dus zodra ik klaar was met spalken, bloeddruk meten en met het verband en de injecties sleepte hij me mee naar het kantoor achter de keuken. Hij ging tekeer over het feit dat het onverantwoordelijk was om zo'n grote boom vlak naast je huis te hebben staan. Vooral omdat hij blijkbaar verrot was.

Ja, ja, dacht ik. Maar wat kun je daaraan doen? Geen donder. Die boom stond daar al eeuwen en als hij het nu heeft opgegeven en heeft besloten om dood te gaan, dan is er niet zo heel veel wat ik daaraan kan doen. Dus knikte ik alleen maar om hem te laten geloven dat ik het met hem eens was en daarna ben ik naar de eetzaal teruggegaan. Of heb ik mezelf daar naartoe gesleept. Ik was zo verrekte moe dat ik meende dat ik om zou vallen. En daar zat ik toen te staren, eerst naar mijn zalm en daarna naar Minna, die de eeuwigheid in lag te loeren.

Ik hoopte dat ze geen inwendige bloedingen zou hebben ...
Dat hoop ik nog steeds. In dat geval staat ze er verrekte slecht voor. Ik ook trouwens, maar dat maakt verder niet uit. Haar

bloeddruk was anders bijna normaal, voor en na die spuit. En ze leek het redelijk warm te hebben, want ik had die lui gedwongen een paar van hun eigen jassen op te offeren om over haar heen te leggen.

Maar toen ik daar zat, voelde ik opeens dat die zalm eigenlijk zo verkeerd nog niet was. Zelfs de saus niet. Niet zo goed als Maggie die klaarmaakt, maar toch eigenlijk best lekker … En het gekke was dat er onder het eten iets met mijn ogen gebeurde. Alles werd helderder. Duidelijker. Het was bijna alsof ik na een diepe duik boven water kwam. Nog een kop koffie erbij en ik zou weer *fit for fight* zijn. Geen ouwe vent die alleen maar de kat wilde aaien. Gewoon een vent. Een gewone vent.

Ik wil gewoon zijn. Ik heb altijd gewoon willen zijn. Misschien komt dat omdat mijn moeder was zoals ze was. Ongewoon, om zo te zeggen. Maar ik ben een gewone vent en volgens mij is gewoon-zijn erfelijk. Volgens mij zit gewoon-zijn in de genen, net als balgevoel. De zonen van grote voetballers worden grote voetballers. De zonen van gewone mannen worden gewone mannen. De handpalmen van mijn pa waren ongeschaafde stukken hout, zijn kin was gegoten in beton, zijn ruggengraat was een roestend betonijzer. Hij was een gewone man. Een bouwvakker. Maar de zoon van niemand wordt niemand. Of hij wordt iedereen. Dag Tynne had geen vader. Die was al dood of verdwenen of afwezig toen wij op school begonnen. Maar zijn moeder schitterde. Mijn moeder werkte in de schoolkantine. Ze was weliswaar ongewoon, zo waar als ik hier zit, maar schitteren deed ze potverdomme niet.

Zo zag het verschil er waarschijnlijk uit. In het begin.

Maggie raakte helemaal buiten zinnen toen ze hem voor het eerst op tv zag. Ze schreeuwde het gewoon uit dat hij het was, Dag Tynne, die vroeger bij ons op school had gezeten en die nu ergens in de een of andere stomme studio zat te grijnzen. Ik zei tegen haar dat ze moest kalmeren. Stom wij-vengelul. Eerst dacht ik dat ze het zich gewoon verbeeldde, ik dacht dat iemand die van onze school kwam het nooit zo ver zou kunnen schoppen. Maar verdomd, hij was het. Dat kon je na een poosje wel zien. Diezelfde grijns als wanneer de rector in de klas kwam. Diezelfde stem als wanneer De Sprinkhaan – onze leraar – alles over de Dertigjarige Oorlog of andere flauwekul wilde horen.

Dag Tynne stak altijd zijn vinger op.

De rest van ons jongens stak nooit zijn vinger op. Dat was verboden. Je mocht niet je best doen. Wie op school zijn best deed, was een zacht ei. Er waren lui die om die reden tegen klappen opliepen. Maar hij niet. Dag Tynne kreeg nooit klap-pen, hoe vaak hij ook zijn vinger opstak en zich grijnzend bij de leraren inlikte. Ik snap eigenlijk niet waarom niet ... Want als er iemand was die een vette klap verdiend had, dan was hij het wel. Niet alleen op school deed hij immers zijn best en stelde hij zich aan bij de leraren, het was ook met de meiden. Die blik. Hij stond gewoon op het schoolplein te staan en daar kwamen ze, de een na de ander; ze zwermden om hem heen als spreeuwen rond paardenkeutels.

'Verdomd, hoe doet hij dat toch?' vroeg ik een keer aan De Schroefbout. 'Hoe legt hij dat nou aan?'

Maar De Schroefbout deed net of hij het niet hoorde. Dat was ook geen wonder. Hij had net verkering met Kristin en hij wist verdomd goed dat hij niet bovenaan op haar lijstje stond. Misschien op elf of twaalf of zoiets. De eerste plaats was na-tuurlijk gereserveerd voor de beste vriend van alle meiden. Maar wat Dag Tynne nou zo verrekte aantrekkelijk maakte, dat snapte De Schroefbout net zomin als ik.

Verdomd, honderd keer had ik besloten: nou pak ik die klootzak, nou geef ik hem die klap waar hij om vraagt. Na een wedstrijd toen hij alles voor het hele team verpest had. Of na een uur waarin hij buitengewoon slijmerig was geweest. Of na die keer in de derde toen ik hem met Maggie – want Maggie en ik waren toen al een stelletje, op de een of andere manier zijn Maggie en ik altijd een stelletje geweest – in het fietsenschuurtje aantrof. Hij had zijn hand tussen haar benen. Ik zag het. Ik weet verdomd zeker dat ik dat zag. Toen ik eraan kwam, liet hij haar los, maar niet zoals een andere gozer zou hebben gedaan, snel en een beetje grijnzend, maar volkomen kalm en vanzelfsprekend. En daardoor draaide hij de situatie totaal om. In een mum van tijd. Ik snapte niet hoe dat in zijn werk ging. Het ene moment stond hij nog met zijn hand in Maggies kruis en het volgende sloeg hij me op mijn rug. Als een maat. Kijk, zei hij. Daar is Tyrone. Hoi Tyrone. Maggie vroeg zich net af waar je zat …

En ik trapte erin. Ik snap niet hoe het in zijn werk ging, maar ik trapte erin. Hij sloeg zijn ene arm om mij heen en zijn andere om Maggie – die was lijkbleek en deed haar mond niet open – en zo voerde hij ons het fietsenschuurtje uit. Op de een of andere stomme manier liet hij mij geloven dat er aan mij wat mankeerde, dat hij eigenlijk niet had gedaan wat ik hem had zien doen. Maar dat geloofde ik niet zo heel lang. Want toen we weer in de klas zaten, zag ik hoe hij naar Maggie keek en een vinger onder zijn neus doorhaalde, haar geur als het ware opsnoof, en toen snapte ik het natuurlijk wel. Ik had hem godverdomme wel kunnen vermoorden. Tot op de dag van vandaag heeft ze het niet toegegeven. Maar ik weet wel beter. Ik weet precies wat ik die dag gezien heb en sindsdien weet ik precies wat ik aan haar heb … Ze liegt. Ze kan liegen. Net als de rest. Net als elk mens in de hele wereld behalve ik. En de grootste leugenaar van iedereen is vriend Dag. Maar aan hem kon ik natuurlijk niets doen, destijds. Dat was te laat. Hij had al gewonnen. Hij wint altijd.

Hij ging ook met Kristin. De moeder van Minna. Gedurende een aantal jaren zo nu en dan. Totdat ze zwanger werd. Dat weet ik. Dat wist iedereen. Ze was knap in die tijd. Nou ja, niet direct knap, maar een lekker ding. Tot het eind van de lagere school was ze het lelijkste kind in Värmland, met vet haar en ringwormen, dik en onhandig – het was geen toeval dat ze 'Oorlog' werd genoemd, ze zag er gewoon uit als een oorlog – maar toen we een paar jaar verder waren, werd het anders. Toen begon ze om zo te zeggen op de juiste plekken uit te dijen. En daar was ze zich van bewust, ze wist precies wat ze deed wanneer ze door de gangen liep en haar vlees liet deinen. De leraren durfden nauwelijks naar haar te kijken. Die zullen wel bang zijn geweest dat ze een beroerte zouden krijgen. Maar wij jongens loerden des te meer: we kwijlden zo dat er gewoon een slakkenspoor achter haar aan liep.

De Schroefbout had 't het moeilijkst. Hij liep maanden met zijn tong uit zijn mond voordat ze hem toeliet. Hoewel, tegen die tijd was Dag er natuurlijk al bij geweest. En ze at behoorlijk lang van twee walletjes. Dag hoefde maar te fluiten of zij kwam. En De Schroefbout was machteloos. Hij stond daar maar met zijn tong uit zijn mond en zijn armen langs zijn lijf. Het was toen dat we ons die naam herinnerden en die weer oppoetsten. Oorlog. Jezus, wat werd ze kwaad.

Die naam had Dag verzonnen. Dat weet ik zeker. Hij was degene die alle bijnamen verzon en ze erin wreef. De Sprinkhaan doopte hij De Sprinkhaan, omdat hij eruitzag als een sprinkhaan. Fittipaldi kreeg de naam Fittipaldi, omdat hij zijn Puch had opgevoerd en over meiden opschepte. En Kleine Suikerbiet kreeg de naam Kleine Suikerbiet, omdat zijn vader 'Nilsson met de Suikerbiet' genoemd werd ...

Gek dat hij het er zelf goed afbracht. Ik bedoel: Dag, wat is dat voor stomme naam? Kan een vent werkelijk Dag heten? Dag in de bouw? Dag in een werkplaats? Dag in een mijn?

Nou? Nee, Dag, dat is een mama's-kindje. Dat hoor je toch. Dag is een droomprins met zulke zwakke polsjes dat hij nog geen pilsje kan optillen. Dag is een klootzak die zo kruiperig is dat hij niet eens een eigen gezicht heeft. Hij is onzichtbaar.

Misschien dat ik hem daarom vanavond niet heb gezien. Misschien is dat de reden dat hij nog in het bos zit. Die klootzak zijn verdiende loon.

Zijn auto heb ik anders wel gevonden. Althans, ik dacht dat het zijn auto was, een bijna nieuwe Lexus. Die moet van hem zijn, dacht ik, niemand anders zou immers met een auto van een half miljoen kronen rondrijden op zo'n lullige grindweg. En niemand anders zou zo verrekte laks zijn dat hij zo'n auto achterliet zonder het portier op slot te draaien. Of zijn mobiele telefoon mee te nemen.

Er stond niet bijzonder veel water op de weg, ook al zaten we behoorlijk dicht bij het meer. Een paar decimeter maar. Maar Dag Tynne moest natuurlijk zo nodig die luxe bak van hem in een greppel rijden en ervoor zorgen dat er een hoop water naar binnen kwam. En daarna was hij blijkbaar uitgestapt en was hij in het bos verdwenen ... Die stomme klootzak.

Toen ik de auto vond, ben ik een poosje in het rupsvoertuig blijven zitten. Ik heb de schijnwerpers op de wagen gezet. Heb ermee geknipperd. Heb ook nog een paar keer geclaxonneerd. Er gebeurde niets. De storm suisde en floot, de bomen gingen zo hevig heen en weer dat er een paar vlak voor mijn ogen afknapten, maar verder gebeurde er absoluut niets. Er klom geen Dag Tynne uit die auto, wuivend naar zijn redder met een truttig wit zakdoekje. Er kwam geen Dag Tynne het bos uit rennen, gekleed in zijn allermooiste overjas en zwaaiend met een charmante aktetas van echt leer. Er kroop geen Dag Tynne uit de een of andere schuilplaats onder een struik vandaan om God te danken dat een oude schoolkameraad hem had gevonden.

Nergens een Dag Tynne. Helaas. Of hoe je het ook wilt bekijken.

Uiteindelijk realiseerde ik me dat er niks anders opzat dan het rupsvoertuig te verlaten. Dat was geen besluit dat ik met een licht hart nam. Integendeel. Ik was gewoon bang. Verrekte bang. Niet dat ik dat ooit hardop zou zeggen, maar toch was het zo. Wie wil er nou een boom boven op zich krijgen? Niemand toch? Vraag maar aan Minna, die weet hoe leuk het is als je een boom boven op je krijgt. Toch moest ik het doen. Ik was het gewoon verplicht om die stormhel in te gaan. Dus heb ik mijn staaflantaarn en helm gepakt en diep adem gehaald.

Het ging niet echt geweldig. Om zo te zeggen. Ik kreeg het portier van het rupsvoertuig nauwelijks open, en toen ik hem wel open kreeg, dacht ik potverdomme dat ik weg zou waaien. Als een papiertje door de lucht weg zou vliegen. En die regen! IJskoud en scherp! Alsof er spijkertjes in je gezicht werden gehamerd. Dat deed verrekte zeer. Elke druppel. Ik moest me dicht tegen de wagen aan drukken totdat ik aan de voorkant kwam; daar hurkte ik en kwam ik een beetje in de luwte. Ik heb me stevig vastgehouden aan de voorkant van het voertuig en ben toen gaan liggen om naar die auto te kruipen. Ik heb naar binnen geschenen. Ik constateerde wat ik al wist. Geen Dag Tynne. Zijn mobieltje lag er nog wel. Die lag op de grond voor de bijrijderstoel. Dus heb ik me gewoon door het open portier uitgerekt om die mobiel te pakken en daarna ben ik de weg weer op gekrabbeld. Ik begon te kruipen. Het water was ijskoud. Werkelijk zo bijtend diepvrieskoud, dat de kou dwars door mijn regenpak en mijn fantastische nieuwe thermo-onderbroek drong. Bij het rupsvoertuig heb ik een poosje met de wind geworsteld voordat het me lukte het portier open te krijgen zodat ik me naar binnen kon wurmen. Daarbinnen ben ik ingestort. Ik heb mijn ogen een poosje dichtgedaan. Maar ik heb me vermand en leunend over het stuur ben ik achteruitgereden. Ik moest een paar honderd meter achteruitrijden voordat ik een plek vond waar ik kon keren. Alleen maar om maximaal twee kilometer te rijden voordat het echt einde verhaal was. En die drie bomen opeens voor me over de weg lagen en een vierde boom – een grote spar – even plotseling over het voorste deel van het rupsvoertuig viel. Ik dacht dat ik dood zou gaan. Echt. Een tiende van een seconde was ik er volkomen van overtuigd dat ik dood zou gaan, zo hard ging het tekeer. Ik zag al voor me hoe ze mijn lichaam zouden vinden, met mijn mond open en mijn tong naar buiten …

Godverdomme. Bah.

En daar zat ik toen, als een idioot, recht in een reusachtige sparrentak te loeren die de halve voorruit bedekte. Maar het koor was er natuurlijk bij. Uiteraard. Dat zat in mijn achterhoofd en begon meteen te zingen: *mister Mislúúúúkt, mister Idióóóót, meneer Nulnulnulnul …*

Ik snap anders niet wat ik had moeten doen om minder idioot te zijn. Echt niet. Behalve dan dat ik misschien een andere baan had moeten nemen toen ik jong was, timmerman of cementmenger had moeten worden, of welk vak dan ook waar alleen mannelijke kracht bij kwam kijken en geen daadkracht of heldenmoed. Want heldenmoed breng ik bepaald niet mee en die heb ik ook nooit gehad. Maar ja, dan zou er natuurlijk gewoon een ander laf figuur in dit rupsvoertuig hebben gezeten, en die – wie hij ook was – was nu natuurlijk gered. Die zou thuis wel lekker gezellig voor het vuur zitten terwijl de storm buiten brulde. Dus hij zou dankbaar moeten zijn.

Toen ik die gedachte voltooid had, werd ik ontzettend moe. Zo doodmoe en verveeld door mezelf dat ik wenste dat ik een knop had waarmee je me uit kon zetten, zo'n knop die ik vaak voor Maggie wens. Maar die had ik natuurlijk niet. Dus begon ik maar met mijn eigen variant van een quizprogramma, zoals ik altijd doe wanneer het crisis is. Dus: Is de situatie hopeloos?

Inderdaad. Op dit moment in elk geval wel. Ik kon die bomen die over de weg lagen natuurlijk niet verplaatsen. Niet in mijn eentje. En ik kon er ook niet overheen rijden.

Wat doe je als de situatie hopeloos is?

Je belt het hoofd van de reddingsbrigade. Het probleem was alleen dat ik niet kon bellen. Mijn mobiel noch die van Dag Tynne had op deze plek bereik. Allebei dood.

Wat doe je als je niet met het hoofd van de reddingsbrigade kunt bellen en de situatie hopeloos is?

Je brengt jezelf in veiligheid.

Wat is het veiligst?

In het rupsvoertuig blijven zitten, natuurlijk. En wachten op betere tijden. Of althans op beter weer.

Hoelang zou het duren tot het beter weer werd?

Goeie vraag. Enorm goeie vraag.

Hoelang heb ik naar de barsten in de voorruit en die sparrentakken zitten kijken?

Een half uur, denk ik. Misschien langer.

Ik probeerde om niet te denken, maar dat lukte natuurlijk niet. Ik dacht de hele tijd. Aan Maggie en mij. Aan Lotta en haar kinderen, mijn kleinkinderen. Max en Axel. Aan het feit dat ik ze eigenlijk niet ken. Aan Jonas, dat fatje van een vader van ze, die ongelooflijk belangrijke ingenieur. Maar ik dacht natuurlijk vooral aan mezelf. Hoewel ik dat niet wilde. Hoewel dat het laatste was wat ik werkelijk wilde.

Ik ben immers niet op mezelf gesteld. Ik ben nooit op mezelf gesteld geweest. Heb mezelf altijd met een kritische blik bekeken en vond dat mijn pa eigenlijk gelijk had. Tyrone is een doetje. Tyrone is een slappeling. Tyrone wil geen echte baan, hij vindt het potverdorie veel leuker om in de brandweerkazerne te zitten kaarten. Tyrone denkt dat hij wat voorstelt, alleen omdat hij een paar wijven uit een brandend pand heeft gered, maar in feite komt zijn werk voornamelijk neer op het uit bomen halen van de katten van diezelfde wijven … Enzovoorts.

Hij had gelijk, die ouwe. Dat had hij.

Maar toen ik zo een tijdje gezeten had, begonnen mijn ogen aan de duisternis te wennen en ik begon door de sparrentakken heen de hemel te zien. Die was niet alleen maar zwart. Die was eigenlijk donkergrijs. Of lila. Jawel, als je je ogen toekneep en naar de hemel tuurde, dan kon je zien dat hij tegelijkertijd grijs en lila was en belachelijk genoeg werd ik daar bijna blij van. Een lila hemel … En toen dacht ik een poosje aan ma met haar lila jurk, die jurk die ze altijd droeg op Kerstavond en oudejaarsavond. Dan schitterde ze eigenlijk. Er zat iets in de stof wat de hele tijd van kleur verschoot, van grijs naar lila, en in sommige situaties bijna naar zwart of donkerblauw. Dan zag ze er bijna uit zoals de meeste mensen. Bijna knap. En dan lachte en glimlachte ze, en drukte ze me zo dicht tegen zich aan dat die kleur me altijd herinnert aan hoe koel zijde kan voelen wanneer je je neus ertegenaan drukt …

Maggie heeft geen zijden jurk. Ze heeft helemaal geen jurken. Wanneer ze zich mooi moet maken, trekt ze een zwarte lange broek aan en een rood shirt met iets van glitter erop. Dat is niet hetzelfde. Geen hemel kan er ooit uitzien als een zwarte lange broek en een rood shirt. Ondanks de glitter.

Op hetzelfde moment kreeg ik andere glitter in de gaten. Een gele glitter. Op de weg. Van een mijnwerkerslamp.

Het is een bikkel, Micke. Dat moet gezegd. Als je althans niet moet zeggen wat de mensen over het algemeen zeggen: dat hij gestoord is. Want het is wel krankzinnig wat hij deed. Je moet toch een beetje geschift zijn om in deze storm midden op de weg te lopen. Als er een boom op hem was gestort had hij gemakkelijk het loodje kunnen leggen. Maar dat is dus niet gebeurd. Toen er vlak achter hem een grote spar neerviel, draaide hij zich gewoon om om te kijken en daarna liep hij rechtdoor. Ik begon ondertussen met de lichten van het rupsvoertuig die het nog deden naar hem te knipperen.

Het kostte hem bijna zeven minuten om over die drie bomen voor hem op de weg heen te komen. Ik heb de tijd opgenomen. Feit is dat hij er een keer afwaaide, dat die stomme klootzak gewoon als een gekruisigde met uitgestrekte armen op een van de stammen ging staan en er echt om vroeg. De storm duwde hem er gewoon af. En toen moest hij weer gaan klimmen. Uiteindelijk kwam hij eroverheen en was hij bijna een minuut uit het zicht verdwenen. Het lukte hem ten slotte om het portier aan de bijrijderkant te openen en naar binnen te kruipen. Met een glimlach.

'Hoi!' zei hij terwijl hij het portier met enige moeite achter zich dichttrok. 'Daar ben je dus ... De grote zwijger in persoon.'

Ik staarde hem alleen maar aan. Hij trok zijn handschoenen uit en zette zijn capuchon af, schudde zich een beetje uit en glimlachte nog breder.

'Heerlijk weer. Of niet?'

Jawel, ik weet wel dat hij het ironisch bedoelde. Zo stom ben ik ook weer niet. En daarom probeerde ik ook ironisch te zijn.

'Inderdaad.'

Meer kon ik niet bedenken. Maar dat maakte niet uit. Micke ging met zijn hand over zijn gezicht en zette zijn mijnwerkerslamp uit. Hij trok de rits van zijn regenjack open en haalde zijn fototoestel tevoorschijn.

'Zoek je naar Dag Tynne?' zei hij terwijl hij de camera op mij richtte. Ik draaide mijn gezicht weg.

'Inderdaad.'

'Kijk in de camera. Goedzo!'

Achter het rupsvoertuig begon het te dreunen en toen ik me omdraaide, ontwaarde ik een den die vlak achter ons was neergekomen. Micke wierp een blik naar achteren, maar wendde zich daarna weer met een glimlach tot mij.

'Maar je hebt hem niet gevonden?'

'Nee. Alleen zijn auto.'

Weer tilde hij zijn fototoestel op en hij maakte een foto van de gebarsten voorruit.

'Maar geen spoor van Dag Tynne?'

'Jawel. Zijn mobieltje.'

'Jij hebt zijn mobieltje?'

'Inderdaad.'

'Doet hij het nog?'

'Nee. Hier niet.'

Het bleef even stil en Micke haalde diep adem.

'Staat zijn auto hier ver vandaan?'

'Ja', zei ik. 'Een paar kilometer.'

Micke beet op zijn onderlip en dacht even na. Daarna zei hij voor het eerst van zijn leven iets echt zinnigs.

'Dat is te ver om te lopen … Met dit weer.'

'Inderdaad', zei ik. 'Dat is het.'

Op hetzelfde moment donderde er weer een boom achter ons neer.

'En hier is het niet bepaald veilig', zei Micke. 'Dus ik denk dat we moeten vertrekken …'

Ik schraapte mijn keel.

'Waar staat je jeep?'

'In een dalletje. In het bos.'

'Dan moeten we maar proberen om daar te komen …'

Micke zuchtte.

'Inderdaad, dat moeten we dan maar doen ...'

Het was een nachtmerrie. Of een droom. 't Is maar hoe je het wilt bekijken.

We hadden ons aan elkaar vastgemaakt, met een touw om ons middel, zodat we elkaar niet zouden kwijtraken. Verder hadden we een sjaal voor ons gezicht gebonden, zodat alleen de ogen vrij waren. We hadden de capuchon opgeslagen en echt stevig met een dubbele knoop vastgemaakt. We hadden elke ritssluiting dichtgetrokken en elk lusje bevestigd. En toch was het net of je mishandeld werd. Of je een flink pak op je donder kreeg. Naakt. Buitenshuis. Zodra we uit het rupsvoertuig waren, werd Micke door de wind omvergegooid en hij had mij bijna meegetrokken. Ik wist me echter vast te houden aan het handvat van het portier en trok hem weer overeind. Hij zwaaide met zijn armen en schreeuwde iets, maar dat was onverstaanbaar. De hele wereld was in het gebrul van de wind ingesloten, en opeens voelde ik dat het niet uitmaakte, dat het er niet toe deed of ik hem kon verstaan of niet. Het kon me geen moer schelen of hij het was die de beslissingen nam of ik, dus ik knikte maar en zag hoe hij weer op zijn knieën zakte en begon te kruipen. Ik deed hetzelfde. Ik verschikte de noodkoffer op mijn rug en liet me ook op mijn knieën zakken. Vervolgens kroop ik achter hem aan. Ik krabbelde de greppel in en er aan de andere kant weer uit, sleepte me langs een paar struiken en grote stenen, en realiseerde me opeens dat we recht het bos in gingen. Dat beangstigde me en ik kwam snel overeind, maar ik werd even snel weer omvergeblazen. We moesten het bos in. Een bos in waar de bomen als luciferhoutjes afknapten, waar het dreunde en tekeerging, waar de ene na de andere zware stam tegen de grond viel. Opeens zag ik mezelf met een gebroken rug onder een reusachtige boom liggen, ik voelde het zachte mos onder mijn wang en de diepe rust die wachtte, en op slag werd ik volkomen rustig. Ik maakte dit mee. Het bos in. De duisternis en de stilte tegemoet.

Feit is dat ik ernaar verlangde. Feit is dat ik er nog steeds naar verlang.

Maar er viel in het bos geen boom op mijn rug. Hoe dieper we het bos in kwamen, hoe minder heftig de storm werd, hoe dieper we kwamen, hoe dichter de bomen opeenstonden, hoe dieper we kwamen, hoe minder er om ons heen omdonderden. Toch kwam Micke niet overeind. Hij bleef een eeuwigheid voor me uit kruipen en ten slotte was het licht van zijn mijnwerkerslamp het enige wat ik zag.

Halfgare Micke, dacht ik. Mijn licht in de duisternis.

Een paar keer stopte hij zodat we konden rusten. De eerste keer bij een grote steen, de volgende aan de voet van een kleine helling, de derde keer tussen twee rotsen. Het flikkerde me voor de ogen, elke keer erger, ik ademde zwaar en voelde elke hartslag door heel mijn lichaam trillen, maar toch glimlachte ik onder mijn sjaal, en ik gebaarde naar Micke. Bedankt! En het frappeerde me dat mijn leven veel eenvoudiger zou zijn geweest als ik elke dag door een stormbos had mogen kruipen, als het volslagen onmogelijk was geweest om te praten en me voor iemand verstaanbaar te maken, als ik altijd met mijn handen had gepraat. Bedankt, Micke. Bedankt dat je mijn leven redt. Bedankt, ook al kun je mijn leven niet redden. Bedankt voor je gezelschap. Voor je vriendschap. Dat ik niet alleen hoef te zijn.

Daarna kropen we weer verder.

Hij had zijn jeep in een dalletje gezet. Of beter gezegd: zijn jeep zat vast in een dalletje. We hadden hem bijna over het hoofd gezien. Het was een geluk dat Micke zijn hoofd naar links draaide toen we erlangs kropen en dat de rode reflecto-ren op de achterkant oplichtten in het schijnsel van zijn mijn-werkerslamp.

De wagen stond tot aan zijn wieldoppen in de modder. Ik ben een betere chauffeur dan hij en het lukte me om hem door zachtjes heen en weer te rijden los te krijgen. Hij duwde tegen de achterkant en toen ik loskwam en een paar meter naar voren rolde, zag ik in de achteruitkijkspiegel dat hij het-zelfde teken maakte dat ik een half uur eerder had gemaakt.

Bedankt.

Toen hij eenmaal zelf achter het stuur zat, werd hij weer de halfgare Micke. Terwijl hij zich over smalle bospaden en weg-getjes een doorgang baande, lachte hij uitgelaten en zijn mond stond geen moment stil. Ik luisterde niet. Ik zat roerloos voor me uit te loeren en dacht ondertussen aan die plek waar ik dood had moeten gaan, die open plek in het bos met zacht mos waar ik nooit in zou mogen neerzinken. Er zijn immers mensen die heel voorzichtig door het leven gaan, mensen die nooit sporen nalaten, en wanneer zulke mensen sterven, zouden ze eigenlijk op een bed van mos moeten liggen en ze zouden daarna door niemand gevonden moeten worden; ze zouden daar gewoon moeten liggen om heel langzaam in al dat groene, vochtige en zachte te verdwijnen. Ik ben zo ie-mand. Een mosmens. Maar nu zou ik verplicht worden om terug te keren naar mijn leven. Naar het gepraat en gezeur. Naar het eeuwige orkest. Naar Maggie, Lotta en Jonas, naar het hoofd van de reddingsbrigade en de herinnering aan Dag Tynne.

Ik was eigenlijk een beetje verdrietig. Of hoe moet je het noemen. Teleurgesteld.

In het donker glinsterde Sally's café. Micke glimlachte toen hij tegen de heuvel opreed.

'Ik ga door met zoeken', zei hij. 'Zeg maar tegen Ritva dat ik weer wegrij om naar Dag Tynne te zoeken.'

En toen zette hij me af.

* * *

Ritva schreeuwde tegen hem in haar mobieltje. Micke was de grootste idioot van de wereld! Hoe kon hij haar in Sally's café laten zitten? Nou? Als ze hem te pakken kreeg, zou ze hem de oren van zijn kop snijden! Als hij dat maar wist. Waarschijnlijk had hij haar meteen weggedrukt, want opeens stond ze daar maar een beetje naar haar mobieltje te staren. Ze trok de oordopjes uit haar oren en plofte op een stoel naast mij neer.

'Verdomme', zei ze.

Ik reageerde niet. Wat viel er te reageren? Ik tilde gewoon mijn glas met alcoholarm bier op en keek haar aan. Ze zag er niet slecht uit, absoluut niet. Best knap, eigenlijk. Haar gemillimeterde haar stond recht op haar schedel omhoog, maar haar brede mond maakte een chagrijnige indruk. Aan de tafel naast ons was die Marguerite in elkaar gezakt: ze lag met haar hoofd op het tafelblad en het enige wat je zag, was haar zandkleurige haar. Tegenover haar zat Henrik zachtjes met zijn knokkels op het tafelkleed te tikken: wijsvinger, middelvinger, ringvinger, wijsvinger, middelvinger … Bij elk klopje trilde Marguerites rug even. Het kon niet lang meer duren voordat ze haar hoofd zou optillen om vuur over hem uit te spuwen. Dat wist ik zeker. De anderen leken echter niets te merken. Ritva zuchtte alleen maar en zakte wat ineen. Minna lag op de grond met haar ogen dicht. Annette zat snotterend bij het raam op haar nagels te bijten.

Buiten begon de wind te janken. Dat deed al bijna normaal aan. Alsof het altijd zo was geweest. Alsof het voor eeuwig zo zou blijven.

Maar natuurlijk was het niet voor eeuwig. Niets is ooit voor eeuwig. Knipperend met haar ogen tilde Marguerite even later haar hoofd op. Vervolgens pakte ze haar wijnglas en liep ermee naar het buffet. Ze glipte achter de kassa, draaide zich om en ging met haar wijsvinger langs de wijnflessen, waarna ze er eentje pakte en haar glas vulde. Henrik bleef roerloos zitten en volgde haar met zijn blik. Hij was opgehouden met trommelen.

'Nou', zei Marguerite ten slotte. 'Wat gaan we met Minna doen?'

Daarna begonnen ze ruzie te maken. Ik had kunnen zeggen waar het op stond: dat ik al met het hoofd van de reddingsbrigade had gepraat en dat hij had gezegd dat hij een rupsvoertuig zou sturen dat ons zo snel mogelijk naar de stad en een dokter zou brengen, maar ik kreeg er natuurlijk geen speld tussen. Zodra ik mijn mond opendeed, was er iemand anders die iets te melden had wat oneindig veel belangrijker was. Ritva's stem schoot uit: 'En haar dochter dan? Die boven zit?'

Ik was net opgestaan om naar het buffet te lopen om een kop koffie te halen, maar mijn bewegingen stokten. Ik draaide me om. Ginds bij het raam kwam Annette half overeind en ze deed haar mond open om wat te zeggen, maar er kwam niets uit. Voor de verandering was ze een keer verstomd.

'Ja, maar haal die dan', zei Henrik. 'In godsnaam!'

'Ja', zei Marguerite. 'Doe dat.'

Het werd stil. Ritva aarzelde. Toen schraapte haar stoel over de vloer.

'Oké', zei ze. 'Ik doe het.'

'Maar …' zei ik. Natuurlijk hoorde niemand me, want op hetzelfde moment ging er een mobieltje af. Het was een heel speciale ringtone, *tuut-tuut-tuudeduut-tuut-tuut*, en het duurde even voordat ik me realiseerde waarvan ik die kende. Het was de begintune van Dag Tynnes eerste eigen tv-programma: De avond van Dag. De anderen hadden hem blijkbaar ook herkend, want Henrik stond ook half op en Marguerite bleef met haar glas halverwege haar mond steken. Annettes mond viel open, ze begon te snikken en streek met haar hand langs haar neus. Minna sloeg haar ogen op. En Ritva stond als versteend voordat ze zich op de telefoon wierp. De telefoon van Dag Tynne. Die ik naast mijn eigen mobieltje op de tafel had gelegd.

'Hallo', gilde ze. 'Hallo!'

Een moment later leek ze een totaal ander mens. Opeens was ze het bevalligste lievelingetje van de wereld. Ze glimlachte een beetje. Ze stelde zich aan. Ze knipperde met haar ogen en keek naar het plafond.

'Ja, halloooo! Inderdaad, dit is de mobiel van Dag Tynne. Maar hij is er niet. Nee, het spijt me. Hij is er niet.'

Ze glimlachte weer wat en luisterde naar degene die belde.

'Nee', zei ze. 'Ik ben Ritva Lahtinen. Misschien herinner je je mij nog?'

Blijkbaar niet. Even keek ze een beetje zuur, maar daarna glimlachte ze weer en klonk ze nog kruiperiger.

'Jawel, we hebben elkaar ontmoet. Ik heb een paar jaar geleden bij jullie gewerkt. Een vervanging. Nu zit ik bij een regionale krant hier in Värmland, hoewel, op dit moment zit ik midden in de storm vast in een café. En zonet is er een gozer van de reddingsbrigade hiernaartoe gekomen. Hij heeft de auto van Dag Tynne en diens mobiel gevonden. Maar Dag zelf lijkt verdwenen te zijn.'

Een korte pauze.

'Jawel, ik weet het', zei ze toen. 'Dat is precies waar ik zit. Een kilometer of tien ten noordwesten van Arvika. Het stormt hier op dit moment als een gek, dus je kunt niet naar buiten …'

Ze draaide zich om keek me met een nietsziende blik aan. Ik keek boos terug.

'Jawel hoor … Wanneer dan?'

Ze glimlachte.

'Een rechtstreeks verslag dus? Natuurlijk. Absoluut.'

Ze liep naar de tafel waar ik had gezeten en ging zitten.

'Jawel, ik denk dat er wel een foto in jullie archief zit. Lahtinen. Met de L van Ludwig. Tof. Dat is dan afgesproken … Over twintig minuten.'

Ze zette de telefoon uit en stond op, stak haar rechterarm als een overwinnaar in de lucht en schreeuwde het uit: 'Yes! Yes! Yes!'

Toen realiseerde ze zich blijkbaar dat ze niet alleen was, want ze liet haar arm zakken en probeerde de triomf van haar gezicht te wissen. Ze schraapte haar keel.

'Dat was de redactie', zei ze.

Marguerite streek haar haren uit haar gezicht en zei met een vragende blik: 'Ja?'

Ritva kon een glimlach niet onderdrukken.

'De tv-redactie dus. Ik mag de klus doen.'

Annette raakte in verwarring.

'Heb je werk gekregen?'

'Nee. Ik mag de klus doen. Het rechtstreekse verslag dat Dag de Spetter zou hebben gedaan. In de late uitzending. Ik mag het doen.'

Marguerite trok haar wenkbrauwen op.

'En dat is goed?'

Ritva stak Dags mobieltje in haar zak en pakte haar eigen telefoon op. Terwijl ze een nummer intoetste, antwoordde ze.

'Daar kun je donder op zeggen. Ik moet alleen Hasse de Hufter even bellen. Hallo!'

Het was alsof ze opeens een grote artieste was die op een podium stond. Ze glimlachte naar ons en stak haar wijsvinger op. Alsof wij een aansporing nodig hadden om stil te zijn. We stonden met open mond te luisteren.

'Ja, hoi, Louise. Met mij. Ritva. Nee, daar heb ik op dit moment geen tijd voor. Ik wil Hasse spreken ...'

Ze keek omhoog en liet haar blik langs het plafond gaan: 'Omdat er op dit moment dingen gebeuren, dingen die ik niet met jou maar met de hoofdredactie wil bespreken. O. Dat kan best zijn. Absoluut. Maar zoals gezegd, er gebeuren hier dingen ... Nee, daar wil ik het met Hasse over hebben. Niet met jou.'

Ze pauzeerde even om naar die andere persoon te luisteren, maar begon daarna te briesen.

'Je zult nog niet jarig zijn wanneer hij erachter komt dat jij voor iets goeds bent gaan liggen. Lang niet jarig. Betwetertje.'

Haar houding werd zelfverzekerder en ze streek snel met haar vrije hand door haar pony.

'Hasse? Ja, hoi, met mij. Zeg, er gebeuren hier dingen. Er is hier net een vent van de reddingsbrigade gekomen en die heeft Dag Tynnes auto gevonden. En zijn mobiel. Maar Tynne zelf is weg. Helemaal verdwenen. Hebben we een necrologie van hem klaarliggen? Niet. Maar misschien is de situatie ernaar om Louise er eentje te laten schrijven ...'

Op de grond begon Minna met haar ogen te knipperen en te jammeren. Ik ging op mijn hurken bij haar zitten en streek haar tot mijn eigen verbazing snel over haar wang. Rustig maar! Het geeft niet! Gedurende een paar ademtochten keek ze me aan en daarna sloot ze langzaam haar ogen. Toen ik opstond en me omdraaide, zag ik dat Ritva op een stoel was neergeploft en haar rechterbeen op tafel had gelegd. De zelfverzekerdheid in persoon.

'Joost mag het weten', zei ze terwijl ze haar schouders ophaalde. 'Nee, ik denk niet dat die nodig is, maar toch ... Voor de zekerheid. De plaatselijke grote zoon en zo. Jawel, dat weet ik. Natuurlijk. Uiteraard. Dat regel ik.'

Ze klonk opeens buitengewoon onverschillig. Alsof alles waar ze het over had eigenlijk niets uitmaakte.

'Zeg, luister, nog even één ding. Ze wilden van het nieuws dat ik een klusje voor ze doe. Inderdaad. Het nieuws op tv. Ik heb daar een paar jaar geleden toch gewerkt? Ze willen dat ik in de late uitzending rechtstreeks verslag uitbreng. Over Tynne en zo. Natuurlijk. De naam van de krant? Onder mijn naam? Tja, dat kan ik wel proberen te regelen. Absoluut. Oké. Dan hou jij het openingsartikel voor mij vast, tot minstens half elf. Hartstikke goed.'

Ze sloot het gesprek af en haalde haar been van de tafel. Terwijl ze haar rug rechtte, glimlachte ze naar ons. De voorstelling was voorbij. Henrik trok zijn wenkbrauwen omhoog en stond met een schuin glimlachje op: 'Ja, ja. De een zijn brood ...'

Ritva luisterde niet naar hem. Haar mobieltje ging weer en dat maakte dat ze opnieuw haar been op tafel legde.

'Louise? O. Nou, daar moet je het maar met Hasse over hebben. Ik heb geen tijd. Maar hou de tv in de gaten, want als ik mijn rechtstreekse verslag in het journaal heb uitgebracht, dan bel ik jou en lees ik dat stuk op dat er morgen als openingsartikel in moet komen te staan. Precies. Dat lees ik op. Jij hoeft alleen maar mijn tekst in de computer te zetten. Vraag maar aan Hasse.'

Die Louise, wie het ook was, was blijkbaar verontwaardigd. Ritva keek tevreden.

'Zoals ik al zei: dat moet je maar aan Hasse vragen', zei ze en ze sloot af, met een schuine glimlach naar ons, het publiek. 'Yes! Die zat.'

Annette keek weer verward.

'Wat dan? Wat zat er?'

Henrik stond bij het buffet en draaide zich om. Hij had een kop koffie in zijn hand en vertrok zijn gezicht een beetje.

'Het mes in de rug, schat.'

Ritva wierp hem een verachtelijke blik toe.

'Puh! Nee, hoor. Het was gewoon een waarschuwing en die is aangekomen. Eindelijk.'

Henrik glimlachte wat: '*A star is born* … Zit het zo? Moeten we al aantekeningen maken voor onze memoires?'

Ritva wierp hem een schuine blik toe.

'Misschien wel, ja.'

Ze stond op en ging in een hoekje zitten. Ze sloeg haar notitieblok open en begon op haar pen te bijten. Zo bleef ze bijna een minuut zitten. Toen boog ze zich voorover en begon te schrijven.

* * *

Ze stond in haar eentje in de keuken om haar rechtstreekse verslag uit te brengen. Wij hadden de tv aangezet en volgden de uitzending in het restaurant. Ritva was het eerste item, haar portret zweefde op een scherm achter de verslaggever in de studio. De foto was een paar jaar oud, dat zag je. Ze had in die tijd langer haar en haar glimlach was zachter.

Het was tamelijk verbijsterend te zien hoeveel ze had opgepikt. Zo veel had ik nou ook weer niet gezegd sinds ik was teruggekomen, maar toch leek Ritva precies te weten wat er was gebeurd. Dat Dag Tynnes auto verlaten was aangetroffen en half in een greppel stond. Dat zijn mobiel voorin op de grond had gelegen. Dat mijn rupsvoertuig was geblokkeerd door drie bomen die bijna boven op elkaar lagen. Dat een fotograaf mij had gevonden en dat we samen terug naar zijn jeep waren gegaan. Dat niemand van ons enig idee had wat er met Dag Tynne was gebeurd. Dat de storm erger was dan ooit en dat er in het restaurant waar wij ons bevonden iemand ernstig gewond was geraakt door een vallende boom. De verslaggever in de studio was echter alleen maar geïnteresseerd in Dag Tynne. Zijn stem trilde van angst toen hij zijn laatste vraag stelde: 'Kan hij niet op pad zijn gegaan, terug naar zijn ouderlijk huis? Want daar was hij toch op weg naartoe?'

Ritva klonk zekerder dan ze eigenlijk mocht zijn.

'Ja, hoor. Natuurlijk. Maar op het landgoed wordt de telefoon niet opgenomen, dus dat valt onmogelijk te zeggen. Dat kan natuurlijk gewoon komen doordat er niemand is of doordat de telefoonleidingen zijn omgewaaid, maar zoals gezegd, dat weten we nog niet.'

De verslaggever in de studio begon met zijn ogen te knipperen.

'Dank je wel. En dan nu over naar wat er in het centrum van het overstroomde en door de storm getroffen Arvika is gebeurd ...'

Ik kreeg geen gelegenheid naar de rest te luisteren. Mijn mobieltje ging en ik nam op zonder te kijken wie er belde.

'Papa?'

Ik wist niet wat ik moest antwoorden. Papa? Slechts één persoon in de wereld kon mij 'papa' noemen en het was langgeleden dat ze dat had gedaan.

'Met Lotta.'

Ik schraapte mijn keel.

'Ja.'

'Mama zei dat ze van de reddingsbrigade gebeld hadden en wilden dat jij ging werken.'

Ik bromde. Wat moest ik daarover zeggen? Er viel immers niet veel te zeggen.

'Waar zit je nu?'

Goed. Eindelijk een vraag waar ik een fatsoenlijk antwoord op kon geven.

'In Sally's café.'

Ze moest natuurlijk zo nodig herhalen wat ik had gezegd:

164

'In Sally's Café-Restaurant? Bij Minna?'

'Inderdaad.'

'Is alles in orde?'

Ik bromde zachtjes.

'Nee.'

Ze hield haar adem in en wachtte op een vervolg. Ik hield ook mijn adem in. Waarom belde Lotta? Ze had me nog nooit gebeld. Onze contacten verliepen via Maggie; zij was onze telefoonpaal, ons telegramkantoor, onze altijd even spraakzame Pony Express. Ten slotte liet Lotta al haar lucht in één keer ontsnappen. Het was bijna een zucht.

'Wat is er gebeurd?'

'Minna is gewond.'

Ze begon te piepen en opeens herinnerde ik me dat Minna en zij bij elkaar op school hadden gezeten en het redelijk met elkaar hadden kunnen vinden, ook al waren ze niet direct beste vriendinnen geweest. Max had bovendien in de klas gezeten bij die Sofia, maar niet meer dan twee jaar, tot zij negen werd en een klas mocht overslaan.

'Nee', zei Lotta toen. 'Niet dat ook nog. Arme Minna.'

Ik bromde weer.

'Inderdaad.'

'Is het erg?'

Wat moest ik daarop zeggen? Helemaal niets, volgens de regels. Maar aan de andere kant was het mijn dochter die de vraag stelde …

'Nogal. Waarschijnlijk een hersenschudding. Gebroken armen en ribben. Diepe wonden in haar hand. En nog een heleboel andere dingen.'

Lotta begon te snikken.

'Goeie genade. Wat is er gebeurd?'

'Er is een boom door het raam naar binnen gewaaid. Recht boven op haar.'

Lotta snikte weer en kon het natuurlijk niet laten te herhalen wat ik zei: 'Een boom?'

'Ja.'

Terwijl zij het allemaal overpeinsde, bleef het een poosje stil. Precies op dat moment ging de klapdeur vanuit de keuken open en Ritva kwam binnen, een Ritva die aanzienlijk rechter op liep dan eerst. Ze stak haar hand op in een triomfantelijk gebaar, maar hield haar blik op haar notitieblok gericht en ze keek niet eens op toen Henrik heel langzaam in zijn handen klapte om ironisch voor haar te applaudisseren. Marguerite rechtte ook haar rug en keek Ritva even aan, maar liet zich weer over de tafel zakken zonder iets te zeggen of te doen.

'Nou,' zei Lotta aan de telefoon, 'ik wou je nog wat vertellen ... Zodat je dat weet wanneer je thuiskomt.'

Ze zweeg. Ik bleef ook een poosje zwijgen, maar uiteindelijk gaf ik het op. Wat had ze op haar lever?

'Wat dan?'

Ze schraapte haar keel een beetje: 'Ik ben weer thuis komen wonen. Bij jullie thuis. Ik zit te bellen op mijn oude kamer.'

Bij ons thuis? Mijn mond viel open. Haar kamer was weliswaar nog in precies dezelfde staat als toen ze meer dan twintig jaar geleden uit huis ging, maar ik had nooit kunnen dromen dat ze daar weer in zou trekken. Haar stem trilde een tikje en ze sprak hortend.

'We gaan uit elkaar. Het kan zo niet langer. Dus nu moeten we scheiden!'

Ik begon met mijn ogen te knipperen en keek om me heen. Alles was nog hetzelfde. Het licht van de lampjes in Sally's Café-Restaurant was nog steeds vriendelijk en zacht, de wind buiten huilde zoals hij altijd had gehuild, Minna lag roerloos op de vloer en Annette zat ginds bij het raam op haar nagels te bijten, maar toch was alles opeens anders. Ik vermande me en zei: 'O.'

Mijn mobieltje zweeg en het bleef bijna een halve minuut stil. Het enige wat ik kon horen was Lotta's ingehouden ademhaling.

'O!' zei ze ten slotte, en haar stem klonk hees en dreigend. 'Is dat het enige wat je te zeggen hebt? O?'

Ik schoof wat heen en weer op mijn stoel en bracht vervolgens een soort geluid uit omdat ik niet wist wat ik moest zeggen. Lotta's stem werd nog scheller: 'Puh! Is dat wat je te zeggen hebt? Eerst 'o' en dan 'puh'! Je bent verdomme niet goed snik!'

Ik stond op en streek met mijn linkerhand over mijn dijbeen zoals ik altijd doe wanneer ik het gevoel heb dat ik van binnen week word. Ik draaide de anderen de rug toe en liep naar het buffet. Ik hield mijn mond vlak bij de telefoon: 'Sst!'

Nu gilde ze: 'Zeg je "sst" tegen me?! Nou? Doe je dat?'

Ik probeerde met zo vast mogelijke stem te spreken: 'Doe gewoon even rustig. Dat bedoel ik gewoon.'

Opeens klonk ze als een vijfjarige. Alsof zevenendertig jaar van haar leven gewoon waren weggewist. Ze krijste, hard, schel en razend: 'Ik word gek van jou, ouwe klootzak! Hoor je dat?! Je bent verdomme niet goed snik! Hoe heb je godsamme het lef om tegen mij te zeggen dat ik rustig moet doen? Nou? Hoe werkt dat eigenlijk in jouw bovenkamer, idioot?'

Jezus christus. Wat moest ik daarop zeggen? Viel er op zo'n aanval eigenlijk wel wat te zeggen? En stel je voor dat iemand hoorde hoe ze schreeuwde.

'Sst!' zei ik weer, terwijl ik me omdraaide en een blik op de anderen wierp. Niemand leek te reageren. Henrik was weer begonnen te trommelen, Marguerite lag nog steeds voorover op de tafel, Annette staarde de storm in en Ritva zat met iets aan haar mobieltje te pielen. Ik liep achter het buffet langs en duwde de klapdeur naar de keuken open, waar ik voor het eerst naar binnen stapte. Een zwart-witte tegelvloer. Roestvrijstalen deuren zonder ook maar één vingerafdruk. Als het er niet zo verrekte koud was geweest had ik er kunnen wonen. De deur naar het kantoortje was weliswaar dicht, maar ik hoorde de storm daarbinnen tekeergaan en door de kier onder de deur door trok een vlaagje wind, regen en kou naar binnen.

'Hoor je me?'

Lotta schreeuwde nog steeds, maar haar stem was gebroken. Het klonk alsof ze huilde. Waarom huilde ze?

'Mmm.'

Nu stortte ze helemaal in.

'Jezus christus, kun je geen antwoord geven? Kun je voor de verandering niet eens één keer in je leven iets fatsoenlijks zeggen? Nou? Zou je niet gewoon kunnen zeggen: *Ik hoor je, Lotta. Ik ben er voor je en ik hoor je?*'

Dat mens was niet goed snik. Wilde ze dat ik daar zou staan zeggen dat ik haar hoorde? Geen denken aan. Maar ik maakte een geluidje waardoor ze zou begrijpen dat ik haar heus wel hoorde. Daar begon ze nog wilder van te huilen. Bijna een minuut stond ik naar haar gehuil te luisteren. Daarna schraapte ik mijn keel weer. Ze zou moeten snappen dat dit betekende dat ik haar hoorde en dat ik wilde weten wat er was gebeurd. Maar nee, dat leek ze niet te snappen.

'Ik kan het niet verdragen', snikte ze ten slotte.

'Ik kan het verdomme geen dag langer verdragen! Heel mijn leven heb ik achter je aan gerend zodat je mij zou zien, zou luisteren naar wat ik zei, zodat je ooit eens een keer naar me zou lachen … Maar het lukt niet. Je ziet of hoort niks. En lachen lijkt al helemaal onmogelijk.'

In het kantoortje begon de wind te brullen en er viel iets op de grond kapot. Lotta hield op met huilen, ze schraapte haar keel en klonk bijna net als anders.

'Oké', zei ze toen. 'Oké. Dan weten we wat we aan elkaar hebben. Het laat jou koud dat ik genoeg heb van Jonas en dat ik heb besloten bij hem weg te gaan. Het laat jou koud dat hij weigert om te praten wanneer je hem aanspreekt. Gefeliciteerd. Dan heb je zeker eindelijk bewezen dat je een echte vent bent en dat je je waardeloze dochter met een andere echte vent hebt laten trouwen. Van harte gefeliciteerd. Blijf maar gewoon boos kijken en zwijgen en chagrijnig doen, dan zal de hele wereld binnenkort aan je voeten liggen!'

Mijn mond viel open. Waar ging dit verdomme over? Ten slotte zuchtte ik en ik zei: 'Wat bedoel je?'

Lotta onderbrak een snik en lachte droog: 'Nou, vadertje ... Wat ik bedoel? Ik bedoel dat ik wat jou betreft de hoop opgeef. Ik bedoel dat ik nooit meer achter je aan zal rennen en zal bedelen om je aandacht. Ik bedoel dat ik me nooit meer in bochten zal wringen om naar wat complimenten te hengelen. Dat bedoel ik.'

Ik ging met mijn tong over mijn lippen: 'Maar je hebt toch nooit geprobeerd om naar complimenten te hengelen ...'

Nu klonk haar stem weer net als anders. Zakelijk. Een beetje kil. Enigszins minachtend.

'O. Niet? Nee, dan zal ik het me wel alleen maar verbeeld hebben. Al mijn herinneringen hebben aangepast. Neem me niet kwalijk, hoor. Maar voor één ding wil ik je in elk geval bedanken. Je hebt me wel iets aan mijn verstand gepeuterd. Je hebt me aan mijn verstand gepeuterd dat je geen greintje zelfvertrouwen hebt, en dat er geen chagrijniger, gieriger en egoïstischer mensen bestaan dan zulke mensen. Voor zulke mensen moet je uitkijken. Zulke mensen zijn namelijk zo waardeloos dat het niet uitmaakt wat ze doen, dus daarom kunnen ze bijna alles maar maken. En dat doen ze. Ook tegenover mensen die zich niet kunnen verdedigen. Kinderen, bijvoorbeeld.'

Toen gooide ze de hoorn erop.

De vloer onder mij werd helemaal week. Zo week dat ik op een krukje moest gaan zitten om er niet doorheen te zakken.

Ik begon met mijn ogen te knipperen en staarde naar mijn mobiel. Waar ging dit over? Wat had ik gedaan om zo op mijn donder te krijgen?

Gewerkt, elke dag weer. Negentien jaar lang haar kost en inwoning betaald. Nee, twintig. Plus een verrekte taalcursus in Engeland toen ze zeventien was. Haar van hot naar her vervoerd. Naar Karlstad. Naar de manege. Naar die vent die ze had vóór Jonas, die vent die vijftien kilometer buiten de stad woonde. Daar heb ik haar minstens vijf keer naartoe gereden, dat zweer ik.

Maar dat was dus niet genoeg. Dat voldeed niet. Dat was niet voldoende.

Mijn dochter wilde meer.

Wat hebben de mensen toch tegenwoordig? Ik vraag het me gewoon af. Waarom denken ze dat ze het recht hebben om de hele tijd maar zo verrekte gelukkig te zijn? Nou? En waarom denken ze dat het helpt om te praten zodra er ook maar de minste irritatie schuurt?

Praten helpt nergens tegen. Praten maakt dingen kapot. Praten graaft grote gaten in mensen, afschuwelijk grote gaten die stinken als rioolwater. Dat is wat praten doet. Want praten is altijd leugenachtig. Leugens, lariekoek en verzinsels, gewoonweg. De waarheid spreken gaat gewoon niet. Dat is onmogelijk. Daar is de taal niet voor gemaakt, geen enkele menselijke taal. En toch praten de mensen. De hele tijd. Praten, praten, praten, maar ze snappen nooit dat ze elke minuut alleen maar lopen te liegen …

Als je niet tevreden bent met je huwelijk, dan ga je maar gewoon scheiden. Pof! Je rukt je thuisbasis uit elkaar, laat man en kinderen in de steek en je vertrekt gewoon. En dat is – afgezien van al het andere – potverdomme niet goedkoop, dat kan ik je wel verzekeren. Want als je eenmaal gescheiden bent, dan moet je natuurlijk een nieuwe woning en dat kan natuurlijk niet zonder een hoop geld. En daarna moet je onmiddellijk weer op pad om naar de volgende wederhelft te zoeken en dan moet je natuurlijk geld hebben voor de kapper en nieuwe kleren en prachtig eten en lekkere rode kutwijn. En als je dan een nieuw iemand vindt, dan moet je natuurlijk weer samenwonen en dan zijn er nieuwe investeringen nodig en als na een poosje deze wederhelft ook niet deugt, dan moet er weer gepráááát worden. Het hart moet worden gelucht. Die ritssluiting die ieder mens op zijn buik heeft, moet open en al zijn ingewanden moeten op de keukentafel worden gelegd. Hart en longen. Lever en nieren. Vanzelfsprekend. En als er op het een of andere van die organen een klein schoonheidsvlekje zit, dan moet er weer worden gescheiden. Want je hebt er immers recht op om gelukkig te zijn. Je hebt immers het recht om getrouwd te zijn met iemand die perfect is. Vooral als je een vrouw bent. Nietwaar? Dat is immers wettelijk vastgelegd. En als je toch niet de hele tijd volkomen gelukkig bent, als je niet elke ochtend zingend wakker wordt, dan is dat natuurlijk niet je eigen schuld. Dan is dat de schuld van je moeder. Of van je vader. Vooral van je vader, want dat is immers een kerel en kerels staan tegenwoordig nou niet bepaald hoog aangeschreven. Dan heeft hij je niet genoeg geprezen. Of niet genoeg naar je gelachen. Of gepraat. Uiteraard. Want zelf heb je natuurlijk geen verantwoordelijkheid voor je eigen leven … Absoluut niet.

Maar wij dan? Wij gewone mensen. Wij die niet gelukkig kunnen zijn. Wij die weten dat het volkomen zinloos is om te proberen de werkelijkheid weg te redeneren, dat de hele zooi toch gewoon is zoals die is. Wat moeten wij beginnen? Moeten we al die stomme aanvallen waarmee die praters ons overladen maar gewoon vreten?

Nee. Om de dooie donder niet. Lotta moet haar eigen ellende maar oplossen. Ik ben potverdomme niet van plan het met haar uit te praten. Ik hoop eigenlijk dat ze me juist in de gevangenis zetten. In dat geval ben ik van plan zo moeilijk en rottig te doen en me zo te verzetten dat ze me in de isoleercel stoppen.

Dat zou eigenlijk verrekte lekker zijn.

Maar daar in die keuken van Minna's restaurant kwam ik niet zover met mijn gedachten. Ik zat alleen maar een hele poos recht voor me uit te staren terwijl ik voelde hoe woede in me opsteeg als kwik in een koortsthermometer. Ik was namelijk behoorlijk kwaad. Om het voorzichtig uit te drukken, zoals Maggie altijd zegt. Ik dacht niet eens in woorden, alleen in beelden. Ik zag mezelf opstaan om de hele zooi daar in elkaar te trappen, mijn voet in die roestvrijstalen deuren te zetten zodat er echte afdrukken in het staal kwamen, de ruiten te breken om de storm binnen te laten, en die witte stapels met borden op de grond te trekken. Volgens mij stond ik op het punt dat te doen, want ik kwam net overeind toen de deur opeens openging. En daar stond Jörgen Andersson, een van de nieuwe, jonge en dodelijk goedopgeleide kerels van de brigade, en die zei: 'Wat zit jij hier nou te doen?'

Ja, wat zat ik hier nou te doen? Waarom zat ik niet naast mijn slachtoffer in het restaurant om haar hand vast te houden en een wiegeliedje te zingen? Dat had hij vast gedaan. Dat is vast het soort dingen dat ze leren op al die verrekte hogere beroepsopleidingen waar ze naartoe gaan.

In mijn tijd werd er niet gezeverd. Dan ging de brandweercommandant gewoon eens bij de voetballers kijken wanneer er een wedstrijd was. En dan zei hij tegen de beste speler dat hij aanstaande maandag maar eens naar de brandweerkazerne moest komen. Veertien dagen cursus, en dan was je brandweerman met een flink maandsalaris en een vaste aanstelling. Waarschijnlijk kon pa dat nooit verkroppen. Dat ik het hele

172

jaar werk had terwijl hij elke winter werkloos was.

'Moet je geen rapport uitbrengen?' vroeg Jörgen Andersson. Dus bracht ik rapport uit. Aangekomen nadat het ongeluk al had plaatsgevonden. Patiënt bloedde nogal flink uit een snijwond aan de hand. Verband aangebracht en bloeding gestelpt. Breuken van beide armen geconstateerd en van minstens één rib, waarschijnlijk twee. Vermoeden van hersenschudding. Heb haar – *hmm* – een dosis Stesolid toegediend en haar een – *hmm, hmm* – injectie met Rapifen gegeven.

'Heb je haar Rapifen gegeven?' zei Jörgen Andersson. 'Ben je niet goed snik?'

Nee, ik zal wel niet goed snik zijn. Jörgen Andersson rende het restaurant in, rukte zijn stethoscoop uit zijn tas en boog zich over Minna. Ze ademde nog steeds, maar behoorlijk oppervlakkig en tamelijk langzaam. Toch begon hij haar te reanimeren, maar hij hield er ook al redelijk snel weer mee op toen duidelijk was dat ze dat niet nodig had. Ik stond bij de kassa naar hem te kijken. Opeens voelde ik me een ouwe vent, een echt ouwe, gerimpelde, miezerige vent, die niets snapt van de nieuwe tijd. Misschien kromp ik. Volgens mij wel. Ik had het gevoel alsof ik met een kromme rug stond, alsof ik me niet eens kon oprichten toen Jörgen abrupt overeind kwam, mij een boze blik toewierp en met zijn hele hand wees: 'Jij komt met ons mee!'

Bij de deur stond Bosse P. Hij is ook een oud-voetballer en maar tien jaar jonger dan ik, maar toch kon je duidelijk merken dat ook hij opzij werd gezet, dat hij moest wijken voor de energie in de blauwe ogen van Jörgen Andersson, dat ook hij gebukt ging onder het gewicht van het gebrek aan studiepunten van het hoger beroepsonderwijs. Heel even kruisten onze blikken elkaar, toen trok hij bijna ongemerkt zijn schouders op en keek hij een andere kant op.

O. Dan zou hij het rupsvoertuig wel besturen.

'Haal de brancard', zei Jörgen Andersson.

Hij was onverbiddelijk. Een brancard, een chauffeur en drie passagiers, meer mochten er niet mee. Dat stond in het reglement en hij was zoals altijd van plan het reglement tot in de puntjes te volgen. Hij telde voor één en ik telde voor één, dus mocht er nog maar één andere persoon mee. Zo zat dat. Daar viel absoluut niet aan te tornen.

Annette ging natuurlijk als eerste in de rij staan. Letterlijk. Ze kroop dicht tegen Jörgen Andersson aan en vouwde zelfs smekend haar handen. Sonny? Hij herinnerde zich Sonny toch wel? Ze hadden immers samen op school gezeten, dat wist hij toch nog wel? En nu moest Annette naar Arvika, omdat Sonny helemaal alleen thuis was en Annette was bang dat hij zich iets zou aandoen, dat hij in zijn eentje de storm en de overstroming in zou tuimelen en misschien zou verdrinken, als hij althans niet binnen bleef omdat hij misselijk was en misschien in zijn eigen braaksel zou stikken, jawel, helaas, zo kon het gaan, want Annette was altijd degene die over Sonny waakte en als zij niet thuis was, dan kon er van alles gebeuren ...

Jörgen Andersson trok een gezicht van afkeer. Misschien herinnerde hij zich Sonny iets te goed, want hij keek om zich heen: 'Iemand anders? Iemand die heel goede redenen heeft?'

Ritva deed een slappe poging. Ze moest immers naar de krant en Joost mocht weten wanneer de fotograaf hier zou verschijnen ...

Jörgen Andersson negeerde haar.

Henrik was al op een stoel gaan zitten om zijn natte sokken en verpeste schoenen aan te trekken en voerde argumenten aan die voor hem pleitten. Hij sprak rustig en zakelijk, op een enigszins onaangedane toon. Hij had morgen een ontzettend belangrijke afspraak in Stockholm, en als hij maar in Arvika kwam, dan kwam hij vast wel verder, ongeacht welke moeilijkheden zich zouden voordoen. Hij zou zelfs de hele weg een taxi kunnen nemen. Zijn vrouw zou hier blijven totdat de storm was gaan liggen, zijn auto opzoeken en daar vervolgens mee naar Stockholm rijden. Dat was geen probleem. Of wel, schat?

Zijn schat gaf geen antwoord. Ze staarde hem alleen maar aan en begon met haar ogen te knipperen. Vervolgens tilde ze met een schuin glimlachje haar glas op om een toost uit te brengen. Terwijl hij zijn overjas aantrok, keerde Henrik haar de rug toe. Glimlachend zei hij daarna: 'Oké. Dan zullen we maar gaan.'

Jörgen Andersson knikte, maar Bosse P, die tot nu toe alleen maar zwijgend had staan loeren, kreeg opeens zijn spraakvermogen terug.

'Maar dan is hier alleen nog maar vrouwvolk ...'

Jörgen trok aan zijn handschoenen.

'En wat voor verschil zou dat uitmaken?'

'Maar zou er niet ...'

Ik weet wat hij van plan was te zeggen, ook al zei hij het niet. Zou er hier geen manspersoon moeten blijven om het vrouwvolk tegen de storm te beschermen? Jörgen leek dat ook te begrijpen, maar hij was het er niet mee eens.

'Het gebouw is warm en stevig. De elektriciteit doet het en ze hebben mobiele telefoons. Er is niets wat een man zou kunnen doen om het beter te maken. En bovendien zullen jij en ik zo snel als het maar enigszins kan nog een keer hiernaartoe rijden. En dan mogen alle drie de dames mee.'

Toen we deur openden, barstte Annette in huilen uit. De storm buiten jankte mee.

* * *

Onderweg naar de stad zei Jörgen Andersson niet veel. Hij zat gewoon zwijgend en kaarsrecht voorin naast Bosse P en liet mij zijn blonde nek en scherpe profiel bestuderen. Nek en profiel waren prachtig, zoals ma zou hebben gezegd. Gewoonweg ongelooflijk mooi. Hoewel me opeens te binnen schoot wat Maggie had gezegd toen we hem voor het eerst in de stad tegenkwamen: *Wat is dat voor ariër?* Goeie vraag, dacht ik. Een verdomd goeie vraag. En plotseling zag ik Jörgen Andersson voor me op een nazi-affiche, een blonde heldenklootzak die in de richting van een met een hakenkruis versierde zonsopgang staarde. Ik kon een kleine grijns niet onderdrukken. Veel was het niet, ik proestte alleen maar een beetje en onderdrukte dat meteen, maar dat hielp niet. Jörgen Andersson draaide zich om en keek me aan. Zijn blik was ijskoud. Vernietigend.

Misschien zit ik vanwege die lach hier. Bij de politie. Omdat Jörgen Andersson er niet van houdt om te worden uitgelachen. Omdat Jörgen Andersson niet alleen wil, maar gewoonweg eist dat de rest van de wereld hem met dezelfde blik bekijkt als zijn moeder en vader ooit deden. Met bewondering. Eerbied. Gewoonweg verering. Het spijt me. Daar kan ik hem niet mee van dienst zijn. Daarentegen kan ik hem misschien wel iets beloven. Ik zou hem kunnen beloven dat hij over tien, twintig of vijfentwintig jaar op een ochtend wakker wordt en zich een tikje stoffig voelt. Iets te oud. Iets te twijfelend bij al het nieuwe. Misschien een heel klein tikje verkeerd opgeleid. Niet helemaal bij de tijd. Ik hoop dat hij op die dag aan mij denkt. Dat hij zich mij en mijn geproest herinnert. En dat hij eindelijk snapt dat ik iets wist wat hij niet wist.

Ma had het daar op het eind over. Dat het in feite waar is dat bijna alles anders wordt wanneer je ouder wordt. Dat je meer overzicht krijgt. Andere invalshoeken. Niet dat je daar noodzakelijkerwijs wijzer van wordt, zei ze, want er zijn net zo veel oude dwazen als jonge – en zij kon het weten – maar toch, zei ze, is het een beetje alsof je tegen een berg op klautert. Op een dag sta je opeens bijna bij de top en kijk je uit over de wereld. Zie je dingen die je nooit eerder hebt gezien. Snap je dingen die je nooit eerder hebt gesnapt. Verbaas je je over dingen die je vroeger volkomen normaal vond, niet in de laatste plaats jezelf en je eigen leven. Maar het maakt niet uit; je bevindt je immers hoog bovenaan, hoog boven de wereld, waar de lucht zo ijl is dat je niet langer echt jezelf bent. Je krijgt een beetje moeite met ademen. Hebt moeite om je druk te maken over dingen waarvan je weet dat je je er eigenlijk druk over zou moeten maken. Maar dat doe je dus niet. Je wordt een beetje onverschillig. Onaangedaan. De wereld ligt immers zo ver weg, en iedereen daarbeneden moet zijn eigen fouten maken. Dat is triest en vermoeiend, maar een feit. Een triest en vermoeiend feit waar niets aan te veranderen valt.

Ik ging er niet op in, maar ik weet nog dat ik zachtjes zuchtte, en toen glimlachte ze en pakte ze mijn hand. Als een echte moeder. En dat liet ik haar doen; ik zat naast haar ziekbed en liet haar mijn hand vasthouden op een manier die ik haar sinds mijn tiende verjaardag niet meer had laten doen.

'Vergeef me', zei ze toen. Alleen dat. Vergeef me. Maar ik begreep waar ze op doelde. Mijn naam. De namen van mijn broers. De namen die ons verstomden. De namen die ons bijzonder maakten en een beetje belachelijk en die ons buitensloten. De namen die maakten dat al ons verlangen om gewoon te zijn voor altijd vergeefs zou zijn. Toch legde ik mijn hand op de hare en zei: 'Er valt niets te vergeven …'

Ik glimlachte en zij wist dat ik glimlachte, en toch wisten we allebei dat ik in zekere zin de waarheid sprak. Er viel niets te vergeven. Alles was zoals het was, alles was geworden zoals het moest worden en niemand van ons zou iets kunnen doen om er wat aan te veranderen. Het enige wat ik kon doen was haar hand tussen mijn beide handen houden. Het enige wat zij kon doen, was over de wereld uitkijken en een beetje zuchten. Dacht ik. Want opeens begon ze te lachen, dat verrekte wijf, opeens gooide ze die schaterlach eruit waarop ze zich had toegelegd sinds pa stierf. Marlon, mijn broer, ergerde zich altijd aan die lach, maar tot nu toe was ik zo verdomde arrogant dat ik dacht dat ik me er niets van aan hoefde te trekken, omdat ik snapte wat het betekende. Dat het de triomfkreet van de overlever was. Een vrijheidslach. De manier waarop de vrolijke weduwe aan de wereld liet weten dat het haar geen ene moer kon schelen wat de mensen dachten, nu de gevangenbewaarder eindelijk dood was.

'Ik praat voor mijn zieke moeder', lalde ze ten slotte, want haar kunstgebit was onder het geschater losgegaan en dat maakte dat ze in een deuk lach en nog harder moest lachen. 'Of beter gezegd voor jóúw zieke moeder!'

Ze schudde van het lachen en trok haar hand terug, om die vervolgens in haar mond te steken en het hele gebit eruit te trekken. In het voorbijgaan keek ze er even naar en daarna strekte ze haar hand naar mij uit en deed een uitval. Alsof ze me met haar akelige kunstgebit wilde bijten. Ik schrok blijkbaar en daardoor moest ze nog harder en nog heftiger lachen, en het leek alsof ze wilde dat ik opnieuw zou schrikken, want ze deed opeens weer een uitval en nog één. Nu was ik echter voorbereid. Ik schrok niet meer en daardoor verbleekte haar lach. Die doofde helemaal uit toen ik haar het kunstgebit afnam en het op het nachtkastje legde.

Ik had gewonnen. Ik had haar eindelijk overwonnen.

Zwijgend zaten we daar toen, zonder elkaar aan te kijken en zonder elkaars hand vast te houden. Buiten voor het raam ging de zon onder en de muur boven haar bed kleurde langzaam abrikoos, een kleur die zich verdiepte en die gloeide terwijl ze langzaam over mijn moeder neerdaalde. Haar bleke wangen kregen kleur, haar grijze lippen begonnen te blozen. Heel even wilde ik haar kussen, maar een tel later deed de gedachte alleen al me walgen en ik stond snel op om mijn jas aan te trekken. Ze keek me aan en nu was ze heel serieus. Misschien schaamde ze zich. Misschien begreep ze het. Misschien besefte ze gewoon dat ze het niet kon verdragen om mij te zien, want opeens sloot ze haar ogen en ze hield ze dicht totdat ik de rits van mijn jas had dichtgetrokken.

'Je weet het', zei ze ten slotte, en opnieuw wist ik precies wat ze bedoelde zonder dat zij het hoefde te zeggen. Je weet dat ik veel te weinig tijd heb besteed aan de echte werkelijkheid en veel te veel aan ronddolen in droomwerelden en fantasielandschappen. Je weet dat ik laf ben geweest, dat ik nooit verzet heb geboden, ook al hadden zowel jij als ikzelf als je broers mijn verzet kunnen gebruiken. Je weet dat ik net deed of ik je vader in een goed humeur hield, hoewel er eigenlijk niets was wat hem in een goed humeur kon krijgen en hoewel we allemaal wisten dat ik hem een steek onder water gaf zodra ik dat kon. Maar inderdaad, ik hield mezelf voor dat ik vocht voor ruimte voor mezelf, geen grote ruimte, maar een centimeter of zo, al was het maar een plek waar ik mijn zoons de mooiste namen kon geven die ik kende, maar dat was blijkbaar al te veel, dat betekende al dat ik jullie vader voor eeuwig verdrong, dat ik hem verdreef terwijl ik van jullie ondertussen buitenstaanders maakte, en in zekere zin betekende dat ook dat ik jullie jongens in de steek liet terwijl ik dat echt niet wilde. En toch deed ik dat. Toch was dat precies wat ik deed.

Ik had erop kunnen ingaan, maar dat deed ik niet. Ik bleef alleen nog heel even hangen, en daarna knikte ik haar snel toe en ik vertrok. Ik ging en ik kwam pas een maand later weer terug.

Het rupsvoertuig begon te schudden, ik gleed wat opzij en pakte snel Minna's hand.

'Het goede wat ik wil, dat doe ik niet', zei iemand opeens en tot mijn verwondering ontdekte ik dat ik dat zelf was. 'Maar het kwade wat ik niet wil, dat doe ik wel.'

Jörgen Andersson draaide zich om en wierp me een kille blik toe. Hij wist niet wat ik had gezegd, maar Bosse P begon op de voorbank een beetje te grinniken.

'Citeer je uit de Bijbel?' zei hij. 'Misschien kom je daar een beetje laat mee.'

Gebrom was mijn enige antwoord aan hem. En godzijdank hoorde hij het koor niet dat achter mijn rug begon te zingen: *Hij is zo belachelijk, zo ongelooflijk be-la-che-lijijijk, mister Mislukt, mister Idioot, meneer Nulnulnulnul ...'*

We deden er vrij lang het zwijgen toe. Misschien reden we na een poosje het bos in, want de bodem werd in elk geval heel ongelijk en de wagen begon te hobbelen en te schudden zodat we op onze stoelen zaten te stuiteren. Ik kon niet naar buiten kijken, ik kon mezelf niet toestaan mijn blik van Minna los te maken. Ze lag goed vastgegespt, maar ze begon steeds sneller en oppervlakkiger te ademen. Haar oogleden knipperden een paar keer en in het gedempte licht zag ik dat ze haar mond bewoog, dat het leek of ze praatte, ook al was er geen geluid te horen. Ze leek van streek, ook al was ze niet bij bewustzijn, en ik deed een onhandige poging om haar te kalmeren door haar heel licht over haar hoofd te aaien. Maar dat hielp niet. Integendeel. Daar begon ze van te grommen. Een ander woord is er niet voor. Ze gromde echt naar mij en het klonk zo hatelijk dat Henrik, die naast me zat, schrok en snel opzijschoof.

'Jezus christus!' zei hij.

Jörgen Andersson op de voorbank rechtte zijn rug nog meer.

'Wat?'

Henrik klonk alsof hij het spoor helemaal bijster was.

'Ze gromde!'

'Hoezo, ze gromde?'

'Het klonk alsof ze tegen ons gromde.'

Jörgen Andersson draaide zich om en probeerde mij aan te kijken. Ik zag het alleen vanuit mijn ooghoek, want ik was net bezig de stethoscoop in mijn oren te stoppen en ik kon mijn blik niet van Minna losmaken. Maar ik was wijs genoeg om te zwijgen terwijl ik haar hart en longen beluisterde. Het klonk niet goed. Haar hart klopte veel te snel en te onregelmatig.

'Nou?' vroeg Jörgen Andersson.

Ik negeerde hem en wendde me daarom meteen tot Bosse P.

'Moeten we nog ver?'

Hij bromde zachtjes.

'Tien minuten misschien.'

'Probeer het in vijf te doen', zei ik.

En dat lukte hem ook nog. Na precies vijf minuten en drieënveertig seconden werd de deur van het rupsvoertuig opengetrokken en nam het ziekenhuispersoneel het over. We stonden precies voor de ingang van de EHBO. De wind rukte aan hun haren en kleren, maar toch waren ze even nuchter en efficiënt als altijd. Ze haalden Minna eruit, tilden haar over op een van de ziekenhuisbrancards en renden daarna door de glazen deuren naar binnen. Jörgen Andersson rende erachteraan, maar pas nadat hij met zijn hele hand naar mij had gewezen. Ik nam aan dat dit betekende dat hij wilde dat ik in de wagen bleef zitten, maar daar trok ik me geen bal van aan. Ik verliet het rupsvoertuig en ging midden in de storm staan. Toen ik daar stond en de regen als spijkertjes op mijn gezicht voelde, en de wind mij en mijn regenjack beetpakte, realiseerde ik me opeens dat ik was vergeten de rits dicht te trekken. Ik voelde hoe de wind probeerde mij mijn jas uit te trekken, hem van mijn lichaam te rukken, en gedurende een ademtocht was ik bereid om dat te laten gebeuren, om hem weg te laten vliegen en te laten verdwijnen en om zelf aan het noodweer toe te geven en erachteraan te vliegen. Maar ik kwam tot bezinning, trok mijn jack om mijn buik en liep het ziekenhuis in.

Ik ging een poosje in een kamertje zitten wachten tot de politie zou komen. Maggie kwam langs met een kop koffie en probeerde me aan de praat te krijgen over wat er was gebeurd, maar ik kon het niet opbrengen om het te vertellen, ik kon het gewoon niet. Maar ditmaal kon ik Jörgen Andersson natuurlijk wel de schuld geven. Ik trok mijn wenkbrauwen op en maakte een kleine beweging in zijn richting. Maggie draaide zich om en keek naar hem. Ze keek en ze begreep het. Hij was degene die hier het woord voerde, hij was degene die praatte en kon praten, hij was degene die het hele hok met zijn gepraat vulde, over Rapifen en over slordigheid en hoe enorm onverantwoordelijk het was geweest wat ik had gedaan, maar toen hij naar adem hapte, keek ik Maggie aan en drukte ik haar hand.

'Ga maar', zei ik.

Maggie keek een beetje aarzelend. Bijna ongerust. Misschien was dat omdat ik haar hand vasthield. Dat deed ik niet vaak.

'Zeker weten?'

Ik knikte: 'Zeker weten.'

En toen ging ze.

Ten slotte kwam de politie en met de politie kwam de schaamte. De voldongen schaamte. Er verschenen twee jonge brigadiers die ik nooit eerder had gezien en die mij nooit eerder hadden gezien, en ze posteerden zich elk aan een kant van mij. Ze pakten me bij mijn bovenarmen en leidden me naar de gang. En achter ons aan kwam de hoofdgetuige zelf: Jörgen Andersson. Hij liep met een kaarsrechte rug en keek heel serieus. We passeerden artsen, verpleegkundigen en ziekenverzorgenden. Patiënten op brancards, patiënten in bedden, patiënten die op een stoel in de gang op hulp zaten te wachten, patiënten die opkeken en met open mond zaten te loeren toen wij langsliepen. Hier komen wij: de man van de schaamte en de burger met verantwoordelijkheidsgevoel. En we liepen verder, de overvolle wachtkamer in, waar de mensen zich om een zitplaats verdrongen, waar anderen in de vensternissen zaten of op de grond en waar enkelen tegen de muur leunden, in afwachting van een dokter, die heel lang op zich zou laten wachten. Onder die mensen herkende ik een oude maat van het voetbal en ik knikte, maar hij knikte niet terug. Van hem gewoon dezelfde lege blik als van de rest, een lege blik die zich met respect vulde wanneer hij naar Jörgen Andersson werd gewend. Een nul en een held. Dat was wat ze zagen. Een mislukkeling en een rechtschapen mens. En we liepen verder, door de glazen deuren naar buiten, naar de politiewagen die vlak voor de ingang geparkeerd stond, en de ene agent gebaarde naar Jörgen Andersson dat hij voorin moest gaan zitten, terwijl de andere een hand op mijn hoofd legde en het achterportier opende. Misschien wilde hij me zegenen; dat gevoel had ik bijna. Als hij tenminste niet gewoon wilde voorkomen dat ik met mijn hoofd tegen de auto zou slaan en hem daarna zou aangeven wegens mishandeling. Zoals misdadigers altijd doen.

Dit was het verhaal van mijn leven. Die wandeling was een exacte samenvatting van het leven dat ik had geleefd. Ik schaamde me. Ik schaam me nog steeds. Niet voor iets wat ik heb gedaan, maar wel voor wie ik ben. En nu gaat de deur open en daar staat rechercheur Blomgren, een oude buurman uit onze straat.

'O', zegt hij. 'Dus jij bent het toch.'

Onze blikken kruisen elkaar heel even, maar ik draai mijn hoofd weg en zie de zilveren strepen van de regen op het raam. Buiten brandt een straatlantaarn. De hele wereld glinstert.

'Tja', zegt Blomgren weer en hij trekt een stoel naar achteren. 'Ondanks de naam dacht ik dat het iemand anders was ... Nou ja. Dan zullen we maar beginnen.'

En hij buigt zich voorover om de bandrecorder te starten.

Minna

Je hebt je ogen nog steeds dicht, maar ik weet dat je me hoort. Je ademhaling verraadt je. Soms luister je zo intens dat je ademhaling nauwelijks te horen is. Soms houd je je adem helemaal in en dan verstom ik ook, dan zwijg ik tot jij met een zuchtje je adem laat ontsnappen. Af en toe is je ademhaling zo oppervlakkig dat het klinkt alsof je weer zult gaan reutelen of gorgelen, maar dat doe je niet. Je luistert. Je wilt weten. Je vraagt je af wat er met je zoon is gebeurd en je hebt goede redenen om te vermoeden dat ik dat weet, ook al heb ik daar nog geen woord over gezegd. Misschien heb je gelijk. De rest, ik en Sofia, je klein- en achterkleinkind, laat je volkomen koud. Je zou vast wel willen dat ik voor je stond als een dienstmeid uit je vroege jeugd, met neergeslagen ogen en de handen gevouwen voor het schort, vanwege het geld gedwongen jouw vragen te beantwoorden. Want je snapt toch wel dat dat het was? Dat mensen jouw bevelen opvolgden omdat ze in hun onderhoud moesten voorzien, en niet omdat ze van je hielden, je bewonderden, zich minderwaardig voelden, of wat jou maar werd aangeleerd om je te verbeelden.

Warempel! Was dat zuchtje een reactie? Betekent dat misschien dat het jou niet uitmaakt wat de reden is? Dat een hooggeboren wezen als jij zich niet druk hoeft te maken welke redenen een bastaard als ik heeft, zolang ik maar doe wat jij wilt? Maar vergeet niet dat jij een heel andere tijd toebehoort. Tegenwoordig hoef ik jou niet te gehoorzamen. Niemand hoeft jou te gehoorzamen. Daarom moet jij wachten tot het mij behaagt om het te vertellen.

De storm was geweldig. Fantastisch. Puur genieten.

Ik had het gevoel dat ik vloog, maar ik was me er tegelijkertijd van bewust dat ze me op een brancard hadden gelegd en dat het Bosse P en Tyrone waren die met me weg schommelden. Jawel, ik weet dat het uitgerekend die twee waren, want hoewel ik mijn ogen dicht had, kon ik wel zien en hoewel iedereen beweerde dat ik bewusteloos was, kon ik wel horen. Maar misschien was ik in zekere zin wel bewusteloos, misschien was er het een en ander dat ik niet meekreeg, want ook al zag ik Tyrone nog zo duidelijk – de donkergrijze stoppelbaard, het gefronste voorhoofd, de diepe rimpel tussen de wenkbrauwen – Ritva en Marguerite zag ik geen beiden, ook al weet ik dat ze er waren. Annette hoorde ik niet, al ving ik een glimp van haar op aan de rand van mijn gezichtsveld en kon ik zien dat ze huilde op die snikkende, open manier waar ze anders alleen maar haar toevlucht toe neemt als het enorm belangrijk is dat ze een half of een heel uur eerder naar huis mag om het leven van haar man te redden. Maar nu huilde ze echt, nu was het volkomen oprecht, en toch hielp het niet. Jörgen Andersson maakte het geen ene moer uit of Sonny Karlsson leefde of stierf. Hij was ten eerste van plan mijn leven te redden en ten tweede ervoor te zorgen dat Tyrone ter verantwoording werd geroepen voor te zware pijnbestrijding. Waar een van die twee dingen nou goed voor was?

Nou ja. Hij hield de deur in elk geval uit alle macht open zodat Bosse P als eerste heel voorzichtig over de drempel kon stappen en op een holletje de drie stoeptreden kon nemen zonder mijn houding te verstoren, en hij bleef daar staan toen Tyrone even voorzichtig volgde. De blauwe deur waaide dicht en mijn restaurant was voor mij gesloten. Misschien voor altijd. Jörgen deed zijn zaklamp aan en scheen er recht mee in mijn gezicht, maar dat maakte niet uit. Ik kon immers niet verblind worden; mijn ogen waren toch al dicht.

De wind was een genot en een bevrijding. Hij was ijskoud en heftig, zocht zich overal een weg naar binnen, onder de deken en mijn trui, op mijn zweterige hoofd, hij glipte zelfs onder mijn gefixeerde nek, en hij was helemaal verrukkelijk. Als een bad in een bosmeertje in Värmland. Alsof je op een vroege zomerochtend op je eigen terras stond en voelde hoe de koelte van de dageraad zich een weg zocht onder je nachtpon. Alsof je met een dampend lichaam de sauna uitrende en je snel in het donkere water van het wak liet zakken. Het duurde echter maar een minuut, toen lag ik opeens in het legergroene donker van het rupsvoertuig naar het plafond te staren. Hier was het warm. Iets te warm zelfs, en ik verlangde al terug naar de storm en de kou. Tyrone ging op de bank naast mijn brancard zitten en had zijn stethoscoop vast, maar hij gebruikte die niet; hij richtte zijn blik naar binnen en grimaste een beetje. Henrik, de enorm gewichtige professor in de economie die niet langer meer zo gewichtig was, plofte naast hem neer. Zijn kreukelige overjas zag eruit alsof hij erin had geslapen. Misschien was die jas ondanks alles wel mijn hoofdkussen geweest toen ik in het restaurant op de grond lag. Dat maakte ook niet uit. Nu lag ik op een brancard met mijn hoofd vastgezet in een soort stellage. Het was niet heel comfortabel, maar wel te verdragen.

Jörgen Andersson ging voorin zitten en Bosse P startte het rupsvoertuig. Hij liet de motor een of twee keer pruttelen voordat de wagen langzaam de heuvel af begon te rollen. Op hetzelfde moment kreeg ik hem in de gaten. De Koperen Engel. Een engel met enorme, schitterende koperen vleugels en witglinsterend haar die op mijn benen zat. Een volkomen gewichtloze engel, die toch zo groot was dat hij moest bukken om te voorkomen dat zijn vleugels tegen het plafond stootten. Hij had zijn ene voet opgetild en over de knie van zijn andere been gelegd, en hij zat te pulken aan iets onder zijn voet.

'Hallo daar', zei ik.

Hij wierp me even een blik toe, maar antwoordde niet. Hij wendde zich gewoon weer naar zijn voet. Hij zat eraan te pulken en te draaien, alsof hij probeerde of hij hem in verschillende hoeken kon buigen. Opeens zag ik dat zijn ene vleugel wat slap hing. Misschien waren onder het verenkleed een paar botten gekneusd.

'Heb je je bezeerd?'

Hij wierp me een boze blik toe, maar gaf nog steeds geen antwoord. Hij boog zich gewoon nog dieper over zijn voet. De huid glinsterde als paarlemoer.

'Ik dacht dat engelen zich niet konden bezeren', zei ik, en ik probeerde vriendelijk te klinken.

Hij frunnikte een hele poos aan zijn voet, maar reageerde niet. Daarna liet hij hem los en hield hij zijn handen op naar het gedempte licht van een plafondlichtje. Hij bestudeerde elke vinger van zijn lange en oneindig mooie handen afzonderlijk, liet ze toen zakken en wreef zijn handpalmen af aan zijn donkergele gewaad.

'Voor zover ik weet,' zei hij toen, terwijl hij me een chagrijnige blik toewierp, 'geloof jij niet in engelen. Dus daarom zou je ons allebei misschien een dienst moeten bewijzen door je waffel te houden.'

Dat was de toon die ik nodig had. De toon waarnaar ik had verlangd. Ik glimlachte naar hem: 'Jij zegt het.'

Hij snauwde: 'Inderdaad. Ik zeg het.'

Door hem was ik opgekikkerd. Weliswaar kon ik me niet bewegen, weliswaar lag ik vastgegespt op een gevaarte van een brancard en kon ik mijn hoofd nog niet eens heen en weer bewegen, maar toch voelde ik me opeens licht en gezond en in een stralend humeur.

'Het zou wel behoorlijk dom zijn om niet te geloven wat ik zie', zei ik en ik glimlachte weer.

Hij haalde zijn neus op.

'Dus jij denkt dat het zo eenvoudig is? Als je het ziet, bestaat het. Nou?'

'Inderdaad.'

'Ik kan je vertellen dat het zo eenvoudig niet is.'

Hij haalde een stukje van zijn gewaad naar zich toe en snoot er luidruchtig zijn neus in. Ik kon niet voorkomen dat ik mijn gezicht vertrok.

'Gatverdamme!'

Daardoor hield hij zich in. Heel even zat hij kaarsrecht en roerloos naar Henrik te staren, die hem helemaal niet leek te zien. Daarna wendde hij zich opeens tot mij, leunde naar voren en plaatste zijn handen aan weerszijden van mijn lichaam. Hij kwam heel dichtbij. Zo dichtbij dat ik zijn hete adem op mijn wangen kon voelen branden. Het rook niet bepaald lekker.

'Bemoei je niet met dingen die je niet snapt! Je bent míjn moeder niet!'

Wat wist hij? Het begon in mijn buik te kriebelen van angst, maar ik was niet van plan hem dat te laten merken. Dus trok ik maar een gezicht van afkeer.

'Je neus snuiten in je kleren! God, wat smerig.'

Hij fronste zijn wenkbrauwen en blies nog een ademstoot over mijn gezicht, zo heet dat het schrijnde in mijn ogen.

'Je moet Gods naam niet als een vloek gebruiken! Begrepen? Ik kan dat doen en alle andere engelen kunnen dat doen, maar jij bent maar een mens en bovendien een leugenachtig mens en daarom mag jij dat niet doen. Snap je wel?'

Ik brandde me aan zijn adem, de slijmvliezen in mijn neus

droogden uit en ik voelde hoe ze craqueleerden. Mijn eigen stem was niet meer dan een fluistering: 'Sorry, hoor. Heel erg sorry.'

Hij ging rechtop zitten, zijn beschadigde vleugel stootte tegen het plafond en hij vertrok zijn gezicht van de pijn. Daarna werd zijn gezicht volkomen mild. Overdreven mild. Hij bewoog wat met zijn hoofd, naar voren en terug, naar voren en terug.

'*Heel erg sorry* …? Huh? Dat is toch gek. Je voegt er een versterking aan toe en het enige wat er gebeurt, is dat de verontschuldiging er minder waard door wordt. Dat is slim. Heel slim. Een typische Minna-truc.'

Ik reageerde er niet op. Als ik had gekund, had ik hem de rug toegekeerd en was ik weggelopen, maar dat kon ik natuurlijk niet. Ik kon niet eens mijn ogen dichtdoen, ik had ze immers al dicht. Ik moest daar blijven liggen om zijn bedwelmende, zij het enigszins verfomfaaide schoonheid te bekijken, zijn hemelse woede en korzeligheid als geheel. Ik wist niet wat ik moest zeggen.

'Neem me niet kwalijk', fluisterde ik ten slotte.

Hij begon te grijnzen. Echt, er is geen ander woord voor. De Koperen Engel grijnsde naar me en zijn stem werd opeens heel anders. Gewoon. Bijna menselijk.

'*Neem me niet kwalijk*! Nou, potverdomme. Voel je verontschuldigd.'

Nu voelde ik dat ik mijn linkerhand zo stevig gebald had dat mijn nagels in mijn handpalm drongen. Dat verwonderde me; ik had niet gedacht dat ik mijn hand kon bewegen. Maar dat kon ik dus blijkbaar wel, althans, in de buurt van de Koperen Engel. Ik opende mijn hand een klein beetje en krabde zachtjes aan de littekens. Er zat een kloppend gevoel in; door mijn hartslag trilde mijn hand.

'Dus jij mag wel vloeken?' zei ik toen.

Hij zakte wat in elkaar en maakte een enigszins vermoeide indruk.

'Ja, ik mag wel vloeken. Dat denk ik in elk geval.'

'En dat geeft geen problemen met ...'

Ik liet mijn duim iets omhooggaan, heel even maar. De Koperen Engel sloeg zijn ogen op naar het plafond en zuchtte een beetje. Vervolgens spreidde hij zijn vleugels wat zodat hij tegen de wand kon leunen.

'Nee', zei hij. 'Boven geen problemen. Ik heb van die kant trouwens al een hele tijd niets meer gehoord.'

Ik beet op mijn onderlip.

'Slechte zaak.'

De Koperen Engel zuchtte opnieuw. Behoorlijk diep.

'Inderdaad. Een heel slechte zaak.'

We zwegen. Hij sloot zijn ogen en het leek bijna alsof hij in slaap zou vallen. Zelf zweefde ik ook een kort moment tussen dromen en waken. Toen zag ik hem een beetje dieper wegzinken tegen de wand van het rupsvoertuig, alleen maar om met een getergde blik onmiddellijk weer overeind te schieten. Ik fluisterde: 'Doet het pijn?'

Hij knikte, maar zonder zijn ogen te openen.

'Ja', zei hij toen. 'Het doet veel pijn. En dat doet het al heel lang. Zo'n pijn dat ik me nauwelijks kan bewegen. Zo'n pijn dat ik gewoon overal vanaf wil.'

Terwijl hij sprak, verhief hij zijn stem. Hij rechtte zijn rug, balde zijn vuisten en zette zich daarmee af op de brancard.

'Haal het weg!' riep hij zomaar opeens, en zijn stem bulderde nog erger dan de storm buiten. 'Hoor je dat? Haal het weg! Dit universum. Dit zonnestelsel. Deze aarde. Dit land. Dit stomme rupsvoertuig! Laat me eindelijk van deze klerezooi verlost zijn!'

Hij schreeuwde niet tegen mij, zoveel begreep ik wel. En een tel later begreep ik ook hoe het zit met fantoompijn. Opeens kon ik voelen hoeveel pijn het deed in die vleugels die ik nooit heb gehad, opeens werd er onder de koperen veren een gloeiend ijzer gestoken dat de pennen erin brak, tot grind verpulverde, en dat een zwavelzuurachtig beenmerg naar buiten liet stromen dat zich schrijnend in elke spier beet en die aanvrat, waarna de vleugels opeens heel zwaar werden, zo zwaar dat het voelde alsof de zwaartekracht ze van mijn rug zou losrukken en twee naakte bloedende wonden zou blootleggen. Het deed zo'n pijn dat ik er misselijk van werd, ik wilde alleen maar braken, al mijn ingewanden eruit spugen en …

Het zakte weer af. Ik haalde een keer diep adem en kon voelen hoe de pijn uit me wegsijpelde. En plotseling was hij weg, verdwenen, en het enige wat er over was, was een kloppend gevoel bij mijn schouderbladen.

'Sorry', zei de Koperen Engel op precies dezelfde manier als ik daarvoor had gezegd. Had hij het met opzet gedaan? Wilde hij dat ik die pijn zou voelen?

'Nee', zei de Koperen Engel. 'Of jawel, om je de waarheid te zeggen. Het is de enige manier om even verlichting van die pijn te vinden. Door hem in iemand anders te laten trekken.'

Mijn stem trilde: 'Maar daarna dan? Waar blijft hij daarna?'

Hij haalde zijn schouders op.

'Hij verdwijnt een poosje. Voordat hij de weg naar huis weer vindt.'

'Hoelang heb jij dit al?'

'Lang.'

'Hoelang?'

Hij glimlachte wat: 'Behoorlijk lang.'

Ik deed mijn mond open en wilde hem net vragen om zich wat nauwkeuriger uit te drukken toen hij zich vooroverboog en mij een kus gaf. Hij drukte zijn robijnrode lippen op de mijne en dat was koel en verrukkelijk, dat opende in mij de ene wereld na de andere, werelden waarin weilanden bloeiden en bossen groen werden, werelden met besneeuwde bergen en helderblauwe luchten, turkooizen waterwerelden waarin tienduizenden rode goudvisjes om me heen zwermden. En al die werelden waren er nog toen hij glimlachend opstond. Ze lagen in mij verborgen en ik wist dat ze daar voor altijd zouden zijn. Bijna als een verwachting.

'Nou ja', zei de Koperen Engel en hij veegde snel zijn mond af. 'Nu is tijd natuurlijk een menselijk fenomeen, dus daarom denk ik dat we er niet over moeten willen praten. Ik heb al heel lang pijn, langer dan jij eigenlijk kunt begrijpen, en jij zult die werelden met je meedragen tot je tijd op raakt. Is dat voldoende?'

Ik probeerde te knikken. Dat lukte niet.

'Jawel.'

'Vergeef je me voor de pijn die ik jou heb gegeven?'

Ik ging bij mezelf te rade. Had ik ooit iemand vergeven die bij mij in het krijt stond? Nee. Kon ik überhaupt vergeven? Ja. Ik zou de Koperen Engel gemakkelijk kunnen vergeven. Ik had hem al vergeven.

'Goed zo', zei de Koperen Engel en hij glimlachte nog een keer.

Het rupsvoertuig begon te hobbelen. Tyrone wierp me een ongeruste blik toe, maar kon niet zien dat ik terugkeek. Hij was slechts een schim. Half transparant. We waren ver van elkaar verwijderd en toch heel dicht bij elkaar.

'Luister es', zei de Koperen Engel terwijl hij met zijn paarlemoerhand over mijn wang streek om mij te dwingen naar hem te kijken in plaats van naar Tyrone. Opeens klonk hij niet chagrijnig of krachtig meer, alleen maar een beetje moe en enigszins verward. 'Helaas moet ik toegeven dat ik niet goed weet waar ik ben. Hoe heet dit land?'

Ik begon met mijn ogen te knipperen. Stak hij de draak met me?

'Nee', zei hij voordat ik antwoord had kunnen geven. 'Ik steek de draak niet met je. Ik ben echt een beetje in de war.'

'O. Daarnet vond ik dat het klonk alsof je alles wist. Je noemde me bij mijn naam. Je zei dat ik leugenachtig was. Dat ik trucs uithaalde.'

Hij grijnsde: 'Bovendien zei ik dat je míjn moeder niet bent. Wat betekent dat ik weet dat je de moeder van iemand anders bent of althans bent geweest.'

Ik ging er niet op in. Ik keek hem gewoon strak in de ogen terwijl ik mijn hoofd probeerde leeg te maken. Ik dreunde de tafels van vermenigvuldiging op. Ging het alfabet van voor naar achteren en van achteren naar voren langs. Herhaalde mijn oude mantra: *Weg. Vort. Aan de kant ermee.* Zijn glimlach werd breder en met een gebaar dat een schouderophalen zou kunnen zijn, bewoog hij zijn schouders licht. Toonde hij dat het niet uitmaakte, althans, op dit moment niet.

'De meeste mensen zijn leugenachtig. En halen trucs uit. Dat weet je toch.'

'Maar mijn naam?'

'Ze hebben in het restaurant je naam genoemd. Het was Minna hier en Minna daar. Ik kan mijn conclusies trekken. Jij heet Minna.'

'Hoe ben je het restaurant binnengekomen? En waarom heb ik je daar niet gezien?'

Hij slaakte een lichte zucht, alsof ik een oneindige zeur was.

'Ik ben met de boom gekomen. Gewoon naar binnen gewaaid.'

'Maar jezus ...'

Ik hield me in, je mocht immers de naam des Heren niet als een vloek gebruiken en ik wist niet echt zeker hoe hij dat zou interpreteren.

'Ben je naar binnen gewaaid?'

De Koperen Engel zuchtte opnieuw.

'Inderdaad, ik tol allang met die storm rond, maar vandaag, vanavond of vannacht, wat het ook is, haalde die plotseling adem en toen viel ik, ik stortte gewoon in die boom neer … En ik bleef hangen. Ik kon niet loskomen.'

Hij zweeg een poosje, zijn rug werd wat krommer en toen hij weer sprak, klonk zijn stem heel zacht.

'Ik kan namelijk niet meer vliegen. Niet op eigen kracht. Ik kan me alleen maar door de wind her en der laten meevoeren.'

Hij zweeg weer. Ook ik zei niets; ik keek alleen maar naar hem. Hij bleef bijna een minuut roerloos zitten en wendde zich toen tot mij.

'Wil je het zien?'

Mijn antwoord klonk aarzelend: 'Wat zien?'

'De storm. Je mag zien hoe die begon … Wil je dat?'

Ik probeerde mijn ogen te sluiten, maar dat lukte niet. Ze waren al dicht.

'Nee, dank je.'

Daar trok hij zich niets van aan. Opeens stond ik gewoon op een zandstrand in een land hier ver vandaan. Op de achtergrond kon je een gedoofde vulkaan ontwaren. De wind was warm. De zee glinsterde diepblauw. Niet grijs zoals de Glafsfjord in het najaar, niet groen als de Noordzee op een zomerdag, niet bruin als een mysterieus bosmeertje ergens, maar schitterend diepblauw, net zo intens blauw als de leverbloempjes die nooit in mijn moeders woonkamer op tafel hadden gestaan. En er stond een klein meisje voor me, een klein meisje met donkere krullen, bruine ogen en lange, licht gekrulde wimpers. Ze droeg een witte zomerjurk en had een stralende glimlach. Sofia. Het was Sofia. Een heel kleine Sofia die nog vol vertrouwen was.

'Nee', zei ik hardop. 'Nee!'

'Jawel', zei de Koperen Engel.

Sofia strekte haar armen uit en begon rond te draaien,

197

aanvankelijk heel langzaam, maar daarna steeds sneller. Haar glimlach straalde even en verdween, straalde even en verdween, ze tolde maar rond tot ze zo duizelig was dat ze in het zand in elkaar zakte, zo duizelig dat ze eerst ging zitten en toen op haar rug ging liggen. Gedurende één ademtocht keek ze recht omhoog naar de hemel, daarna deed ze heel langzaam haar ogen dicht en legde ze haar handen op elkaar op haar borst. Ze lag erbij als een lijk. Mijn kind. Het enige wezen in de wereld van wie ik diep en intens heb gehouden. Het enige wezen in de wereld dat het recht had alles van mij te verlangen. Het enige wezen in de wereld over wie ik alle macht had en de enige die ik genadeloos in de steek heb gelaten.

'Nee', zei ik hardop. 'Nee. Nee. Nee.'

Ik was terug in het rupsvoertuig. Een schimmige Tyrone zat nog steeds naast me met zijn stethoscoop in zijn handen, een even schimmige Henrik keek ongeduldig op zijn horloge en de Koperen Engel wendde zijn stralende gezicht tot mij.

'Niet?'

Ik kon niet praten. Ik kon nauwelijks denken. Er suisde maar één woord door mijn hoofd. Nee. Nee. Nee.

'Nou ja', zei de Koperen Engel terwijl hij zijn gezicht afwendde. 'De storm begon in elk geval op deze manier. Een klein meisje bleef maar ronddraaien. Op de Kaapverdische Eilanden.'

'Nee. Nee. Nee.'

De Koperen Engel luisterde niet. Hij hoorde me wel, maar weigerde te luisteren.

'En jawel, ik weet heel goed dat de mensen hun neus ervoor ophalen dat een vlinder in Buenos Aires een orkaan zou kunnen veroorzaken, maar het is echt waar. Ook al is het heel zelden een vlinder en nooit in Buenos Aires. Meestal begint het in Noord-Afrika. Soms op de Kaapverdische Eilanden. Iemand danst of draait rond of klappert wat te heftig met zijn

vleugels en – hup! – er is een orkaan geconcipieerd. Op voorwaarde dat het water buiten meer dan zevenentwintig graden
warm is en dat deze beweging zich door de lucht voortplant
en zich vermengt met andere winden ...'

En toen vloog ik met hem over de Atlantische Oceaan,
ik gleed met een wind naar het westen, een wind die warmer en warmer werd en die in de rondte werd gedreven, die
steeds sneller ging draaien tot de zee onder ons alleen maar
een blauwe mist was en de hemel boven ons een grijze ne-
vel. Soms verruilden ze van plek, plotseling was de zee boven
ons en de hemel onder ons, soms zeilden we op winden die
dwarslagen, soms maakten we een duikvlucht en scheerden
we vlak langs de heftige golven onder ons, soms stegen we zo
hoog naar de hemel dat we de donkere wolken bijna konden
aanraken. Dat duurde urenlang, dat duurde dagen en nachten, dat duurde weken en maanden, decennia en eeuwen, tot
ik besefte dat we het contact met de tijd hadden verloren, dat
we ons in een heel andere dimensie bevonden. Dat maakte
me blij. Eindelijk was ik buiten de tijd, eindelijk zou ik van
deze wereld verlost zijn. Op hetzelfde moment ontdekte ik
Sofia, die langs zeilde en naar me glimlachte, een in het wit
geklede Sofia, naar wier glimlach ik zo verlangd had, en daarom stak ik mijn hand uit, probeerde ik haar te pakken, alleen
maar om onmiddellijk te beseffen dat dit hopeloos was. Ik
zag haar hand, ik zag die in mijn eigen handpalm liggen,
maar toen ik probeerde er mijn vingers om te sluiten, greep
ik een leegte. Er was niemand! De Sofia die ik zag, was weg,
de Sofia naar wie ik verlangde en van wie ik hield, was er niet
meer. Bestond niet!

Nee! Nee! Nee!

De Koperen Engel greep me om mijn middel en vloog opeens heel dicht naast me, zijn hete adem brandde mijn nek.

'Rustig', zei hij. 'Niet verdrietig zijn. Nog niet. Kijk eens naar die eilanden daarginds! Kijk naar die lange landtong daarachter. Nu gaan we spelen …'

En toen gleden we het luchtruim boven die eilanden in om onze vertwijfeling over hen uit te storten. We lieten de regen de oogst kapotranselen, zagen hoe bomen werden geknakt, zagen hoe de hutjes van arme mensen door de winden in barrels werden geslagen en stukken hout en golfplaat in de lucht werden gegooid, zagen hoe enorme golven zich op eenzame wezens op het strand stortten om zowel hen als hun eenzaamheid te verslinden. Toen waren we opeens boven die landtong en we smeten bladeren, takken en rommel in de turkooizen zwembaden van de grote huizen, we bliezen ruiten van kleinere huizen kapot, tilden daken, tuinmeubels en flamingo's van kunststof op en lieten ze een poosje in de lucht ronddraaien, we gooiden een paar vuilnisbakken om en lieten ze over de wegen stuiteren, lieten een auto of twee rondtollen en kregen ten slotte – eindelijk – een mens te pakken die dom of arm genoeg was om zich in deze orkaan buitenshuis te bevinden, en we tilden hem op, lieten hem een paar meter met ons vliegen en lieten hem daarna los, lieten hem pardoes op de grond smakken waarbij zijn hoofd werd verpletterd op een stenen tuinpad.

'Nu keren we om', zei de Koperen Engel en opeens koersten we in oostelijke richting. Nog steeds tolden we alsmaar rond, maar nu was het koeler, veel koeler en weldra was het ijskoud, en was de orkaan geen orkaan meer. Die was een storm geworden, een storm die zich inhield om op adem te komen toen hij op de Noorse kust sloeg, een storm die niet meer in staat was een auto op te tillen, maar toen hij over Värmland zwiepte nog steeds sterk genoeg was om niet alleen een boom te vellen, maar ook hele bosschages weg te vagen. En daar vielen we. Daar zou ik zo hard zijn gevallen dat ook mijn hoofd verpletterd zou zijn als een verrotte eik die vlak naast een wit huis stond dat niet verhinderd had, een witgeschilderd houten huis met een dubbele blauwe deur. Geel licht zocht zich een weg door hoge ramen.

'Van mij', zei ik en ik voelde hoe mijn hart langzamer begon te kloppen. 'Mijn huis. Mijn wegrestaurant.'

'Zweden', zei de Koperen Engel. 'Nu zie ik het. Zweden en Värmland en Arvika en Minna en Sally's Café-Restaurant en Tyrone en Ritva en Annette en ... Maar ik zie Sofia niet.'

Een beetje glimlachend boog hij zich over me.

'Nou', zei hij. 'Hoe komt het dat ik je dochter niet zie? Vertel?'

Ik dreunde mijn mantra op. Weg. Vort. Aan de kant ermee. Weg. Vort. Aan de kant ermee.

'Denk je echt dat het zo gemakkelijk is?' zei de Koperen Engel weer.

Ik slaakte een zucht, zocht diep in mijn binnenste naar een stem, maar zonder het opdreunen los te laten. Weg. Vort. Aan de kant ermee. Weg. Vort. Aan de kant ermee.

'Jij maakt het me gemakkelijk.'

Mijn stem was veranderd in die van een kind, maar meer hoefde ik niet te zeggen. Hij begreep wat ik bedoelde, hij onderzocht mijn argumenten zonder dat ik ze onder woorden hoefde te brengen, en knikte terwijl hij een beetje zuchtte.

'Je hebt gelijk', zei hij toen. 'Er is reden om voorzichtig te zijn. Om het moeilijke met heel kleine stapjes te benaderen. Iemand als jij, een gewoon iemand, speelt dat misschien klaar. Misschien sterf je wel voordat je zover bent. Misschien hoef je wel nooit terug te denken en te erkennen wat er is gebeurd.'

Gedurende een ademtocht opende zich een zwart gat in mijn borst, ik kreeg tranen in mijn ogen en in elke cel van mijn lichaam, en het verdriet was opeens te groot, te zwart, te diep om het bestaan ervan überhaupt te kunnen toegeven. En toch was het er. Toch was het er! Ik wilde alleen maar vallen. Ik wilde ophouden. Ik wilde niet langer bestaan.

De Koperen Engel boog zich opnieuw voorover en aaide me over mijn wang.

'Rustig', fluisterde hij. 'Rustig maar …'

En het wonder geschiedde. Het verdriet verdween. Ik voelde het niet meer. Kon het me nauwelijks herinneren.

'Een wonder', zei ik.

De Koperen Engel rechtte zijn rug en schudde licht met zijn vleugels. Vervolgens sloeg hij zijn ogen ten hemel en klonk als een dominee, een echt schijnheilige dominee.

'Ja, het is waarachtig een wonder! Waarachtig, waarachtig!'

Hij vertrok zijn gezicht van de pijn en tilde daarna zijn ene voet op om er weer aan te gaan pulken. Zijn tenen waren donkerder dan de rest van zijn voet. Dat had ik nog niet eerder gezien.

'Wat is er gebeurd?' vroeg ik. Mijn stem was weer normaal; ik klonk als mezelf, alsof ik sprak tegen Annette in de keuken of tegen een gast in het restaurant. De Koperen Engel schudde zich uit en klonk ook heel gewoon.

'Ach. Toen ik in de boom hing, zijn mijn tenen zwart geworden. En het wil er niet af. Ik zal een wit wezen met zwarte tenen worden. Heel mooi. Zou niet mooier kunnen.'

'Zal het niet genezen?'

Hij wierp me een nijdige blik toe.

'Nee', zei hij op een toon die te verstaan gaf dat ik het meest mesjogge wezen was dat hij ooit had ontmoet. 'Het zal niet genezen. Niets geneest ooit. Niets!'

'Maar …'

Verder kwam ik niet want hij viel me in de rede. Opnieuw zette hij zich met zijn vuisten af tegen de brancard en hij snauwde het uit.

'Het doet pijn! Hoor je dat?! Neem het weg! Hoor je dat? Laat me eindelijk eens verlost zijn van deze verrekte zooi!'

Hij bleef een poos roerloos zitten en staarde naar Henrik,

een schimmige en half doorzichtige Henrik, die ongeduldig en met een boze blik naar de voorbank zat te kijken. Daarna zakte hij ineen, hij slikte en knipperde met zijn ogen alsof hij zijn best deed om niet in huilen uit te barsten.

'Hij hoort me natuurlijk niet', zei de Koperen Engel toen en hij begon te snikken. 'Hij wil niet eens horen. Als hij tegen alle verwachtingen in een oor zou hebben dat het nog deed of als iemand van zijn kleine vazallen met ronde wangetjes er voldoening uit zou putten hem iets over mijn pijn in te fluisteren, dan is hij toch van plan om mij te blijven negeren. Ik hoef geen verlichting te verwachten. Van hem niet, van niemand. Ik moet mijn pijn dragen en als ik die niet kan dragen, dan moet ik me laten verpletteren, en wanneer ik als verschijning verpletterd, vernietigd ben en getransformeerd tot een myriade van deeltjes, dan moet ik toch verder leven. Hoeveel pijn het ook doet, met hoeveel gebrek aan hoop dan ook …'

Hij wendde zijn gezicht naar mij en nu zag ik dat er inderdaad een traan over zijn rechterwang liep, één traan die langzaam over het glanzende witte oppervlak biggelde.

'Ik ben een gevangene', zei hij toen, en zijn stem begon te trillen. 'Ik ben een gevangene van het leven.'

Als ik had gekund, had ik mijn hand uitgestoken om die van hem te pakken, maar het enige wat ik kon verrichten was een kleine trilling. Hij wierp me een blik toe, begon vervolgens te snikken en pakte zijn gele gewaad weer op. Hij snoot luid zijn neus terwijl hij me een nijdige blik toewierp.

'Heb je nou je zin?' snauwde hij en hij veegde de traan van zijn wang.

Opeens was ik ontzettend moe. Ik was hem beu en ik was mezelf net zo beu. Uitgeput van het bestaan alleen al, van het simpele feit dat ik überhaupt bestond, dat ik twee ogen, een neus en een mond had, dat ik armen en benen, borsten en heupen had, wonden en letsel, darmvlokken, en oude vullingen in mijn kiezen. Ik wilde immers niet, ik wilde echt niet bestaan. Ik zuchtte diep en probeerde hem niet aan te kijken. Dat lukte niet.

'Alsjeblieft', zei ik ten slotte. 'Ik kan niet meer. Ik ben gewond, zwaargewond, en ik kan al jouw uitbarstingen en je emotionele veranderlijkheid gewoon niet verdragen ... Kun je niet proberen een beetje aardig te zijn? Kun je niet gewoon even rustig doen?'

Hij haalde zijn neus op: '*Aardig?Wiljedatikprobeereenbeetje aardigtedoen?Wieiserooitaardigtegenmijgeweest?Nou?Ikvraaghet maar.Hoorje?Ikvraaghetmaar?*'

Ik staarde hem aan. De Koperen Engel glimlachte naar me.

'Leek het erop? Ja, het leek erop. Het leek er helemaal op.'

'Alsjeblieft!'

Zijn glimlach werd nog breder en mijn eigen stem kwam als een echo terug. Ik kon mezelf horen, horen wat ik ooit tegen Sofia had gezegd: 'Aardig doen? Ik ben niet aardig!'

Ik begon te jammeren en probeerde mijn lichaam te draaien, maar dat ging niet. De Koperen Engel boog zich over me heen.

'Rustig aan', zei hij met zijn eigen stem. 'Ik weet niets en toch weet ik alles. Ik weet dat je vader zich nooit iets van je heeft aangetrokken. Ik weet dat je grootmoeder van vaderskant je met verachting bekeken heeft, een verachting die jij je snel hebt eigengemaakt. Ik weet dat je moeders dood een opluchting was en ik weet dat dit je van binnen geschokt heeft, dat het je deed geloven dat je een gevoelloos persoon was, onverschillig tegenover alles en iedereen, en dat je daarom niet anders kon dan je verstoppen voor alles en iedereen. Ik weet dat schaamte zojuist in je opflakkerde toen je zei dat je zwaargewond was, want diep in je hart ben je immers van mening dat iemand als jij niet zwaargewond kan zijn, diep in je hart vind je dat je eigenlijk zou moeten kunnen opstaan en weggaan hoewel je benen je niet kunnen dragen. En ik weet dat er iets met Sofia is gebeurd, iets waaraan je jezelf niet eens kunt toestaan te denken, en ik weet dat je verdriet groot is, enorm, vreselijk, het letterlijk waard om te vrezen. Dat weet ik allemaal en toch kan ik je niet helpen. Niemand kan je erbij helpen ...'

Ik gromde. Dat was het ergste van alles. Ik snikte niet, ik barstte niet in huilen uit, ik verhief mijn stem niet tot een oneindig mooie klaagzang over alle waarheden die hij had gedebiteerd. Ik gromde gewoon tegen de Koperen Engel, ik liet een dierlijk en dreigend geluid uit mijn binnenste omhoogkomen in plaats van de woorden die er niet waren. Naast me schrok de schim van Tyrone op en ik besefte te laat dat hij meende dat ik tegen hem gromde. De Koperen Engel trok zich er echter niets van aan, hij bleef op me zitten en keek met een enorm milde blik naar me.

'Ik weet dat ik vermoeiend ben', zei hij. 'Dat ik alle kanten op ga. Je hebt helemaal gelijk. Maar ik weet ook waardoor dat komt.'

Tyrone boog zich voorover en zette de stethoscoop op mijn borst, ik voelde de koele cirkel op mijn huid. Opeens was het moeilijk om te ademen, maar toch lukte het me om te fluisteren: 'Wat?'

De Koperen Engel glimlachte een beetje en pakte mijn linkerhand.

'Ik ben alleen maar emotie. Geen verstand. Geen gedachte. En dan krijg je dit.'

Ik grimaste een beetje. O. Zijn hand was heel warm om de mijne.

'Misschien wil hij daarboven daarom niets met me te maken hebben', zuchtte hij.

Ik kon niet antwoorden. Kon het niet opbrengen. Wilde het niet.

Onder me ontwaarde ik opeens iets blauws en als ik het had kunnen opbrengen, zou ik gejubeld hebben. Eindelijk. Dat was niet de brancard. Niet de vloer van het rupsvoertuig. Niet de grond onder ons. Het was een wateroppervlak. Ik voelde dat ik naar dat water toe viel, dat ik had losgelaten en in vliegende vaart in de richting van een blauwe, bruisende rivier viel. En opeens viel de Koperen Engel samen met mij, met zijn hand in de mijne.

'Misschien zou ik met denken moeten beginnen', zei hij. 'Mijn verstand gebruiken, als ik dat heb.'

Inderdaad. Dat was misschien een idee. Hij hoorde me natuurlijk, hoewel ik niet kon praten, en hij schoot in de lach.

'Absoluut. Dat is misschien wel een idee. En hier is de eerste gedachte die bij me opkomt: troost je, Minna, want jij hebt een uitweg. Jij bent geen gevangene van het leven. De vergetelheid zal komen.'

Op hetzelfde moment klapte ik op het wateroppervlak. Mijn rug begon te schrijnen en gedurende een tiende van een seconde kon ik mijn ogen openen om de wereld voor het laatst te zien, dacht ik. Gedurende een eeuwigheid staarde ik recht naar het grauwbruine plafond van het rupsvoertuig en keek ik er tegelijkertijd recht doorheen, het ongeëvenaarde universum dat ons omringt in. De sterren schitterden, de meteoren gloeiden en de grote zwarte gaten lokten …

Vervolgens sloot het water van de Lethe zich om me heen, en daar kwam ze eindelijk: de grote, zwarte, zachte vergetelheid.

Marguerite

Bloemen. Grote, roze bloemen op een groene ondergrond. Pioenen misschien. Of rozen.

Ik doe mijn ogen dicht om te overpeinzen wat het kan zijn, maar ik vergeet de hele boel bijna meteen. Ik blijf gewoon roerloos liggen terwijl ik de eerste zelfverwijten van vandaag doorneem. Hoe heb ik eigenlijk geslapen? Een kussen onder mijn hoofd. Niet goed. Daar krijg je een onderkin van, dat heb ik in mijn jeugd in elk nummer van *Vrouwenwereld* gelezen. Het kussen onder mijn voeten ontbreekt daarentegen, mijn benen liggen plat op het matras. Ook niet goed, volgens dezelfde bron. Veroorzaakt spataderen. Gekleurde dagcrème en poeder nog op mijn gezicht. Geeft een grove huid met wijde poriën. Jeuk op mijn hoofd omdat ik mijn haar al vier dagen niet heb gewassen. Slecht. Om nog maar te zwijgen over de afbladderende nagellak en die zweem van grijs die in mijn haar is verschenen ...

Hier ligt ze dus, Marguerite Sörensson, de succesvolle ex-actrice. Zij die een paar jaar geleden nog drie hoofdrollen achter elkaar speelde in de grote zaal van de Koninklijke Schouwburg, zij die geïnterviewd werd in elke cultuurbijlage in Zweden, zij die haar mooie woning in een damesblad liet zien, zij wier liefdesleven heel langgeleden bovendien een feuilletonnetje was op de amusementspagina's van de avondbladen. Zij die tegenwoordig iets te veel drinkt en een moeder is wier zoon niet meer met haar wil praten.

'Goedemorgen, lieve schat', zeg ik met luide stem tegen

mezelf voordat ik overeind kom en mezelf in de spiegel ontwaar. Lieve hemel! Het is nog erger dan ik dacht. Ik zie er verschrikkelijk uit. Pafferig. Grauw in mijn gezicht. Grote donkere schaduwen onder mijn ogen. En een vreselijk rimpelige hals.

'Nou, wat zie jij er verschrikkelijk monter en blij uit', vervolg ik terwijl ik mijn misselijkheid onderdruk. 'En mooier dan ooit!'

Ik glip het bed uit om die spiegel niet te hoeven zien. Ik kijk om me heen. Het is een kleine hotelkamer met slechts een smal gangetje tussen het bed en de toilettafel, en hij is erg bloemig. Gebloemde gordijnen, een gebloemde sprei in een verkreukelde hoop aan het voeteneinde van het bed en een gebloemde fauteuil bij het raam. Die bloemen zijn pioenen, zie ik nu. Grote roze pioenen. Het siert de inrichtster dat het in elk geval overal hetzelfde patroon is. Maar het siert haar niet dat de muren vanillegeel zijn. Bah.

De vloer beweegt in dit hotel. Ik moet steun zoeken tegen de muur wanneer ik naar het halletje loop en de deur naar de badkamer open. Piepklein is die, net als de hal. Heel even blijf ik in de deuropening staan, want het schiet me te binnen dat mijn toilettas nog in onze half verzopen auto in het bos ligt. Dus heb ik geen zeep, shampoo of tandenborstel bij me. Het duurt even voordat ik de drie flesjes op de wastafel zie. Goddank. Dan kan ik tenminste douchen en mijn haar wassen. En zat er niet nog ergens een opvouwbaar tandenborsteltje in mijn handtas? Inderdaad. Nu weet ik het weer.

Opeens heb ik mijn balans terug en ik loop snel de kamer in om te kijken waar ik mijn handtas heb gelaten. Ik zie hem meteen. Hij ligt op de grond, naast een stapeltje kleren. Die zullen wel flink kreukelig zijn geworden; ik heb ze blijkbaar laten liggen op de plek waar ik ze uitgetrokken heb. Zelfs mijn jas. Ik pak hem op en schud hem uit, maar dat helpt niet. Hij ziet eruit alsof hij van een zwerfster is.

Ik moet een nieuwe kopen. Ik moet alles nieuw kopen. Ik moet helemaal nieuw worden.

De regen tikt nog steeds tegen de ruiten en wanneer ik de tandenborstel heb gevonden, een geel dingetje in een geel plastic etuitje, loop ik naar het raam om de gordijnen open te trekken. Ik kijk uit op een parkeerplaats. Er staat een grote plas water in het midden, maar de parkeerplaats staat niet echt onder water; het hotel ligt blijkbaar op een verhoging en het water uit de baai is niet helemaal tot hier gekomen. Wel kun je het dreunen van de pompen beneden in de haven hier helemaal horen, maar verder is het stil. Heel stil. Ik hoor geen auto's, laat staan een rupsvoertuig. Vreemd. Toen we hier vannacht laat aankwamen, was de hele stad vol geluiden. Dat herinner ik me nog heel duidelijk, al staat me verder niet zo veel meer bij. Motoren en sirenes. Kreten en stemmen van mensen. Een hond die hysterisch blafte. Maar nu is het dus stil. Volkomen stil. Ik werp een blik op mijn horloge. Half negen. Dan zouden de mensen toch wakker moeten zijn. Er gaat een fantasie door mijn hoofd: de stad is geëvacueerd. Midden in de nacht, precies toen ik in mijn bed tuimelde en in slaap viel, is er een hele karavaan van militaire rupsvoertuigen Arvika binnengerold om elk gebouw en elke hotelkamer te ontruimen behalve deze kamer, om iedereen mee te nemen behalve mij. Ik ben alleen achtergebleven in Arvika. Absoluut het enige levende wezen in een stad die wegzinkt.

Ach. Ik laat het gordijn los en loop de douche in. Ik laat het koele water alle fantasieën en zelfverwijten verdrijven. Ik ben een hoogst realistisch persoon. Iemand die weet wat de wereld voor plek is en die zich in de condities ervan schikt, omdat er niet veel anders op zit. Ik was me zorgvuldig, ook mijn haar, en sta dan een hele tijd met mijn gezicht naar de douchekop zodat alle poriën zich zullen sluiten en mijn trekken stevig worden. Terwijl ik hiermee bezig ben, voel ik dat ik honger heb, dat ik best naar een ontbijt verlang. Goed. Dat is het bewijs dat ik zocht. Ik ben geen alcoholist, want alcoholisten willen geen ontbijt, die willen alleen maar een borrel tegen de kater. Ik wil geen borrel tegen de kater. Ik wil zwarte koffie, een glas sinaasappelsap en een broodje. Plus een aspirientje of twee.

Wanneer ik uit de douche kom, vind ik mezelf bijna te pruimen. Heel eventjes althans. Dan pak ik mijn slipje op van de vloer. Ik ruik eraan en vertrek mijn gezicht van afgrijzen. Waarom stink ik zo? Hoe ben ik een mens geworden die zo'n walgelijke stank uitscheidt?

Gelukkig heb ik mijn make-uptasje in mijn handtas en daar zit ook een flesje parfum in. Dus kan ik een poosje later vermomd als mezelf de eetzaal van het hotel betreden. Mijn haar zit in een strakke knot in mijn nek, mijn wangen zijn bedekt met een heel dun laagje gekleurde dagcrème die camoufleert en rimpels doet vervagen, een lichte oogschaduw verwijdt mijn blik en een glinsterende laag lipgloss maakt mijn lippen ietsje groter. Mijn lichaam is schoon, ook al zijn mijn kleren slonzig. Maar ik weet dat dat niet uitmaakt, ik weet dat als ik de juiste houding maar aanneem, met een kaarsrechte rug maar toch ontspannen schouders, ik er zodanig aantrekkelijk uitzie dat geen mens op het idee komt dat ik eigenlijk stink als een bunzing.

Wanneer ik ben gaan zitten en om me heen heb gekeken, besef ik dat ik het hier ken. Ik heb al eerder in dit hotel gelogeerd. Het ontbijtbuffet is wat aan de overdadige kant. Bijna smerig, met al die worsten en haringen en roereieren. Ik neem alleen een grapefruit en wat geroosterd brood. De marmelade is verleidelijk en hoewel ik eerst besluit die niet te nemen gaat mijn hand als vanzelf naar de lepel, die een flinke schep uit het schaaltje pakt. Wat maakt het ook uit. Er is vandaag toch niemand die ik moet behagen en ook niemand die me gulzigheid kan verwijten. Integendeel. Vandaag ben ik volkomen vrij, heb ik oneindig veel tijd en geen verplichtingen. Ik ga in deze stad rondlopen, over de straten waar je nog kunt wandelen, om rond te kijken, nieuwe kleren te kopen en in een café koffie te drinken, en daarna ga ik terug naar dit hotel en ga ik gewoon roerloos op bed liggen tot ik verdwijn. Dat is een aantrekkelijke gedachte. Ik kan in de ogen van anderen echt wie dan ook zijn, want het is langgeleden dat iemand een foto van mij in de bladen heeft zien staan. Bovendien ken ik in deze stad toch geen mens. Behalve Minna, en die zal wel in het ziekenhuis liggen, Ritva van de krant en die Annette, maar het risico dat ik een van die twee tegen het lijf loop, is vermoedelijk niet zo groot.

Waar zijn Ritva en Annette vannacht gebleven? Zaten ze ook in het rupsvoertuig toen we ten langen leste naar de stad konden vertrekken? Ja, waarschijnlijk wel. Even gaat er een herinnering aan Ritva's grimmige gezicht door mijn hoofd, dat ze zich vooroverbuigt en haar arm om me heen slaat en me min of meer uit het rupsvoertuig sleurt. Vervolgens staat ze opeens bij de receptie om een sleutel aan te nemen. Logeert ze ook in dit hotel? Nee. Nu weet ik het weer. Ze heeft me ondersteund naar mijn kamer, de deur van het slot gedaan en me bijna naar binnen geduwd.

'Ga nou naar bed!' zei ze toen.

O, Jezus christus! Nu weet ik het weer. Ik was zo dronken dat ik me naar mijn kamer heb laten brengen. Door een journaliste. Ik zie de middenpagina van de avondbladen al voor me, de foto van mijn schuldbewuste gezicht en mijn lange biecht. Ja, ik heb gedronken. Ja, ik ben alcoholist. Nee, ik ben niet van plan om ooit nog drank aan te raken. Nooit van mijn leven. En ik hoop dat ik misschien een waarschuwend voorbeeld voor andere vrouwen ben …

Ik word misselijk bij de gedachte. Ik heb de een na de ander van mijn oude collega's in dat vagevuur zien branden, en dat was geen fraai gezicht. Vooral niet voor de vrouwen. De mannen konden een paar avonden na hun openbare afzwering alweer rustig gaan zuipen, maar de vrouwen losten een half jaar later nog het liefst in de muren op; ze schaamden zich en verstopten hun fles wijn in de kleedkamer.

Godverdorie. Dat zal mij nooit overkomen. Ik ga nog liever dood.

Ik begin met mijn ogen te knipperen en kijk om me heen. Een stukje verderop ontwaar ik mijn eigen beeld in een spiegel. Dat is een troost. Die elegante vrouw kan geen alcoholist zijn. Ik ben te goed gekamd, te mooi opgemaakt en heb een te rechte rug, en het spiegelbeeld zegt helemaal niets over hoe ik ruik. Bovendien ben ik niet langer interessant voor de avondbladen, ik ben een typisch voorbeeld van *yesterday's news*. Te oud. Te oninteressant. Bijna vergeten. Dat is dus niet erg. En als die Ritva ook maar een poging doet om over de kwestie te schrijven, dan maak ik haar gewoon af.

Ik wend mijn blik af van de spiegel en neem een slok koffie. Wanneer die mijn maag bereikt, begint het te schrijnen en daarom neem ik nog een slok. Ik ben dus geen alcoholist. Ik heb toevallig gisteren alleen iets te veel gedronken. Omdat ik geschokt was. Omdat er twee, nee, drie heel schokkende dingen waren gebeurd. Ten eerste dat Henrik mijn zoon in het gezicht sloeg en ervoor zorgde dat we er bij de religieuze commune werden uitgegooid. Ten tweede dat we midden op een weg in de storm bleven steken en bijna waren omgekomen door alle om ons heen omwaaiende bomen. En ten derde dat ik een andere boom door een raam naar binnen zag waaien waardoor die Minna min of meer verpletterd werd.

Ik vraag me af hoe het met haar gaat. Hoe slecht ze eraan toe is. En hoe slecht ze er daarvóór al aan toe was … Want dat was ze. Dat heb ik toch wel gezien, dat heb ik gezien met dat koude acteursplekje in mijn oog, dat alles ziet en registreert, hoe ontdaan ik ook ben. Ze trok bleek weg toen ik over Anton vertelde. Letterlijk. Die harde façade begon scheuren te vertonen en opeens was ze tien, vijftien jaar ouder. Vlak voordat die boom op haar viel, zag ze er al uit alsof ze zou doodgaan.

En waarom liet haar dochter zich de hele avond niet zien? Waarom ging zij niet mee in het rupsvoertuig? Een goede vraag. Een vraag waarop ik eigenlijk het antwoord niet wil weten; daarom schuif ik die zorgvuldig ter zijde. Ik schud mijn hoofd een beetje, pak het ochtendblad en neem een hapje van mijn geroosterde brood. De misselijkheid speelt op in mijn buik, maar die onderdruk ik door pure wilskracht. Ik ontbijt. Ik ben een vrouw die schokkende dingen heeft meegemaakt, maar die nu, op dit moment, in veiligheid is en die een hele dag voor haarzelf voor zich heeft liggen. Een vrouw die een zucht van verlichting niet helemaal kan onderdrukken. *Free at last.*

Dan zie ik hem.

Hij staat in de lobby, bij de receptie, en hij is zijn kamer blijkbaar aan het afrekenen. Hij heeft hier dus geslapen, in hetzelfde hotel als ik. Dus is het hem niet gelukt om vannacht uit Arvika weg te komen. Dus lag hij al tussen schone lakens toen ik uren later hotel Statt binnenstrompelde, doornat en dronken. Maar blijkbaar vertrekt hij nu, want hij kijkt ongeduldig op zijn horloge om aan de receptioniste te laten merken dat hij haast heeft. Echt haast.

Ik wil niet dat hij me ziet. Zonder erbij na te denken houd ik de krant voor mijn gezicht. Het is belachelijk, en alleen echt slechte regisseurs van echt slechte films denken dat het zo gaat wanneer iemand een krant leest, maar dat maakt niet uit, ik ben nu de slechte regisseur van mijn eigen slechte film, en daarom houd ik de krant recht voor me zodat mijn geliefde echtgenoot me niet zal zien. Ik wil een dag voor mezelf in Arvika. Ik wil niet naast mijn man in een taxi of een helikopter naar Karlstad of Stockholm. Ik heb een pauze in mijn huwelijk en mijn leven nodig. Een rustpauze. Een denkpauze.

Ik duik in de krant. Er is een vrouw door haar echtgenoot mishandeld tot de dood erop volgde. Een nieuw opinieonderzoek wijst uit dat de regering er niet al te best voor staat. En Dag Tynne is ergens in de buurt van het overstroomde Arvika verdwenen. Geen nieuws dus. Na een paar minuten laat ik de krant zakken om een blik in de richting van de receptie te werpen. Henrik stopt zijn portefeuille in zijn binnenzak en knoopt zijn gekreukelde jas dicht. Hij knikt naar de receptioniste en begint naar de uitgang te lopen. Ik laat mijn krant nog wat verder zakken. De glazen deur naar de straat gaat achter hem dicht, hij slaat de kraag van zijn jas op, trekt zijn schouders op tegen de regen en slaat links af. Dan is hij verdwenen.

Godzijdank. Ik heb hem gelukkig niet hoeven treffen.

'De geest in de fles', zeg ik hardop tegen mezelf. Meteen kijk ik snel om me heen, maar niemand lijkt iets te hebben gehoord. Aan de tafel naast me buigt een man zich met een bijziende blik over een ander ochtendblad, en iets verderop staat een mollige vrouw op terwijl ze haar blik onverschillig over me heen laat gaan en wegloopt om haar koffiekopje bij te vullen.

Niemand herkent me. Mooi.

Dat met die geest in de fles vraagt misschien om uitleg. Langgeleden heb ik een keer een Disney-film ingesproken. Het was maar een klein rolletje, ik moest een innemend sprookjesmeisje in een kudde andere sprookjesmeisjes zijn en ik kan me natuurlijk geen enkele repliek herinneren, maar één ding vergeet ik nooit. De geest. Die blauwe geest, die in een mum van tijd een andere gedaante kon aannemen, en die alle kanten uit wees toen Aladdin in de grot werd opgesloten. *De uitgang is daar, daar en daar! De uitgang is waar je wilt! Je bent vrij, je hoeft maar te kiezen!*

Al sinds gisteren zit die figuur ergens in mijn achterhoofd, en precies op het moment dat Henrik zijn natte sokken en schoenen begon aan te trekken zag ik hem voor me. Want natuurlijk was Henrik degene die met het rupsvoertuig meeging naar de stad. Hij vroeg het niet eens aan die mannen van de reddingsbrigade, hij deelde het hun gewoon mee. Hier was hij, de man die altijd een uitgang vond. Mijn geest in de fles. En daar was ik, een sprookjesmeisje dat als vastgeplakt aan het celluloid van de film zat en geen kant op kon.

Hoewel, het is duidelijk: zo veel heb ik ook niet meer weg van een sprookjesmeisje. En zo veel sprookjesvrouwen zijn er niet; wel af en toe een echt gemene stiefmoeder. En heksen, natuurlijk. Snotterende sentimentele vrouwspersonen waar nog nooit een mens blij van is geworden, of hoe hij dat gisteren in de auto ook uitdrukte, zijn anders ook dun gezaaid. En met 'een mens' bedoelde hij toen mensen met een penis. Uiteraard. Dus snotterende sentimentele vrouwspersonen die hun vader, hun zoon of – in het bijzonder – hun geliefde echtgenoot blij maken, zijn dun gezaaid in sprookjes. Anderzijds was dit snotterende sentimentele vrouwspersoon gisteravond maar wat blij toen ze zich realiseerde dat haar mannetje zou verdwijnen.

Een glas wijn, dacht ze.

Een paar glazen wijn.

Een hele bar.

Perfect. Maar toen ik dat dacht, werd ik tegelijkertijd vervuld van een soort wroeging. Angst, gewoonweg. Was ik werkelijk zo verzot op wijn? Was het zo gegaan met de ooit zo schone Marguerite Sörensson? Henrik draaide zich op hetzelfde moment naar me om en terwijl hij zijn kille glimlachje in mijn richting afvuurde, zei hij: 'Of wel, schat?'

Ik had geen idee waar ik geacht werd mee in te stemmen, maar ik was niet zo dom dat ik dat aan hem liet merken, dus hief ik slechts mijn wijnglas en glimlachte ik met een schuin glimlachje terug. Zo'n glimlach die van alles kan betekenen. *Natuurlijk, schat, ik red me best.* Of: *Heerlijk om jou kwijt te zijn, stomme opgeblazen despoot.*

Niet dat Henrik ooit zou snappen hoeveel mogelijkheden er in een schuine glimlach op de loer kunnen liggen. Hij vertelt vaak aan mij en anderen hoe begaafd hij is, maar de waarheid is dat hij kijkt noch luistert. Hij stoomt gewoon door. Ratelt door het bestaan. Hij praat maar en hij praat maar, tot van iedereen in de omgeving de oren er bijna af vallen. Vooral die van mij, het sulletje dat ernaast loopt en probeert te regelen, glad te strijken en te corrigeren, terwijl ze voortdurend aan haar moeders oude cliché denkt, dat cliché dat ze er nooit durft uit te gooien: *Lieve Henrik, het is geen toeval dat we twee oren hebben gekregen en maar één mond. Dat betekent gewoon dat we dubbel zo veel moeten luisteren als praten.*

Ik weet niet wat hij zou doen als ik dat ooit hardop zei. Me slaan, denk ik. Zoals hij Anton gisteren heeft geslagen. Als ik eraan denk, komt de misselijkheid weer boven, en ik zet mijn sapglas terug op tafel. Hoe kon hij? En hoe kon ik toestaan dat het ooit zover is gekomen?

* * *

Mijn zoon voelt zich niet welkom in de wereld. Dat weet ik inmiddels, dat snap ik eindelijk, maar dat heeft een tijd geduurd. Ik had er pas een idee van toen hij zeventien was. Toen kwam hij op een middag thuis en liep hij zonder groeten door naar zijn kamer waar hij zonder één woord te zeggen de deur achter zich dichtsmeet. Dat was heel ongebruikelijk. Anton was altijd een praatgraag type geweest, althans, zolang hij en ik alleen thuis waren.

Ik liep achter hem aan en klopte voorzichtig aan zijn deur, maar er kwam geen reactie. Ik klopte weer aan. En ik klopte nog een keer.

'Ga weg', snauwde Anton terwijl zijn stem een beetje brak. Huilde hij? Ik kon het niet vaststellen. Dus opende ik de deur op een kiertje en ik stak mijn hoofd naar binnen.

'Hoe is het?'

Hij zat aan zijn bureau met zijn gezicht verborgen in zijn handen.

'Oprotten!'

Ik deed de deur wat verder open en zette één voorzichtige stap over de drempel.

'Voel je je niet lekker?'

Hij had zijn handen nog steeds voor zijn gezicht, maar ik kon hem toch heel duidelijk verstaan. Zijn stem trilde.

'Nee. Ik voel me niet goed.'

Ik zette nog een stap de kamer in.

'Ben je ziek?'

Hij haalde zijn handen weg en draaide zich om. De tranen stonden hem in de ogen en hij veegde snel zijn wang af. Hij snikte een beetje.

'Nee', zei hij nijdig. 'Ik ben niet ziek. Totaal niet.'

'Maar wat is er dan?'

'Dat zal jou toch een rotzorg zijn!'

Ik hapte naar adem.

'Maar Anton … Zo kun je toch niet praten.'

'O. En waarom dan niet?'

'Zo gaan we in dit huis niet met elkaar om …'

Met een spottend glimlachje zei hij: 'Nee, hè? Natuurlijk niet. Zo gaan we in dit huis niet met elkaar om. Uiteraard niet. Duizend keer excuses. Kun je nu alsjeblieft weggaan?'

Onwillekeurig zette ik een halve stap naar achteren; zoals altijd bereid te doen wat me gezegd wordt. Maar ik beheerste me. Nee. Ik had het recht niet om nu weg te gaan. Ik moest blijven staan en doen of ik volwassen was.

'Waar ben je geweest?'

'Ga nou weg!'

'Nee. Ik ben niet van plan om weg te gaan voordat je hebt verteld waar je bent geweest.'

Hij keek me in de ogen en ik keek terug. Ik glimlachte niet. Ik probeerde voor het eerst in heel lange tijd niet vriendelijk, lief en moederlijk te kijken. Ik probeerde niets, ik stond daar maar te staan en keek mijn zoon in de ogen. En dat hielp. Ten slotte was hij het die zijn ogen neersloeg. Hij draaide zich weer naar zijn bureau en zette zijn computer aan.

'Ik ben in de stad geweest.'

'Waar in de stad?'

'Gewoon, in de stad.'

Ik liet me op zijn bed neerzakken terwijl ik zocht naar de juiste toon. Die vond ik. Goddank dat ik een opleiding aan de toneelschool heb gehad. Ik klonk stellig. Gewoonweg eisend.

'Waar ergens?'

Anton haalde zijn schouders op en probeerde onverschillig te kijken terwijl hij zijn wachtwoord intikte. Een kunstmatig melodietje klonk tussen ons op.

'Ik heb pa gezien.'

Ik zal wel verward hebben gekeken.

'Henrik?'

Anton vertrok zijn gezicht.

'Nee. Dat is mijn pa niet.'

Opeens drong tot me door over wie hij het had. Zijn biologische vader.

'Paul?'

Mijn stem werd wat onvast. Van Paul had ik lang niets gehoord en ik kan niet beweren dat ik hem had gemist. Integendeel. Ik staarde naar Antons rug. Hij maakte een beweging, alsof hij zijn schouders ophaalde.

'Ja. In een café die open was.'

'Dat', zei ik automatisch. 'In een café dat open was.'

We ruzieden nu al een paar jaar over zijn gebruik van de betrekkelijke voornaamwoorden. Met een snelle glimlach draaide Anton zijn stoel half naar me om en in me vonkte even de hoop. Daar zat hij toch. Mijn jongen. Waarom had ik me zo bang gevoeld? Dat was toch belachelijk, ik had toch geen reden om bang te zijn. Dus leunde ik achterover in de kussens op Antons bed, de kussens die ik zelf een paar uur geleden nog tegen de muur had gezet. Ik maakte Antons bed nog steeds elke ochtend op, dat was een daad van liefde die Henrik waanzinnig irriteerde, maar waar ik niet echt mee kon stoppen. Ik wist niet hoe ik op een andere manier moest laten zien dat ik van Anton hield dan door hem duizend kleine diensten te bewijzen. Zijn kleding verzorgen, zijn was doen, zijn bed opmaken en de badkamer voor hem schoonmaken. Plus hem af en toe een briefje van honderd kronen toestoppen wanneer hij zijn hand maar uitstak.

'O', zei ik, en ik hoorde dat mijn stem volkomen normaal klonk. 'Hoe was het met hem?'

Anton schoof op zijn stoel heen en weer, draaide zijn gezicht weer naar de computer en keerde mij opnieuw de rug toe. Hij gaf niet meteen antwoord; hij overwoog blijkbaar wat ik kon verdragen om te horen.

'Niet zo best', zei hij toen en hij herhaalde die poging om zijn schouders op te halen. 'Een beetje dronken. Werkloos. Hij zei dat ik dat tegen je moest zeggen. Dat de alimentatie nu al een poosje op zich heeft laten wachten omdat hij zonder werk is komen te zitten. Maar ik heb gezegd dat het vast niet uitmaakt. Jij hebt toch een baan en je hebt Henrik, zei ik. Met je werk krijg je het nodige binnen en Henrik onderhoudt je voor de rest. En ik heb niet zo veel nodig.'

Ik ging rechtop zitten.

'Is hij gestopt bij het Stadstheater?'

Anton begon op zijn toetsenbord te tikken en weer haalde hij zijn schouders een beetje op.

'Blijkbaar.'

'Is hij ontslagen?'

Weer diezelfde beweging met zijn rug.

'Blijkbaar.'

'Maar wat gaat hij nu dan doen?'

Het bleef een ogenblik stil voordat Anton antwoordde.

'Drinken, denk ik. En nu echt stevig.'

Hij draaide zich weer om op zijn stoel om mij aan te kijken. Zijn blonde haar hing voor zijn ene oog en precies onder zijn rechtermondhoek had hij een pukkel gekregen. Die was donkerrood en heel even meende ik de infectie erin te kunnen voelen kloppen.

'Hij heeft namelijk niks om voor te leven', zei Anton met een schuine glimlach, waardoor de pukkel zich een centimeter naar boven verplaatste. 'Absoluut niks. Die vrouw waarmee hij samenwoonde is bij hem weg en ze heeft het kind meegenomen. Mijn zusje dus. Die ik nog nooit heb gezien. Dus nu heeft hij geen werk en geen gezin meer en daarom kan hij zich rustig doodzuipen.'

'Heeft hij dat gezegd?'

Anton schudde licht zijn hoofd en opeens had ik een vermoeden van de volwassen man die hij zou worden. Een tamelijk verbitterd figuur.

'Nee, dat heeft hij niet gezegd. Maar dat liet hij doorschemeren.'

'Maar …'

'Hij heeft wel gezegd dat ik dat moest onthouden. Dat een

man zonder familie volkomen hulpeloos is. En toen ik hem erop wees dat hij toch familie heeft, dat ik een deel van zijn familie ben, toen grijnsde hij alleen maar naar me.'

Zijn ogen begonnen te gloeien.

'Ik ben alleen maar een kostenpost, snap je.'

Ik hapte naar adem en herhaalde: 'Heeft hij dat gezegd?'

Anton keerde me weer de rug toe en typte iets in op zijn computer.

'Nee, dat heeft hij niet gezegd. Niet ronduit. Maar ik snapte het heus wel. En nou weggaan!'

'Maar ...'

'Hoor je niet wat ik zeg? Ga weg!'

'Maar alsjeblieft ...'

Anton sloeg keihard met zijn vuisten op zijn bureau.

'Godverdomme! Ga weg, zeg ik ...'

Zonder erbij na te denken schoot ik van zijn bed overeind en ik had al twee stappen naar de deur gezet voordat echt tot me doordrong dat ik hem gehoorzaamde, dat ik, een volwassen vrouw en zijn eigen moeder, me gedroeg als een gehoorzaam klein meisje. Op het laatste moment stokte ik. Met mijn hand op de deurklink deed ik een laatste poging.

'Maar alsjeblieft, Anton ...'

Met gebalde vuisten stond hij op, hij haalde diep adem en wierp zich toen op me om me over de drempel te duwen. Midden in die beweging, net toen ik begon te struikelen en in de hal tegen de muur botste, bedacht ik dat hij nu bijna tien centimeter langer was dan ik en dat me dat nu pas opviel. Mijn kleine jongen was groot geworden. Ik staarde hem aan, keek in een volkomen onbekend gezicht, een gezicht dat witheet zag en waarin de ogen twee donkere strepen van verbittering waren.

Dat was het moment dat ik begon te drinken. Dat houd ik mezelf althans voor en dat is wat ik een keer tegen Henrik heb gezegd, maar die vertrouwelijkheid was misschien niet zo geslaagd. Henrik wees erop dat ik altijd al dol op een glas wijn, of twee, was geweest. Iets te dol. En hij wees er ook op dat ik nog maar een week geleden, op een avond dat ik niet hoefde te spelen, zo dronken was geworden dat ik de bank had ondergekotst. Ik legde uit dat er bij de schouwburg op dat moment een buikgriepvirus rondging en dat ik daarom misselijk was geweest. Ik was twee hele dagen ziek geweest en het had me de grootste moeite gekost om 's avonds de bühne op te gaan. Henrik antwoordde dat ik ten eerste moest weten dat ik genetisch aanleg voor alcoholisme had en ten tweede dat hij de dag ervoor een bag-in-box witte wijn had gekocht en dat die leeg was geweest toen hij eindelijk thuiskwam. Sindsdien koopt Henrik geen wijn in boxen meer. Hij koopt alleen nog maar flessen en die telt hij zorgvuldig voordat hij op reis of naar een vergadering gaat. Hij weet niet dat ik in de bezemkast een bergplaatsje heb. Daar bewaar ik mijn eigen bag-in-box. De temperatuur is er slecht, maar dat maakt niet uit. Het is niet voor de smaak dat ik af en toe een glas neem. Het is voor de rust.

Maar op die dag, de dag dat ik letterlijk mijn zoons kamer uit werd gesmeten, liep ik naar de keuken om de wijnkoelkast te openen en een heel goed gekoelde bordeaux tevoorschijn te halen. Mijn handen trilden toen ik hem ontkurkte en er trok een rillinkje van pijn van mijn schouder naar mijn bovenarm. Anton had me pijn gedaan. Het deed echt zeer. Bovendien was ik sterk aangedaan, verdrietig en in de war. Ik had een glas wijn nodig. Ik had in feite meerdere glazen wijn nodig.

Het gekke is dat ik mezelf altijd van buitenaf beschouw wanneer ik aan die dag denk. Ik zie mezelf als een acteur in een zwart-witfilm, een tamelijk mooie vrouw van middelbare leeftijd die rondloopt in haar even mooie appartement, met haar handen om een glas bordeaux heen, terwijl de tranen langzaam langs haar wangen biggelen. Het is allemaal voorbij, houdt ze zichzelf voor, maar alleen haar lichaam spreekt. Ze heeft haar hoofd licht gebogen, en haar houding is op de een of andere manier tegelijk recht en gebogen: haar ruggengraat is loodrecht, maar haar schouders hellen wat naar voren. Haar bovenarmen zijn bloot, ze draagt een eenvoudige zwarte linnen jurk, en ze is zo mager dat je haar spieren onderhuids kunt zien bewegen.

Ze huilt zonder een enkele grimas, als een actrice uit de jaren vijftig, zo eentje die glycerine in haar ogen kreeg. Je ziet hoe ze langzaam haar ogen sluit en ze daarna weer opent, hoe er een traantje blinkt aan haar lange wimpers en hoe die traan zich heel langzaam losmaakt om over haar fluweelbleke wangen te biggelen. Ten slotte gaat ze aan de grote vleugel in haar grote salon zitten. Ze zet haar glas weg en plaatst haar lange, keurig gemanicuurde vingers op de toetsen. Vervolgens blijft ze een moment roerloos zitten, maar dan buigt ze opeens naar voren en laat ze een stuk van Chopin opborrelen …

Ach gossie. Alsof ik op de vleugel zou kunnen spelen. En Chopin! Ik heb zo weinig muziekgevoel dat ik eerder als amuzikaal zou kunnen worden beschreven. Ik kan niet horen wat mensen zo enorm enthousiast maakt over muziek in het algemeen en over klassieke muziek in het bijzonder, ook al kijk ik natuurlijk wel goed uit om dat hardop te zeggen. Herrie. Geknars en gepiep en pang en pong en kling en klang. Dat is muziek voor mij, ook als ik glimlachend applaudisseer en zeg dat het uniek, ongeëvenaard en fantastisch is. Nog een leugen in een leven vol leugens. In feite plofte ik dus gewoon op de kruk voor de vleugel neer en bleef ik daar met mijn wijnglas zitten. Ik keek om me heen in wat formeel gezien onze woonkamer was, de kamer van Henrik en mij en Anton, maar in de praktijk alleen van Henrik. De vleugel is afkomstig uit zijn ouderlijk huis, net als de met zijde beklede meubels in empirestijl en de vier bruingrijzige portretten aan de muren. Een bank van ontwerper Carl Malmsten, die nu helaas met een geruite plaid bedekt was na mijn buikgriepvirusje van vorige week, had hij uit zijn eerste huwelijk meegenomen. Het enige waarmee ik had bijgedragen was een berken bijzettafeltje en een op zichzelf redelijk mooi, maar niet bepaald waardevol aquarel. Een portret van mij als Ophelia. Onderweg het water in.

Ik had hier net zo goed inwonend kunnen zijn. In de praktijk was dat precies wat ik was: inwonend.

Die avond moest de Koninklijke Schouwburg zijn voorstelling in de grote zaal afgelasten. Het buikgriepvirus sloeg weer toe, en toen Henrik thuiskwam, zat ik op mijn knieën over te geven bij de wc-pot.

* * *

Drie weken later overleed Paul. Hij had blijkbaar een brandende sigaret op de bank laten vallen vlak nadat hij een hele fles Laphroaig had geleegd. Vijftien jaar eerder zou hij om een dergelijk lot gegrijnsd hebben en hebben gezegd dat dit een schone dood was, maar in feite moet het een heel lelijke dood zijn geweest. Dat vertrouwde zijn ex me althans toe toen we elkaar bij de notaris tegenkwamen. Zij had de taak op zich moeten nemen om te beslissen wat er met Pauls stoffelijk overschot moest gebeuren toen hij van het uitgebrande bakstenen huisje in Herräng, waar hij zijn laatste dagen had doorgebracht, naar het uitvaartcentrum in Solna was overgebracht.

'Het zomerhuisje', brieste ze, terwijl ze haar kind van vier tamelijk hardhandig op schoot tilde. 'Zo noemde hij het. Wat had hij daar in november nou te zoeken? Dat rothuis was toch onmogelijk warm te krijgen. Maar het is duidelijk: daar kon hij in alle rust zuipen. Geen buren. Niemand die iets merkte voordat het halve dak al was weggebrand. Godverdomme.'

Ik schoof een paar centimeter verder bij haar vandaan op de bank waar we zaten, maar ze leek het niet te merken. Ze haalde gewoon een pakje sigaretten uit haar tas en wilde er net eentje uit trekken toen de notaris binnenkwam. Het was een lange man met een zeer resoluut uiterlijk. Hij hoefde maar een blik op haar sigaretten te werpen of ze liet het pakje weer terugvallen in haar handtas. Vervolgens wendde de man zich tot Anton, een Anton die tot mijn verbazing opstond en hem een hand gaf.

'Gecondoleerd', zei de notaris. 'Je bent veel te jong om je vader te verliezen.'

Anton knikte ernstig.

'Ja', zei hij. 'Maar ik had al een voorgevoel dat het zo zou gaan. De laatste keer dat ik hem zag …'

Verbijsterd bekeek ik hem. Hij klonk als een volwassen man. Een tamelijk onbekende, volwassen man.

De notaris legde zijn linkerhand op hun handdruk en knikte.

'Je bent niet bij de begrafenis geweest, heb ik gehoord?'

Anton trok zijn hand terug en ging in zijn stoel zitten, maar hij bleef de notaris aankijken.

'Ik had toen nog niet eens gehoord dat hij dood was.'

Pauls ex deed haar mond open om zich te verdedigen. Zij had immers de begrafenis geregeld. De notaris legde haar echter met zijn blik het zwijgen op. Daarna boog hij zich voorover om de hand van het kleine meisje te pakken en zachtjes te schudden.

'Gecondoleerd', zei hij. Het meisje staarde hem heel even aan, maar sloeg haar ogen neer en kroop tegen haar moeder aan. De moeder schraapte haar keel om moed te verzamelen.

'Ze heeft geen verdriet', zei ze. 'Ik hoop dat u dat snapt. Geen van ons heeft verdriet.'

Ze vergiste zich echter. Anton had wel verdriet. Hij werd stiller en ernstiger, zat steeds vaker op zijn kamer met de deur dicht en had aan zowel Henrik als mij heel weinig te melden. Op een zondag ging hij naar de kerk, gekleed in een donker pak dat hij bij het Leger des Heils had gekocht, en een paar dagen later vond ik een grote krans, die tegen de muur in de hal stond. Een krans van sparrentakken met bovenaan witte lelies en gerbera's. De lange zijden linten waren zorgvuldig gladgestreken en staken af tegen het zwarte marmer van de vloer, en de gouden letters van de tekst blonken: *Vaarwel lieve vader. R.I.P. Anton.*

Wat dom. Lieve vader? Zijn vader was hem toch nooit echt bijzonder lief geweest? Integendeel, Anton was ten opzichte van Paul vooral chagrijnig, boos en geïrriteerd geweest, en daar had hij alle reden toe. En R.I.P.? *Rest in peace*? Dat was toch een Amerikaanse uitdrukking, een uitdrukking die Zweedse tieners misschien gebruikten als ze hun gekrabbel wat stoerder wilden maken, maar werkelijk niet iets wat paste op een grafkrans. Bovendien lag Paul al in zijn graf en ik snapte niet goed waarom Anton meer dan een maand later zo nodig naar het kerkhof moest om daar een grote krans neer te leggen.

Toch moet ik ontdaan zijn geweest, want ik weet nog dat ik begon te zwalken en steun tegen de muur moest zoeken toen ik die krans in de gaten kreeg. Dat ik letterlijk op de been bleef dankzij de muur toen Anton opeens uit zijn kamer kwam. Hij droeg de zwarte broek van zijn kostuum, een wit overhemd en een witte stropdas. Terwijl hij langsliep, wierp hij me een snelle blik toe, maar hij zei eerst niets. Hij greep gewoon naar zijn donsjack om dat aan te trekken, pakte daarna zijn gestreepte sjaal, maar hield zich in en legde die terug op de hoedenplank. Misschien waren de kleuren te glimmend en te fel. Hij trok de rits van zijn jack zo hoog mogelijk dicht en tilde daarna heel voorzichtig de krans van de vloer.

'Waar ga je naartoe?' vroeg ik, hoewel ik het antwoord natuurlijk wel wist.

'Naar het kerkhof.'

'Hoe kom je aan het geld voor zo'n grote krans?'

Anton vertrok zijn gezicht een beetje: 'Henrik heeft niet mijn hele erfenis afgepakt. Ik mocht een paar duizend kronen houden.'

Ik zette een stap in zijn richting.

'Henrik heeft jouw geld niet afgepakt. Hij heeft het voor je belegd, zodat het meer zal worden. Dat weet je best.'

Anton glimlachte wat.

'Vast.'

'Maar lieve Anton. Je weet best dat je elke öre krijgt wanneer je achttien wordt …'

Anton keek van mij naar de muur achter me en grimaste opnieuw.

'Je stinkt naar wijn.'

Ik stak mijn hand naar hem uit, wilde die op de mouw van zijn jas leggen, huilen, het uitleggen en hem vragen of hij me wilde helpen, maar hij trok zich terug en liep naar de voordeur. Hij opende hem met zijn elleboog en ging naar buiten. Het laatste wat ik van hem zag, was hoe hij zijn voet optilde om de deur met een klap achter zich dicht te schoppen.

Daarna werd het enorm stil bij ons thuis. Heel erg stil. Ik liep 's ochtends alleen in huis rond en bleef soms voor Antons gesloten deur staan, maar ik durfde nooit naar binnen te gaan, ook al was hij er niet. Hij zat natuurlijk op school, maar hij kwam 's middags steeds later thuis. Soms kwamen we elkaar bij de voordeur tegen wanneer ik op het punt stond naar de schouwburg te vertrekken. Hij groette altijd heel beleefd en hield zelfs de deur voor me open, maar hij had nooit veel te melden. Het enige wat ik zag, was dat hij zich anders begon te kleden. De spijkerbroek was opeens verdwenen en hij liep nu bijna elke dag in de zwarte broek van zijn kostuum rond. Daar voegde hij later een zwarte coltrui aan toe en uiteindelijk verscheen er een iets te ruim tweedjasje bij de hele uitmonstering. Bruin met visgraatmotief. Hij zag eruit alsof hij verkleed was. Verkleed als slonzige dominee. Alleen het witte boordje ontbrak, maar dat compenseerde hij door een kruisje dat opeens aan een kettinkje om zijn nek hing, een kruisje dat hij bovendien optilde om te kussen toen we aan tafel gingen om de enige gemeenschappelijke maaltijd van de week te gebruiken: de lunch op zondag. Henrik staarde even naar hem, maar liet vervolgens zijn meest sarcastische glimlach zien.

'Heb je dat gezien, Marguerite? Is dat niet dominee Jansson?'

Ik antwoordde niet, ik pakte gewoon met een glimlachje de schaal met gegrilde groente op om aan Anton te geven. Die zat licht voorovergebogen met zijn ogen dicht. Hij keek Henrik of mij niet aan, maar bewoog zachtjes zijn lippen. Ten slotte fluisterde hij 'amen', pakte opnieuw de crucifix op om die te kussen waarna hij zich met een oneindig zachtmoedige glimlach tot mij wendde en de schaal aannam.

'Dank je, moeder', zei hij.

Moeder? Hij had mij toch nog nooit moeder genoemd? Ik was altijd mama geweest.

'Uitkijken!' zei Henrik geïrriteerd. 'Zo kun je toch niet rondlopen. Denk aan je toekomst!'

'Mijn toekomst ligt in Gods handen', zei Anton terwijl hij naar de volgende schaal reikte.

Ik ben gek op theater, ik ben altijd gek geweest op theater, maar slecht theater verafschuw ik werkelijk. Een valse toon maakt me ziek, vooral als die afkomstig is van iemand van wie ik houd. Anton wist dat en misschien genoot hij precies om die reden nog meer van deze licht traditioneel Lutherse periode van hem. Hij praatte nog steeds heel zelden met me en tegen Henrik zei hij al helemaal geen woord, maar hij wende zich een zalvende grijns aan die tamelijk weerzinwekkend was. Die moest vermoedelijk tonen dat hij bereid was om bijna iedereen te vergeven en vooral zijn zondige oude moeder. Toen hij langs me naar de keuken liep, tilde hij een keer zijn hand op alsof hij over mijn hoofd wilde aaien, maar meestal zuchtte hij slechts een beetje hoofdschuddend, waarna hij zijn gesloten lippen optrok tot die alles vergevende glimlach. Verder begon hij op een totaal nieuwe manier in het appartement rond te sluipen. Hij dook gewoon op uit het niets van achter een deur die half openstond en dan stond hij daar roerloos te glimlachen, of – als ik toevallig een glas wijn in mijn hand had – te zuchten. Dat was behoorlijk onaangenaam. Aanvankelijk probeerde ik het gesprek met hem aan te gaan, maar toen er geen reactie kwam, maakte ik er een regel van de deur voor zijn neus dicht te smijten. Ik was immers ook een mens. Ik had ook bepaalde rechten.

Maar die had ik natuurlijk niet. Iedereen wilde opeens bloed zien. Oude rivalen fluisterden leugens achter mijn rug en wilden me tegen elke prijs uit de grote zaal weg hebben. Jongere acteurs glimlachten vriendelijk als ik hen tegenkwam, maar trokken gekke bekken achter mijn rug. Een regisseur werd chagrijnig omdat ik niet met hem naar bed wilde, een andere verklaarde dat hij eigenlijk van mening veranderd was met betrekking tot die hoofdrol in het najaar. Waarom? Begreep ik dat echt niet? En de schouwburgdirecteur riep me op een dag bij zich en verklaarde na veel hummen en brommen dat ik misschien een poosje rust zou moeten nemen. Op reis gaan, wellicht. Naar een plek waar je hulp voor je problemen kon krijgen. Wat voor problemen? Nou, hij meende gemerkt te hebben dat ik bepaalde drankproblemen had. Niet dat hij het zeker wist, maar …

Het was een langzaam uitdoven. Alsof de ene kaars na de andere begon te flakkeren en uitging. Op een dag in juni stond ik opeens helemaal alleen in mijn keuken naar mijn blote voeten te staren, gekleed in niet meer dan mijn nachtpon. Henrik zat al meer dan een week in Londen of New York of ergens anders en Anton was de vorige dag vertrokken naar een kerkelijk zomerkamp. Ik was alleen. Helemaal alleen.

Die dag kleedde ik me niet aan. Waste ik me niet. Poetste ik mijn tanden niet. En de volgende ochtend werd ik in de woonkamer wakker, liggend op het karpet dat Henrik geërfd had.

Toen Anton van zijn kamp thuiskwam, droeg hij zijn crucifix niet meer. Hij haalde zijn oude spijkerbroek tevoorschijn en glimlachte niet meer zo superieur en vergevend. Zolang de zomervakantie duurde, sloot hij zich gewoon op in zijn kamer om een gat in de dag te slapen en hele nachten achter de computer te zitten. In augustus begonnen mijn repetities. Ik had een bijrol gekregen, maar ik stond nog wel in de grote zaal, en dat was een soort overwinning. Ik zou ook de hoofdrollen terugkrijgen, dat zwoer ik, en daarom dronk ik gedurende de repetitieperiode geen druppel. Op het feest na de première raakte ik een tikje aangeschoten, maar dat was niet meer dan normaal. Bovendien was Henrik die avond niet thuis. Henrik was bijna nooit meer thuis en soms vond ik dat best een lekker gevoel. Ik vergat hem bijna.

Op een avond in oktober kwam Anton uit zijn kamer om thee met mij te drinken in de keuken. Daarna ging hij naar zijn kamer en deed hij een poging zich te verhangen.

Toen hij uit het ziekenhuis werd ontslagen wilde hij niet naar huis. De maatschappelijk werkster hield haar hoofd schuin en probeerde mij over mijn wang te strijken toen ze het vertelde, maar ik kon me nog net op tijd terugtrekken. Ik meende een begerige glimp in haar ogen te zien en ik wist dat ze me herkend had.

'Hij moet', zei ik. 'Hij moet aan school denken.'

Ze hield haar hoofd nog een paar centimeter schuiner.

'Hij is waarschijnlijk nog niet echt in staat om op dit moment aan school te denken. Misschien moet hij een time-out nemen van zijn studie.'

'Onzin. Dan verliest hij een heel jaar!'

'Dat mag zo zijn, maar dat is wat hij wil en ik vind dat er alle reden toe is om zijn mening te respecteren. Hij wordt immers over een maand al achttien.'

Ik hapte naar adem.

'Wat bedoelt u?'

'Ik bedoel dat hij over een maand meerderjarig is. En dan neemt hij zijn eigen beslissingen.'

'Maar hij zit toch nog steeds op school!'

'Hij wil een time-out nemen. En misschien is dat best verstandig.'

'Maar ...'

'Hij heeft een paar vrienden die hem hier hebben bezocht. Leuke jongelui. Ze zeiden dat hij bij hen een poosje welkom was. Ze wonen in Sulvik.'

'Sulvik?'

'Ja. In de buurt van Arvika. In Värmland. Dat zou volgens mij een heel goede oplossing zijn. Eigenlijk de beste.'

Ik bracht hem naar Sulvik. Ik zette hem in mijn auto en bracht hem ernaartoe. Niet omdat hij gebracht wilde worden, maar omdat hij het gewoon niet kon opbrengen om tegen te stribbelen. Hij was echter wel zo sterk dat hij heel bewust de hele weg bleef zwijgen. Ik kreeg niets te horen over deze mensen bij wie hij zou verblijven, hoe ze heetten, hoe oud ze waren, hoe en wanneer hij hen had ontmoet. Bij elke vraag zuchtte hij slechts gelaten, hij sloot zijn ogen en sloot mij buiten.

Toen we bij het rode gebouw aankwamen, renden er vier jonge meisjes naar het hek toe. Ze kwetterden. Een andere manier om het geluid dat ze voortbrachten te beschrijven is er niet. Het was een hoog gekwetter en het werd gevolgd door op en neer springen, uitgestoken armen en snel weggewiste vreugdetranen. *Anton! Anton! Anton!* Twee jongemannen kwamen op een holletje het tuinpad af. Ook zij spreidden glimlachend hun armen, de meisjes glipten opzij en Anton werd over het hek heen vluchtig omhelsd en kreeg een mannelijke klap op zijn rug. Toch deed niemand het hek open. Niemand, zelfs Anton niet, deed ook maar de geringste poging om de klink van het hek naar beneden te drukken. Integendeel, hij bleef onhandig glimlachend voor het hek staan en algauw begreep ik waarom. Opeens verscheen er op de stoep een man van in de dertig die aan alles te oordelen oneindig veel aandacht aan zijn uiterlijk besteedde. Hij droeg een ouderwets wit overhemd zonder kraag, een mooi versleten spijkerbroek en cognackleurige leren laarzen. Zijn haar was bijeengebonden in een dikke blonde vlecht die over zijn rechterschouder hing en daar aaide hij langzaam over terwijl hij naar het hek tuurde. Het gekwetter verstomde en de beide jongemannen gingen snel opzij om het zicht vrij te maken. Gedurende een paar seconden was het doodstil in de tuin. Er zong geen vogel. Er was geen geruis van de wind te horen. Geen mens zei iets.

'Anton?' zei de man bij de deur ten slotte. Hij sprak met een heel zware stem. 'Is dat echt Anton, daar?'

De meisjes kwetterden een jubelend antwoord, de jongemannen glimlachten en bevestigden het. Ja! Het was Anton, die eindelijk, eindelijk gekomen was! De man met de vlecht spreidde zijn armen en bleef even als een bevroren Christusfiguur staan, waarna hij riep: 'Maar laat hem erin! Laat hem erin!'

Toen ging het hek open en Anton betrad de winterse tuin. Ik werd niet binnengelaten, maar daar moest ik niet verdrietig om zijn, zei een van de meisjes die zijn tas pakte. Anton moest immers uitrusten, zei een ander meisje terwijl ze met haar hand over het stapeltje boeken streek dat hij had meegenomen. En ik was welkom om langs te komen wanneer ik maar wilde, zei een derde. Hoewel, ja, het was waarschijnlijk wel beter als ik een paar weken wachtte, zodat Anton een beetje tijd kreeg om te wennen, zei de vierde. Tot ziens! Tot ziens! Tot ziens!

Er was iets mis met hun manier van praten. Het klonk een beetje eentonig en de pauzes tussen elke repliek waren ietsje te lang, misschien maar een seconde of twee, maar toch onmiskenbaar. Ik herkende het. Zo klonken mensen altijd tijdens de eerste repetities zonder manuscript wanneer ze hun tekst nog niet goed kenden.

Ik kon het niet opbrengen om Värmland meteen weer te verlaten en dus nam ik mijn intrek in hotel Statt in Arvika, waar ik bijna de enige gast in de eetzaal was. Ik hield mezelf echter voor dat dit beter was. Het was immers donker buiten en ik had al vierhonderd kilometer gereden. Nog eens vierhonderd kilometer terugrijden naar Stockholm was te veel gevraagd. Bovendien wilde ik graag een glaasje wijn bij de maaltijd.

'O', zei Henrik toen ik een uurtje later belde. 'Dus je hebt hem naar Sulvik gebracht. Slim gedaan. Echt slim.'

'Maar dat was toch wat hij wilde ...'

'Maar wat dan nog?'

'Over drie weken is hij toch meerderjarig ...'

'En? Dat betekent toch niet dat hij nu al meerderjarig is?'

'Nee, maar ...'

'Maar wat?'

'Hij weigert om naar huis te komen. Hij wil echt niet naar huis. Dus dit leek de maatschappelijk werkster het beste alternatief.'

'O, zij vond dat? En sinds wanneer neemt een maatschappelijk werkster van een psychiatrisch ziekenhuis voor jou de beslissingen?'

'Ze heeft mijn beslissing niet genomen. Dat heb ik zelf gedaan.'

'O. En op welke gronden?'

'Hoe bedoel je?'

'Ik vraag wat er aan je beslissing ten grondslag lag. Wat weet jij over die club? Heb je ze nagetrokken?'

'De maatschappelijk werkster zei ...'

'Het gaat niet om wat de maatschappelijk werkster zei. Het gaat om wat je zelf weet.'

'Het is een christelijke commune. "De nieuwe discipelen". Zo heten ze. Maar ze zijn niet aangesloten bij een bepaalde kerkelijke gemeente.'

Henrik schoot in de lach.

'Ze hebben misschien hun eigen gemeentetje, schat. Met een volkomen eigen bijbeluitleg. Misschien hebben ze zelfs wel hun eigen Jezus. Weet je daar iets van?'

Het beeld van de man met de blonde vlecht schoot even door mijn hoofd. Ik begon met mijn ogen te knipperen en probeerde een licht ironische toon aan te slaan.

'Nou, aan wat uitgebreidere theologische discussies ben ik niet toegekomen. Maar ze komen niet extreem over. Gewoon gewone jongelui ...'

Alleen een beetje te bleek om hun neus, realiseerde ik me

opeens. Eigenlijk enorm bleek om hun neus. Maar ik keek wel uit dat ik dat vertelde. In plaats daarvan schraapte ik mijn keel een beetje en glimlachte ik naar de telefoon.

'Ze leken in elk geval erg blij met de komst van Anton. En hij leek enorm blij om daar te zijn.'

Henrik slaakte een diepe zucht en nam mijn ironie over.

'Ja, nou dan', zei hij. 'Dan zal dit vast enorm goed uitpakken.'

* * *

De jonge vrouw achter de receptie is heel welwillend, ook al ziet ze er behoorlijk moe uit. Misschien kon zij afgelopen nacht ook niet naar huis, misschien heeft ze wel in een hokje achter de receptie moeten slapen. Ik reserveer mijn kamer voor nog een nacht, krijg een paraplu te leen en bovendien een paar tips over waar je kleren kunt kopen. Niet de hele stad staat immers blank, alleen de wijken in de buurt van de baai.

De straat is bijna verlaten. Er zijn niet veel mensen op pad en degenen die er ondanks alles wel op uit zijn gegaan maken een beetje een verloren indruk in de regen, alsof ze niet goed weten wat ze zullen gaan doen. Ik vouw mijn paraplu uit en die wordt meteen door de wind gepakt, maar daar trek ik me niets van aan. Ik verzet me, weiger de paraplu binnenstebuiten te laten keren, en begin de helling af te lopen. Ik moet mijn pas echter inhouden wanneer ik nader wat ooit de Grote Markt moet zijn geweest, maar wat nu een groot zwart meer is. Met golven. Het spoorwegstation is een donker spookslot dat aan het wegzinken is onder de grijze hemelmassa, en de sculptuur van een vogelachtige man is aan het verdrinken. Daar kikker ik van op. Ik word eigenlijk haast een beetje blij wanneer ik daar de verwoesting sta te bekijken. Het duurt even voordat ik me herinner waarom. *Gevaarlijke Midzomer.*

Het boek over de moemins en hun overstroming. Ze kwamen terecht in een schouwburg en dat was een unieke plek, de plek waar Wiesje uiteindelijk nut en plezier had van haar grote verdriet. Ik glimlach in stilte. Wiesje en ik zijn zussen.

Vier slipjes. Zeep en shampoo van goede kwaliteit. Een mantel die tot mijn verbazing echt mooi is. Een paar donkerblauwe handschoenen en een paar glimmende blauwe rubberen laarzen in de uitverkoop. Een nieuwe trui. Ik plof verbijsterd neer op een stoel in een cafeetje. In nog geen twee uur tijd heb ik er bijna een half maandsalaris doorheen gejaagd en voor de verandering ben ik een keer tevreden met al mijn inkopen. En nu heb ik een plek gevonden waar de vloer zelfs droog is …

Een mens zou misschien hiernaartoe kunnen verhuizen. Om nader tot Anton te komen. Om zijn honger te stillen, want hij heeft honger, dat zie je aan de donkere schaduwen in zijn gezicht. Om te kijken of hij misschien een keer echt met me zou willen praten als ik elke week verscheen, als ik geduldig en in het diepste geheim de ene moederlijke boterham na de andere in zijn mond begon te stoppen. Om kilometer na kilometer bos tussen mij en Stockholm te leggen, kilometer na kilometer donkere bomen tussen mij en de schouwburg, kilometer na kilometer tussen mij en Henrik. Verlost te zijn van heel die zooi.

Ik zucht. Henrik is mijn man. Hij is niet mijn gevangenenbewaker, niet mijn plaatsvervangend über-ich, niet mijn vader. Hij is mijn man. Ik heb zelf voor hem gekozen. Zolang ik met hem getrouwd blijf, kies ik elke dag voor hem. Daar moet ik aan denken. Ik kan mezelf niet toestaan hem overal de schuld van te geven, zoals mijn moeder ooit mijn vader overal de schuld van gaf.

Hoewel mijn vader een heel ander type was dan Henrik. Niet noodzakelijkerwijs een prettiger type, maar gewoon heel anders. Waar Henrik lang en slank is, was mijn vader klein en gezet. Waar Henrik scherp en intellectueel is, was mijn vader sluw en grof. Waar Henrik in zijn werk het ene succes op het andere stapelt, bestond mijn vaders professionele leven uit een oneindige reeks nederlagen. Hij eindigde als drop-out en het gebeurde wel dat ik hem passeerde wanneer hij met de andere dronkenlappen op een bankje in het park zat. Als mijn moeder erbij was, groette ik hem nooit, maar anders gebeurde het wel dat ik hem een beschaamd knikje gaf. Als hij enigszins nuchter was, knikte hij snel terug, waarna hij zijn blik afwendde. Maar als hij echt dronken was, kwam het wel voor dat hij me mijn naam nariep. *Mar-ge-rie-te!* Ik begreep nooit goed waarom. Wat hij wilde zeggen.

'We hebben het niet over hem, Marguerite', zei mijn moeder toen ze de deur eenmaal voorgoed voor hem gesloten had. 'Voor ons is hij dood.'

Ik weet nog dat ik knikte. Ik was elf jaar en wist dat mijn moeder bereid was om alles voor me te doen. Nu had ze haar man op straat gezet omdat hij me stoorde bij mijn huiswerk. Dat was een loyaliteit die ik bereid was te beantwoorden. Die ik nog steeds beantwoord. Daarom vertel ik mijn moeder nooit over mijn echte werkelijkheid. Wat haar betreft leef ik het perfecte leven. Ik ben weliswaar gestopt bij de Koninklijke Schouwburg en dat betreurt ze, maar ik ben alleen gestopt omdat ik mijn avonden vrij wil houden om fantastische diners te organiseren voor de zakelijke contacten van mijn man. Overdag geef ik les aan aankomend acteurs, jonge mensen die met ontzag naar me opkijken. Mijn zoon bevindt zich op dit moment als uitwisselingsstudent in Kenia of all places. Helaas werkt de post daar niet zo best, maar soms stuurt hij een groet via e-mail. Het is erg jammer dat mijn moeder zelf geen computer heeft, maar ze is uiteraard verrukt wanneer ze hoort dat Anton haar de groeten doet.

Mijn leven is schoon. Witter dan wit. Niet slonzig.

Mijn huwelijk is ook heel goed. Niet noodzakelijkerwijs gelukkig, maar toch behoorlijk geslaagd. Mijn man vindt het leuk om me mee te nemen naar recepties en diners, ook al let hij er heel goed op dat ik bij dergelijke gelegenheden niet te veel drink. Het gebeurt nog steeds dat hij precies op het moment dat we binnenkomen een arm om mijn schouders legt en dat vind ik prettig, dat toont dat hij trots op me is, dat hij me graag aan anderen wil laten zien. Hij is niet getrouwd met zomaar iemand. Hij is getrouwd met een groot actrice van de Koninklijke Schouwburg. Of althans een voormalig groot actrice. Maar verder begrijp ik hem niet. Ik snap niet goed hoe hij denkt. Wat moet hij eigenlijk met me? Hij heeft natuurlijk een beddenwarmer nodig. En een bewonderaar. Maar is dat echt voldoende? Is dat echt het enige wat hij van ons huwelijk wil?

Ik zucht en neem een grote slok van mijn koffie. Mijn maag schrijnt nu niet meer. Mooi. Ik ben geen alcoholist. Ik heb 's ochtends alleen een beetje last van brandend maagzuur.

Aan de tafel naast de mijne zitten een paar vrouwen van middelbare leeftijd met elkaar te praten. Ze spreken een vet dialect en hun stemmen zijn hard; ik kan niet voorkomen dat ik hoor wat ze zeggen. Toch duurt het even voordat me duidelijk wordt over wie ze praten. Dat we gemeenschappelijke kennissen lijken te hebben.

'Nou warempel', zegt de een. 'Annette heeft Solveig vanochtend gebeld. En het is waar. Ze heeft blijkbaar een hele boom boven op zich gekregen. Die waaide gewoon door het raam naar binnen.'

Ze pauzeert even om een stuk van haar tompouce naar binnen te schuiven. Ik bestudeer haar grondig, maar het duurt even voordat ik begrijp waarom ik vind dat ze er zo raar uitziet. Haar lichaam en kleding. Ze is groot en iets te dik, maar gekleed als een tiener in een tuniek met felle kleuren en een soort zwarte slobkousen. Een legging. Zo wordt die genoemd. Dat is niet echt flatteus. De andere vrouw heeft een ouwelijker stijl; ze draagt een gewone lange broek en een rood fleecejack over haar erg gele T-shirt. Ze zet zuchtend haar koffiekopje weg en pakt dan met een begerige blik op haar marsepeingebakje haar taartvorkje.

'Ja, goeie genade. Sommigen krijgen het ook met bakken over zich heen.'

'Dat met haar dochter, bedoel je?'

'Bah, ja.'

'Ja, je moet toch wel medelijden met haar hebben. Ook al ...'

'Ik weet wat je bedoelt. Natuurlijk moet je medelijden met haar hebben. Maar toch ...'

Ze slaken allebei tegelijk een diepe zucht.

'Ja, ja. Iedereen heeft zijn eigen ellende. We moeten maar hopen dat ze het haalt.'

Het is een poosje stil. De vrouwen verslinden hun gebak; ze eten zo snel dat het lijkt alsof ze bang zijn dat iemand hun bordje zal stelen. Zelf schenk ik gemaakt onverschillig mijn koffiekopje nog eens bij. Ten slotte gaat de dame van het marsepeingebak met het servet over haar mond en ze zegt op een geforceerd ontspannen toon: 'Maar wat zei Solveig over Annette zelf? Is die er zonder verwondingen afgekomen?'

De vrouw van de tompouce werpt haar een scherpe blik toe.

'Ja, hoor. Die is er goed afgekomen. Maar ja, ze zit natuurlijk ook met Sonny ...'

'Hoezo, met Sonny?'

'Ach, je weet wel wat ik bedoel.'

'Had hij gedronken?'

'Dat kun je rustig stellen ... Voor zover ik het begreep, was hij bijna bewusteloos toen ze thuiskwam.'

De vrouw van het marsepeingebak klakt even met haar tong. *Ta-ta-ta!*

'Die Sonny ...'

De vrouw van de tompouce pakt haar kopje op en fronst haar wenkbrauwen: 'Jawel, maar deze keer heeft Solveig er wat van gezegd. Annette hoeft zich natuurlijk niet te verbeelden dat ze Madeleine mee naar huis kan nemen als Sonny in deze toestand verkeert. Dat is een ding dat zeker is. Ze blijft bij Solveig tot hij beter oplet.'

De ander schraapt de laatste restjes slagroom van haar bordje en knikt instemmend.

'Zeker. Dat lijkt toch het enige redelijke ... Absoluut. Maar het moet wel moeilijk zijn voor Solveig.'

'Ach. Die lijdt niks. Die wil Madeleine bij zich hebben.'

Het is weer een poosje stil. Het enige wat je hoort is het gefluister van de regen buiten tegen het raam. Het is harder gaan regenen en misschien is ook de wind weer toegenomen. Inderdaad, daar lijkt het wel op; buiten loopt een man langs die zo diep bukt dat hij bijna dubbel ligt. De vrouwen naast me kijken om zich heen, de bewegingen van de dame van de tompouce stokken wanneer ze mij in de gaten krijgt. Misschien vindt ze dat ik er bekend uitzie. Ze fronst haar voorhoofd en vraagt zich een tel af wie ik ben, maar laat dan haar blik verder glijden tot die ten slotte bij het gezicht van haar vriendin blijft steken.

'Heb je nog iets van Tynne gehoord?'

Een hoofdschudden.

'Nee. Niets over hem, maar zijn moeder ligt in het ziekenhuis, dat heb ik wel gehoord.'

'O? Waarom dat?'

De vrouw van het marsepeingebak haalt een beetje haar schouders op.

'Geen idee. Een hersenbloeding of een beroerte of zo …'

De ander leunt naar voren: 'Jeminee toch! Heeft Ebba van Tynne een hersenbloeding gehad? En jij zit hier en zegt daar geen woord over?!'

Een glimlachje en een licht schouderophalen: 'Officieel weet ik natuurlijk niets.'

'Heeft Anna het verteld? Ligt ze op Anna's afdeling?'

Een lichte beweging van het hoofd, niet duidelijk genoeg om een bevestiging te zijn, maar juist daarom een bevestiging. De vrouw van de tompouce laat zich terugzakken tegen haar rugleuning en schudt haar hoofd een beetje.

'Zo. Dus Ebba van Tynnes tijd is eindelijk gekomen. Potverdorie. Dan wordt het een warme winter …'

De vriendin wil net een slok koffie nemen, maar ze houdt zich in: 'Wat bedoel je?'

'Ach, je weet wel … Het wordt altijd een warme winter wanneer de poorten van de hel opengaan.'

De vriendin proest het zo snel en onverwacht uit dat druppels koffie over de tafel vliegen. Ze tast vlug naar haar servet om haar mond af te vegen.

'Wat je zegt!'

De vrouw van de tompouce wordt opeens serieus.

'Je weet dat ik mijn redenen heb.'

Haar vriendin zucht.

'Jawel. Maar het is nou zo lang geleden. Het waren toen andere tijden.'

Ze doen er een poosje het zwijgen toe. Allebei kijken ze mij recht aan en ik doe snel net of ik totaal niet geïnteresseerd ben in hun gesprek. Ik blader aandachtig door een tijdschrift dat op mijn tafel ligt. Nieuwe recepten voor appelmoes en appeltaart en voor hele appels, gebakken met kaneel, wordt er beweerd, maar ik zie niet wat er nieuw aan is. De recepten zien eruit zoals alle appelrecepten er al uitzien sinds de kunst van het recepten schrijven werd uitgevonden. Volgens mij, tenminste. Ik heb natuurlijk nooit appelmoes gemaakt of hele appels met kaneel, al heb ik weleens een appeltaart tot stand gebracht.

Na een lange stilte hernemen de vrouwen hun gesprek, maar ik durf niet meer op te kijken; ik blijf in mijn tijdschrift staren. De vrouw van de tompouce neemt als eerste het woord.

'Toen Annette die baan bij Minna kreeg, heb ik haar trouwens gewaarschuwd. Kijk maar uit, zei ik. Dat is het kleinkind van Ebba van Tynne, en ik, jouw eigen oude tante, ben ooit dienstmeisje bij Ebba van Tynne geweest. Een groter kreng bestaat er niet en het is tamelijk waarschijnlijk dat haar kleinkind van hetzelfde laken een pak is. Dus neem die baan niet aan. Maar dat heeft ze dus wel gedaan. Ze beweerde dat er niets anders op zat. Vanwege Sonny.'

Haar vriendin zucht: 'Jawel, maar die Minna heeft het ook niet altijd zo gemakkelijk gehad ...'

De vrouw van de tompouce, die dus de tante van Annette schijnt te zijn, wiegt haar hoofd wat heen en weer.

'Nee, natuurlijk niet. Maar de vraag is wel hoe slecht ze er al aan toe was vóór dit ongeluk. Annette zegt dat ze een beetje geschift was geworden.'

'Geschift?'

'Ja. Ze schijnt te denken dat haar dochter nog ... Ja, je weet wel. Ze koopt cadeautjes voor haar en zo.'

Ik moet mijn impuls bedwingen om me in het gesprek te mengen, om naar voren te leunen en haar te vragen om meer te vertellen, om me in te lichten over wat er met Minna en haar dochter is gebeurd, maar die aanvechting weet ik te onderdrukken. Toch lijkt het alsof de beide vrouwen begrijpen wat ik van plan was. Ze kijken me zwijgend aan, maar wenden zich dan weer tot elkaar. De tante van Annette trekt haar wenkbrauwen op, haar vriendin slaat haar ogen neer en pakt haar kopje.

'Jeetje zeg', zegt de tante terwijl haar blik naar de straat schiet. 'Ik dacht dat het zou ophouden met regenen ...'

'Inderdaad', zegt de ander. 'Dat dacht ik ook, maar het lijkt alleen maar erger te worden.'

De boodschap is duidelijk. Ik ben een vreemdeling en ik hoef me niet te verbeelden dat ik meer te weten kom.

$$* \quad * \quad *$$

Bij mijn terugkeer in het hotel ben ik werkelijk doorweekt. De paraplu heeft niet geholpen, de regen zocht zich er een weg onder en de wind heeft hem binnenstebuiten gekeerd, hoe ik ook tegenstribbelde. Ik wrik de glazen deuren van het hotel open en even schiet de gedachte door mijn hoofd dat dit misschien de ondergang van de wereld is. Maar ik kom snel weer bij mijn verstand. Natuurlijk is dit niet de ondergang van de wereld, het is gewoon een buitengewoon langdurige storm en buitengewoon heftige regenval. Het volgende moment kom ik tot bezinning. Ik ben misschien niet de enige die met dit weer denkt aan de ondergang van de wereld. Misschien doen anderen dat ook. Mensen die geloven dat God figuren die niet vrijwillig naar zijn dienaars komen misschien met zijn woede overlaadt. Mensen met lange blonde vlechten en een glimlach die warm moet lijken, maar wier ogen vaak het absolute nulpunt bereiken.

Ik moet Anton bellen.

De receptioniste fronst haar voorhoofd wanneer ze me ziet.

'Oei', zegt ze. 'Is het nou weer zo erg?'

Ik knik en daardoor vliegen er een paar druppels uit mijn haar in het rond.

'Het is behoorlijk erg ... Doen de telefoons het nog?'

Ze knikt en glimlacht haar vermoeide glimlach terwijl ze haar hand uitstrekt naar de paraplu. Er roert zich een klein schuldgevoel in mijn buik.

'Hij is waarschijnlijk kapot.'

Ze glimlacht.

'Dat geeft niet. We hebben een heleboel paraplu's.'

Wat verderop in de receptie staat een tv. Het gezicht van Dag Tynne schiet over het scherm. Het is een still. De receptioniste volgt mijn blik en zegt met heel zachte stem: 'Ze hebben hem gevonden. Maar hij heeft blijkbaar een ongeluk gehad.'

Ik antwoord op dezelfde toon: 'Leeft hij nog?'

Ze haalt haar schouders een beetje op: 'Voorlopig nog wel.'

Het is echter niet het leven van Dag Tynne dat ik overpeins wanneer ik in de lift sta. Het is dat van Anton. Waarom wil hij dat leven niet? Waarom heeft hij het nooit gewild? Zelfs toen hij echt klein was, toen hij nog een baby'tje was, wilde hij eigenlijk niet leven. Dat zag ik. Diep in zijn ogen lag een grijze schaduw, een schaduw die zelfs niet verdween wanneer ik hem de borst gaf of toen hij voor het eerst lachte. Hij wilde niet. Hij wilde dat leven dat ik hem had gegeven echt niet.

Ik sla mijn handen voor mijn gezicht en laat het gemis toe. *Anton! Mijn Anton!* Pas als de deur al opengaat, merk ik dat de lift is gestopt. Heel even kon ik bijna de werkelijkheid aanraken, mijn eigen leven zien, mijn eigen poppenkast, uitvluchten en leugens, maar wanneer de deur opengaat en ik een man van mijn eigen leeftijd in de gaten krijg, verdwijnt die kans. Wat weet ik over de realiteit? Wat weet ik over de waarheid? Ik ben immers een actrice. Dus haal ik mijn handen van mijn gezicht en doe ik gewoon alsof ik de regen heb weggeveegd. Mijn haren druppelen nog.

De man glimlacht naar me en ik glimlach terug.

'Het regent', zeg ik. 'Nogal flink ook.'

De lift zet zich in beweging. Nog twee verdiepingen.

'Neem me niet kwalijk,' zegt de man, 'maar bent u niet Marguerite Sörensson?'

Ik knik zwijgend.

'Een groot bewonderaar', zegt de man terwijl hij zijn rechterhand op zijn hart legt. Ik probeer hem met een professionele glimlach te belonen, maar slaag daar maar half in.

'Dank u', zeg ik. Dan stopt de lift en ik stap de gang in, steek mijn hand een beetje op om te groeten en verdwijn uit zijn gezichtsveld.

Wanneer ik op mijn kamer kom, zou ik eigenlijk meteen de telefoon moeten pakken, maar dat doe ik niet. Eerst open ik de bruine deur van de minibar onder het bureau om er een flesje witte wijn uit te halen. Het is nog maar een uur 's middags, maar toch pak ik dat flesje en een glas. Ik schroef de dop los en hoor dat klikje dat vertelt dat de fles open is en ik vul mijn glas. Alleen dat klokkende geluid is al voldoende, mijn spieren worden helemaal warm en zacht wanneer ik dat hoor. Ik rust al en maak mezelf snel wijs dat dit al voldoende is, dat dit het enige is wat ik hoef te doen: het volle glas voor me op het bureau te laten staan tot het vijf uur is, want dan mag je drinken, dan mag iedereen zichzelf toestaan een glas wijn te nemen. Vervolgens strek ik mijn hand uit om het glas te pakken en ik doe mijn mond open en ik drink.

Het is een uur 's middags en ik drink wijn.

Ik leeg echter niet het hele glas, ik houd een bodempje over en loop naar het raam om het wijd open te zetten. Ik graai in mijn handtas naar mijn sigaretten en terwijl ik de rook uitblaas in de wind en de regen blijf ik staan. Wat moet ik nou zeggen als ik Anton bel? Niet iets hards. Niet iets wat zo ongerust klinkt dat het is of ik boos ben. Gewoon een paar vriendelijke woorden waardoor hij weet dat ik nog in de buurt ben en dat ik het me kan voorstellen om nog een keer langs te komen voordat ik weer naar Stockholm ga ...

Ik ga bij de telefoon zitten, haal diep adem en toets dan het nummer in. De bel gaat drie keer over voordat er iemand opneemt. Het is een van de kwettermeisjes, maar een kwettermeisje dat niet meer kwettert.

'Hallo', zeg ik, en ik hoor zelf hoe kruiperig ik klink. 'Met de moeder van Anton. Ik bel even om te horen hoe het met hem gaat.'

'Goed.'

'Dus jullie hebben geen overlast van de storm?'

'Nee.'

'Nou, wij wel, hoor. We zijn in de overstromingen bij Arvika vast komen te zitten.'

'O.'

'En ik zit nog in Arvika. In afwachting van wanneer we onze auto los kunnen krijgen. Zou ik Anton misschien even kunnen spreken?'

'Een ogenblikje.'

Wanneer het stil wordt aan de andere kant van de lijn bedenk ik dat het K met haar gelukt is. K is de man met de blonde vlecht, de man met de handgenaaide linnen overhemden, de man met de warme glimlach en de ijskoude ogen. Hij heeft geen echte naam. Hoe ik ook op internet en in de gegevens van het bevolkingsregister heb gezocht, ik heb zijn echte naam niet kunnen vinden. Anton vindt dat geen probleem. K heeft geen gewone naam nodig, zegt hij. K is gewoon K.

Dat raakt natuurlijk kant noch wal.

Het blijft lang stil en na een poosje ben ik bang dat het kwettermeisje de hoorn erop gelegd heeft. Maar dan hoor ik wat, waarschijnlijk voetstappen en een stem in de verte. Ik kan niet horen of het een man of een vrouw is, of wat er gezegd wordt, maar nu weet ik in elk geval dat de lijn nog open is. Ik neem een teugje uit mijn glas, maar drink het niet helemaal leeg. Gewoon een teugje, zodat ik iets te doen heb tijdens het wachten. Dan sluit ik mijn ogen en ik zie de ruimte die ze hun eetzaal noemen voor me. Die is in een afzonderlijk gebouwtje, waarschijnlijk een oude houtschuur. Een klinkervloer; het moet er 's winters ontiegelijk koud zijn. Ongeschaafde houten muren, slordig geschilderd met een soort witte verf. Die afgeeft. Mijn handtas zat een keer helemaal onder de witte vlekken toen ik daar een uur had zitten staren naar Anton, die mijn vragen over hoe hij zich voelde (goed, natuurlijk) en over hoe hij at (lekker en rijkelijk) en of hij wel genoeg slaap kreeg (uiteraard) met grote tegenzin beantwoordde. Dat was een van die keren dat ik alleen op bezoek was. Wanneer Henrik erbij is, geeft Anton helemaal geen antwoord, maar toch blijft Henrik …

'Hallo?'

Dat is niet de stem van Anton. Ik ga rechtop zitten en zeg toch: 'Anton?'

'Nee.'

Het moet K zijn. Jawel. Ik ben er zeker van dat het K is.

'Ik wil graag met Anton praten. U spreekt met zijn moeder …'

'O.'

'We hebben gisteren een ongelukje gehad, Henrik en ik.'

'O.'

'Dus daarom zou ik Anton graag even willen spreken. Zodat hij weet dat we er goed af zijn gekomen.'

'Dat gaat niet.'

Ik slik wat speeksel weg en haal diep adem.

'Waarom dan niet?'

Het blijft een behoorlijk lange tijd stil, zo lang dat ik er van binnen helemaal ongedurig van word. Er is iets met Anton gebeurd. Wat is er met Anton gebeurd?

'Hij rust', zegt K ten slotte.

'Rust?'

Midden op de dag? Anton heeft zijn hele leven toch nog nooit midden op de dag gerust? Wat is er eigenlijk aan de hand?

'Ja. Hij voelde zich na jullie bezoek gisteren niet goed. Dus hebben we besloten dat hij vandaag moet rusten.'

Puh, denk ik. Welke 'we'? Jij was degene die dat bepaalde, ijdele lul. Maar ik zeg niets, ik ben natuurlijk niet zo dom dat ik dit figuur beledig.

'O', zeg ik alleen. 'Maar het gaat wel goed met hem?'

'Nee', zegt K, en opnieuw laat hij een lange stilte vallen, zodat zijn 'nee' tot me kan doordringen en mijn angst kan opwekken. 'Het gaat niet goed met Anton. Jullie hebben hem immers geslagen.'

'Dat was Henrik. Ik ...'

'Anton wil natuurlijk niet praten met mensen die hem slaan. Dat zou u moeten begrijpen.'

'Maar ...'

'En hij wil niet dat u de hele tijd belt. Begrijpt u dat?'

'Maar alsjeblieft ...'

'Hij wil geen contact met jullie. Geen enkel. Geen brieven of telefoontjes of bezoek.'

'Maar alsjeblieft ...'

Ik praat tegen een dode telefoonlijn. K heeft opgehangen.

Wat er daarna gebeurt, weet ik niet goed. De tranen krijgen de overhand. Ik huil met hoge uithalen, als een kind, ik neem mezelf niet waar met een kille acteursblik, registreer niet en prent niets in mijn geheugen. Ik huil alleen maar, ik huil zo dat mijn lichaam ervan trilt en schudt, dat mijn snot begint te lopen, dat mijn slijm op mijn stembanden slaat en mijn stem rasperig en lelijk maakt. Toch sta ik uiteindelijk op om naar de badkamer te lopen en een stukje wc-papier af te scheuren. Ik snuit mijn neus, schraap mijn keel en begin dan weer opnieuw te huilen. Anton! Mijn Anton!

O Anton, waarom heb je me in de steek gelaten?

Wanneer ik wakker word, is het donker om me heen. Ik lig op mijn rug in bed en houd een flesje in mijn hand, misschien is het de wijnfles. Ik til hem op en zet hem aan mijn mond, en ja, het is een wijnfles, maar hij is leeg. Er komt geen wijn meer uit. Ik lik aan de opening en besef dat er rode wijn in moet hebben gezeten …

De telefoon op het bureau gaat. Moeizaam kom ik overeind om de hoorn van de haak te pakken. Misschien is het Anton. Misschien is hij eindelijk gestopt met rusten, heeft hij K uitgescholden en besloten om met mij te praten. Maar natuurlijk is het Anton niet. Het is Henrik. Een heel tevreden Henrik.

'Hallo', zegt hij. 'Ik heb het gered!'

Ik doe het schemerlampje naast me aan.

'Wat gered?'

'Ik heb een taxi genomen helemaal naar Stockholm. Ik was maar veertig minuten te laat, maar dat maakte niet uit, want ze hadden eerst andere kwesties besproken. En ze gingen akkoord met mijn voorstel. In één keer. Het gaat precies zoals ik het wil!'

'O.'

Hij gaat zachter praten, krijgt zijn gebruikelijke, beetje misnoegde toon terug.

'Maar dat kan jou blijkbaar geen moer schelen.'

Thuis zou ik zijn gaan kirren en smeken, zou ik hem hebben verzekerd dat ik natuurlijk wel blij ben. Uiteraard. Niets maakt mij ooit zo blij als wanneer Henrik bij de bank zijn zin krijgt, want dan is hij altijd nog dagenlang daarna vriendelijk. Maar nu kan ik het niet opbrengen.

'Inderdaad. Dat is eigenlijk wel zo.'

Dit is ongehoord. Majesteitsschennis. Hij haalt diep adem en begint zich op te laden.

'Godverdomme! Godverdomme, zeg ik! Nou is het mij gelukt om de belangrijkste kwestie van heel mijn ...'

Ik val hem in de rede.

'Je hebt Anton geslagen.'

Dat heb ik nog niet eerder gezegd. Het is een simpele constatering, maar toch een ongelooflijke inbreuk op onze afspraak over wat besproken mag worden en wat niet. En het is voldoende om hem het zwijgen op te leggen. Het wordt doodstil tussen ons. Dan schraapt hij zijn keel.

'Ja, dat heb ik gedaan. Want ik ben ook maar een mens. En bovendien iemand die van jou houdt. Ik kan het niet verdragen als ik zie hoe hij je behandelt, hoe hij daar maar zit te loeren en te zwijgen. En bovendien heb ik hem niet erg hard geslagen. Het was maar een oorvijg. Nauwelijks iets wat ...'

Ik val hem in de rede.

'Hij zwijgt alleen als jij erbij bent. Wanneer ik alleen kom, dan praat hij wel met me. Heeft hij tenminste met me gepraat. Maar nu weigert hij dat.'

'Hoezo weigeren, hij kan toch niet ...'

'Hij zal nooit meer tegen me praten. En ik mag niet meer komen.'

'Onzin. Hij moet gewoon ...'

'En dat is jouw schuld. Jij bent daar verantwoordelijk voor.'

'Natuurlijk. Geef mij maar de schuld. Maar jij weet net zo goed als ik dat ...'

'Dus daarom ben ik van plan om bij je weg te gaan.'

Ik begin met mijn ogen te knipperen. Ik ben verbaasd. Ik wist niet dat ik een besluit genomen had. Maar zo is het wel.

Ik ben van plan dit huwelijk achter me te laten. Me te bevrijden. Op eigen benen te gaan staan. Maar Henrik haalt alleen zijn neus op.

'Heb je gedronken?'

'Dat heeft er niets mee te maken.'

'Je dreigt altijd dat je bij me weggaat als je dronken bent. Zet jezelf alleen niet helemaal voor schut. Ook in Arvika heb je journalisten.'

'Maak je niet ongerust.'

Dat is een nieuwe tekst en die brengt hem voldoende uit zijn evenwicht om mij de volgende te laten afvuren.

'Ik blijf hier totdat ik de auto los kan krijgen. Dat kan waarschijnlijk nog wel een paar dagen duren. Ik vind dat jij ondertussen contact met een makelaar moet opnemen.'

'Een makelaar?'

'Ja, een makelaar. Die ervoor kan zorgen dat het appartement op de markt komt.'

'Ik ben niet van plan om te verhuizen!'

'Nee, nee. Laat de makelaar het appartement dan maar taxeren en koop mij maar af. Mij maakt het niet uit wat het wordt.'

'Jij moet niet denken …'

'Dag Henrik.'

'Marguerite! Je moet …'

'Dag.'

Wanneer ik de hoorn heb neergelegd blijf ik een poosje zitten. Ik zit in het halfduister door het raam te kijken. Een eindje verderop beweegt een vrouw in een verlichte keuken. Ze is iets aan het braden, dat kun je zien, en ze beweegt zich met heel kleine resolute bewegingen. Zonder te weten waarom begin ik haar te imiteren: mijn handen pakken een niet-bestaande koekenpan en evenmin bestaande bakspaan, ze draaien een niet-bestaand stuk vlees of vis om, strekken zich daarna uit om op een knop van de afzuigkap te drukken. Ik zou die vrouw kunnen zijn. Ik zou haar kunnen spelen in een film of in een stuk of in een tv-serie.

Er is iets gebeurd. Ik voel het. Ik voel het in iedere cel van mijn lichaam, en wanneer ik opsta en naar de badkamer loop, voel ik dat ik heel licht ben. Ik zou kunnen vliegen. Ik neem een ijskoude douche, dwing mezelf om het koud te hebben en loop dan klappertandend de kamer in om mijn nieuwe slipje en mijn nieuwe trui te pakken. Het was dom dat ik niet ook een nieuwe broek heb gekocht, bedenk ik terwijl ik mijn haar borstel. Maar ik haal mijn schouders op en loop vervolgens naar de eetzaal. Die oude broek is ook goed.

Ik kies vissoep voor de maaltijd. En ik drink er een groot glas ijswater bij.

Wanneer ik mijn nieuwe trui op een hangertje heb gehangen en mijn broek heb gladgestreken en over de rug van de stoel heb gelegd, in bed ben gekropen, op mijn zij ben gaan liggen en mijn handen tussen mijn knieën heb gestopt, ben ik opeens terug in het café van Sally. Ik sta midden op de lichte houten vloer en kijk om me heen, bestudeer de prachtig bloeiende hibiscus in de hoek, zie de oude, niet bij elkaar passende meubels in het restaurant, de witte gesteven servetjes die op elke tafel liggen en de zorgvuldig gepoetste messing kandelaartjes die er bovenop staan. Vanuit de keuken komt een zachte geur. Het ruikt naar brood, versgebakken brood en door de ramen strijkt het warme licht van de herfstzon naar binnen.

Nu weet ik het weer. Dit is gebeurd. Dit is ongeveer een jaar geleden werkelijk gebeurd. Ik was bij Sally's Café-Restaurant gestopt na een tamelijk mislukt bezoek in Sulvik. Het was een prachtige dag, een dag dat de berken in een gouden gloed stonden, de esdoorns rood werden en het water van de

Glafsfjord buiten voor de ramen glinsterde, een dag waarop alles goed was in de wereld. Maar het was leeg in het café; er was geen mens te bekennen. Ik verhief mijn stem en riep: 'Hallo! Is er iemand?'

Uit de keuken klonk gerammel, daar was blijkbaar iemand, maar het duurde even voordat de deur openging en er een enorme man opdook. Hij droeg een ruitjesbroek en een wit jasje. Zo te zien de kok. Hij droogde zijn handen af aan een keukendoek en keek me aan, maar eigenlijk zonder me echt te zien, en zijn toon was vragend.

'Ja?'

'Kan ik hier ook lunchen?'

De blik van de man gleed weg en hij ging door met het afdrogen van zijn handen terwijl hij in het restaurant rondkeek alsof hij het nog nooit had gezien.

'Jawel', zei hij ten slotte. 'Jawel. Natuurlijk.'

Ik bekeek de kaart. Met gehakt gevulde koolbladeren. Jawel, ik wilde absoluut met gehakt gevulde koolbladeren. De man veegde snel zijn gezicht af met de keukendoek en schudde zijn hoofd.

'Helaas. Dat is de kaart van gisteren. De kool is op. Bijna alles is op. U kunt een zalmsalade krijgen. Of een broodje gehakt.'

'Maar ...'

De man wist niet goed waar hij kijken moest en ging opnieuw met de keukendoek over zijn gezicht.

'Het spijt me. Er is een ongeluk gebeurd, dus ...'

Ik knikte zwijgend en liep naar het buffet, waar ik een broodje gehakt pakte en een kop koffie inschonk. Niet goed wetend wat te doen bleef de man achter de kassa staan en pas toen ik mijn keel even schraapte, reageerde hij en begon een bedrag op de kassa in te toetsen. Ik overhandigde hem geld en zei: 'Wat is er gebeurd?'

Hij keek me nog steeds niet aan en gaf me gewoon het wisselgeld.

'Het is verschrikkelijk', zei hij terwijl hij opnieuw zijn hoofd schudde. 'Het is echt verschrikkelijk.'

Toen ging hij voor de laatste keer met de keukendoek over zijn gezicht en verdween door de klapdeuren.

Ik ging aan een tafeltje vlak bij de deur zitten en at mijn broodje heel snel op. Misschien was ik bang. Misschien wilde ik gewoon opschieten. Ik moest wel opschieten. Vandaag zou Anton met me praten. Daar was ik van overtuigd. En hij deed het ook.

Vlak voordat ik in slaap val, slaag ik erin mezelf ervan te overtuigen dat hij opnieuw met me zal praten.

Minna

Hoe zit het eigenlijk met God voor jou, lieve oma?

Voer je 's avonds lange gesprekken met hem? Veeg je hem de mantel uit vanwege de algehele ellende van de wereld? Of laat je je, al is dat niet waarschijnlijk, door hem tuchtigen, zoals je vader en moeder jou ooit hebben getuchtigd? Als je hem althans 's ochtends niet gewoon een kort knikje geeft, als een kleine bevestiging van het feit dat je wakker bent geworden, zodat hij rustig in slaap kan vallen en het jou kan laten overnemen? Of denk je nooit aan hem? Zelfs niet wanneer je een enkele keer naar de kerk gaat?

Ik zou denken dat het laatste alternatief op jou van toepassing is. Ik vermoed dat je je hele leven al stiekem atheïst bent, ook al heb ik je af en toe in de kerk gezien, zowel bij de hoogmis als bij de vroege dienst op Eerste Kerstdag. Je bent zelfs in de kerk getrouwd, dat heb ik uitgezocht, je hebt je charmante kleine knul daar laten dopen en ik vermoed dat je je door de dominee ook hebt laten steunen toen je heel jong weduwe werd. Bovendien ben ik ervan overtuigd dat je zowel het Onze Vader, de zegen als alle gelijkenissen van Jezus kent, en dat je de Tien Geboden vast ook op elk moment zou kunnen oplepelen, ook al heb je die niet bepaald elke dag van je leven voor ogen gehad. Jouw buurman heeft immers os noch ezel, en als hij die wel had gehad, dan zou jij niet bepaald in de verleiding zijn gekomen om ze te stelen. In deze tijd niet, in elk geval. Je weet ook wanneer je tijdens de hoogmis moet opstaan en gaan zitten en ook al is het vijfenzeventig jaar geleden dat je belijdenis hebt gedaan, je hebt het gezangenboek dat je op die dag kreeg nog altijd. Wanneer je het af en toe nodig vindt om een kerkdienst te bezoeken houd je dat tussen je handen, waar wat ouderdomsvlekken op zitten. Misschien heb je ook nog een kanten zakdoekje van die dag, een oneindig dun en teer zakdoekje van baptist met kunstig geklost kant uit Vadstena en met je monogram in een hoekje geborduurd, een zakdoekje dat je altijd op de hand hebt gewassen en heel voorzichtig hebt gestreken. Het is na al die jaren dan ook nog bijna helemaal heel en daarom geeft het jou een ogenblik van volkomen onschuldig genot wanneer je het opvouwt en op je versleten gezangenboek legt. Daarvan is het omslag gebarsten, maar dat geeft niets, dat toont alleen maar dat jij een dame van eerbiedwaardige leeftijd bent, en de gekalligrafeerde opdracht die jouw grootouders van moederskant op het schutblad hebben gezet toont bovendien dat je een dame van minstens even eerbiedwaardige afkomst bent. Dat je verder een dame bent die nooit, geen dag in haar hele, lange leven, niet eens op de dag waarop je weduwe werd en waarschijnlijk volkomen oprecht hebt gerouwd, aan God een eerlijke gedachte hebt gewijd geeft niets. Je hoeft immers geen echte relatie met God te hebben. In de ogen van de wereld ben je toch wel een goede christen. Ook al heb je je er dus niet echt van laten overtuigen dat er een leven na dit leven is.

Helaas lijken we uitgerekend op dat punt een beetje op elkaar. Het spijt me.

Weliswaar heb ik daar beduidend meer over nagedacht dan jij en bovendien is het de laatste jaren steeds vaker voorgekomen dat ik mezelf erop betrapte dat ik met mijn handen gevouwen de lege ruimte stond aan te roepen, maar toch heb ik altijd moeilijk kunnen geloven dat mijn armzalige leventje, de zeventig, tachtig of (zoals in jouw geval) negentig jaren die ik op deze planeet moet leven, me zou kunnen kwalificeren voor een eeuwigheid van zaligheid. Hoe dan? Waarom? Het is immers maar een miljoenste deel van een seconde van de tijd en als ik juist of verkeerd handelde gedurende een duizendste deel van dat miljoenste deel van een seconde, dan zou dat toch eigenlijk nauwelijks te merken zijn ... Of wel? Zou God mij echt op elk moment kunnen zien, elke gedachte die ik had kunnen volgen, elk van mijn handelingen kunnen wegen en meten zonder dat hij van verveling implodeert? Ik zou het niet denken. Zo dacht ik lange tijd. Daarom overtuigde ik mezelf ervan dat het geloof gewoon een sprookje is, een efficiënt controlemechanisme, een knuffellapje voor bange mensen die voortdurend troost nodig hebben, mensen die te laf zijn om de waarheid onder ogen te zien. Ik was echter niet laf. Integendeel. En daarom verheugde ik me soms op de dood. Ik droomde over de rivier de Lethe, waar ik de herinnering aan mijn eigen leven zou verliezen. Ik genoot van de gedachte aan de grote vergetelheid, de zwarte leegte die daarna wachtte, het heerlijke niets dat zo dichtbij lag en dat weldra zou komen. Het was gewoon een kwestie van verdragen, van ogen en oren sluiten in de periode die ik nog te gaan had, van weigeren te zien en te horen. Van goeddoen zou me dat niet weerhouden, daar was ik van overtuigd. Ik zou hard kunnen blijven werken, zodat Sofia voedsel, kleding, boeken en computers zou krijgen zolang ze die nodig had, en wanneer ik eenmaal in het water van de Lethe zou glijden, zou zij kunnen ontluiken, tot haar recht komen, nog vele jaren bloeien als een geurende roos ...

Helaas zit het zo niet in elkaar. Onze handelingen hebben betekenis. Elke ervan. Het kleinste gebaar en geheim. De kleinste gedachte en toon. En ik weet waar je belandt wanneer je eenmaal loslaat. Helaas.

Want ik ben daar al geweest. Vannacht heb ik een eerste bezoek aan de onderwereld gebracht.

Vrij, dacht ik toen ik van het rupsvoertuig naar het water onder me viel. Het is voorbij. Dank, God die niet bestaat, dat het echt voorbij is!

En gedurende enkele minuten was het ook voorbij, gedurende enkele minuten dreef ik bijna in de grote vergetelheid van de rivier de Lethe, gedurende enkele minuten hoefde ik me de meeste dingen over mezelf en mijn leven niet te herinneren. Mijn lichaam verdween; eerst werd het een beetje wazig en daarna werd het opgelost tot cellen, die ontplofte DNA-moleculen werden, die atomen werden, die uiteindelijk botsende elektronen en positronen werden. En toen was het afgelopen. Maar opeens begon het te rommelen, mijn zwarte niets barstte stuk en een tel later lag ik in een rupsvoertuig, met alle DNA-moleculen op de juiste plek, met spieren en zenuwstelsel intact en met een hart dat zo hard klopte dat ik dat kon horen. Ja, het is waar. Opeens zat ik in een wagon van de Stockholmse metro mee te deinen met de bewegingen van de trein. Het moet een oude wagon zijn geweest, bijna afgeschreven, want de banken waren bekleed met het groene skai van vroeger. Iemand had de zitting naast me opengesneden zodat het wasbleke schuimrubber bloot was komen te liggen. Het licht van de lampen aan het plafond was vuilgeel, en op de muren had iemand een naam gekalkt. Ik zeg niet welke naam. Nee. Ik weiger te zeggen welke naam ze dermate lelijk hadden gemaakt dat ik er niet eens naar wilde kijken, maar toen ik mijn ogen dichtdeed om hem niet te hoeven zien, verdween hij toch niet. Hij stond in mij gekerfd. De grote vergetelheid wist die naam niet te verslinden.

De metro kwam abrupt tot stilstand, ik vloog naar voren en zou hard met mijn gezicht tegen de stoel voor me zijn gekomen als ik mijn handen niet op tijd had opgeheven. Dat deed ik wel, maar ik kreeg toch een bloedneus en toen ik me naar het zwarte raam wendde om mijn spiegelbeeld te bekijken, kon ik zien dat het een flinke bloedneus was. Bovendien was ik een beetje misselijk; ik had bijna het gevoel dat ik moest overgeven. Als ik echt in leven was geweest, zou ik een beetje bezorgd zijn geweest, maar nu veegde ik het bloed gewoon weg met de mouw van mijn trui, en ik moest even aan de Koperen Engel denken. Wat was er met die arme drommel gebeurd? En waar bevond ik me eigenlijk?

Het antwoord kwam onmiddellijk van een stem uit de luidspreker: 'Hötorget. Alle passagiers moeten hier uitstappen.'

De deuren gleden open, maar ik bleef op mijn plaats zitten en keek om me heen. Grijs licht op het perron. Banken. Reclame. Snoepautomaten. Het zag er net zo uit als het vroeger gedaan had. In mijn jonge jaren. De stem in de luidspreker kwam terug: 'Uitstappen! Alle passagiers moeten hier uitstappen.'

Heel even overwoog ik te weigeren om uit te stappen, om gewoon met mijn bloedneus te blijven zitten en tot in eeuwigheid misselijk te zijn, maar ik realiseerde me dat dit onmogelijk was en ik stond op en liep naar de deur. Ik zette een voorzichtige stap naar buiten. Was dit echt metrostation Hötorget? Inderdaad. Ik herkende de geur, die was zwaar en warm, en rook zoet net als vroeger. De muren waren bekleed met dezelfde nietszeggende lichtblauwe tegels als altijd, en de mysterieus slingerende neonbalken langs het plafond slingerden zoals ze altijd geslingerd hadden. En er hing een bord. Het klopte. Het enige wat niet klopte, was dat het totaal verlaten was. Er was geen mens te bekennen, geen dakloze vrouw die in elkaar gedoken op een bankje zat, geen verdrietige puberende jongeling die aan de rand van het perron rondhing, geen vermoeide vluchteling wat verderop die naar huis stond te verlangen. Het was leeg. Verlaten. Ik zette een paar stappen in de richting van de snoepautomaat, liet rode bloedspoortjes op de grond achter, en zag wat ik al wist dat ik te zien zou krijgen: de automaat was ook leeg. Geen enkel stuk chocola. Geen chips. Geen vrolijk gekleurde kauwgumverpakkingen. Ik zuchtte en ging met de mouw van mijn trui langs mijn neus. Tja. Dus zó zag de eeuwigheid eruit ...

Het licht werd opeens anders, het werd schemerig om me heen en het duurde een paar seconden van hartkloppingen voordat ik besefte dat dit kwam doordat de verlichting van het treinstel achter me was gedoofd. Het treinstel stond nog steeds naast het perron, maar de deuren waren dicht en de ramen donker. Ergens ver weg hoorde ik stappen. De machinist, dacht ik. Die gaat nu naar huis. Het is een Fin, maar hij woont al heel lang met zijn vrouw en kinderen in Skärholmen en ...

Ik bleef staan. Ik hoorde andere stappen. Kletsende stappen, alsof naakte voeten tegen de vloer sloegen. Het klonk onaangenaam. Eng. Ik keek om me heen, zocht naar een plek waar ik me kon verbergen, maar ik zag niets anders dan een vierkante pilaar, bekleed met dezelfde lichtblauwe tegels als de muren. Ik veegde opnieuw het bloed dat uit mijn neus liep weg, ik likte mijn lippen af en proefde hun zoete smaak. Daarna drukte ik me stevig tegen de pilaar. Ik sloeg mijn armen eromheen. Omhelsde hem. De kletsende stappen kwamen naderbij en nu hoorde ik ook geneurie, een vibrerend schimmig gezang dat nu eens luider en dan weer zachter werd. *Hum-hum-hum.* Er begon een lampje te knipperen en opeens zag ik dat een van de roltrappen zich in beweging zette. Aanvankelijk piepte en jankte het, maar dat ging snel over, weldra gleed de trap gewoon van boven naar beneden zoals roltrappen altijd doen wanneer iemand ze nadert. En toen zag ik de eerste. Hij stapte naar voren, ging op de roltrap staan en liet zich naar beneden voeren, ondertussen van zijn ene voet op de andere wippend, en neuriënd en zingend, *hum-hum-hum.* Ik herkende hem meteen, ook al wist ik niet precies waarvan. Maar zijn slanke witte benen waren bekend, evenals zijn groezelige buik en zijn vochtige rode lippen. Ja. Mijn handen herinnerden zich die lippen, ik balde mijn vuisten van onbehagen, ik kreeg kippenvel en mijn buik trok samen in kramp …

'Weg. Vort. Aan de kant ermee', fluisterde ik terwijl ik mijn ogen sloot. 'Weg! Vort! Aan de kant ermee! Weg! Vort! Aan de kant ermee!'

Maar helaas. Het werkte niet. Mijn ogen zagen, ook al kneep ik ze dicht, en mijn geheugen, dat zich zo lang potdicht had afgesloten schoof het deksel ietsje open. Er bewoog zich daarbinnen iets, iets wat ik werkelijk niet wilde zien en waaraan ik niet wilde terugdenken …

Het geneurie werd luider, er stapte nog een man de roltrap op en ook hij begon van zijn ene voet op de andere te wippen. Het was de kale, met de kromme rug en de turende donkere ogen. En na hem kwam het kleine, dikke, zandkleurige type, de man van wie de buik zo hing dat je het elastiek van zijn onderbroek niet kon zien, maar die het toch zo met zichzelf getroffen had dat hij gelukzalig glimlachte en vrolijk van zijn ene voet op zijn andere wipte. Hij werd gevolgd door de slakgrijze, magere man, de man die zulke oneindig lange vingers had. Hij zwaaide ermee toen hij op de roltrap stond, hij wuifde en humde en neuriede terwijl hij ondertussen schichtige blikken om zich heen wierp …

Nu had de eerste het perron bereikt. Hij zette zijn rechtervoet op de grijze klinkers van het perron – *klets!* – en glimlachte zijn lege glimlach naar een niet-bestaand publiek. Hij wachtte een ogenblik tot de anderen hem hadden ingehaald en toen die ook hun voeten kletsend neerzetten begon hij te marcheren. Het licht flatteerde hem niet. Dit licht flatteerde geen van hen, maar daar trokken ze zich niets van aan. Ze waren vrolijk en tevreden en bijzonder ingenomen met zichzelf. De zandkleurige figuur, die met die dikke buik, had zich zelfs mooi gemaakt; hij droeg een donkerpaarse onderbroek met gele sterren erop. De anderen stonden boven dat soort ijdelheid; zij droegen gewone verwassen onderbroeken. Een blauwe, een grijze en een witte.

Hum-hum-hum. Hum-hum-hum. Hum-hum-hum.

Ze liepen ze verder, kletsend met hun voeten het perron op, marcherend op een rij, recht vooruit, zonder om zich heen te kijken, maar toch gleed ik geheimzinnig en stil rond de pilaar om me erachter te verstoppen. Ik herkende ze alle vier, maar ik wist niet wie het waren, ik wist alleen dat dit mannen waren die ik niet wilde zien, die ik niet wilde aanraken en aan wie ik echt nooit wilde terugdenken …

Wezens die ik wilde uitroeien als ik mezelf dan niet kon uitroeien.

Wezens die ik wilde vernietigen als ik mezelf dan niet kon vernietigen.

Wezens die ik wilde ruïneren als ik mezelf dan niet kon ruïneren.

'Ze doet het weer. We hebben haar weer aan de praat gekregen!'

De stem kwam van boven, hij bulderde uit de luidsprekers van metrostation Hötorget, hij denderde door het water toen ik omhoog werd getrokken, hij dreunde door de storm toen ik daardoorheen vloog, en de stem werd zachter en veranderde in een gewone, zij het opgewonden, gesprekstoon toen ik uiteindelijk landde op een brancard.

'Potverdomme! Het is ons gelukt!'

Iemand klopte me tamelijk hard op mijn wang.

'Minna! Hallo! Hoor je me?'

Ik probeerde te reageren, maar dat lukte niet. Mijn keel schiep geluid, mijn tong bewoog, mijn lippen vormden zich exact zoals ze zich moesten vormen om 'ja' te antwoorden, maar er kwam geen woord uit mijn mond. Toch begreep de verpleegkundige die over me heen gebogen stond me. Glimlachend gaf ze me twee snelle klopjes op mijn wang.

'Ze is bij bewustzijn. Ze kan alleen op dit moment niets zeggen.'

Ik begon met mijn ogen te knipperen en keek om me heen. Heel even had ik het idee dat ik op een tafel lag in mijn eigen restaurantkeuken, de muren hadden immers dezelfde witte tegels, maar toen besefte ik waar ik was. In een operatiekamer in het ziekenhuis in Arvika. Wit licht uit een lamp vlak boven mijn hoofd. Een man in groene ziekenhuiskleding boog zich over me heen en een even groen geklede vrouw aan mijn linkerkant glimlachte achter haar mondkapje. Haar ogen trokken samen tot twee donkere streepjes toen ze zich vooroverboog en zei: 'Het komt wel goed. Het komt allemaal helemaal goed!'

Ik opende mijn mond om te reageren, maar deed hem snel weer dicht. Niets zou goed komen, dat wist ik, want niets kan ooit weer goed komen, nu niet en in eeuwigheid niet. De wereld gaat me niet langer aan, en de toekomst ook niet. Er komt immers niemand na mij. Het enige goede was feitelijk dat ik niet kon praten, dat ik mijn mond niet kon openen om mijn verdriet eruit te laten stromen en iedereen in deze kamer te verdrinken ...

'*Steljenietaan*', zei iemand vlak achter me. Ik kon niet zien wie het was, maar ik herkende de stem. '*Jehebtnieteenseensonde! Zehebbenjezovolgestoptmetpijnstillersdatjenieteensergens pijnhebt, maartochhebjehetlefomteliggenzeuren...*'

Een andere stem viel haar in de rede, een tamelijk hese en rasperige stem, aangetast door al die sigaretten: 'Ophouden nu! Schei uit.'

Ik sloot mijn ogen en glimlachte. Sally. Mijn tante en vriendin. Mijn echte moeder.

'Jij bent het …' fluisterde ik.

Ze glipte naar mijn hoofdeinde en stond daar te glimlachen, gekleed in een gekreukt wit ziekenhuisjasje, en met hetzelfde grauwe gezicht als op de dag dat ze stierf. Toch was ze mooi, haar krullen stonden als een gloria rond haar hoofd en haar ogen waren heel donker. Vlak achter haar materialiseerde de Koperen Engel zich; hij legde zijn hand op haar schouder en leunde naar haar over.

'Alles goed?'

Sally bewoog met haar schouderbladen.

'Maak je niet belachelijk. Het is helemaal niet goed met haar, dat zie je toch wel?'

'Maar ze heeft geen pijn.'

'Dat weet ik wel, maar wat helpt dat? Alles is nog steeds net als anders. Ze heeft immers geen hoop, zie je dat niet?'

De Koperen Engel begon te grijnzen: 'Ze is hopeloos. Wat heb ik gezegd!'

Sally plantte haar elleboog in zijn buik en daardoor sloeg hij dubbel, maar toch liet hij haar schouder niet los. Zijn pijn fladderde bij mij naar binnen, ging als een elektrische stoot van het middenrif naar de armen en vleugels.

'Au!' zei ik.

Voor het eerst sinds de boom boven op me viel, was ik in de wereld te horen. De in het groen geklede arts stond net met zijn rug naar me toe, maar hij draaide zich meteen om en boog zich over me heen.

'Hebt u pijn?'

Ik kon geen antwoord geven, ik kon alleen wat gesteun voortbrengen. Hij keek bezorgd.

'U zou geen pijn moeten hebben.'

Ik steunde opnieuw, niet meer van pijn, want de pijn had rechtsomkeert gemaakt en was weggegaan, maar voornamelijk omdat ik kón steunen.

'Het spijt me. We kunnen u niet méér pijnstilling geven. Althans, het komende uur niet ...'

'Euh', zei ik.

'Wees niet verdrietig', zei de verpleegkundige naast me. 'Het komt wel goed. Het komt allemaal weer goed.'

Wat? Zonet klonk het alsof jij je neus ophaalde. Alsof je daar in dat bed naast me lag en het lef had om je neus op te halen voor mij en mijn verhaal.

Verdomde heks!

Als jij nog in leven bent op de dag dat ik weer op mijn benen kan staan, hoewel ik dat helemaal niet wil, maak ik je persoonlijk dood. Eindelijk. Ik laat je stikken met een kussen, zal dat op je gezicht drukken en het stevig vasthouden, ook al spartel je met armen en benen. En wanneer je dood bent, sla ik je voortanden uit je mond. Want de dood is voor jou niet genoeg. Ik moet ook twee van je voortanden hebben. Dat is de prijs voor het verraad dat ik heb moeten ondergaan. Ik. Je eigen kleinkind. Je enige kleinkind.

Je verdiende loon dat je nooit meer kleinkinderen hebt gekregen, dat mijn innemende vader nooit getrouwd is met een dametje van het juiste soort en gejongd heeft, dat hij zich niks heeft aangetrokken van jouw grove insinuaties en onmiskenbare vermaningen, maar in plaats daarvan in de roddelpers opdook met de ene na de andere dame met hedendaagse status. Succesvolle CEO's. Fotomodellen. Actrices. Mensen met namen als Andersson, Pettersson of Lundström. Heel Arvika heeft je om die reden achter je rug om uitgelachen, want iedereen weet toch met wat voor soort vrouw jij wilde dat hij in het huwelijk zou treden. Een dame met even eerbiedwaardige voorvaderen als die van jou, ook al wordt er – even onder ons – beweerd dat minstens twee van die gozers die hun genen aan jou hebben geschonken minstens even geschift waren als

269

de vader van Gustav Vasa. Maar daar kun jij rustig je neus voor ophalen, omdat je weet dat intelligentie noch schoonheid met de zaak te maken heeft. Het gaat immers alleen maar om het bloed, zoals je nazistisch angehauchte vader jou ooit inprentte. Het reine blauwe bloed, eeuw na eeuw in het ene echtelijk bed na het andere vermengd. Erfelijkheid dus. Zowel de materiële als de genetische. Volgens mij kun je daar ergens ook jouw geloof in het eeuwige leven vinden, volgens mij zie jij dat als een soort oneindig doorgaande dans in een hemels Ridderhuis, waarbij een keten van juiste mensen beleefd glimlachend elkaars handen vastpakt, een keten die pas kan breken als iemand – bijvoorbeeld jij – leven geeft aan een heel ander type, misschien een jongeman die zich al als tiener kwalificeert door de halve provincie te neuken en die zijn leven lang doorgaat met veroveren, paren en verdwijnen, zonder ook maar een moment na te denken over de voorvaderen van de dames en het voortbestaan van het eigen geslacht, een man die grimassen van weerzin trekt als jij alleen al de mogelijkheid oppert dat hij ook een huwelijk met een dame van zijn eigen soort zou kunnen sluiten. Als jij niet zo'n weerzinwekkend wezen was, zou je met jou gewoonweg medelijden kunnen hebben. Daar sta je in je hemelse Ridderhuis te wuiven naar je nakomelingen – en dan komt er niemand! Geen enkele barones, geen gravinnetje, zelfs geen mager dametje uit de lage adel. Misschien ben je daarom zo vals ten opzichte van de vele veroveringen van je zoon. Het gerucht gaat immers dat jij achter minstens een van zijn gestrande verhoudingen zit. Die relatie met de anchorwoman van het journaal, die zo ver ging dat ze zich bijna verloofden. Daar schijn jij een halt aan te hebben toegeroepen door haar bij herhaalde gelegenheden 'omroepster' te noemen. Knap gedaan. Er zijn niet veel vrouwen van jouw leeftijd die zouden snappen dat dit voor haar te beledigend was om te kunnen laten passeren. Maar jij snapte dat natuurlijk wel. Jij bent immers een expert.

Hoewel je uiteraard ook je zwakke punten hebt. En ik ben nu van plan daar een slag aan toe te brengen. Ik trek de deken opzij hoewel ik me niet kan bewegen, hoewel mijn lichaam ligt waar het ligt. In gedachten sta ik echter toch op en ik ga naast je bed staan, ik sta daar met een koel glimlachje, helemaal niet zo verschillend van dat van jou, en ik buig me langzaam over je heen. Niet omdat ik van plan ben je te verstikken, nog niet, maar omdat ik iets belangrijks te vertellen heb. Een nieuwtje dat misschien die ingenomen blik, die tot diep in je bewusteloosheid nog op je gezicht zit, kan uitwissen.

Ze hebben je zoon gevonden. Mijn vader is teruggevonden.

Kijk eens aan! Gehijg en een soort zenuwtrek van je linkermondhoek, die misschien, maar niet meer dan misschien, een glimlach zou kunnen zijn. Maar juich niet te vroeg. Ik heb hem gezien. Of beter gezegd: ik heb de armzalige resten gezien van wat ooit Dag Tynne was. De bloedige resten. De klets-kledderige restanten.

Een normaal mens zal hij nooit meer worden. Als hij het al overleeft. Geloof mij.

Toen ik van de operatiekamer werd afgerold werd hij net binnengebracht, en opeens bleven de mannen die onze brancards duwden naast elkaar staan om snel een paar woorden te wisselen. Stormletsel. Verkeersongeluk. Dodelijk vermoeid. Overwerk, op het randje van meer uren dan wettelijk geoorloofd. Een tel later verscheen de in het groen geklede arts die een snel verslag kreeg.

'Dit is Dag Tynne', zei de man bij de brancard van mijn vader. 'Hij moet meteen geopereerd worden. Bloedingen, onderkoeling en …'

Ik opende mijn ogen en bekeek de brancard naast de mijne. 'Dag de Spetter' had Ritva hem genoemd, maar zo'n spetter was hij nu niet meer. Helemaal niet, om eerlijk te zijn. Zijn gezicht zat onder de zwarte strepen van opgedroogd bloed en zijn ingevallen wangen waren grijs, zijn lippen hadden een blauwe tint aangenomen en zijn mond was een donker gat geworden, bijna identiek aan die van jou. Zijn kleren waren donker van het vocht en op het front van zijn witte overhemd zat een rode vlek, een vlek die zich in feite tijdens het korte ogenblik dat ik hem zag, verspreidde en steeds groter werd. Het zag er eng uit en daarom richtte ik mijn blik op iets anders. Maar toen zag ik alleen maar iets wat nog enger was. Zijn been. Of beter gezegd: de papperige massa van vlees en botsplinters die ooit mijn vaders en jouw zoons rechterbeen had gevormd.

'Snel, verdomme', zei de dokter. 'Naar binnen met hem!'

En weg was hij, mijn lieve vader. Net als ik. Want toen mijn brancardman de klapdeur naar de gang openduwde, zakte ik weer weg in de grote vergetelheid. Eindelijk mocht ik rusten en ogenblikkelijk dacht ik dat dit voor eeuwig zou mogen zijn.

Tja. Wat zeg je van dat nieuws? Nou? Denk je dat hij het zal overleven? Of zullen de dokters zijn pijn en zijn doodsstrijd alleen maar verlengen? En als hij het al overleeft, als wát zal hij dan overleven? Een kwijlende stakker met één been en hersenletsel? Veel te vroeg ingeschreven bij een van de charmante instellingen voor ouderenzorg hier in Arvika? Die, ondanks hun goede naam, echt niet bedoeld zijn voor mensen van jouw soort. Natuurlijk niet. Plekken waar de mensen plaatjes van zondagsschoolengelen en poesjes aan de muur hangen, roze gordijnen hier en synthetisch kant daar. Om te rillen, of niet?

Dus misschien zouden we het erover eens moeten zijn dat het beter was als hij kon sterven. Ook al zou dat betekenen dat je kind stierf vóór het moment waarop jouw kleinkind een kussen op je gezicht drukt en met een glimlachje jouw vertrek gadeslaat … Hoewel, als mijn vader echt overlijdt, denk ik dat ik er bij nader inzien eigenlijk maar van afzie om jou te vermoorden. Ik denk dat ik je dan maar laat leven. Aangezien geen hel in het hiernamaals erger kan zijn dan in deze wereld je kind overleven. Geloof me. Ik weet waar ik het over heb.

Weg! Vort! Aan de kant ermee! Weg! Vort! Aan de kant ermee!

Neem me niet kwalijk. Heb ik een beetje van mijn braaksel op jouw laken gespat? Of zelfs in je gezicht? En die stank? Is die niet ongelooflijk weerzinwekkend? Zoetzuur. Zinderend. Echt walgelijk.

Natuurlijk is het jammer dat we geen van beiden in staat zijn onze hand hoog genoeg uit te strekken om op het belletje te drukken en personeel te laten komen. Ditmaal heeft immers niemand mij horen overgeven en daarom moeten we een poosje in deze stank liggen, ben ik bang. Misschien klinkt het daarom alsof jij snikt. Maar zo is het natuurlijk niet. Ebba van Tynne huilt immers niet. Uiteraard niet. Die kan niet eens huilen. Die knijpt alleen haar lippen op elkaar van verachting, waarna ze een van haar oneindig minachtende glimlachjes toont. Ik heb in mijn tijd wel een paar van die glimlachjes gekregen, ook al was het slechts in het voorbijgaan, alleen maar in de seconde voordat je je realiseerde tegen wie je glimlachte. Dan kneep je je lippen opnieuw op elkaar. Want figuren zoals ik verdienen geen glimlach. Nooit. Mensen die rondlopen en denken dat ze het recht hebben om te bestaan alleen maar omdat ze bestaan, mensen die niet eens snappen dat ze trieste non-existenties zijn, dat ze eigenlijk een levende belediging vormen van jou en de jouwen.

Eén keer heb ik je echter zien glimlachen zonder minachting. Niet naar mij, natuurlijk, maar naar mijn dochter. Het was in de bibliotheek. Sofia was vier jaar en had net leren lezen. Ze zat tegen een paar kussens geleund op de vloer van de kinderafdeling heel geconcentreerd te spellen: 'In een h-ui-s-je woon-de Pe-ter, met zijn poes en vier g-ei-t-en …'

Op dat moment kreeg jij haar in de gaten en je bleef abrupt staan. Je liet je betoveren door haar betoverende verschijning, zoals jij het vast zou hebben uitgedrukt. En misschien was dat het juiste woord, ook al zou ik dat nooit van mijn leven in de mond hebben genomen. Mijn dochter was op dat moment betoverend. Een dun elfje met zwarte krullen en een brandende blik, met een witte huid en roze lippen, intens serieus en even intens diep geconcentreerd, een klein Sneeuwwitje dat snel opkeek en je aankeek, waarna ze weer opnieuw begon te lezen.

'De ee-r-ste geit heet-te Blauw …'

'O', zei je met een glimlach. Het was een warme glimlach, vriendelijk, en die ontblootte jouw kunstmatig witte tanden en maakte dat je eruitzag als een mens. Opeens was je een heel gewone aardige oudere dame, die vervuld werd van het zeldzame gevoel van geluk dat alleen de aanblik van een mooi kind kan oproepen. Je werd zelf op dat moment bijna mooi, niet alleen knap en oneindig keurig, maar gewoon mooi. Bijna stralend. Misschien heb je er ooit zo uitgezien wanneer je naar je eigen zoon keek, wanneer je jezelf liet wegzinken in zijn schoonheid. En misschien was dat de reden dat je op je hurken voor mijn dochter ging zitten en bleef glimlachen.

'Hoe oud ben je, lieve kind?'

Het lieve kind keek op en wierp je een onverschillige blik toe, maar gaf geen antwoord. Ze was immers bezig. Ze was aan het lezen. Maar ik stapte wel naar voren, ik glipte uit mijn schuilplaats achter een boekenkast tevoorschijn en keek je aan. Dwong je mij aan te kijken.

'Ze is vier jaar.'

Je viel bijna flauw. Heel even was ik ervan overtuigd dat

je daar midden in de bibliotheek tussen de boeken om zou vallen, maar je viel natuurlijk niet flauw. Ebba van Tynne kan niet flauwvallen, net zomin als ze kan huilen. Dus stond je gewoon op, en midden in die beweging veranderde je gezicht. De kleur trok weg. De glimlach verdween. De ogen vernauwden zich. Je was niet van plan dit te vergeven. Het feit dat je je had laten verleiden door je eigen achterkleinkind.

Daarom kneep je je lippen op elkaar net zoals anders, keerde je ons de rug toe en verdween je met licht klepperende stappen naar de uitgang. Je schoenen glommen heel erg. En ze hadden natuurlijk een halfhoog hakje en een gespje van geel metaal op de bovenkant.

Ritva

Het schemert. Het weinige daglicht dat we hebben gehad rolt zich op en verdwijnt; hoewel het nog maar vier uur 's middags is, hult de nacht de hele stad in zijn zwarte zijde. Toch sta ik niet op om het licht aan te doen, ik blijf nog een poosje in mijn stoel zitten om te kijken hoe alle kleur rondom me langzaam verdwijnt en alle contouren waziger worden. De tafel bij de muur is nog maar een schaduw. De computer een donker oog. Maar de gele kleur van de gordijnen kan ik nog bespeuren, want de straatlantaarn buiten schijnt naar binnen.

Ik rek me uit en wrijf een beetje over mijn onderrug. Wat doe ik hier eigenlijk? Hoe ben ik beland in deze lelijke flat in Arvika die ik onderhuur? Wat verbeeldde ik me? Dacht ik echt dat ik ditmaal een vaste aanstelling zou krijgen? Dat ik een eigen flat zou kunnen kopen? Dat ik een soort vastigheid in mijn leven zou krijgen?

Belachelijk. Zo ontiegelijk stom.

Ik strijk met mijn hand over de krant op mijn schoot. De krant met mijn verhaal als openingsartikel. Helemaal door mij geschreven, met mijn woorden en mijn fotobijschrift. Het is nog geen twaalf uur geleden dat het van de pers rolde en toch is het nu al volkomen waardeloos. Dood. Niet meer actueel. Morgen zal die Lieve Louise het openingsartikel hebben en dan ben ik …

Mijn mobieltje gaat en ik sta zo snel op dat de krant op de grond valt. Heel even heb ik tijd om de hoop tot leven te wekken. Lieve Louise heeft buikpijn gekregen en daarom smeekt

Hasse de Hufter me of ik kan komen werken. Jawel, hij weet dat ik doodmoe ben en dat hij me zelf opdracht heeft gegeven om naar huis te gaan en uit te slapen, maar de gegeven situatie doet zich nu voor en ik ben de enige, absoluut de enige, die de krant van morgen kan redden.

Maar natuurlijk is het niet Hasse de Hufter. Het is ma.

'Dag', zegt ze met gedempte stem. 'Ik wilde alleen even horen of alles goed met je is.'

Mijn reactie is een zacht gebrom. Ze weet wat dat betekent. Jawel, hoor. Alles is prima. Of althans zo goed als het naar omstandigheden kan zijn.

'Ben je moe?'

Ik zucht een beetje.

'Jawel. Tamelijk.'

'Ik begrijp het. Maar je hebt een goed artikel geschreven.'

Ik begin wat te stamelen.

'Heb je het gelezen?'

'Ja, hoor. Op internet. Ik kon echt voelen hoe verschrikkelijk het was.'

Het blijft even stil. Misschien neemt ze een trek van haar sigaret. Echt, ik weet het bijna zeker. Mijn moeder staat buiten in haar balkonserre en neemt een trek van haar sigaret terwijl ze uitkijkt over Skärholmen. Duizenden gele lampjes schitteren onder haar. Ze vindt dat mooi.

'Stormt het nog steeds?'

Ik werp een blik naar het raam.

'Ja, hoewel het wel wat is afgenomen. Maar het regent nog steeds.'

Ze neemt opnieuw een trek en zucht.

'Een geluk dat je zo hoog in die flat woont.'

'Ja', zeg ik. 'Ik heb droge voeten.'

Ze glimlacht, dat kan ik horen.

'Ben je nu thuis?'

'Ja. Ik ben nu thuis. Ik kreeg opdracht om naar huis te gaan om te slapen en niet op de redactie terug te keren voor morgen.'

'Opdracht?'

'Ja. Van de hoofdredacteur zelf.'

Mijn moeder zucht.

'O. Tja. Wat moet je eraan doen?'

Ik zucht terug: 'Ja, wat moet je eraan doen?'

Weer blijft het even stil en ik zie mijn moeder voor me. Ze is zo'n vrouw die je een poosje moet bestuderen om te zien dat ze mooi is. Eerst komt ze alleen maar kleurloos over, daarna zie je dat haar huid een gewoonweg verrassende gouden tint heeft, dat haar ogen groot en diepblauw zijn en dat haar grijze haar wit begint te worden. En haar glimlach kan elke willekeurige kamer doen oplichten.

'Hoe is het dan met jou?'

Ze blaast de rook uit, dat hoor ik.

'O, gaat wel. Hier is alles net als anders.'

'Geen verbetering?'

'Nee. Daar mag je waarschijnlijk niet op hopen. Maar nu is het rustig. Hij slaapt.'

'Hou je het vol?'

'Ik moet het wel volhouden.'

'Ik wou dat ik …'

'Rustig maar. Er is niets wat jij kunt doen.'

'Maar …'

Ze valt me in de rede.

'Op de radio zeiden ze dat er daar ook een ongeluk is gebeurd. Dat die Dag Tynne zwaargewond is. En iemand anders.'

Voordat ik kan antwoorden begin ik te snikken.

'Ik weet het. Dat was mijn fotograaf. De man met wie ik gisteren gewerkt heb …'

'Lieverd toch!'

Mijn neus begint te lopen; ik veeg het snot weg en probeer niet te huilen. Ik mag niet huilen, want dat zal ik nooit meer kunnen stoppen. De glimlach van Halfgare Micke schiet door mijn hoofd, tot het ongeluk aan toe moet hij lachen.

'Joost mag weten wat er gebeurd is. Ze zijn zo tegen een rotswand aan gereden ... het moet heel snel zijn gegaan.'

'Wat vreselijk.'

'Het schijnt aquaplaning te zijn geweest of zoiets ...'

Ma neemt een nieuwe trek van haar sigaret en bromt troostend. Zelf haal ik diep adem en probeer ik mijn stem onder controle te krijgen. Dat lukt bijna.

'Waarschijnlijk heb ik vlak daarvoor nog met hem gepraat. Hij belde precies op het moment dat de krant zakte. Ik had een half uur eerder net mijn stuk ingeleverd. En toen zei hij dat hij offroad had gereden helemaal tot ...'

'Wat?'

'Offroad. Buiten de weg. Dwars door het bos. Over akkers en weides en de hele bliksemse boel. Hij was net bij Tynneberg aangekomen, het landgoed van Tynne. Hij belde gewoon om dat te vertellen. En hij was ontzettend blij, want nu zou hij de beste foto's krijgen ... En die kreeg hij ook. Een paar minuten later verzond hij ze al.'

Op een van die foto's lachte Dag Tynne. Hij stond in een grote kamer en hield een zilveren kandelaar met zeven brandende kaarsen in zijn rechterhand. De muren achter hem waren bekleed met een soort donkere lambrisering en boven zijn hoofd glinsterde een enorme kroonluchter. Die brandde niet. De elektriciteit was blijkbaar uitgevallen, net als de telefoonverbinding, maar Dag Tynne zelf zag er sterk en gezond uit, en was even onberispelijk gekleed als altijd, ook al had hij een ommetje gemaakt in het bos, zijn auto achtergelaten en was hij vervolgens door de regen en de modder naar huis gekropen. Daar zag je allemaal niets van op de foto; hij leek wel een fotomodel voor de laatste rampencollectie van Hugo Boss. Een witte overhemdkraag onder zijn donkerblauwe trui. Een donkerblauwe thermobroek met lusjes en koorden van echt leer. Stevige rubberen laarzen van Hunter met het merkje in het midden aan de voorkant. Een sjaal met kleine ruitjes nonchalant om zijn hals. Helemaal goed. En met die open, warme glimlach, waardoor elke vrouw, ongeacht haar leeftijd, even warm terug ging glimlachen.

Nou ja. Misschien niet elke vrouw. Misschien zou Minna niet zo warm terug hebben geglimlacht als de rest van ons. Omdat zij toevallig zijn niet-erkende dochter is, zoals Annette me vannacht toevertrouwde. Misschien zou je …

'Hallo?'

Ik ben mijn moeder vergeten. Ik begin met mijn ogen te knipperen en schraap mijn keel.

'Ja, er valt niet veel meer te vertellen. Tynne is blijkbaar met de fotograaf meegegaan en toen zijn ze op die weg terechtgekomen en tegen de rotswand aan gereden.'

Halfgare Micke moet heel hard hebben gereden. Misschien was hij dolgelukkig dat hij degene was die Dag Tynne uit zijn isolement op een landgoed zonder elektriciteit had gered, misschien was hij al gaan genieten van het succes dat hem wachtte en zat hij uit te rekenen hoeveel hij met zijn foto's zou verdienen. Heel de Zweedse pers zou ze immers willen hebben. Het zou me niet verbazen als Hasse de Hufter ze nu aan de man zat te brengen. Tegen provisie natuurlijk.

'Een geluk dat jij er niet bij was', zegt mijn moeder.

'Ja. In zekere zin.'

Weer wordt het stil tussen ons, maar dat geeft niet. Je kunt met mijn moeder behoorlijk lang zwijgen zonder dat het ongemakkelijk voelt.

'Denk je dat je deze keer een vaste aanstelling krijgt?' vraagt ze ten slotte.

Ik haal mijn schouders op.

'Weet ik niet. Ik zou het niet denken.'

'Jammer.'

'Ja.'

'Je zou misschien …'

Ze zwijgt midden in haar zin. Luistert. Ik luister ook. Hoor ik het echt? Hoor ik mijn eigen vader in de verte haar naam roepen? *Aino! Aino!* Laat hem wachten, denk ik, maar dat zeg ik natuurlijk niet. Ik hoor hoe ze een laatste trek van haar sigaret neemt.

'Ik moet nu ophangen', zegt ze.

'Ik begrijp het. Doe hem de groeten.'

Ze zucht weer een beetje.

'Ja, hoor. Dat zal ik doen.'

Wanneer we hebben neergelegd blijf ik een poosje roerloos staan en ik volg haar in gedachten. Ik zie hoe ze haar sigaret uitdrukt en naar de keuken gaat, dat ze een ogenblikje bij de keukentafel blijft staan en diep ademhaalt om energie te verzamelen. Ze trekt haar trui recht, loopt naar de hal, en door naar de slaapkamer, die nu sinds meer dan een jaar een ziekenkamer is. De ziekenkamer van mijn vader. Hij roept haar, roept de enige naam die nog in zijn verweerde brein zit.

'Aino, Aino!'

'Rustig maar', zegt mijn moeder. 'Rustig maar, rustig maar. We doen gewoon kalm aan.'

Met zijn gezonde hand zwaait hij door de lucht. Niet omdat hij haar pijn wil doen, maar omdat hij niet beter weet. Ik kan alleen maar hopen dat mijn moeder sneller is dan hij, zodat hij haar niet zal raken.

'Zo', fluistert ze terwijl ze het laken instopt. 'Zo, lieve schat. Kalm aan maar, Tapani, kalm aan maar.'

Tapani.

Toen ik een kind was, vond ik dat de mooiste naam in de wereld. Het klonk als de naam van een schitterende zilveren uil of van een wit paard in een sprookje. En het was geen toeval dat uitgerekend mijn vader de mooiste naam had, want hij was immers de grootste van alle mannen, de verstandigste, degene die alles wist. Elke keer wanneer hij me op schoot nam en aan een kleine lezing begon, trilde ik inwendig van verwachting. Soms ging het over de dinosauriërs en de meteoriet die hen had vernietigd, soms over de Franse Revolutie en de eerste ideeën over mensenrechten, soms over de Finse Winteroorlog, ooit over de dichter Elmer Diktonius en een andere keer – maar toen was ik al elf jaar en werd ik te oud bevonden om nog op schoot te zitten – over de theorieën van Keynes over conjunctuurnivellering. Ik zat met open mond te luisteren om elk onsje van de gigantische kennis van de wereld die hij naar mijn mening bezat op te zuigen.

'Is je vader professor?' vroeg iemand die bij mij op school zat een keer. We stonden in de rij in de kantine en ik had net mijn hand uitgestrekt naar de aardappelschaal, maar van pure verbazing stokte mijn beweging.

'Waarom denk je dat?'

'Zo klinkt het. Als je het over je vader hebt, klinkt het alsof hij alles weet. Als een professor.'

Ik schudde mijn hoofd: 'Nee, hij is geen professor. Hij is machinist op de metro.'

'Hoe weet je dan dat het waar is wat hij zegt?'

Ik was verbijsterd. Het was nooit bij me opgekomen dat je ter discussie kon stellen wat mijn vader vertelde.

'Natuurlijk is het waar', zei ik terwijl ik een aardappel op mijn bord legde. 'Wees niet zo ontzettend stom!'

En het meeste was inderdaad waar, dat besefte ik toen ik wat ouder werd en mijn kennis uit meer bronnen begon op te zuigen. Tegelijkertijd begreep ik dat veel van wat mijn vader aan me had verteld slechts brokstukken waren, fragmenten en deeltjes van een veel grotere kennis. Mijn vader had zijn hele leven scherven verzameld, dacht ik, maar hij had niet genoeg van dezelfde soort vergaard om er een hele kruik van te kunnen maken. Daarom moest hij het stellen zonder het water waar hij zo naar dorstte. Bovendien – en dat had ik nog niet eerder begrepen – voelde hij zich minderwaardig aan mensen die echt gestudeerd hadden. Die studeerden. Toen ik op de middelbare school zat, gebeurde het keer op keer dat hij op mijn kamer kwam wanneer ik huiswerk aan het maken was. Dan ging hij op mijn bed zitten en probeerde hij zich te verdedigen tegen aanklachten die niemand had geuit. Bijvoorbeeld door te vertellen hoe zijn moeder het hem had verboden naar de bibliotheek te gaan.

'Snap je dat?' zei hij. 'Snap jij nou dat mijn moeder het gewoon niet toestond dat ik naar de bibliotheek ging? *Want dat is geen plek voor mensen zoals wij*, zei ze. Nou ja! Maar ik ging er stiekem toch naartoe en …'

Ik zuchtte. Na dat verhaal zouden de andere verhalen komen, dat wist ik. Over hoe de leraar de arme soldatenweduwe die zijn moeder was smeekte om hem naar het lyceum te laten gaan, maar dat hij zelf weigerde omdat hij wist dat het een gesubsidieerde plaats zou betekenen en kostuums van de liefdadigheid, en hij was echt niet van plan zichzelf dat aan te doen. Bovendien waren lycea in Finland in die tijd treurige verblijfplaatsen voor oude fascisten van leraren, en met dat soort volk wilde hij werkelijk niks te maken hebben, dat was een ding dat zeker was. Hij begon zich op te winden en sloeg met zijn vuist op mijn sprei. Had ik eigenlijk wel een idee hoeveel autoritaire oude rotzooi er in de jaren vijftig en zestig in Finland nog bestond? En nog steeds bestond? Ten slotte kon hij – *potverdomme* – niet meer ademen en het was om die reden, alleen om die reden, dat hij naar Zweden was verhuisd. Niet vanwege het geld. Of de hogere levensstandaard. Maar vanwege de vrijheid. Weldra leerde hij echter dat het welvaartsparadijs warempel geen paradijs was voor iedereen. Finnen waren tweederangsburgers, men ging ervan uit dat die zopen en dat het messentrekkers waren, en bovendien hingen Finse wijven hun was te drogen op het balkon en dat vonden die arrogante Zweedse wijven natuurlijk maar niets, dus daarom …

Zo ging hij maar door. Uiteindelijk zat er voor mij niets anders op dan de deur achter me op slot te draaien om in alle rust mijn huiswerk te kunnen maken. Het werd stil tussen ons en toen ik mijn diploma behaalde, wist ik niet of hij blij was voor mij of alleen maar jaloers. Het ene moment kreeg ik te horen dat ik in Finland nooit zulke hoge cijfers zou hebben gekregen, maar ik was nu natuurlijk niet in Finland maar in het sullige Zweden, waar ze gouden sterren over de blagen rondstrooiden als ze alleen al geleerd hadden hun kont af te vegen, en het volgende moment stond hij midden in de kudde van vrienden en bekenden met diezelfde cijfers te zwaaien. Hadden ze wel gezien wat zijn Ritva had bereikt? Vijf negens en de rest achten. Niet slecht. Echt niet slecht!

Zijn trots kwam tot een explosie toen ik een aantal jaren later die vervanging bij de tv deed. Mijn eerste item was nog niet vertoond of mijn mobieltje ging al. Mijn vader. Ik dacht dat hij me wilde feliciteren, maar dat wilde hij helemaal niet. Hij wilde triomferen. Hij had een dochter die bij het tv-journaal werkte, dus nu wist iedereen in Skärholmen en elke employé van het metrobedrijf dat hij een vent was om rekening mee te houden. En moest ik voor hem terugslaan. Nu moest ik iedereen beledigen die hem beledigd had, diegenen verachten die hem veracht hadden, degenen de grond in stampen die hem de grond in hadden gestampt ...

Ik luisterde zwijgend. Ik sprak hem niet tegen. Ik heb hem nooit tegengesproken. Maar dat telefoongesprek was wel het moment dat ik snapte dat ik deze vriend en vijand van mij met me meedroeg. Dat de beminnelijkste en tegelijkertijd weerzinwekkendste persoon die ik ooit had ontmoet zich in mijn lichaam genesteld had, in elke cel, in elk chromosoom. Dat ik nooit vrij zou worden. Dat ik mijn leven voor hem leefde. En ik huiverde voor de dag waarop hij zou beseffen dat er aan deze vervanging een einde kwam, dat ik na zes maanden weer zonder baan zou zitten en dat hij dan opnieuw het slachtoffer van een vernedering zou wezen. De vernedering dat hij de vader was van iemand die over haar top heen was.

Die vernedering kwam echter nooit. In plaats daarvan kwam er een andere.

Mijn moeder had de diagnose al gesteld voordat de artsen dat deden. Ze was er immers aan gewend, ze werkte haar hele leven al in de ouderenzorg en wist zo'n beetje alles over de ziekte van Alzheimer. Maar ze raakte niet van de wijs en bleef rustig. Haar hand trilde alleen een beetje toen ze een sigaret opstak en met opgetrokken wenkbrauwen zei: 'Ik geloof dat ik wel blijf roken. Hoe gevaarlijk dat ook is.'

We zaten thuis in Skärholmen op het balkon. Het was augustus en het was een donkere avond. Pa zat binnen in de woonkamer naar de tv te staren. Misschien begreep hij nog iets van wat hij zag.

'Waarom?'

Mijn moeder wierp me een snelle blik toe.

'Dat zal ik de komende jaren nodig hebben. En bovendien sterf ik liever aan hartkramp dan daaraan ...'

'Duurt het gewoonlijk lang?'

Ze haalde haar schouders op.

'Dat verschilt. Maar Tapani lijkt een progressieve vorm te hebben.'

Ik legde mijn hand op haar been.

'Ik help je. Dat weet je.'

Ze keek me met een glimlach aan.

'Leef jij jouw leven maar, Ritva. Leef het nu.'

In december van hetzelfde jaar huilde ze voor het eerst. Toen woonde ik in een flat in Norrköping die ik onderhuurde, en ik zat net aan mijn ontbijt. Binnen een half uur moest ik op de redactie aanwezig zijn en er was geen enkele ruimte om weg te blijven of te laat te komen. We waren met drie invallers bij de lokale radio en er was maar één vaste baan te vergeven.

'Hij is vannacht de straat op gegaan', zei mijn moeder met een uitgebluste stem.

Ik stond op om mijn theekopje naar het aanrecht te brengen.

'De straat op?'

Ze begon te snikken. Ging ze huilen? Mijn moeder had nog nooit gehuild, ongeacht wat er was gebeurd.

'Ja. Met alleen zijn onderbroek aan. Hij is blijkbaar midden in de nacht opgestaan en heeft het zich in zijn hoofd gehaald dat hij naar buiten moest. En toen heeft hij de lift genomen en de buitendeur opengedaan. Op blote voeten. Zonder kleren. Het was tien graden.'

'Jezus christus!'

Nu huilde ze luid. Haar stem was troebel van vertwijfeling.

'Hij wist natuurlijk de toegangscode van de deur van het portiek niet meer … En ik sliep gewoon.'

Ik liep naar de hal om mijn laarzen aan te trekken.

'Maar hoelang heeft hij daar dan gestaan?'

Mijn moeder begon weer te snikken.

'Ik weet het niet. Ik heb geen idee. Om half vier werd er bij ons aangebeld en toen stond hij met een buurman voor de deur. Die Giorgios, je weet wel, die één verdieping boven ons woont. Hij had hem buiten zittend in het bloemperk aangetroffen toen hij van zijn werk kwam. Helemaal blauw van de kou. En Tapani schudde alleen maar zijn hoofd en kon geen woord uitbrengen. Ik heb meteen de ambulance gebeld …'

Ik klemde de telefoon tussen mijn hoofd en schouder en trok mijn jas aan.

'Ik ben net weer thuis', zei mijn moeder. 'Hij ligt in het ziekenhuis. Met longontsteking en hij is onderkoeld. Misschien moeten ze …'

Ze zweeg en haalde diep adem terwijl ik ondertussen de voordeur opendeed, maar ze zei niets meer. Ik fronste mijn voorhoofd terwijl ik de deur op slot draaide.

'Wat moeten ze?'

Ze deed een nieuwe poging: 'Misschien moeten ze …'

'Ja?'

'Misschien moeten ze zijn rechtervoet amputeren.'

Mijn besluit was in een mum van tijd genomen.

'Ik kom naar huis', zei ik. 'Ik neem meteen de trein.'

Vaarwel vaste baan. Vaarwel droom over een toekomst in Norrköping.

* * *

Ik had nooit gedacht dat het zo moeilijk zou zijn om journalist te zijn. Op tv zag het er immers zo gemakkelijk uit. En mijn eerste invalbaan, die ik alleen zag als een springplank naar een vaste baan op de een of andere flitsende redactie in Stockholm, was inderdaad gemakkelijk. Alles was destijds nieuw en leuk. Ik was immers journalist geworden. Ik had een nieuw kapsel en nieuwe kleren. Woonde in een nieuwe stad. Kende nieuwe mensen. Het hele leven geurde.

In die tijd vond ik het leuk om Ritva te zijn. Heel leuk.

Ik was zo opgelucht over het feit dat ik het gered had. Dat ik geen gevangene binnen de ouderenzorg was geworden, zoals mijn moeder. Dat ik mijn middelbareschooldiploma had gehaald met buitengewone cijfers, hoewel mijn vader me de hele tijd te verstaan had gegeven dat het nooit zou lukken. Dat ik aan de fabriek en de bank was ontsnapt, want van de universiteit was natuurlijk nooit sprake geweest. Toen ik vertelde dat ik van plan was journalist te worden brulde pa tegen me. Wie dacht ik wel niet dat ik was? Nou? Een stomme troela uit de betere kringen?

Maar ik hield voet bij stuk. Ik ben nog steeds verbaasd wanneer ik eraan denk dat ik echt voet bij stuk heb gehouden. Dat ik precies heb gedaan wat ik wilde: een studentenkamer zoeken en aan de School voor de Journalistiek beginnen.

Ik was te jong om te begrijpen dat hij met me meeging.

Misschien was ik daarom die eerste jaren zo blij, toen ik van de ene vervanging naar de andere ging, van de ene lokale krant naar de andere. Ik lachte voortdurend. Ik lachte wanneer ik van een kerkelijke liefdadigheidsbazaar naar een verkeersongeluk holde, wanneer ik van de gemeenteraadsvergadering naar een brand rende, wanneer ik van een rechtszaak naar een concert vloog. Niets van dat alles was immers werkelijk, het enige wat echt werkelijk was, was dat ik vrij was. Bovendien was ik geliefd. Ik was jong en ik was een vrouw en behoorlijk stoer, en daarom werd ik bijna altijd het vriendinnetje van de hele redactie. Het lievelingetje van alle mannen. Hun mascotte. Hoewel ik dat pas veel later in de gaten kreeg. Ik was in die tijd zo stom als het achtereind van een varken. Maar ik was tenminste wel een vrolijke stommerik. Bijna gelukkig.

Op die ochtend in Norrköping waren er bijna drie jaren verstreken van vervangingen afgewisseld met werkeloosheid.

En in de trein terug naar Stockholm besefte ik dat het misschien wel zo zou blijven.

Buiten op straat rijdt een auto voorbij en dat geluid haalt me uit mijn gedachten. Misschien moet er eens wat gegeten worden. Vooropgesteld natuurlijk dat er iets in huis is wat je kunt eten. Ik slaak een zucht, hijs me uit mijn stoel omhoog en loop door de donkere kamer om de staande schemerlamp naast de computer aan te knippen. De plafondlamp weiger ik aan te doen; dat scherpe witte licht kan ik niet verdragen, maar in de keukenhoek zit onder de kastjes een lamp met zacht licht en die doe ik ook aan. Heel even komt de gedachte bij me op om de radio aan te zetten, maar op het laatst zie ik daarvan af. Ik kan het niet opbrengen. In plaats daarvan open ik de koelkast om te kijken wat erin ligt. Een half verrotte tomaat. Een verlepte krop sla. Een stuk kaas. Lekker dan.

Toch pak ik de kaas eruit. Ik snij er een paar plakken af, beleg er een stuk knäckebröd mee en maak het geheel af met een glas kraanwater. Dan loop ik de woonkamer weer in en ga achter mijn computer zitten. Daar is niet veel nieuws. Er is wel een mailtje van Per binnengekomen, maar dat betekent niets. Denkt hij nog steeds dat ik zijn verkering ben? Ook al is hij meer dan een jaar geleden getrouwd en heeft hij een kind gekregen? Toch kan ik het niet laten om te reageren. Ja, dank je, met mij gaat het goed. Op dit moment vrij, maar verder heb ik het druk met mijn werk. Hartelijke groeten aan je vrouw en de kleine …

Zo eenzaam ben ik dat ik Pers mail beantwoord. Zo eenzaam ben ik dat ik zijn vrouw en kind de groeten doe, hoewel ik nog geen drie jaar geleden zijn kind liet aborteren.

Het leven had heel anders kunnen zijn. Zij het niet noodzakelijkerwijs beter.

Ik ben een poosje aan het surfen geweest als mijn mobieltje weer gaat. Ik neem niet meteen op, omdat ik op een advertentie ben gestuit voor een baan als voorlichter die ik absoluut zou zien zitten. Bij het Stadstheater in Norrköping. Ja, dat zou iets kunnen zijn. Ik zie mezelf de deur van de toneelingang al openen en naar binnen gaan, het volgende moment meubileer ik snel een gezellig driekamerflatje in de binnenstad met uitzicht op het water … Dan word ik realistisch en ik pak de telefoon.

'Ja, met Ritva.'

Geen reactie. Ik hoor alleen ergens een zucht. Of misschien is het een snik.

'Hallo! Met wie?'

Er begint iemand te snotteren. De stem is heel iel en heel erg Värmlands.

'Met mij. Met Annette.'

'Hé, hallo. Hoe gaat het met je?'

Ze klinkt tragisch, maar zegt: 'Dank je. Neem me niet kwalijk … Maar vreselijk, wat er met Halfgare Micke en Dag Tynne is gebeurd.'

Ik slik. Herinner me er niet aan.

'Ja, het is verschrikkelijk.'

'Ook al voelde een mens op de een of andere manier wel aan dat het zo met Micke zou aflopen. Hij heeft natuurlijk altijd al gereden als een gek. Eén keer …'

Ik val haar in de rede. Ik kan het niet verdragen om te horen hoe ze over haar avonturen in de jeep van Micke begint.

'Was alles in orde met je man toen je vannacht thuiskwam?'

Hoe heette haar man ook alweer? Ronny? Tonny? Sonny? Ik weet het niet meer.

'Helemaal niet. Hij had een beetje diarree. Hij had ook overgegeven en zo.'

'O jee.'

Haar stem wordt helderder en opeens klinkt ze net als anders.

'Maar het gaat nu veel beter met hem. Hij slaapt uit en zo.'

'O, dat is fijn.'

Ik zwijg en zit me een beetje af te vragen wat ze wil, maar ik vraag niets en laat de stilte haar werk doen. Dat werkt altijd.

'Nou,' zegt ze uiteindelijk, 'ik vroeg me gewoon af of je had gehoord dat ze Tyrone hebben meegenomen naar het politiebureau.'

Ik ga rechtop zitten. Nee, dat had ik niet gehoord.

'Waarom dat?'

'Ja, wéten doe ik het natuurlijk niet, maar ze zeggen dat het is omdat hij Minna een heel sterk medicijn heeft gegeven. Een pijnstiller dus. Een soort dat alleen dokters mogen geven.'

Wat voor medicijn? De vraag brandt me op de lippen, maar ik pas wel op dat ik me die niet laat ontglippen.

'Is hij nog steeds op het bureau?' vraag ik daarom.

Ik kan bijna horen hoe ze haar schouders ophaalt.

'Weet ik niet. Mijn moeder vertelde het en daar heeft ze niks over gezegd. Ze woont in dezelfde straat als een meisje dat op het politiebureau werkt. En die had Tyrone gezien. Hij werd verhoord en alles.'

Hoe oud is dit mens? Ze klinkt alsof ze veertien is en maagd, maar ze is minstens dubbel zo oud en nog wel wat meer. En maagd is ze absoluut niet. Ik zal een beetje voorzichtig te werk gaan.

'Wat zeg je nou?'

Ze wordt enthousiaster en praat nu heel snel.

'Ja, maar ik vind het echt onrechtvaardig, dat vind ik. Je hebt zelf gezien hoeveel pijn Minna had en dan was het toch alleen maar goed dat hij haar een medicijn gaf zodat het minder erg werd. Of niet?'

'Jawel, misschien wel.'

Er schiet een herinnering door mijn hoofd. Tyrone komt met gebogen rug uit de keuken en kijkt alleen even op om zijn blik over die andere man van de reddingsbrigade te laten gaan, dat lange lekkere ding, en het is een blik vol pure, onvervalste haat. Warempel. In Värmland gaat het er blijkbaar gepassioneerd aan toe. Al is het dan achter het vonkenscherm van het zwijgen.

Annette klinkt nu nog enthousiaster.

'En je moet natuurlijk niet vergeten dat Minna al genoeg heeft meegemaakt … ik bedoel, ik heb het toch van dichtbij gezien, dus ik weet toch hoe ze er de laatste jaren aan toe was. Daar is ze echt een beetje raar van geworden. Maar dat heb je zelf gisteren misschien ook wel gemerkt?'

Van pure verbazing ga ik rechtop zitten.

'Raar?'

'Ja. Zoals toen ze tegen jou zei dat we daar met z'n vieren waren. Dat haar dochter boven zat. Dat heb je wel gesnapt, toch?'

'Wat heb ik gesnapt?'

'Er is daar toch geen dochter. Ik dacht dat je dat wel begreep.'

Van nog meer verbazing begin ik met mijn ogen te knipperen.

'Heeft ze geen dochter?'

Er klinkt in haar vroom medelijdende toon bijna enige tevredenheid door: 'Nee. Die heeft ze niet. Niet meer.'

* * *

Het trappenhuis van Annette lijkt op ons trappenhuis in Skärholmen. Hetzelfde grijze marmer op de trap. Dezelfde zwartmetalen trapleuning. Dezelfde schimmelvorming op de muren, ook al is die hier geel en bij ons thuis abrikooskleurig. We zijn van dezelfde soort, Annette en ik.

Ik bel aan en terwijl ik wacht tot ze komt opendoen recht ik onbewust mijn rug. Ik glimlach verwachtingsvol, maar die glimlach is al uitgedoofd voordat ze de deur heeft geopend. Die zit met zowel een gewoon slot als met een zevenpunts-sluiting dicht. Ten slotte gaat hij op een kier open en word ik binnen Annette gewaar, maar ik zie ook dat de veiligheidsket-ting er nog op zit. Ik glimlach weer, maar voel dat het wel een beetje geforceerd is. Ik til de doos met gebak iets omhoog, maar ondertussen voel ik me belachelijk. Waarom heb ik in godsnaam gebak gekocht? Ik houd niet eens van gebak.

De deur gaat weer even dicht en de veiligheidsketting ram-melt, maar vervolgens zet Annette de deur met een glimlach wijd open. Ze heeft zich mooi gemaakt. Ze draagt een zwarte spijkerbroek en een heel keurig gestreken roze tuniek in India-se stijl. Haar zandkleurige haren heeft ze opgestoken in een ingewikkelde knot, exact zo'n knot als mij nooit lukte om te maken, waarna ik het heb opgegeven en de hele zooi heb afge-knipt. Verder heeft ze lippenstift opgedaan, een glinsterende roze lippenstift met gouden spikkeltjes erin. Ze glimlacht, maar kijkt met een zoekende blik achter me het trappenhuis in, zodat ik me ook omdraai om te kijken waar zij nou naar kijkt. Maar er is natuurlijk niets. Annettes glimlach dooft uit en nu kijkt ze zoals ze gisteren keek. Een beetje vermoeid. Een beetje down. Een tikje gelaten.

'Kom binnen', zegt ze terwijl ze met haar hoofd een bewe-ging in de richting van de hal maakt.

Ik stap naar binnen en terwijl ik ondertussen om me heen kijk, trek ik in bijna één beweging mijn schoenen uit. De flat ziet eruit zoals honderdduizenden andere flats uit de bloeitijd van de sociale woningbouw. Rechts de keuken en een slaap-kamer. Links de woonkamer en iets wat nog een slaapkamer moet zijn, maar daarvan zit de deur dicht. Recht vooruit de badkamer.

Annette knikt in de richting van de gesloten deur en fluistert: 'Sonny slaapt. Hij voelt zich niet echt lekker …'

Ik overhandig haar de doos met gebak en ze kijkt er vragend naar voordat ze die aanneemt. Ze bedankt er niet voor, maar glipt gewoon naar de keuken om de doos weg te zetten. Daarna komt ze terug. Ze staat me doodstil aan te kijken, strijkt met haar handpalmen over haar heupen en begint met gedempte stem te praten: 'Kun jij me ergens mee helpen?'

Ik reageer met een knik. Natuurlijk.

Annette wenkt me mee en ik loop achter haar aan. Tot mijn verbazing gaan we naar de badkamer. Daar ligt een blauwe IKEA-tas op de toiletpot en in de badkuip ligt een kleed, een grijs en gelig kleed met een Chinees motief. Bijzonder onmodieus. En aan alles te oordelen synthetisch, want Annette heeft het blijkbaar in water gewassen.

'Het is te zwaar voor mij om in mijn eentje op te tillen nu hij nat is', zegt ze. 'En ik wil hem op het balkon hebben. Om te drogen te hangen.'

'Natuurlijk.'

Ik ben sterker dan zij, dat is een ding dat zeker is. Zij houdt de IKEA-tas open en ik slaag erin, zij het met enige moeite, om het kleed stukje bij beetje in de tas over te hevelen. Maar we lopen niet meteen naar het balkon, want eerst moet Annette de badkuip schoonspoelen en een roze wonderdoekje uit de bezemkast halen om daarmee vervolgens zorgvuldig heel het witte oppervlak droog te maken. Ze poetst zelfs de kraan zodat hij goed gaat blinken en stralen. Dan zet ze een stap achteruit om haar werk te bekijken. Ze buigt zich weer voorover en boent een onzichtbare vlek weg. Vervolgens draait ze zich om en terwijl ze het wonderdoekje automatisch opvouwt in een heel keurig vierkantje kijkt ze mij aan.

'Het balkon?' zeg ik en ze knikt zwijgend. Ik moet het ene handvat van de IKEA-tas naar haar uitstrekken voordat ze begrijpt dat ik verwacht dat ze meehelpt met dragen. Maar in feite zijn we zelfs met vereende krachten niet in staat die tas te dragen; we slepen hem min of meer achter ons aan door de woonkamer naar het balkon. Het is een balkonserre met oneindig veel planten, allemaal flink teruggesnoeid en tegen de muur gezet. Door de wind trilt het glas een beetje en de regen slaat tegen het glimmende oppervlak, maar hierbinnen is het nog steeds droog. Annette heeft het zeil al opgerold en een kledingrek buitengezet. Wanneer de blauwe tas eindelijk op de goede plek staat, precies onder het rek, strijkt ze met haar handen over haar heupen en transformeert ze zich tot ploegbaas. Ze zorgt ervoor dat ik de rechterhoek van het kleed pak terwijl zij de linker neemt.

'Op uw plaatsen', zegt ze met een heel andere stem dan de fluisterende, weke stem die ik eerder heb gehoord. Deze stem is helder, duidelijk en heel resoluut. 'Klaar? Af!'

Het kost even tijd om het kleed over het rek te krijgen, maar Annette blijkt veel sterker te zijn dan ik had gedacht; zij houdt haar kant vast terwijl ik de mijne loslaat, en ze glimlacht een beetje wanneer ik aan het worstelen, rukken en trekken ben, maar als het kleed eenmaal op zijn plek hangt, wordt ze weer serieus en gaat ze eerst aan de ene kant over de pool van het kleed en dan aan de andere kant. Pas wanneer het oppervlak helemaal glad is, wendt ze zich tot mij met de woorden: 'Denk jij dat er een vouw in komt?'

'Een vouw?'

'Ja. Aan de bovenkant. Waar hij over de stang hangt.'

Ik schud mijn hoofd.

'Nee. Maar de benedenbuurman krijgt het misschien wel redelijk nat. Het lekt immers naar beneden!'

Annette kijkt naar de grijze cementvloer. Die watert perfect af, zodat het vocht uit het kleed naar de rand van het balkon loopt en door de smalle opening tussen vloer en balkonleuning verdwijnt. Ze lijkt zich daar geen zorgen over te maken.

'Ach. Die hebben niet eens glas beneden, dus daar is het vast toch al behoorlijk nat. En volgens mij kan het ze ook niet schelen. Het zijn Turken.'

Dat lijkt alles te verklaren, en ze stapt in de richting van de deur en begint met haar hand te wenken. Het is blijkbaar de bedoeling dat ik haar volg.

'Koffie?'

Ik wil geen koffie en ik wil vooral niet een van die gebakjes die ik zelf heb gekocht, maar ik wil absoluut wel dat Annette vertelt wat er in Sally's Café-Restaurant is gebeurd. Daarom slik ik mijn tegenzin weg en glimlach. Ja, graag. Natuurlijk wil ik koffie.

Waarschijnlijk wordt er van me verwacht dat ik stil op de bank in de woonkamer ga zitten terwijl Annette in de keuken aan het rommelen is, maar ze is nog niet verdwenen of ik sta al op om rond te kijken. Er is in deze kamer wel het een en ander te zien. Een heel tafeltje met glinsterde Swarovski-figuurtjes van geslepen glas: een zwaan, een hondje, een adelaar die net wil opstijgen plus een heleboel andere dingen. Erboven hangt een in kruissteek geborduurde doek met daarop tot mijn verwondering een afbeelding van drie vrouwen die aardappelen aan het rooien zijn. Tegen de muur staat een ouderwetse eikenhouten linnenkast, met minstens zeven ingelijste foto's erop. Ik ga ze van dichterbij bestuderen. Een aannemelinge met een heel weke glimlach; het zou Annette kunnen zijn. Een bruidspaar uit de jaren zestig; de bruid draagt een kort opwippend rokje van tule en heel spitse schoenen. Waarschijnlijk haar ouders. Een hedendaags bruidspaar, van wie Annette erg gemakkelijk te herkennen is. Ze glimlacht zacht-

299

moedig naar de camera. De grove man naast haar leunt zwaar op haar. Zijn mond hangt een beetje open en door zijn half gesloten ogen ziet hij eruit alsof hij elk moment in slaap kan vallen. Dat moet dus Tonny zijn. Nee, Sonny. Dat moet ik niet vergeten. Sonny, Sonny, Sonny!

Ik glip stil de hal in om ook daar rond te kijken. Het is er even goed schoongemaakt en netjes als overal in de flat. De schoenen staan keurig in rijen onder de kapstok, ook die van mij. Mijn eigen jas hangt netjes op een kleerhanger, naast een tamelijk versleten leren jack, en mijn sjaal ligt zorgvuldig opgevouwen op de hoedenplank. Op het tafeltje onder de spiegel staat een iets te glimmende kandelaar net te doen of hij van zilver is. Ik gluur binnen in de slaapkamer waarvan de deur openstaat. Het is de kamer van een kind, maar zonder kind. Hij ziet er eigenlijk totaal verlaten uit. Het bedje is keurig opgemaakt, een beer zit bij het hoofdkussen en er staat een bak met speelgoed tegen de muur, maar verder zie je geen sporen van een kind. Geen tekeningen aan de muur. Geen krijtjes en pennen op het tafeltje. Geen enkele poster met Disney-motieven aan de muur. De grijze muren zijn helemaal kaal en op het tapijt is geen enkel spoor te zien dat er ooit iemand heeft gezeten. En de bloemen op de vensterbank moeten van plastic zijn. Het is nu niet het seizoen voor tulpen. Wie kweekt er trouwens een heel boeket tulpen in een plastic bloempot?

'O!'

Ik schrik. Annette staat opeens achter me met koffiekopjes in haar handen. Ik strek mijn hand uit om er eentje aan te nemen en te laten zien dat ik wil helpen, maar ze trekt zich snel terug en loopt de woonkamer in.

'Madeleine is niet thuis', zegt ze.

Madeleine moet haar dochter zijn. Ik knik zwijgend en glimlachend naar haar, maar geloof niet dat ze dat ziet. Ze staat over de salontafel gebogen en verschikt de kopjes. Ik moet blijkbaar op de zwartleren bank plaatsnemen, zelf wil ze in de gestreepte oude fauteuil zitten. Opeens is de sfeer gespannen; misschien houdt Annette er niet van dat ik in haar dochters kamer naar binnen heb gegluurd en daarom probeer ik haar milder te stemmen door op de bank neer te zakken en aan te geven dat ik van plan ben om in het vervolg stil te zitten.

'Ah', zeg ik terwijl ik naar het koffiekopje voor me kijk. 'De blauwe meeuw.'

Annette is twee heel dunne servetjes aan het vouwen, maar kijkt even vorsend naar me op en glimlacht dan.

'Inderdaad. Die verzamel ik. Ik heb al zeven kopjes.'

Ik trek een geïmponeerd gezicht. Ik ben een vals kreng.

'Zo. Verzamel je ook Swarovski-kristal?'

Ze werpt een blik over haar schouder in de richting van de tafel met de vele glazen figuurtjes.

'Nee. Nu niet meer.'

Ze loopt naar de linnenkast, opent die en pakt een etuitje. Heel even aarzelt ze; misschien vraagt ze zich af of ik die eer wel waard ben, maar ze opent het etui en haalt er twee glimmende theelepeltjes uit. Ze zijn van echt zilver. Ik weet niet wat ik erover moet zeggen, daarom begin ik maar in mijn handtas te rommelen op zoek naar een pen en een notitieblok. Ondertussen verdwijnt Annette naar de keuken. Ze is meteen terug en zet het gebak op tafel, waarna ze opnieuw verdwijnt, maar meteen weer verschijnt met een koffiekan. Een blauwe koffiekan van Deens porselein. Met meeuwen.

'Ah', zeg ik weer. 'Dus je hebt de koffiekan ook ...'

Ze knikt tevreden.

'Inderdaad. Die heb ik op internet gevonden.'

Ik pak mijn kopje op.

'Duur?'

Ze antwoordt met een glimlach.

301

'Nee. Een koopje gewoonweg. Vierhonderd kronen goedkoper dan in de winkel.'

Dus we zijn weer vrienden. Annette leunt achterover in haar stoel en bekijkt met een zuchtje haar eigen woonkamer. We blijven een ogenblik zwijgend zitten.

'Ze was aardig beneveld, die Marguerite', zegt Annette uiteindelijk.

Ik weet een grimasje niet te onderdrukken.

'Inderdaad.'

'Ga je daarover schrijven?'

'Nee, dat denk ik niet.'

'Waarom niet?'

'Niet van dwingend algemeen belang.'

Annette kijkt eerst verbouwereerd, maar daarna vernauwen haar ogen zich. Opeens kijkt ze boos, maar ze vermant zich en drukt haar theelepeltje in het gebakje, waar ze een groot stuk uit graaft dat ze in haar mond stopt.

'Maar je bent wel van plan over Minna te schrijven?'

'Dat weet ik niet. Dat hangt ervan af wat jij te vertellen hebt.'

Ze spert haar ogen open.

'Maar je mag natuurlijk niet schrijven dat ik iets gezegd heb.'

'Waarom niet?'

'Ik werk toch bij haar en ik heb mijn baan echt nodig.'

Ik maak een vage beweging met mijn hoofd, een beweging die zowel ja als nee kan betekenen. Ze moet het maar interpreteren zoals ze wil.

'De hele stad weet er trouwens van', zegt ze.

'Dat ze raar is geworden?'

Ze schudt haar hoofd en doet een nieuwe aanval op haar gebak.

'Nee. Maar over wat er met haar dochter is gebeurd. Dat weet iedereen al …'

'Ik niet.'

Ze werpt me een snelle blik toe. Een blik vol minachting. 'Nee, nee.'

Er valt een stilte en terwijl we zwijgen, moet ik het wel aan mezelf toegeven: ik mag Annette niet. Ik heb eigenlijk een behoorlijke hekel aan haar, ook al weet ik niet waarom. Maar ik schuif die gedachte aan de kant en probeer te glimlachen.

'Maar vertel dan! Wat is er met haar dochter gebeurd?'

Annette verslindt nog een stuk van haar gebakje, maar legt dan het lepeltje weg en leunt achterover in haar stoel.

'Ze heeft gehoereerd.'

'Wat?'

'Je hebt me wel gehoord. Minna's dochter zat in de prostitutie. Net als haar grootmoeder van moeders kant. En haar overgrootmoeder. Ze was een hoer. Het zijn allemaal hoeren.'

Ik staar haar aan. Zij staart terug.

'Doe je mond dicht', zegt ze ten slotte. 'Je ziet er dom uit als je zo met je mond open zit.'

Ik kon het niet laten om op te staan. Ik kon het niet laten om mijn handen in de achterzakken van mijn spijkerbroek te stoppen en een rondje door de kamer te lopen. Toen moest ik stoppen voor de balkondeuren om mijn eigen spiegelbeeld in het donkere glas te bekijken. Een wit gezicht. Zwarte schaduwen van ogen. Hoi Ritva. Waarom ben je ontdaan? Wat kan jou het schelen dat Annette beweert dat de dochter van Minna een hoer was? Of haar grootmoeder en overgrootmoeder?

Heel even ben ik terug in Sally's Café-Restaurant en ik zie Minna kaarsrecht voor Henrik staan die zijn natte sokken aan haar wil overhandigen, en ik zie dat ze nog rechter wordt, dat ze haar handen op haar rug legt en een stap achteruit zet, dat ze ze niet wil aanpakken. Dat had ik kunnen zijn. Precies zo had ik gereageerd als hij zijn sokken aan mij had willen overhandigen ...

Maar, nee, dat is niet de reden. Ik reageer niet zo heftig omdat ik de weerstand meen te kunnen delen die ik bij Minna voelde. Er dringt zich een andere herinnering op die Minna wegduwt. Ik ben tien jaar en ik sta in de hal, ik ben net uit school thuisgekomen en doe mijn mond open om te roepen dat ik er ben wanneer ik mijn vaders stem hoor: 'Godverdomme, zeg ik! Godverdomme!'

Mijn moeders stem klinkt niet helemaal zoals anders. Hij is schel geworden. Mijn moeder heeft nog nooit een schelle stem gehad.

'Rustig aan nou, Tapani! Rustig aan nou!'

'Rustig?! Vind jij dat ik rustig aan moet doen?! Het is toch godverdomme mijn eigen zus ... Mijn eigen zuster ligt poedelnaakt met haar benen wijd. Jouw schoonzus. Ritva's tante. Godverdomme!'

'Ja, maar ...'

'Maar?! Hoezo maar? Er is hier toch niks waar "maar" over te zeggen valt?! Nou? Mijn eigen zus is een hoer geworden. Ze spreidt haar benen op de middenposter van zo'n seksblad. Met naam en toenaam. Bedankt, hoor. Nou lopen we hier ook totaal voor gek. Iedereen in Skärholmen zal ons straks nawijzen ...'

'Onzin! Niemand in Skärholmen leest dat blad. Niemand in Skärholmen weet dat het jouw zus is. En bovendien ...'

Mijn vaders stem wordt net zo schel als die van mijn moeder: 'Ben je nou zo stom? Mijn zus is een hoer! Iedereen weet dat! Anders had Heikki toch nooit tegen me gezegd dat ik dat blad moest kopen ... Ik kan me nooit meer buiten vertonen.'

Mijn moeder brulde bijna: 'Ophouden nu! Je zus is geen hoer en dat weet je best. Ophouden nu, Tapani!'

Maar hij hield niet op. Zelf zette ik een stap naar achter en glipte ik naar de deur. Ik deed die geruisloos open en deed hem even geruisloos weer achter me dicht. Maar het kon me niet schelen dat het geluid van mijn voetstappen weerkaatste tegen de muren toen ik de trappen afrende.

Het duurde bijna een maand voordat ik erin slaagde dat blad te vinden. Mijn moeder had het helemaal onder in haar ladekastje verstopt, onder al haar witte, netjes opgevouwen onderbroekjes. Ik legde mijn hand op die stapel om er geen rommeltje van te maken, terwijl ik het tijdschrift er voorzichtig onderuit trok. Daarna ging ik op haar bed zitten en bladerde ik door naar de middenposter. Ik vouwde ook die extra pagina helemaal uit en bestudeerde mijn tante Marketta.

Ze zag er niet helemaal uit zoals anders. Ze glimlachte niet op die manier waarop ze anders altijd naar mij en de hele wereld glimlachte. In plaats daarvan glimlachte ze van onder haar pony, ze pruilde met haar lippen en keek bijna dreigend. Bovendien had ze blijkbaar nepnagels bevestigd, want normaal waren haar nagels kort afgeknipt, maar nu waren ze lang, puntig en wijnrood. Ze had haar rechterhand tussen haar benen gestoken en haar wijsvinger zelfs in haar spleetje. Het zag er belachelijk uit. Maar verder was ze mooi. Blond, met glanzend haar. Met een witte huid en grote, stevige borsten en volkomen roze tepels.

Een hoer, had mijn vader gezegd. En ik wist wat een hoer was. Wat die deed. Wat ik niet goed snapte, was waarom mijn vader zo geschokt was. Waarom hij niet wilde dat ze op de koffie kwam wanneer hij over een week jarig was. Het waren toch ouwe kerels zoals hij die dat tijdschrift kochten omdat ze vonden dat hoeren zoals zij mooi waren om naar te kijken? Dus waarom wilden ze dan geen koffie drinken met een hoer?

Daarna ontmoette ik Marketta nog maar één keer. Mijn moeder en ik waren naar de stad gegaan om een nieuwe spijkerbroek voor mij te kopen, en zoals gewoonlijk gingen we daarna ergens koffiedrinken in een café. Marketta zat aan een tafel toen wij binnenkwamen. Ze zag ons eerst niet en mijn moeder zag haar niet, en een paar tellen was ik de enige in de hele wereld die wist dat een ramp aanstaande was. Toen kregen ze elkaar in de gaten; Marketta zag mijn moeder het eerst, mijn moeder haar vlak daarna. Mijn moeder kneep even in mijn hand en bleef staan, maar haalde snel diep adem en we liepen naar Marketta's tafel.

'Hallo.'

Marketta reageerde eerst niet; ze wierp mijn moeder alleen een argwanende blik toe.

'Alles goed?'

Marketta knikte, maar zei nog steeds niets. Mijn moeder glimlachte een beetje.

'Mag Ritva even bij jou zitten terwijl ik koffie ga halen?'

Ze wachtte niet op het antwoord, maar trok gewoon een stoel voor mij onder de tafel uit. Ik ging zitten en mijn moeder verdween. Marketta's rechterhand lag op tafel. Haar nagels waren niet lang en wijnrood meer en haar blonde haar had een donkere uitgroei in het midden. Ze zag er weer uit als zichzelf en ze keek me nu met een vriendelijke blik aan.

'Ben je wezen winkelen?'

Nu was ik degene die zweeg en knikte.

'Wat heb je gekocht?'

'Een spijkerbroek.'

'Een mooie?'

'Ja.'

'Goed zo', zei Marketta. Ze sloeg haar ogen neer en begon in haar handtas te rommelen, waar ze een pakje Blend en een aansteker uit haalde. Ze stak een sigaret in haar mond en overhandigde mij de aansteker. Toen ik klein was, stak ik haar sigaretten altijd aan, maar het was al een aantal jaren geleden dat ik dat voor het laatst gedaan had. Als het allemaal niet was geweest zoals het was, dan had ik geweigerd – Wat dacht ze wel? Dat ik een klein kind was? – maar nu pakte ik de aansteker en bracht het flakkerende vlammetje in haar richting. Ze leunde naar voren en het vuur raakte het uiteinde van de sigaret.

'Dank je.'

Ik legde de aansteker op tafel.

'Graag gedaan.'

Ze glimlachte even en nam nog een trek van haar sigaret. Mijn moeder kwam terug met een blad en ging met een kleine zucht bij ons zitten, alsof ze uitgeput was en eindelijk de kans kreeg om te rusten. Ze zette een Coca-Cola en een koffiebroodje voor mij neer. Weer werd het stil, maar dat maakte niet uit. Wanneer mijn moeder erbij is, maakt het nooit uit of het stil wordt. Marketta sloeg haar ogen neer, wendde zich vervolgens tot mijn moeder en keek haar aan met vochtige ogen.

'Heb je gehoord hoe hij me heeft genoemd?'

Mijn moeder gaf niet meteen antwoord; ze nam eerst een flinke slok van haar koffie.

'Ja. Ik heb het gehoord.'

'Heeft hij het recht om dat te doen? Vind jij dat?'

Mijn moeders antwoord liet wat op zich wachten.

'Nee. Dat vind ik niet.'

Marketta's schouders ontspanden een beetje en ze tipte de as van haar sigaret.

'Ik ben volgens mij in mijn hele leven nog nooit zo gekwetst. Ik ben echt geen …'

Mijn moeder wierp een snelle blik in mijn richting: 'Ik weet het.'

Marketta keek ook naar mij en leek te begrijpen dat dat woord niet genoemd mocht worden.

'Ik wil immers gewoon model worden. Een echt model.

Een model dat kleren showt. En de fotograaf zei …'

Mijn moeder knikte: 'Ik weet het.'

Marketta's mondhoeken begonnen te trillen: 'Maar ik heb geen aanbiedingen gekregen. Niet één. Alleen een hoop gegrijns en gelach achter mijn rug.'

Mijn moeder grimaste een beetje: 'Maar dat had je misschien van tevoren al kunnen bedenken.'

Marketta ging rechter zitten: 'Dus je bent het met hem eens?'

'Nee, ik ben het niet met hem eens.'

Marketta ging snel met haar hand over de tafel om haar sigaretten te pakken. Met een schokkerige beweging stopte ze die in haar handtas.

'Dus je bent het met hem eens! Nou, verrekte bedankt!'

Mijn moeder strekte haar hand naar Marketta uit: 'Ik zei net dat ik het niet met hem eens ben. Maar het verbaast me dat je niet snapte dat …'

'Wat snapte?'

'Wij hebben het niet voor het zeggen, mensen zoals jij en ik. Tapani heeft het ook niet voor het zeggen, maar hij heeft het in elk geval iets meer voor het zeggen dan wij. Het is een feit. Je kunt het niet ontkennen. Als er iets is wat ik van het leven geleerd heb, dan is het dat degene die niets te zeggen heeft, voorzichtig moet zijn. Heel voorzichtig. En slim.'

Marketta keek beduusd: 'Slim?'

'Ja', zei mijn moeder. 'En met je hele hebben en houwen in zo'n blad gaan staan is niet bepaald slim. Of wel?'

Er ging een trilling over Marketta's gezicht en ik kon voelen hoe de schaamte zich door haar lichaam verspreidde, maar gedurende het korte moment dat het haar kostte om op te staan en haar jas naar zich toe te grissen zonk het gevoel weer weg. Nu had ik haar lichaam weer verlaten. Nu was ik gewoon een meisje dat naast haar moeder zat en zag hoe Marketta de stoel een zet gaf zodat hij onder de tafel vloog, een grimas trok en wegging.

'Wat werd ze chagrijnig', zei ik terwijl ik ook een grimas trok.

Mijn moeder keek me aan, maar zonder haar gebruikelijke vriendelijke moederblik en ze zei: 'Ach! Waarom hou jij je kop niet?'

De wereld was opeens helemaal veranderd.

Ik kan Annettes spiegelbeeld in de donkere ruit zien. Ze staat vlak achter me en houdt haar hoofd schuin. Als er iets is waar ik een hekel aan heb, dan is het aan mensen die hun hoofd schuin houden.

'Wat is er met je?'

Haar toon is zacht en medelijdend, maar op die overdreven manier waarvan de koude rillingen me over de rug lopen. Ik ben bang voor vrouwen die doen alsof ze compassie hebben, dat is in feite het enige waar ik bang voor ben, maar ik weet ook hoe ik met mijn angst moet omgaan. Dus draai ik me om en sla ik mijn armen over elkaar.

'Hoezo?'

Annettes stem wordt wat onvast: 'Je leek zo ...'

Ik frons mijn wenkbrauwen. Mooi. Ze durft niet te vertrouwen op wat ze heeft gezien en begrepen.

'Zo wat?'

Ze zoekt naar woorden en vindt die ten slotte.

'Uit je doen.'

Ik glimlach half en trek mijn wenkbrauwen op.

'Uit mijn doen? Nee. Ik dacht gewoon na.'

'Dacht na?'

'Ja.'

'Waarover dan?'

'Of ik zou schrijven over wat jij hebt verteld. Er zijn natuurlijk ethische regels, weet je wel ...'

Dat weet ze duidelijk niet. Waarschijnlijk weet ze niet eens wat ethische regels zijn.

'Ja', zegt ze dan terwijl ze iets in elkaar zakt. 'Natuurlijk.'

Op hetzelfde moment klinkt er een brul uit de kamer naast de woonkamer. Annette begint met haar ogen te knipperen.

'Sonny', zegt ze en ze draait zich om en verlaat snel de woonkamer. Ik blijf staan waar ik sta en kijk haar na, weeg de voors en tegens tegen elkaar af. Als ik blijf, krijg ik het hele verhaal te horen. Als ik ga, hoef ik haar niet langer te zien. Misschien nooit meer. Ben ik nieuwsgierig genoeg? Zal dat verhaal me een vaste baan opleveren? Nee.

Er klinkt weer een brul uit de kamer hiernaast. Iemand geeft over. Annettes stem is opeens heel schel: 'Rustig maar, Sonny, rustig maar ...'

Een bons tegen de vloer. Sonny is blijkbaar uit bed gestapt. Of hij is eruit gevallen. Dan hoor ik de trippelende voetstappen van Annette naar de hal en opeens staat ze in de deuropening.

'Sonny is ontzettend ziek', zegt ze. 'Hij heeft waarschijnlijk winterbuikgriep.'

Terwijl ik langzaam naar de hal ga, glimlach ik zo vriendelijk mogelijk.

'Nee toch! Ja, dan is het maar beter dat ik ...'

Annette valt me in de rede en houdt haar hoofd schuin.

'... wegga. Nou, dat is waarschijnlijk het beste. Zodat je niet besmet wordt.'

'Ja', zeg ik. 'Ik wil natuurlijk niet besmet worden.'

Ik loop de hal in. Annette trekt de deur van de slaapkamer achter haar rug dicht en blijft er daarna met haar armen over elkaar voor staan wachten tot ik mijn jas aantrek. De kleerhanger naast de mijne begint te wiebelen wanneer ik mijn jas pak en het leren jack dat erop hangt, glijdt eraf en valt op de grond. Wanneer ik me vooroverbuig om het op te pakken zie ik dat het erg versleten is. En dat er een grote afbeelding van een tijger op de rug staat. Mijn beweging stokt en er gaat oprecht medelijden door me heen. Annette is getrouwd met een kind. Haar man is een groot klein kind.

Wanneer ik mijn blik op haar richt, recht zij haar rug. Ze trekt haar bovenlip slechts een halve centimeter op, maar het is voldoende om mij duidelijk te maken dat ze haar tanden laat zien. Ze wil mijn medelijden niet. Ze weigert. Ik probeer naar haar te glimlachen.

'Tot ziens.'

Ze antwoordt niet, maar glipt gewoon naar de voordeur om die te openen. Zodra ik in het trappenhuis ben, doet ze de deur zo hard achter me dicht dat de klap tussen de muren weerkaatst.

* * *

Ik ren de trappen af en duw de deur open, blijf dan buiten op het donkere binnenhof staan en haal diep adem.

Bah.

Ik trek mijn schouders op, stop mijn handen in mijn zakken en pak de autosleutel die daarin zit. Ik rijd tegenwoordig in pa's oude Opel, omdat hij zelf niet meer weet wat een auto is en ma geen rijbewijs heeft. Maar waar heb ik hem neergezet? O ja, daarginds.

Er is iets veranderd. Eerst weet ik niet goed wat het is, maar dan blijf ik opeens staan. Het is natuurlijk opgehouden met regenen. Ik zet mijn capuchon af en wend mijn blik naar de hemel. Die zit nog steeds vol grijze wolken, maar daartussen zie je wat smalle streepjes zwarte lucht. Drie sterren blinken daar; drie lichtstipjes, in iets wat misschien het sterrenbeeld Orion is, zenden hun oeroude schijnsel naar mij. Er is hoop, zeggen ze. Ook al is het niet helemaal op de manier die jij denkt. Misschien kun je voorlichter worden bij het Stadstheater in Norrköping. Wie weet?

Het waait nog steeds, dat voel ik, het waait zo hard dat de berk bij de parkeerplaats de allerlaatste van zijn gele blaadjes moet loslaten, maar het zijn geen stormwinden. Het lijkt totaal niet op de wind die gisteren waaide, dit is een speelse wind die me een duwtje in de rug geeft en het lopen gemakkelijk maakt, die me bijna voortstuwt naar mijn auto. Ik blijf staan, leg mijn rechterhand op het dak van de auto en glimlach in stilte. Warempel. Het is opgehouden met regenen. De wind speelt met me. Misschien is er hoop. Wie weet?

Dan ga ik in de auto zitten en draai het contactsleuteltje om.

Daarbinnen wordt alles anders. De hoop, die me net nog opbeurde, verschrompelt. Wat verbeeldde ik me? Norrköping. Nou bedankt. Alsof die plek in de praktijk niet allang in beslag is genomen door een van de vele zussen van Lieve Louise. En daar ben ik niet één van. Ik zal mijn hele leven doorbrengen in een heleboel lelijke flats die ik onderhuur, ik zal van de ene vervanging naar de andere trekken, en na verloop van tijd, wanneer ik zo oud ben dat ik bijna dood ben, zal ik terugverhuizen naar Skärholmen en net als mijn moeder 's avonds in mijn balkonserre staan om te staren naar de honderden lichtjes die onder me schitteren ... Hoewel ik het niet bijzonder mooi zal vinden.

Nee. Om de dooie dood niet. Ik schik me daar niet in.

Ik ga niet terug naar mijn lelijke flat, nog niet echt. Ik ga een ritje maken om te kijken hoe het er na de storm uitziet. En ik zal morgen zo goed voorbereid op mijn werk komen dat ik de vloer kan aanvegen met Lieve Louise. Wanneer Hasse de Hufter zich dan realiseert hoe verrekte goed ik ben, zal hij me een vaste baan aanbieden, maar dan zal ik een beetje minachtend kijken en zeggen: bedankt, maar nee, bedankt. Ik heb al een andere baan gekregen. In Norrköping.

Ik begin met mijn ogen te knipperen en besluit om op te houden met me aan te stellen. Als Hasse de Hufter me een vaste baan aanbiedt, ben ik warempel van plan om een kniebuiginkje te maken en hem nog te bedanken ook.

Ik rijd een rotonde op en hoewel ik helemaal niet van plan was om die kant op te rijden neem ik de derde afslag. In de richting van Sulvik. Zoals gisteren. De herinnering aan Halfgare Micke schiet door mijn hoofd, maar die verdring ik meteen. Ik wil niet denken aan wat hem is overkomen. Maar oké, ik zit nu op deze weg en dan moet ik maar doorrijden. Het is misschien niet het slimste besluit dat ik heb genomen, maar er is geen weg terug; het duurt nog een hele tijd voordat je ergens kunt keren. Ik zet het grootlicht aan, minder vaart en rijd heel voorzichtig de hellingen op en af, ik draai met de weg mee en doe echt langzaam en voorzichtig wanneer ik over de delen van de weg rijd die onder water staan. En warempel. Het lukt. Tyrone en zijn makkers hebben fantastisch werk verricht. In Jössefors branden de straatlantaarns bovendien en het ziet er bijna net zo uit als anders, behalve dan dat aan de linkerkant van de weg hier en daar een tuin glinstert als een nachtelijk meer. Binnen in de huizen schittert het gele licht van de dagelijkse avondverlichting en het leven lijkt gewoon door te gaan. Ik rijd echter geen oprijlaan op om de auto te keren en naar Arvika terug te rijden. Ik rijd gewoon in dezelfde richting door.

Zodra ik Jössefors achter me heb gelaten wordt de weg donker en verlaten en staat hij hier en daar weer een beetje onder water. Ik ga nog zachter rijden en stuur voorzichtig. En dan ben ik er opeens. Ik ben aangekomen op de plek waar ik de hele tijd naar op weg was, hoewel ik dat voor mezelf niet heb toegegeven. In de duisternis blinkt een rood licht op en daar staat het bord: Sally's Café-Restaurant.

Dat licht zijn we vergeten uit te doen toen we hier gisteren weggingen.

De parkeerplaats aan de weg staat nog steeds onder water, dus rijd ik tegen de helling omhoog en zet mijn auto naast een rode Toyota die een beetje weggezakt in de modder staat en er in de steek gelaten uitziet. Toch stap ik niet meteen uit. Ik blijf in mijn auto zitten en kijk om me heen. De maan schijnt door de wolken, maar niet voldoende om de tuin te verlichten. Het enige wat ik zie zijn de donkere bomen waarvan de takken zwarte strepen kerven in een donkergrijze hemel. De gevel van het gebouw is een zwarte contour, het keukenraam op de begane grond is donker, maar op de bovenverdieping schijnt voor een raam een eenzame lamp.

Waarom ben ik hiernaartoe gereden?

Weet ik niet.

Welk recht heb ik om hier überhaupt te zijn?

Geen enkel.

Natuurlijk zou ik mezelf kunnen blijven voorliegen. Ik zou bijvoorbeeld kunnen beweren dat ik hierheen ben gereden uit een soort verantwoordelijkheidsgevoel, dat de reden dat ik hier op dit moment zit, is dat ik wil controleren of alles in orde is nu Minna dat zelf niet kan doen. Dat ik eerst het bord beneden aan de weg wil uitzetten, zodat voorbijgangers niet zullen denken dat de uitspanning open is en dat ze de heuvel op lopen in de hoop op een wc en een kop koffie. Dat ik daarna alle lichten in huis ga uitdoen en ten slotte alle deuren op slot zal doen, zodat er geen onstuimige jongelui of extreem gewetenloze inbrekers binnendringen om de inrichting kort en klein te slaan en alles te stelen wat de moeite van het stelen waard is. En als die leugen mij niet zou weten te overtuigen, dan zou ik een nieuwe poging kunnen doen door te beweren dat ik hierheen ben gereden om feiten boven tafel te krijgen die misschien tot een unieke reportage over Minna en haar dochter zouden leiden, een volmaakte variant op het *new journalism* van vroegere tijden, die ik in het geheim zou schrijven en die in een belangrijke krant zou worden gepubliceerd, een week nadat Hasse de Hufter had besloten om Lieve Louise te houden en mij niet, hetgeen hem van ergernis een maagzweer zou opleveren. Dat zou mij op zich verheugen, maar ik weet natuurlijk van tevoren al dat ik die leugen ook niet zou slikken. Er zijn geen vreselijke feiten te halen in een verlaten huis. Als ik echt op vreselijke feiten uit was, zou ik bij Annette zijn gebleven om naar haar roddels te luisteren. Maar daar ben ik de deur uitgerend zodra ik de kans kreeg ...

Dus waarom ben ik hiernaartoe gereden?

Ik weet het niet. Ik begrijp mezelf niet. Soms weet ik niet eens wie ik ben.

Ten slotte besluit ik toch het enige redelijke te doen. Ik trek de contactsleutel eruit, doe het portier open en blijf even zitten luisteren naar de geluiden buiten. De wind giert hier heviger dan midden in de stad. Verderop bonkt ergens iets, hout slaat op hout, en opeens word ik bang. Maar dat slik ik weg en ik strek mijn hand uit naar het handschoenenvakje om de zaklamp te pakken. Daarna houd ik mijn jas bijeen over mijn buik en begin ik naar het gebouw te lopen. De lichten uitdoen en de boel op slot draaien. Dat ga ik doen. En daarna rijd ik naar Annette met de sleutels, want ik ben een keurig en verantwoordelijk persoon, die heel goed weet wie ze is.

Ik loop heel langzaam over de modderige grasmat, want ik zie bijna niets, ondanks de zaklamp. Die verspreidt weliswaar een trillende cirkel van licht, maar rond die cirkel is het des te donkerder en ik heb werkelijk geen zin om over een tak of een steen te struikelen en mijn been te breken. Heb ik mijn mobiel eigenlijk wel meegenomen? Ik klop snel op mijn jaszak en ja hoor, daar zit hij. Dan ben ik bij de zijdeur en haal diep adem, waarna ik mijn hand uitsteek en de klink pak.

Waar ben ik eigenlijk bang voor?

Niets, zo blijkt. De deur zit namelijk op slot.

O. Dan moet ik maar naar rechts lopen, naar de voorkant. Ik ben de hoek nog niet om of ik realiseer me dat ik hier natuurlijk meteen al naartoe had moeten gaan. Hier heb je zicht. Uit de zes hoge ramen van het restaurant straalt licht en dat legt de diepe zwarte sporen van het rupsvoertuig bloot. De grasmat is helemaal kapotgereden. Arme Minna! Opeens heb ik oneindig veel medelijden met haar. Niet alleen is ze half doodgeslagen en spuit Annette rottigheid over haar dochter, maar nu is ook haar grasmat nog verpest. De tranen springen me in de ogen en ik begin ter plekke te snikken, hoewel ik ondertussen weet dat ik vreselijk belachelijk ben. Huilen om een stomme grasmat! Een tel later schrik ik op. *Pang!* En opeens zie ik waar dat geluid vandaan komt. De dubbele blauwe deur is opengewaaid en de rechterhelft van de deur slaat tegen de linker. *Pang! Pang! Pang!* Hout op hout.

Jezus christus! Heeft die deur sinds gisteren zo staan klapperen? In dat geval bestaat het risico dat de hele vloer in het restaurant verpest is door de regen. Ik haast me de drie stoeptreden naar de veranda op en blijf dan staan om de vloer in het restaurant in ogenschouw te nemen. Die is nat. Echt flink nat, maar niet meer dan een paar meter naar binnen. Bovendien ligt er vlak bij de ingang een soort inloopmat en die heeft tamelijk veel opgezogen. Ik buig me voorover om te voelen. Loodzwaar. Doorweekt. Tja. Dan is het gewoon een kwestie van die mat naar buiten gooien. Als me dat lukt.

Ik open de dubbele deuren weer en sleep de mat naar buiten. Ik trek hem over de veranda en gooi hem op de grond.

Vervolgens recht ik mijn rug en begin ik om mezelf te grijnzen. Ik ben een vrouw die vandaag achtervolgd wordt door natte kleden. Dat was misschien best een beetje grappig geweest als de houten vloer achter de drempel niet volkomen doordrenkt was. Die moet ik droogmaken. Is hier iets wat daarvoor te gebruiken is?

Nee. Niets meer dan de witte servetjes op alle tafels, hard gesteven servetten die absoluut nergens anders geschikt voor zijn dan er netjes gestreken uitzien. Of jawel trouwens, er hangt een oude jas aan de kapstok tegen de muur, een dik jack van een stof die op flanel lijkt. Dat zal vast wel wat opzuigen. Ik ruk hem van de kapstok en gooi hem op de vloer, zet mijn voet erop en begin ermee rond te gaan. Mooi. Geen plassen meer, alleen een vochtig oppervlak. Zo moet het maar goed zijn. Wanneer de hele jas kletsnat is, til ik hem snel op en ren ik ermee naar de keuken. Met mijn elleboog doe ik de tl-buizen aan en ik gooi de jas gauw in de gootsteen. Daar mag hij blijven liggen tot Minna of Annette of iemand anders hier komt.

Ik draai me om en kijk hoe het er hier verder uitziet. Heel schoon en netjes. Het serveerluik is dicht. Maar het deksel van een van de bakken die eronder staan, zit er niet goed op. Ik til het op om te constateren wat ik al weet: de bak zit halfvol met dé hachee van gisteren. Droog en ijskoud. Ik leg het deksel erop en haal mijn schouders op. Daar moet iemand anders later maar voor zorgen, net als voor de toestand in dat kantoortje waar de eik naar binnen is gewaaid. Ik ben niet van plan de deur daarvan te openen, ook al vermoed ik dat de vloer daar ook behoorlijk nat is. Dat is niet iets waar ik wat aan kan doen; de ruit is immers kapot en er ligt een halve eik op het bureau. Ik kan alleen maar controleren of het fornuis en de kookplaten uit zijn en dat is het geval. Verder moet ik proberen uit te zoeken waar de knop zit waarmee je het bord beneden aan de weg kunt uitzetten. Waar kan die zitten? Ik leun tegen het aanrecht en kijk om me heen. Er zit alleen maar een wit knopje bij de klapdeur naar het restaurant en daarmee bedien je het licht in de keuken. Daar heb ik al op gedrukt. Ginds bij de deur links zit een ander knopje. Daarmee bedien je waarschijnlijk ook de tl-buizen hierbinnen, en ik heb echt geen zin om in het donker in dit huis te staan, nog geen minuut. Ik kan het licht later wel uitdoen, bedenk ik snel. Wanneer ik wegga. Nu loop ik eerst naar die deur en ik doe hem voorzichtig open. Ik gluur in een kleine gele vestiaire. Ook hier brandt het plafondlicht. Er hangt een regenjas aan de kapstok. Vermoedelijk van Minna. Ik stap over de drempel om verder rond te kijken. Recht voor me de buitendeur die op slot zit. Rechts een spiegel. Daarnaast een wc-deur. En een trap. Een trap die onmiskenbaar naar boven leidt. Naar het woongedeelte van Minna.

Bij de trap zit een lichtknopje. Ik druk erop. Ik doe het licht aan in plaats van uit en begin de trap op te lopen. Hij kraakt onder mijn gewicht.

Ik blijf op de op een na laatste trede staan en aarzel even voordat ik de laatste stap zet. Ik kijk om me heen. Een kleine overloop met dezelfde gele wanden als in de vestiaire beneden. Tegen de muur rechts staat een oud ladekastje uit de jaren dertig. Vergeeld berkenhout, misschien zelfs wel van dat knoestige berkenhout. Ik neem de laatste trede en loop naar het kastje. Inderdaad. Van dat knoestige berkenhout. Op de kast staat een foto in een smal zilveren lijstje. Een uitgemergelde vrouw met donkere krullen en even donkere kringen onder haar ogen glimlacht naar de camera en drukt een klein meisje tegen zich aan. Het meisje kijkt met een intense blik naar de camera, maar ze glimlacht niet, houdt alleen haar vochtige lippen iets geopend.

Ja, ja. De dochter van Minna. Het meisje dat door Annette een hoer werd genoemd. Ik kijk verder rond. Hier ook geen lichtknop voor het bord dat beneden aan de weg staat. Misschien moet ik het woongedeelte in om die knop te vinden.

'Ik heb nog steeds een keus', zeg ik hardop tegen mezelf. Maar die heb ik niet. Ik moet Minna's duisternis betreden.

Ik haal diep adem en open de deur voor me.

Een sombere gang met twee deuren aan elke kant. Grijze muren. Een witte deur aan het uiteinde. Twee van de deuren zijn dicht, twee staan er half open, tegenover elkaar. Het plafondlicht in de gang brandt niet, maar er valt licht door de dichtstbijzijnde van de half geopende deuren en dat geeft hier een beetje looplicht. Wanneer ik over de drempel stap, snuffel ik even. Het ruikt bedompt. Stof en – ik begin weer te snuffelen – iets zoets. Ik blijf heel even staan en til mijn rechterhand op om er blindelings mee over de muur te strijken, op zoek naar het knopje waarmee de plafondlamp zal aangaan. Wanneer ik dat vind, druk ik. Eén keer. Twee keer. Drie keer. Er gebeurt niets. De gloeilamp is blijkbaar stuk.

Ik slik snel en dwing mezelf ertoe nog een stap naar voren te zetten en nog een, en dan duw ik met mijn hand de eerste half geopende deur verder open. Ik stap over de drempel om binnen te kijken. Het is een keuken. Een smerige keuken. Een paar fruitvliegjes zwermen boven vuile vaat op de tafel en op de aanrechtbladen, een dikke zwarte vlieg kruipt over zijn dode voorvaderen op een bord met aangekoekte etensresten, een andere vlieg glijdt over de rand van een glas met kringen erin van iets wits dat ooit melk moet zijn geweest. Ernaast staan twee koffiekopjes met lippenstiftafdrukken op de rand. Iets wat ooit drie appels geweest moeten zijn, ligt in een schaal op de tafel; witte schimmel verspreidt zich over het bruine oppervlak, van de ene appel naar de andere. Eronder op de grond ligt een opgezwollen tomaat die al gebarsten is en zijn rotte ingewanden heeft uitgebraakt. De tomaat moet al een flinke poos geleden zijn gebarsten, want het inwendige is al ingedroogd en de gele pitjes liggen in iets wat nog het meest lijkt op opgedroogd bloed. Er vlak naast liggen een paar verdroogde sneetjes brood die onder de groene schimmel zitten.

Afkeer welt in me op; opeens heb ik het gevoel dat ik moet overgeven, maar natuurlijk geef ik niet over. Ik ben Ritva Lahtinen en Ritva Lahtinen geeft niet over alleen maar omdat iets walgelijk is; zij kijkt er goed naar en prent het in haar geheugen. Dus doe ik nog een stap naar binnen en posteer ik me bij wat ooit een witte keukentafel moet zijn geweest, om het lege melkpak te bekijken dat daar staat. Er staan twee data op de bovenkant, twee data die vertellen dat dit pak bijna drie maanden geleden werd geproduceerd. En sindsdien lijkt het hier op de tafel te hebben gestaan.

Ik loop achteruit naar de keukendeur en duw hem met mijn rug zo ver open dat het licht van de keukenlamp in de gang valt. Dan blijf ik staan om even diep adem te halen alvorens ook de volgende deur die half openstaat verder open te doen. Dat moet de woonkamer zijn; terwijl ik over de wand tast op zoek naar het lichtknopje ontwaar ik de contouren van een bank en een fauteuil. Een tel later besef ik dat ik die ook echt zie. De lamp is weliswaar net zo oud als de meubels en de verlichting net zo geelgrijs als het verleden, maar hij geeft voldoende licht om rond te kunnen kijken. Hier is het verval niet zo tastbaar, ook al zie je het wel. Alle schilderijen zijn van de muur gehaald en er met de achterkant naar voren tegenaan gezet. Eentje is omgevallen en onthult een vrouwengezicht, een gezicht dat vriendelijk naar het plafond lacht. De potplanten zijn sprietig en dood en er ligt een laagje stof op de salontafel, maar verder lijkt alles op zijn plek te staan en het ziet eruit alsof de kamer alleen maar slaapt. Ik ben niet degene die hem tot leven moet wekken. Dus zet ik deze deur ook gewoon open en loop ik verder de gang in om in de kamer ernaast naar binnen te gluren. Nu weet ik wat ik kan verwachten en ben totaal niet geschokt. Wanneer ik het licht aandoe, schijnt de lamp op een onopgemaakt bed met lakens die er grijs van groezeligheid uitzien. Een kleurrijke lithografie hangt scheef boven het bed en op de muur ertegenover heeft iemand met punaises foto's opgehangen. Een baby met een speen. Een glimlachend klein meisje met zwarte krullen. Een slapend meisje met dezelfde krullen. Een lachend meisje. Een rennend meisje. Een meisje in een draaimolen. Een paar foto's zijn verscheurd en liggen in stukken op de grond, vlak naast een stapel vuile was. Echt vieze vuile was: groezelige shirts en geelgrijze onderbroekjes, verwassen spijkerbroeken en smoezelige handdoeken. Voor het raam staat echter een enorme novembercactus vol roze knoppen, een plant die zich opmaakt om te bloeien, hoewel hij omringd wordt door totale hopeloosheid. Die plant maakt me blij, die maakt dat ik een beetje glimlach wanneer ik achterwaarts naar de deur loop om ook die wijd open te zetten. Nu is het bijna licht in de gang.

De badkamer ziet eruit als elke willekeurige niet schoongemaakte badkamer. Op de lichtblauwe tegelvloer staan voetafdrukken en er zitten witte zeepvlekken op, maar de handdoeken lijken bijna pasgewassen. Ik doe het licht aan, zet de deur open en draai me vervolgens om om de klink te pakken van de vijfde deur. De deur van de kamer waar je recht tegenaan kijkt als je boven komt.

Die zit op slot.

Een halve minuut sta ik daar maar een beetje naar mijn eigen hand te staren, een witte hand, heel glad, met oneindig dunne blauwe lijntjes die vertellen waar de bloedvaten lopen. Ik blijf de klink vasthouden en doe dan een nieuwe poging om de deur te openen. Het lukt niet. Ik laat los en laat mijn hand naar beneden vallen, alleen maar om meteen daarna tot de ontdekking te komen dat de sleutel in het slot zit. Het is gewoon een kwestie van die omdraaien en de deur opendoen.

Gewoon een kwestie van de sleutel omdraaien en de deur opendoen. En dan de kamer binnengaan die ooit van Minna's dochter is geweest.

Minna

Ben ik een verdorven mens? Letterlijk verpest?

Inderdaad. Dat ben ik waarschijnlijk. Zulke mensen huilen niet, heb ik ergens gelezen, en ik kan echt niet huilen. Net als jij. Soms, een enkele keer komt er iets nats uit mijn traanbuizen, maar dat gebeurt alleen wanneer ik me pijn heb gedaan. Wanneer ik ben gevallen, me heb gebrand of een nierbekkentje tegen mijn hoofd heb gekregen. Verder heb ik echter droge ogen en ben ik leeg, ik heb geen andere woorden dan scheldwoorden en vloeken, bezit geen andere toon dan die van humeurigheid en nijdigheid. Om nog maar te zwijgen over die van de withete woede.

Maar zoals je weet, is het niet gemakkelijk om als verdorven mens rond te lopen. Dat is eenzaam. Heel eenzaam. Daarom heb ik, net als jij, geleerd om te veinzen. Wanneer ik verhalen te horen krijg zoals dat over Marguerite en haar zoon ben ik in staat om meelevend mijn hoofd schuin te houden, hoewel ik inwendig schreeuw van protest, want de geschiedenis die ik ver van me houd, is immers zo veel erger en daar wil ik echt niet – *echt niet!* – aan herinnerd worden. Ik ben in staat vriendelijk te glimlachen naar de gasten in mijn restaurant, ook naar chagrijnige types zoals Tyrone en verwaande kwasten zoals Henrik. Ik weet me ook hoffelijk te gedragen tegen mensen die ik het liefst een aframmeling en een schop onder hun kont zou willen geven. Zoals Annette, bijvoorbeeld.

Maar dat helpt niet. Verdorven ben ik toch. Al had ik nooit iets slechts gezegd of gedaan, al had ik mijn hele leven met een schuin hoofd zingend rondgehuppeld, al had ik meegehuild met de wolven in het bos en was ik het met elke idioot eens geweest, verdorven was ik toch geweest. Het had geen verschil gemaakt. Ik kan daar verdrietig over zijn en schreeuwen en klagen zoveel als ik wil, maar het helpt niet. En zo is het voor jou ook. Jij, die ook verdorven bent.

Jawel. Jij bent van hetzelfde soort. Dat vermoedde ik al een hele tijd, maar nu weet ik het. Alleen een echt kwaadaardig mens zou kunnen doen wat jij net hebt gedaan. Alleen een echt slecht mens zou zich door pure wilskracht uit zijn bewusteloosheid los kunnen maken. Alleen een echt boosaardig mens zou zijn half verlamde arm kunnen uitstrekken om dat nierbekkentje te pakken en alleen een echt verdorven mens zou dat een halve meter kunnen wegslingeren zodat het tegen mijn hoofd kwam. Niet dat het bijzonder veel pijn deed, maar ik ben natuurlijk al gewond en door dat nierbekkentje explodeerde de werkelijkheid daarom voor mijn ogen. De brokstukken vlogen alle kanten op. Een witte winterdag begon te glinsteren en Sofia lachte, een donkerpaarse voorjaarsavond vloog langs en Sofia leunde haar hoofd tegen mijn schouder, een oranje herfstdag viel en viel en zou tot in eeuwigheid blijven vallen en Sofia was weg. Verdwenen. Ze zou nooit meer naar me wuiven vanuit haar slaapkamerraam. Ik kon er opeens niet meer omheen om dat aan mezelf toe te geven. Zo erg was het. De ruimtes begonnen te trillen, de aarde tolde snel één, twee, drie keer rond haar eigen as, Charon, niet de veerman maar een kleine maan aan de rand van het zonnestelsel, stuiterde weg van Pluto's zwaartekracht en verdween, en ondertussen steeg er een diepe zucht op uit het zwarte gat dat het centrum van het melkwegstelsel vormt.

De wereld was kapotgegaan. Had een metamorfose ondergaan. Alleen maar omdat ik een nierbekkentje tegen mijn hoofd had gekregen. En het is je verdiende loon dat die inspanning je te veel werd. Dat die je in feite je leven gaat kosten.

Toen het nierbekkentje op de grond was gevallen gebeurden er bijzondere dingen. Opeens zag ik dingen in de verte, zag ik hoe iemand de deur van mijn huis opendeed en mijn woning betrad, zag ik hoe die iemand van kamer naar kamer liep en bekeek wat niet bekeken mag worden. Het verval. Mijn geheime verval. Stof. Vuil. Dode potplanten. En ik zag hoe haar hand naar de deur van mijn dochters kamer ging. Hoe ze de sleutel omdraaide. De klink naar beneden drukte. De deur opende. Hoe ze in mijn gang stond en Sofia's kamer binnenkeek.

Het was Ritva. De journaliste.

Wat deed ze daar? Wie had haar verdomme toestemming gegeven om mijn woning te betreden? Er is al meer dan een jaar niemand anders in mijn woning geweest dan ik! Weg met haar! *Weg! Vort! Aan de kant ermee!*

Maar het gekke was dat ik tegelijkertijd zo veel andere dingen zag. Daar stond Tyrone buiten bij zijn eigen huis te niksen, zijn handen diep in zijn zakken, terwijl hij overpeinsde of hij echt naar binnen zou gaan, of dat het eigenlijk was wat hij wilde en kon verdragen. En daar lag Annette op haar knieën de grijze linoleumvloer in haar slaapkamer te dweilen terwijl Sonny half uit bed hing en maar klaagde. En Marguerite lag te dromen in een hotelbed met haar handen tussen haar knieën. Ze droomde over haar zoon, hij die ondanks alles overleefde, ze droomde erover hoe hij met open armen op haar af rende en …

Weg! Vort! Aan de kant ermee!

In een andere werkelijkheid drukte de Koperen Engel zijn vingers steeds steviger rond mijn keel. Ik haalde gorgelend adem, maar kreeg maar een tiende binnen van de zuurstof die ik nodig had, en natuurlijk, ik heb gezegd dat ik dood wil, dat ik hunker en smacht naar mijn eigen dood en daarvan droom, maar niet op deze manier! Ik wil echt niet worden gewurgd door een mislukt wezen waar ik niet eens in geloof!

Weg! Vort! Aan de kant ermee!

En het werkte. Voor de verandering werkte mijn mantra. Opeens werd de greep losser. Opeens lag ik op mijn buik met mijn wang in iets nats. Opeens drong de stank van mijn eigen braaksel mijn neus binnen en daardoor moest ik weer overgeven. Niet dat er ditmaal zo veel uit kwam, alleen loos kokhalzen en een paar druppels scheermesscherp maagzuur. De Koperen Engel had mijn keel losgelaten, en ook al kon ik hem niet zien, ik wist dat hij een stap naar achteren deed en zijn hand langs zijn neus haalde. Alsof hij een loopneus had gekregen.

Annette had gelijk, dacht ik.

Ik ben vast gek.

Maar misschien gebeurde dit allemaal alleen maar in mijn hoofd. Nu is het voorbij. Ik ben terug in het bed naast het jouwe en ik ben niet gek.

'Verdomme!' zegt iemand.

Het is niet de stem van de Koperen Engel, maar het is ook geen vrouwenstem; hij behoort Ann, Anna noch Annika toe, deze stem heeft geen lieve of smekende toon, deze is gewoon droog, zakelijk en misschien een tikje geïrriteerd. Misschien is het een doktersstem. Ja, dat zou best kunnen.

'Regel het', zegt hij. En iemand regelt het inderdaad. Iemand opent mijn mond en duwt zijn met plastic beklede handen naar binnen, laat een reusachtige vinger over mijn verhemelte glijden en dwingt me om opnieuw te kokhalzen. Vervolgens word ik wederom opgetild en omgedraaid, daarna mag ik langzaam terugzakken in een schoon kussen. Ze hebben het hoofdeinde van mijn bed omhooggeklapt. Misschien willen ze ondanks alles niet dat ik in mijn eigen braaksel stik.

Er zijn een heleboel mensen op de zaal. Ik open mijn oogleden een millimeter om te tellen. Minstens vijf personen. Ann, Anna en Annika in hun blauwe tunieken en met hun wippende paardenstaartjes, een arts van het mannelijk geslacht in een witte jas die zich van me wegdraait en een jongeman in groene ziekenhuiskleding die bij het hoofdeinde van het bed van mijn buurvrouw met zijn ogen staat te knipperen. Misschien een co-assistent. Een jongeman die op dit moment bitter spijt heeft van zijn beroepskeuze en wanhopig probeert te verzinnen hoe hij aan deze vrouwen met hun weerzinwekkende lichamen, deze walgelijke geuren en deze verschrikkelijke klanken en geluiden kan ontkomen. Braakgeluiden en gegorgel. De rochelende ademhaling van een stervende oude vrouw. Het gepiep van een apparaat dat vertelt dat ze niet heel lang meer te leven heeft.

En nu hoor ik ze. Nu hoor ook ik deze klanken en geluiden. *Piep-piep-PIEP-PIEP-PIEP-piep-piep.* Plus jouw gehoest en gerochel, jouw verdomd koppige strijd om lucht te krijgen. Je krijgt geen kalme dood, het gaat helemaal niet zoals jij je het had voorgesteld. Je bevindt je niet in je grote koele slaapkamer op Tynneberg, je bent niet gekleed in een wit nachthemd met nog witter borduurwerk rond de hals, er branden geen kaarsen op je nachtkastje, je oude handen liggen niet rustig op een linnen laken met kant, je zoon zit niet op de rand van je bed om je teder over je wang te aaien terwijl hij afscheid van je neemt met de stem van een oude filmster uit de jaren dertig, een stem die je wellustige kriebels langs je ruggengraat joeg. Integendeel. Je ligt te sterven in een krappe berging in een ziekenhuis in Arvika, een kamer met fel licht van de tl-buizen aan het plafond, je laken is naar beneden getrokken en ontbloot heel je armzalige oude lichaam, het kreukelige ziekenhuisjasje zit als een worst rond je middel gefrommeld, en je zoon is hier niet, die ligt een verdieping lager op de intensive care. De vraag is wie de oneindigheid het eerst betreedt. Hij of jij.

Je verdiende loon, kreng!

Maar dan wordt het opeens stil om me heen en ik zink weg in een grote rust. Ik zink steeds dieper. Dan besef ik dat ik echt val, dat er niets meer is, boven noch onder me, geen storm en geen regen, geen ziekenhuis en geen stad, geen bossen en geen zee, geen heelal met sterren en planeten, geen gekromde ruimtetijd, zelfs geen zwaartekracht, dan besef ik dat deze grote donkere leegte het enige is wat er is en dat ik daar zelf deel van uitmaak. Ik besta niet. Ik heb nooit bestaan. Ik heb nooit een moeder gehad en in Alby gewoond. Ik heb mijn tante Sally nooit zien lachen en geld zien tellen. Ik heb haar weg-restaurant nooit geërfd en met succes geëxploiteerd. Ik heb nooit een dochter gehad en ik heb haar nooit van mijn leven voorgelogen …

'O, nee! Zo gemakkelijk kom je er niet af!'

Dat is de Koperen Engel. Ik doe mijn ogen slechts een tiende van een millimeter open, maar toch zie ik hem. Zijn glinsterende vleugels fladderen langs en hoewel ik mijn ogen meteen weer dichtdoe en mijn mantra fluister – *Weg! Vort! Aan de kant ermee!* – besef ik dat hij zich deze keer niet zal laten wegjagen. Hij zal eeuwig naast me vallen, en hoewel ik mijn ogen nog steeds gesloten heb, kan ik hem zien. Hij valt in staande positie en heeft zijn armen over elkaar geslagen, zijn enorme koperen vleugels zijn volledig uitgevouwen, ook die vleugel waarvan hij beweerde dat die beschadigd was, zijn zilverwitte engelenkrullen bewegen zachtjes en iets dwingt me ertoe hem aan te kijken. Zijn ogen zijn net zo helderblauw en ijzig koud als het water van de Glafsfjord op een zonnige dag in oktober.

'Nu moet je eens even je hoofd erbij houden', zegt hij, en hoewel hij op een normale gesprekstoon spreekt, is het gekke dat zijn stem dreunt en echoot.

Ik slik en geef antwoord, al is het met een tamelijk trillerige stem: 'Je lijkt te zijn opgeknapt. Hoe gaat het met je tenen? Nog steeds zwart?'

'Dat zal jou toch een rotzorg zijn!'

'Met plezier.'

Heel in de verte begint in het donker een lichtje te flikkeren. Een ster. Of een lamp. De leegte is misschien niet helemaal zo leeg als ik dacht. Ik zegt het niet, maar toch hoort de Koperen Engel me.

'Precies', snauwt hij. 'Het is helemaal niet leeg. En jij moet niet denken dat je kunt ontsnappen.'

Er komen steeds meer sterren, er schiet een komeet voorbij die met zijn gloeiende staart over mijn borstkas zwiept. Ik haal diep adem, maar gil niet. Zolang de Koperen Engel naast me valt, ben ik niet van plan om ooit te gillen.

'O', zegt hij. 'En dat geloof jij?'

'Dat geloof ik niet. Dat weet ik.'

'Aha! De almachtige Minna heeft gesproken. Zij die over water kan lopen.'

'Dat heb ik nooit beweerd.'

'Maar dat verbeeld je je wel. De almachtige Minna die kan vliegen.'

'Hoezo niet? Jij was degene die me heeft geholpen. Jij vloog naast me.'

Hij begint te grijnzen en spreidt zijn armen, ziet er opeens uit als een echte boekenleggerengel. Maar hij klinkt als heel iets anders.

'O, universum! Ziet! Aanschouwt de almachtige Minna, zij die andere mensen op verre afstand kan zien, zij die hun gedachten kan lezen, hun dromen kan dromen, die kan verlangen naar datgene waar zij naar verlangen. Zie haar vallen door het heelal en zie hoe zij weigert te gillen wanneer kometen haar branden!'

Uit het niets duikt er weer een komeet op, die met zijn vuur over me zwiept. Ik kruip jammerend in foetushouding in elkaar, voel hoe de huid boven mijn hart eerst in een enorme blaar opvlamt en dan samentrekt, daarna zwart wordt en scheurt, op mijn borst opengaat, hoe het vuur mijn vlees streelt, hoe …

Ik gil.

'Kijk eens aan', zegt de Koperen Engel. 'Je gilt. Je hebt het nog geen tien seconden volgehouden. Misschien ben je toch niet almachtig.'

De pijn dooft langzaam uit en laat slechts een zwaar dreunen na. Ik knipper mijn tranen weg.

'Waarom?' fluister ik.

Zoals gewoonlijk begrijpt hij wat ik bedoel. Ik hoef het niet uit te leggen.

'Waarom ik je eerst probeerde te wurgen en daarna te branden? Tja. Wat denk je zelf?'

'Om mij te laten beseffen dat ik niet almachtig ben?'

'Inderdaad. Hoewel je dat eigenlijk wel weet. Het is iets waar je alleen maar naar grijpt om je te vermaken. Of niet?'

Hij pauzeert even.

'Het is een straf voor je wreedheid. En voor je minachting.'

Ik begin met mijn ogen te knipperen en knik zwijgend. Ik doe net of ik het accepteer. En dat lukt. Het gedreun in mijn borst gaat eerst over in een zacht geklop en daarna in iets anders … Een geneurie dat ik eerder heb gehoord.

Hum-hum-hum. Hum-hum-hum.

De Koperen Engel glimlacht.

'Hoor je dat?'

Ik sla mijn ogen op en schud mijn hoofd. Ik wil niet. Ik ontken. Ik weiger. De Koperen Engel glimlacht nog breder.

'Je denkt toch niet dat je mij voor de gek kunt houden?'

Hij ziet er volkomen gezond uit. Een glanzende marmeren huid. Blosjes op de wangen. Een glinsterende blik. En wapperend gekruld engelenhaar dat eruitziet alsof het zo zacht is als het haar van een kind. Aan zijn stem hoor je dat hij graag lacht, en die stem prikkelt.

'Probeer het niet! Je hoort ze best.'

'Nee!'

'De waarheid, Minna! De waarheid!'

De huid op mijn borst begint te schrijnen en ik krijg moeite met ademen, maar toch breng ik het op om omhoog te kijken en de dreiging te zien. Ditmaal komt de komeet recht van boven, het is een razende vuurbal die naar me toe valt, die zijn vlammen over minder dan een seconde langs me heen zal zwiepen, die me zal verslinden en verbranden …

'Ja!' gil ik. 'Ja! Ja! Ik herken hem.'

Op hetzelfde moment wordt de wereld weer een geheel. De leegte is niet langer een leegte, de zwaartekracht begint haar magische spel, de ruimtetijd kromt zich, het heelal raakt vol sterren en planeten, Charon wordt teruggeroepen naar zijn plek en komt het zonnestelsel weer binnen stuiteren, de blauwe planeet een stukje verderop wordt nog blauwer, het water glinstert in haar diepe zee, de bomen ontluiken in haar enorme bossen, onder mij begint een stadje op te lichten en aan de rand van die stad, vlak naast een villawijk, ligt een ziekenhuis en op de begane grond van dat ziekenhuis ligt mijn vader zich in een soort narcose te verbergen voor zijn pijn, en op de verdieping boven hem ligt mijn grootmoeder te vechten voor haar leven. De dokter aan haar bed stapt opeens achteruit en draait zich om. Hij toont zijn gezicht. Kijkt me aan met smalle oogjes.

'O', zegt hij. 'Dus je bent weer bij ons …'

Hij knoopt mijn ziekenhuisjasje open, legt twee ijskoude vingers op mijn borst, palpeert en voelt terwijl hij zijn blik in het niets laat wegglijden. Ondertussen begint hij te neuriën. *Hum-hum-hum. Hum-hum-hum.*

Hij is een donkere, magere man. En ik zweer dat hij onder zijn witte ziekenhuisbroek een grijze verwassen onderbroek draagt.

Ja. Ik geef het toe. Ik herken hem. Ik ken hem niet alleen van de mars die hij leidde in metrostation Hötorget, maar ook uit wat altijd de werkelijkheid genoemd wordt. De echt werkelijke werkelijkheid. Uit de tijd dat mijn dochter Sofia nog bij me was en toch niet bij me was.

We hadden een tamelijk ongebruikelijke reservering gekregen. Een herendiner voor vijf personen, zei de man die belde. Met elandenvlees – elandenfilet in feite – van elanden waarop ze zelf gejaagd hadden en dat twee dagen van tevoren bij het restaurant zou worden afgeleverd. Ze wilden een tafel reserveren, liefst met het bedienend personeel gekleed in het wit en zwart, en een wat extra stijlvol gedekte tafel, een wit tafellaken, gevouwen servetten en dergelijke. En de tafel moest het liefst ietsje afgezonderd staan. Als dat kon.

Ik knikte en maakte aantekeningen. Dat kon. Uiteraard. De tafel werd gereserveerd en gevouwen servetten zouden er komen. En al voordat ik de hoorn had neergelegd wist ik hoe ik die afzondering die de heren wensten zou regelen. Ik had in mijn woonkamer op de bovenverdieping twee grote potten met struikgrote hibiscusplanten staan en beneden in de eetzaal stonden er ook drie. Die zou ik op een rij neerzetten om de grens tussen het gewone deel van de eetzaal en het afgezonderde deel te markeren. Niet dat ik dacht dat dit nodig zou zijn; op donderdagavond was er meestal niet bepaald sprake van drukte. Bovendien gingen we altijd rond acht uur dicht, en deze heren zouden pas om zeven uur komen, hetgeen betekende dat ze amper aan hun hoofdgerecht toe waren wanneer de deur dicht zou gaan, zodat ze de eetzaal voor zichzelf hadden. Ik vroeg Staffan om zijn medewerking, zegde extra overwerkvergoeding toe zodat hij de elandenfilet met speciale zorg zou bereiden, en met Annette deed ik hetzelfde. Allebei gingen ze natuurlijk akkoord. Staffan reed na de lunchdrukte nog een keer naar de slijterij en kwam met een uitstekende rode wijn thuis. Annette kleedde zich in het zwart en wit, en begon tegen vijf uur de tafel al te dekken. Ze spreidde de stevig gemangelde linnen tafellakens uit en vouwde de servetten tot bisschopsmutsen. Ik sleepte met de potten met hibiscus, zette ze op een rij en ging daarna Sally's grote zilveren kandelaars poetsen die boven in een kast hadden gestaan en zwart waren geworden.

Toen ging de telefoon.

Het was natuurlijk Sonny. Een Sonny die behoorlijk aangeschoten was en die voor de tigste keer met zelfmoord dreigde. Hij had namelijk zo'n pijn in z'n rug. Het was allemaal zo'n ellende. Hij was zo ongelukkig. En – *hupsakee!* – Annette stond al buiten bij de bushalte te snotteren. Stel je voor dat ze niet op tijd thuis zou zijn! Stel je voor dat haar Sonny serieus werk zou maken van zijn plannen. Ach en wee!

En daar stond ik schaapachtig te kijken.

Nou ja, er zat niets anders op dan naar boven te rennen om een zwarte rok en Sally's oude serveerstersjasje tevoorschijn te halen, mijn voeten in een stel zwarte pumps te steken en een kam door mijn haar te halen. Op hetzelfde moment dat ik uit de slaapkamer kwam, kwam Sofia uit haar kamer. Ze wierp me een minachtende blik toe, maar zei niets, en inmiddels was ik zo gestrest dat ik me daar gewoon niet druk over maakte. Ik mompelde alleen wat en haastte me langs haar heen, de trap af naar de keuken en de eetzaal. Ik had net een gesteven servet over mijn arm gelegd toen de deur openging en de vijf heren binnenkwamen. Vijf luidruchtige heren. Vier van hen waren al een beetje aangeschoten, de vijfde glimlachte en was nuchter. Die moest waarschijnlijk rijden. Ik herkende hem. Hij was een man die door de inwoners van Arvika een beetje uitgelachen werd. Een transporteur die deftig wilde zijn, iemand die bereid was om wat dan ook te doen om ooit lid van de Rotary te worden. En misschien had hij zijn doel bijna bereikt, want twee van de andere mannen droegen een speldje van een tandwieltje op hun revers. Een klein, dik, zandkleurig type met een flinke bierbuik en een kale man met een ronde rug en turende donkere ogen. Die kende ik niet. Maar de magere, slakgrijze man herkende ik wel; de man met de lange vingers. Hij was tandarts, al was het niet de tandarts van Sofia en mij. En de donkere man, degene die klaarblijkelijk min of meer de leider van de groep was en die zich een paar jaar later in het ziekenhuis van Arvika over mijn bed zou buigen, was hier al diverse keren geweest om te dineren. Hij wreef zich in zijn handen terwijl hij naar voren stapte en ging met een vergenoegde blik over het afgescheiden gedeelte achter de hibiscusplanten.

'Kijk eens aan', zei hij. 'Echt mooi! Precies zoals we het wilden hebben.'

Ze gingen aan tafel zitten en ik rende naar de keuken om de schnaps en de borrelhapjes te halen.

Het ging echt goed. Er werden drankliedjes gezongen. De kaarsen in de kandelaars brandden met lange rustige vlammen. De elandenfilet smaakte uitstekend, kreeg ik te horen, de cantharellensaus was fantastisch en de rode wijn voortreffelijk. De vijf heren – onderhand tamelijk rumoerig – waren bijna klaar met de eerste ronde van het hoofdgerecht toen de buitendeur openging en een groep van acht personen binnenviel. Een hele club lachende en zeer praatgrage Noren, op weg terug naar hun thuisland. Ik keek op de klok. Kwart voor acht. Ik kon het niet echt maken om ze niet te bedienen.

Natuurlijk wilden ze met gehakt gevulde koolbladeren. Toen ik met de bestelling in de keuken kwam, vervloekte Staffan mij. Zag ik niet dat hij zijn handen vol had aan de Pavlova die de eerste groep als dessert zou krijgen? Ik moest dus zelf de kool en het gehakt tevoorschijn halen en bereiden. Ik legde het gerecht op de borden en met vier borden tegelijk rende ik naar de eetzaal, alleen maar om daarna met één bord terug te rennen omdat een van de Noren beweerde dat ik zijn bestelling verkeerd begrepen had. Hij wilde gehaktballetjes. Opnieuw naar de keuken om gehaktballetjes klaar te maken.

Toen iedereen had gekregen wat hij wilde hebben stond het zweet me op de bovenlip. Ik plofte op de kruk achter de kassa neer en deed net of ik daar een glas afdroogde, terwijl de herenclub nog maar weer eens een halfschunnig borrelliedje zong, ook al waren ze inmiddels allang overgestapt op de rode wijn. De Noren deden een dappere poging hen te overstemmen toen de klapdeur vanuit de keuken opeens openging en mijn dochter het restaurant betrad. Mijn dochter die verder altijd minachtend haar neus ophaalde voor mijn restaurant en die weigerde een voet in de eetzaal te zetten.

Hoe ze op dat moment was, staat me nog glashelder voor de geest. Ik zou willen zeggen dat ze zich verkleed had sinds ik haar een uur geleden had gezien, maar dat dekt de lading niet. Ze had zich niet alleen verkleed, ze had een totale metamorfose ondergaan. Ze stond nu bij de deur van de keuken, gekleed in een zwart hemdje en een heel strakke zwarte spijkerbroek. Haar blanke huid blonk in het halfduister. Haar haren hingen in lange donkere krullen over haar schouders. Ze had blote voeten. Om de een of andere reden was ik nog het meest ontdaan over die blote voeten. Mijn dochter stond daar en ontblootte haar blanke voeten! Ik wilde net tegen haar zeggen dat ze schoenen moest gaan aantrekken toen ze door haar ene heup zakte, met beide handen haar bos haren optilde en met half geloken ogen glimlachend rondkeek. Het werd helemaal stil in de eetzaal, dertien mannen zogen in één keer lucht naar binnen en ik stond zo snel op dat de kruk bijna omviel.

De Noren gilden het eerst.

'Dans eens wat!'

'Kun je dan niet dansen!'

'Dans dan!'

Snel glimlachte Sofia even naar me, wiegde met haar heupen en deed een stap naar voren. Stoelpoten schraapten over de vloer. Iemand lachte. De vijf Zweedse mannen kwamen overeind om het beter te kunnen zien, ze gingen achter de vijf hibiscusplanten staan, en een van hen, misschien uitgerekend de man die op dit moment zijn koude vingers op mijn borst zet, begon in zijn handen te klappen. De anderen namen het ritme meteen over. Iemand begon te neuriën. *Hum-hum-hum. Hum-hum-hum.* De Noren sloten hierbij aan en het gedempte geneurie werd een lied.

HUM-HUM-HUM!

HUM-HUM-HUM!

HUM-HUM-HUM! HUM-HUM-HUM!

HUM-HUM-HUM!

Sofia wierp me een koppige en triomfantelijke blik toe. Vervolgens stak ze haar armen in de lucht en begon te dansen.

Jij reutelt nu heel zwaar, je reutelt en gorgelt en piept en fluit, en onder die hele kakofonie ligt een gil op de loer. Maar het is weldra achter de rug, lieve grootmoeder. Nog maar enkele ademtochten. Dan ben je van mij en mijn verhaal verlost en kun je naar je God gaan, of waar je ook maar van plan bent naartoe te gaan.

Je zuigt lucht naar binnen en laat die weer ontsnappen.

Zuigt naar binnen en laat ontsnappen.

Zuigt naar binnen en laat ontsnappen.

Daarna stilte.

Het is volbracht. Jouw leven is voorbij.

Het wordt stil, zo stil dat ik mezelf ertoe dwing om mijn ogen ietsje te openen, gewoon om te zien of ze er echt nog zijn. Dat is zo. Ze staan als vastgenageld, levend en dood tegelijk, volledig tot stilte geslagen door het feit dat je ons hebt verlaten en ergens anders naartoe bent gegaan. De Koperen Engel drukt zich tegen de muur en omhelst Sally, mijn moeder staat er vlak naast op haar knokkels te bijten, Ann, Anna en Annika staan dicht naast elkaar en zoeken letterlijk steun bij elkaar, Ann pakt Anna's hand en Anna tast met haar andere hand naar die van Annika, maar ze kijken elkaar niet aan, ze kijken alleen maar naar jou, met iets wat alleen beschreven kan worden als een mengeling van tederheid en vrees. De jonge co-assistent leunt niet meer tegen de muur; hij staat recht en ernstig aan het voeteneinde en kijkt ook met een soort eerbied naar jouw gezicht. En naast het bed staat een donkere, magere man met zijn rug naar mij toe, een man die ook een ogenblik volkomen roerloos blijft staan, maar daarna met een snelle beweging zijn kunststofhandschoenen uittrekt en zegt: 'Tja. Dat was dan Ebba van Tynne.'

Dan loopt hij naar de deur, opent die en verdwijnt. De co-assistent rent achter hem aan en daar weer achteraan rennen

Ann, Anna en Annika. Ik hoor ze nadien op de gang; hun stemmen zijn helder, jong en vrolijk.

Dan ben ik eindelijk alleen. Helemaal alleen. Jouw lichaam ligt weliswaar nog in het bed naast het mijne, maar nu is het niet meer dan een voorwerp, een ding zonder gedachten of geheugen. Een mens zou bijna zin krijgen om je te feliciteren. Maar misschien ben je niet echt weg, misschien zweef je bij het plafond rond in een soort uitgerekte postmortemgedaante. Ik open een oog en gluur omhoog, maar ik zie natuurlijk niets. Jij bent daar niet. En de Koperen Engel is daar ook niet. Zelfs mijn moeders oude spookgestalte is daar niet, en Sally's glimlachende schim al helemaal niet. Iedereen is weg. Iedereen is ergens anders naartoe vertrokken.

Dat geeft niet. Dat is alleen maar fijn. Dan kan ik eindelijk slapen. Niet wegzinken in de schimmige verschrikkingen van de bewusteloosheid, maar werkelijk slapen als een echt, levend persoon …

Dat zal lekker zijn. Echt lekker. Ik verlang er al een hele tijd naar om te kunnen slapen.

Annette

Zo. De vloer is schoon. Sonny slaapt eindelijk en ademt rustig. Ik trek het dekbed over zijn schouders en zet het raam op een kier, een heel klein beetje, maar genoeg om de stank te laten verdwijnen. Wanneer hij wakker wordt, voelt hij zich altijd veel beter als het raam op een kier heeft gestaan. En het donsdek moet dik genoeg zijn om hem warm te houden. Hoewel, misschien ook niet …

Ik blijf even staan om na te denken, maar laat dan de vuile was die ik verzameld had op de vloer vallen en pak mijn eigen donsdek om dat boven op dat van hem te leggen. Nu zal hij het niet koud hebben. En ik red me wel met mijn oude synthetische dekbed wanneer ik naar bed ga. Het belangrijkste is dat Sonny niet verkouden wordt. Het is niet goed om vlak nadat je buikgriep hebt gehad verkouden te worden.

Hij is zo lief zoals hij daar ligt. Lange zwarte wimpers. Zweterige krullen die op zijn voorhoofd zijn gaan klitten. Volle lippen. Hij ziet er vrijwel net zo uit als op die dag dat hij bij ons op school kwam. Ik zat toen in het een na laatste jaar en hij begon in de eindexamenklas … En daar kwam hij aanlopen door de gang, in zijn versleten spijkerbroek en met een spijkerjasje met de beeltenis van Iron Maiden op de rug. Hij was zo schattig! Ik zal het nooit vergeten; ik stond gewoon voor het lokaal met iemand te kletsen en toen kwam hij eraan, de jongen van mijn leven! Ik wist het meteen. Meteen toen ik hem zag. Hij en ik zouden ons hele leven bij elkaar blijven. Daarom was ik ook totaal niet verlegen, zoals anders altijd;

ik stapte gewoon glimlachend op hem af. Hij keek een beetje verbaasd, maar dat duurde niet lang. Toen begreep hij ook dat we bij elkaar hoorden.

'Uh', zei hij. 'Weet jij ook waar lokaal c9 is?'

'Natuurlijk', zei ik. 'Kom!'

Ik kwam daarna te laat in mijn eigen les en kreeg een standje van de leraar, maar dat kon me niks schelen. Het was De Ventilator, die we voor Engels hadden, en die mocht me toch al nooit. Hij gaf me voor de proefwerken altijd een onvoldoende. Wat maakte het uit. Ik wist toen al dat ik nooit Engels nodig zou hebben, want ik bleef toch mijn hele leven in Arvika wonen en hier heb je dat niet nodig. Als je in deze stad toevallig al een keer in het Engels wordt aangesproken is er altijd wel zo'n grijnzend beste-van-de-klasfiguur dat het overneemt. Dus ik red me toch wel. Sonny was destijds belangrijker en Sonny is nog steeds het belangrijkst.

Op mijn tenen loop ik met de was de slaapkamer uit en ik doe de deur heel zachtjes achter me dicht. Godzijdank piept hij niet meer, want ik heb de scharnieren gisteren nog geolied. Voor die tijd gebeurde het regelmatig dat Sonny wakker werd als ik naar buiten sloop en dat kan natuurlijk niet.

Ik blijf in de hal staan nadenken. Zal ik het waslokaal beneden in de kelder nemen of de wasmachine in de badkamer? De badkamer. Ik wil Sonny niet in onze flat alleen laten. Het is niet goed voor hem om alleen te zijn. En als ik de deur goed sluit, zou hij niet wakker moeten worden van het geluid van de wasmachine.

Wanneer de machine draait, loop ik naar de keuken om de afwas te doen. De gebaksdoos staat nog op het aanrecht. Die ben ik vergeten! Ik vouw hem meteen op en stop hem bij het vuilnis. De koffiekopjes heb ik vast ook nog niet uit de woonkamer kunnen ophalen toen die Ritva ertussenuit kneep. Nou ja. Mij maakte het niet uit dat ze ervandoor ging alsof ze door de duivel op de hielen werd gezeten, maar ik houd er niet van als er binnen twee vuile kopjes op tafel staan. Dat ziet er zo slordig uit. Ik ga dus snel naar de woonkamer om ze op een dienblad mee te nemen. Hé, dat mens heeft haar eigen gebakje niet eens aangeraakt. Typisch! Ze zal wel te deftig zijn om gebak te eten, al snap ik niet hoe dat onbeschaafd kan zijn. Maar wat maakt het uit; gebak is goed genoeg voor mensen zoals ik. Ook al zijn mensen zoals ik niet deftig genoeg om met hun foto in de krant te komen. Natuurlijk niet. Mensen zoals ik moeten dankbaar zijn dat we überhaupt mogen bestaan. Dat we niet ter plekke worden neergeslagen en kapotgetrapt.

Ja, ik was teleurgesteld dat ze geen fotograaf bij zich had toen ze kwam. Daar had ik echt naar uitgekeken. Ik zag de voorpagina van de krant eigenlijk al voor me: een grote foto van mij in mijn nieuwe roze tuniek, en een artikel waarin ik had kunnen vertellen hoe verschrikkelijk het was om bijna de hele nacht op het werk te hebben moeten blijven alleen maar omdat er overstromingen waren. Terwijl mijn man zwaar ziek was en helemaal alleen thuis lag, al was ik niet direct van plan te vermelden dat hij het kleed in de woonkamer had onder gebraakt. Maar ik was echt van plan te benadrukken dat het blijkbaar belangrijker werd gevonden dat een stomme opgeblazen kikker met de eerste rit van het rupsvoertuig mee mocht omdat hij zo'n ongelooflijk enorm ontzettend belangrijke bespreking in Stockholm had. Tering, zeg ik! Tering!

Ik laat water in de gootsteen lopen en probeer rustig te ademen, maar dat is helemaal niet gemakkelijk. Ik word zo boos wanneer ik eraan denk! Helemaal woest werkelijk! Wanneer ben ik aan de beurt? Ik vraag het maar gewoon. Zal het ooit mijn beurt worden? Zal er ooit één iemand zijn die een keer voor mij de verantwoordelijkheid neemt? Of word ik mijn hele verrekte leven ondergeschoffeld?

Minna mocht natuurlijk wel de eerste keer mee. Dat sprak vanzelf. Zij was immers gewond. Bewusteloos en heel heel heel erg gewond. Maar er is in Arvika natuurlijk geen mens die het iets kan schelen dat mijn man net zo bewusteloos was toen ik eenmaal thuis had weten te komen. Dat het me bijna een half uur kostte om genoeg leven in hem te krijgen om hem onder de douche af te kunnen spoelen, een boterham bij hem naar binnen te krijgen – of althans een halve boterham – en hem in bed te krijgen. Nee, dat is natuurlijk heel wat anders. Want Sonny is een dronkenlap, zeggen ze, en behalve ik zal er wel geen mens zijn die zich druk maakt over wat er met een dronkenlap gebeurt. Natuurlijk niet. Met Minna is het natuurlijk heel wat anders. Want met haar moet je medelijden hebben. Echt verschrikkelijk veel medelijden.

Niemand gelooft mij wanneer ik de waarheid zeg. Dat ze gek geworden is. Geschift. Totaal van lotje getikt. Niemand snapt dat ze alleen maar net loopt te doen of ze normaal is. Iedereen trapt in haar leugens, want zij betaalt natuurlijk belasting, grijnst naar de mensen in het restaurant en klinkt als een stomme Stockholmse troela uit de betere kringen wanneer ze praat. Maar ik weet het wel! Ik werk zo nauw met haar samen dat het mij niet kan ontgaan dat ze liegt, zowel tegen zichzelf als tegen anderen. Toen ik haar gisteren hoorde beweren dat haar dochter boven zat, dacht ik dat ik tegen de vlakte zou gaan. Nou! Hoe kan ze zich in vredesnaam inbeelden dat …

Ooo! Het oortje is kapotgegaan! Ik heb het oortje van mijn mooie koffiekopje gebroken!

Wat Minna ook zegt, ik ben niet iemand die onnodig huilt. Maar nu huil ik wel. Nu zit ik aan mijn eigen keukentafel te huilen omdat een van mijn mooie koffiekopjes kapot is gegaan. Waarom is het leven zo verrekte onrechtvaardig? En waarom is er nou nooit iemand die zich bekommert om hoe het met mij gaat?

Soms wou ik dat alles anders was. Dat ik iemand anders was. Dat niets van dit hier waar was. Niets. Dat het een leugen was dat mijn haar naar frites stinkt. Dat het een leugen was dat mijn borsten hangen als ik mijn beha uittrek. Dat het een leugen was dat ik met versleten gympies in de regen loop omdat ik dit najaar geen geld had om fatsoenlijke laarzen te kopen. Dat het een leugen was dat mijn eigen kind liever bij haar oma woont dan bij mij. Dat het een leugen was dat Minna haar neus voor me ophaalt. Dat het een leugen was dat Sonny drinkt …

Want dat doet hij. Helaas. En hij móét drinken, want als hij niet drinkt krijgt hij epileptische aanvallen. Dat weten we toch; hij en ik weten dat allebei. Maar dat zou niet waar moeten zijn. Het zouden leugens moeten zijn. Allemaal.

Dit is de waarheid. Dit zou de waarheid moeten zijn. Ik ben een vrouw die op het strand ligt. Het schemert. Het water is lauw. De golven spoelen over me heen. Mijn hoofd heeft een kuiltje in het zand gemaakt. Ik strek mijn armen uit als een gekruisigde. In mijn linkerhandpalm rust een kind. Ze slaapt. In mijn rechterhandpalm rust een man. Hij slaapt ook.

Ik vind het fijn als ze slapen. Zolang ze hun ogen dichthouden, bepaal ik wie ze zijn. Misschien is het kind Madeleine. Misschien heet de man Sonny. Misschien huilt hij in zijn slaap en droomt hij dat hij zelf een kind is.

Misschien. Misschien niet.

Ach. Ik kan maar beter secondelijm gaan pakken.

Zo. Een krant op de keukentafel. Het kopje goed afgewassen en gedroogd. Het oortje ook. Een tandenstoker bij de hand. Gewoon een beetje lijm op het kopje doen en een beetje op het oortje, tegen elkaar duwen en tot twintig tellen. Dan een keer met de tandenstoker eromheen draaien om de overtollige lijm die eruit is geperst op te nemen en het kopje is weer heel. Maar ik zal altijd weten dat het ooit stuk is geweest. Ik moet het in het vervolg voor mezelf blijven gebruiken. Totdat ik het me kan permitteren om een nieuw te kopen. Als ik het me tenminste ooit kán permitteren om een nieuw te kopen. Maar wie kan dat wat schelen? Niemand. Absoluut helemaal niemand.

Soms heb ik het idee dat ik onzichtbaar ben. Dat de mensen me gewoon niet kunnen zien. Of kunnen horen wat ik zeg. Daarom houd ik me op de achtergrond en doe ik alleen wat er van me verwacht wordt. Eten koken. Opdienen. Afrekenen. De schone vaat opruimen. Maar de mensen vergeten vaak dat wie niet gezien wordt zelf wel kan zien, dat naar wie niemand luistert zelf wel kan horen, en – niet in de laatste plaats – dat aan wie niemand ooit denkt zelf wel kan denken. Dus ook al is geen mens geïnteresseerd in wat ik heb gezien of gehoord of gedacht, denken doe ik in elk geval. Maar ik vertel niet wat ik denk. Aan niemand. Ook al zijn het behoorlijk slimme dingen. Getuigend van inzicht, zoals Minna zou hebben gezegd in de tijd dat er nog met haar te praten viel.

Inderdaad. Er was een tijd dat er met Minna te praten viel, een tijd waarin ze behoorlijk ondernemend was maar toch tamelijk tof. Vóór die situatie met haar dochter. Tegenwoordig is ze een kreng aan het worden, geen spat anders dan haar oude grootmoeder. Mijn tante was vroeger ooit dienstmeisje op landgoed Tynneberg en die heeft het een en ander onthuld …

Het was een speling van het lot dat ik bij Minna terechtkwam. 'Kijk maar uit', zei mijn tante toen ik die baan kreeg. 'Ze is het kleinkind van Ebba van Tynne. Neem die baan niet aan!' Maar wat moest ik? Ik kreeg immers geen uitkering en ik had ook geen toffe opleiding, dus er zat niets anders op.

Sonny en ik hadden toch een vast inkomen nodig en hij kon geen baan aannemen omdat hij in die tijd zo'n last van zijn rug had. En daarna heeft hij immers epilepsie gekregen en al die maagklachten, dus daarom ben ik bij het kleinkind van Ebba van Tynne gebleven. Niet dat we het daar ooit over hebben gehad. Minna weet niet dat ik weet wie haar grootmoeder van vaderskant is. Ze denkt dat het een geheim is en ze heeft geen idee dat het in dat geval een geheim is dat door heel de gemeente Arvika wordt gedeeld. Haar verdiende loon.

Hoewel … Natuurlijk moet je ook medelijden met haar hebben. Ik kreeg echt een shock toen ik haar daar in dat kantoortje zag liggen, ik gilde het gewoon uit, daar kon ik gewoon niets aan doen. Het leek wel of er een hele boom door het raam naar binnen was gewaaid, zo boven op haar, maar het was in feite maar een tak, ook al was het dan een buitengewoon dikke. Die snob, Henrik of hoe hij ook heette, kwam niet verder dan de drempel of hij begon al te tieren dat het ontzettend onverantwoordelijk was om zo'n grote boom vlak naast je huis te hebben. Vooral omdat de boom verrot was. Dat zal mijn schuld dan wel geweest zijn, neem ik aan. Vast. Want hij brulde immers tegen mij dat ik moest meehelpen om die tak weg te krijgen, en dat heb ik gedaan, hoewel de dokter heeft gezegd dat ik helemaal geen zware dingen mag tillen. Maar wat moest ik doen? Die Marguerite was in een hoekje gekropen en gilde alleen maar, en die Ritva lag op haar knieën om Minna mond-op-mondbeademing te geven. Dus ik ging tillen. En daar zal ik de rekening vast nog wel voor gepresenteerd krijgen. Neem dat maar van mij aan. Mijn rug kan niet alles verdragen.

En daarna moest er weer eten geregeld worden. Nog een maaltijd voor Tyrone. Maar hachee was niet goed genoeg; nou moest het zalm zijn. Niet dat hij dat zelf bestelde, maar die snob Henrik verordonneerde dat. Tyrone moest blijkbaar iets hebben wat licht verteerbaar was. Licht verteerbaar? Alsof Tyrone niet opgewassen zou zijn tegen een beetje gewone hachee, ongeacht wat hem was overkomen.

Hoewel, hij zag er behoorlijk bleek uit toen hij terugkwam. Hij had een grauwe smoel. Ik vraag me af of hij niet het een en ander te vertellen zou hebben … Dan moet die man natuurlijk wel een keer op het idee komen om ergens iets over te vertellen. Niet zo waarschijnlijk. Dat hebben ze onderling verdeeld, Maggie en hij. Zij neemt het praten voor haar rekening en hij het zwijgen. Want Maggie kan praten. Neem dat maar van mij aan. Bijna van hetzelfde niveau als mijn moeder. Mijn eigen lieve moedertje. Die in bed lag te snurken naast mijn eigen lieve vadertje toen dit allemaal gebeurde.

Toen ik vannacht belde, duurde het minstens tien minuten voordat ze wakker werd. Tien minuten. Ik moest het nummer vier keer intoetsen voordat die dame besloot uit bed te komen. En toen ik vertelde dat ik was gered, maar dat Sonny eigenlijk ontzettend ziek was en dat Madeleine daarom nog wat moest blijven, toen zuchtte ze alleen maar, zo demonstratief als zij alleen kan zuchten, en ze zei dat ze daar al rekening mee had gehouden. Bovendien zei ze dat Madeleine vandaag niet naar school zou gaan, omdat ze een beetje snotterig was en daarom wilde dat mens haar niet in dat noodweer naar buiten laten gaan. Ha! Dat was iets nieuws, dacht ik, maar dat zei ik natuurlijk niet, want ik weet immers wat goed is voor mijn gemoedsrust, zoals ze zelf altijd zegt. Toen ik nog naar school ging, was er nooit sprake van thuisblijven omdat je een beetje snotterig was. Je moest gewoon je bed uit komen en vertrekken. Hoe hard het ook regende en stormde. En nu was het in principe hetzelfde. Want vroeg ze hoe het met mij ging? Nee. Totaal geen belangstelling voor Sonny en mij. Ik had beide armen en benen kunnen breken, maar het had haar geen moer geïnteresseerd. En als het met Sonny echt slecht was gegaan had het mens nog een feest gegeven ook.

Madeleine zelf grijpt natuurlijk de kans om door oma ver-
troeteld te worden. Dat heeft ze altijd gedaan, vanaf de dag
dat ze werd geboren. En wanneer ze eens een keer zin heeft
om thuis te komen, dan moet het allemaal precies zijn zoals
bij opa en oma. *Echt* ontbijt, zoals ze zegt, alsof een boterham
niet goed genoeg is. Elke dag precies om vijf uur warm eten.
En daarna kinderprogramma's op tv. Hoe Sonny er ook aan
toe is, of dat wij misschien iets zouden willen zien op tv. Dat
kan haar toch niks schelen. Het enige waar ze zich om bekommert, is zichzelf ...

Ik heb geen kind. Ik heb alleen mijn moeders kleindochter
maar gebaard.

Ach. Daar zou ik niet aan moeten denken. Ik word er alleen
maar verdrietig van. Ik kan beter opstaan om de rommel op
te ruimen. Ik zet het gerepareerde kopje in het afdruiprek, leg
de lijm terug in zijn bakje en breng dat naar de bezemkast in
de hal. Daarna overpeins ik even of ik zou moeten stofzuigen.
Het antwoord spreekt vanzelf. Natuurlijk moet ik stofzuigen,
ook al heb ik nog gestofzuigd voordat Ritva kwam.

In mijn hele leven heb ik nog nooit, geen enkele keer, aan
stofzuigen gedacht zonder het ook meteen te gaan doen. Maar
hoewel het hier thuis heel schoon is, is het op de een of andere
manier altijd vies. Met mezelf is dat net zo. Al let ik er goed
op om schoon te zijn, mijn haren netjes te kammen en mijn
kleren te strijken, toch ben ik op de een of andere manier altijd vuil, gekreukeld en verfomfaaid. Ik snap niet hoe dat kan.

Het is gek dat Minna er altijd zo schoon en netjes gestreken
uitziet, als je nagaat hoe het er in haar woning tegenwoordig
uitziet. Gadverdamme, wat is het daar ontzettend smerig ...
Bah. Ik was helemaal geschokt toen ik op de dag na de begrafenis naar boven ging. Ik zocht Minna, omdat er iets was met

de kassa en zodra er met dat apparaat iets is, moet je altijd meteen naar Minna gaan, want ze verbeeldt zich ten eerste dat zij de enige is die dat in orde kan maken en ten tweede dat Staffan en ik er een greep in zouden doen zodra we de kans krijgen. Hoewel ik natuurlijk wel aarzelde, dat spreekt vanzelf; ze was sinds het gebeurde nou niet bepaald meer zichzelf geweest. Om zo te zeggen. Vóór de begrafenis kwam ze maar één keer per dag beneden in de keuken, en dan leek het of ze niet goed hoorde wat je zei. Ze staarde gewoon recht door je heen alsof je doorschijnend was. Het enige wat ze deed, was de deur van de vriescel voor vlees openen om daar dan een tijdje naar binnen te staan koekeloeren en vervolgens die deur met een harde klap dicht te gooien en weer naar boven te lopen. Maar nu was de kassa dus stukgegaan, en daarom liep ik de trap op en klopte ik aan bij de deur naar de overloop. Er kwam geen reactie. Ik wachtte een flinke poos af en klopte toen opnieuw aan, maar een reactie bleef nog steeds uit. Daarom deed ik de deur toen maar open ...

Het was eigenlijk net een horrorfilm. Alsof je een echt enge horrorfilm binnenliep. De gang lag in het halfduister, maar het was niet zo donker dat ik niet kon zien dat er een hoop rotzooi op de grond lag. Kleren. Oude tijdschriften. Verscheurde paperassen. Zelfs een afgekloven klokhuis van een appel. Misschien had ik haar moeten roepen, maar dat deed ik niet, want ik was totaal verstomd en trilde over mijn hele lichaam. Daarom zette ik niet meer dan een paar stappen en gluurde ik toen in de keuken naar binnen.

Het was het ergste wat ik ooit gezien heb. Heel verschrikkelijk. Overal vuile vaat, vuile vaat en nog eens vuile vaat. Etensresten die nog op tafel lagen. Beschimmelde kaas. Een pak melk dat was omgevallen en waar de melk uit was gelopen, niet alleen over het tafelblad maar ook op de grond. En dat moest al een poosje geleden gebeurd zijn, want de melk was ingedroogd. En een van de gordijnen hing los van de rail …

Jezus christus, dacht ik alleen. Jezus christus! Dat mens heeft mij jarenlang op mijn huid gezeten dat ik dit op moest vegen en dat op moest vegen, en dan ziet het er in haar eigen keuken zo uit. En ja, natuurlijk wist ik dat ze in shock verkeerde en verdriet had en zo, maar eigenlijk vond ik dat dat niet uitmaakte. Zolang je zelf leeft, moet je het om je heen schoonhouden. Wat er verder ook gebeurt. Dat spreekt toch vanzelf; je mag het vuil nooit de overhand laten nemen. Maar dat geldt natuurlijk niet voor Minna. Absoluut niet. Zij heeft immers haar hele leven alles gratis gekregen en dacht natuurlijk dat dat voor altijd zou gelden. Uiteraard. Als je in Stockholm geboren bent en dan terugverhuist naar het lullige kleine Arvika en een heel restaurant en een hoop poen erft van je tante, dan verbeeld je je natuurlijk dat het zo zal blijven. Dat je leven gewoon zo doordraait. Iedereen moet applaudisseren, wat je ook doet. Het geld stroomt gewoon binnen. En als je een kind hebt, dan zal dat kind natuurlijk de beste cijfers van de school opstrijken, in de mooiste kleren rondtrippelen en nooit van haar leven worden uitgelachen omdat ze met de ene vent na de andere het bed in duikt. Absoluut niet. En ze zal vooral geen touw in haar eigen kamer ophangen om …

'Wat doe jij hier?'

Opeens stond Minna in de deuropening. Het gekke was dat ze precies zo klonk als anders hoewel alles compleet veranderd was. Toch stond ze in precies dezelfde houding die ze altijd aanneemt wanneer ze beneden in het restaurant De Grote Baas uithangt. Kaarsrecht en met haar armen over elkaar. Als een echte boss. Maar haar gezicht! Dat zag er echt niet uit zoals anders. Ze was net een spook. Een volkomen grauwe huid. Grote zwarte kringen onder haar ogen. Nieuwe rimpels rond haar mond. En haar wangen waren helemaal ingevallen en slap als lege ballonnen. Ik had medelijden met haar gehad als ze niet opeens harder was gaan schreeuwen, waardoor ze klonk als een echte huishoudhitler. Schel en blafferig.

'Hoor je niet wat ik zeg? Wat doe je hier?'

Er zat niets anders op dan in die gore keuken een stap achteruit zetten, zo erg ging ze tekeer. En ergens voelde ik dat ik iets vriendelijks en meelevends zou moeten zeggen en mijn hoofd schuin zou moeten houden, maar het leek wel of dat niet ging, ik raakte als het ware helemaal verstomd door haar zure toon, dus wist ik alleen maar hakkelend te antwoorden: 'Ik wilde alleen … De kassa …'

'Wat is er met de kassa?'

'Die is kapot … Het lukt niet om …'

Ze deed een stap in mijn richting en dwong me nog verder de keuken in.

'En dus vond jij het een uitstekende gelegenheid om boven te komen snuffelen. Nou?'

'Het was niet mijn bedoeling …'

Ze zette nog een stap in mijn richting. Opeens gingen er drie gedachten tegelijkertijd door mijn hoofd en dat verbaasde me. Ik had nog nooit drie dingen tegelijk gedacht, maar nu dus wel. Ten eerste dat ze een nachtpon droeg. Het was overdag en al na enen, maar ze hing nog steeds rond in niet meer dan een nachtpon. Ten tweede dat het leek of ze zich niet had gekamd of gewassen. Haar haren zaten in de war en ze stond nu zo dicht bij me dat ik haar geur kon ruiken. Niet bepaald een lekker luchtje. Ten derde dat ze gek moest zijn geworden. Ik keek haar in de ogen, maar ze was er niet. Op een andere manier valt het niet uit te leggen. Ze was er gewoon niet.

'Ik wilde alleen …' zei ik.

In plaats van me te laten uitpraten gaf ze me een duw. Ik vloog recht tegen het aanrecht aan en dat deed echt pijn, het voelde alsof ik een elektrische schok had gekregen. Er straalde pijn uit door mijn hele rug, maar ik durfde niets te zeggen, nog niet eens heel zachtjes 'au', want op dat moment was ik echt bang. Ik wierp een blik in de richting van de deuropening. Hoe moest ik daar komen?

'Verdwijn', zei Minna met gebalde vuisten. 'Eruit! Wegwezen hier, stom roddelwijf!'

Ik boog mijn rug, kneep mijn ogen dicht en bereidde me erop voor dat ze me een klap zou geven, maar dat deed ze niet, ze bleef alleen gillen en schreeuwen.

'Hoor je me niet? Verdwijn! Denk je dat ik niet weet wat voor rottigheid je door de jaren heen allemaal over Sofia en mij hebt rondgebazuind en denk je dat ik niet weet hoe verdomde arrogant jij bent achter dat arme-ik-masker van je waar je hele dagen mee rondloopt ... Maar wie heeft ervoor gezorgd dat je zit waar je nu zit? Nou? Wie is er gestopt met school omdat het niet leuk genoeg was? Wie heeft jou gevraagd om met de meest luie zuipschuit van heel Värmland te trouwen? Wie heeft je gedwongen om je eigen dochter in de steek te laten alleen maar omdat jij het niet kon laten, absoluut niet kon laten om jaar in, jaar uit die stomme alcoholist in de watten te leggen?'

Haar speeksel vloog in het rond en ik moest mijn hand opsteken om het niet in mijn gezicht te krijgen. Midden in die beweging deed ik mijn ogen open om haar aan te kijken. Ze huilde bijna. Je zag haarzelf nu weer in haar ogen, en die ogen stonden vol tranen. Toen ze ermee knipperde, viel er een traan op haar vuilgrijze wang. Om de een of andere reden verdween daardoor al mijn angst. Waarom zou ik bang voor haar zijn? Een gillende schreeuwlelijk. Een idioot. Een gek die er geen bal van snapte.

'Ach, hou je bek', zei ik terwijl ik mijn rug rechtte. Ze stopte en keek verward. Vervolgens haalde ze diep adem en begon opnieuw te brullen: 'Jij! Jij bent zo verrekte jaloers! En het komt door pure jaloezie dat je onzin loopt te verkondigen over Sofia. Want jij wilt alles hebben wat zij heeft! Mooie cijfers, mooie kleren en een fantastische, geweldige toekomst!'

Het mens was knettergek. Daar was geen twijfel over mogelijk. Sofa had immers geen mooie cijfers of kleren meer, en een toekomst al helemaal niet. Dat zou haar moeder toch moeten weten, een dag na de begrafenis. Ik weet heel goed dat je gekken niet moet tegenspreken, je moet met ze meehuilen en het met ze eens zijn, zodat ze niet nog gekker worden, maar op dat moment kon het me geen moer schelen. Geen ene moer. Want ik was niet arrogant of jaloers, ik heb mijn kind niet in de steek gelaten en ik leg Sonny verdomme niet in de watten alleen maar omdat de mensen dan medelijden met me gaan krijgen. Ik doe dat omdat ik verschrikkelijk veel van hem houd! En opeens besefte ik hoe verschrikkelijk woest ik op Minna was en hoe razend ik al eeuwen op haar was! Daar stond ze, lelijk en stinkend, in de smerigste keuken van de wereld, gekleed in niet meer dan een vuil nachthemd, en ze had het lef om mij aan te vallen? Dus hief ik mijn handen, precies zoals zij het even daarvoor had gedaan, en ik gaf haar een duw, ik gaf haar een flinke zet zodat ze achterover tegen de muur vloog, en daarna ging ik achter haar aan om haar nog een duw te geven.

'Jouw dochter is dood', zei ik. 'Echt dood. Die heeft geen toekomst meer. Snap dat dan!'

Met een wilde blik staarde ze me aan en ik kon echt zien hoe die woorden tot haar doordrongen, hoe die zich in haar hoofd boorden als de kogel uit een pistool en daarbinnen explodeerden, hoe ze opeens besefte dat ik, die stomme lullige Annette, die de eenvoudigste baan van de wereld had en het eenvoudigste leven van de wereld leefde, de waarheid had gesproken, dat ik me in de echte werkelijkheid bevond en dat zij zelf een gek was die in een fantasiewereld rondfladderde.

Ze sloeg haar handen voor haar gezicht en liet zich op de

grond zakken. Ze ging midden in de ingedroogde melk liggen en begon te janken. Ik liet haar daar liggen. Ik stapte gewoon over haar heen en ging weg. Toen ik weer beneden in het restaurant kwam, had Staffan de kassa gerepareerd.

* * *

Drie dagen later verscheen Minna in het restaurant en ze gedroeg zich alsof er niets gebeurd was. Ze groette gewoon als altijd – *Hoi, hoi!* – en liep meteen naar de kassa om daar het geld van drie dagen uit te halen. Daarna ging ze naar het kantoor. De deur deed ze natuurlijk achter zich dicht. Dat doet ze altijd wanneer ze geld telt of de kluis opent, maar nu bleef ze ongebruikelijk lang achter die gesloten deur zitten.

Het was ochtend en het was laat in de herfst. Bijna winter. Staffan had zijn vrije dag en Minna zat achter een gesloten deur, dus daarom was ik verantwoordelijk voor zowel de kassa als het koken, de vaat en de schoonmaak, en ook al was het meer dan een mens in zijn eentje eigenlijk aankan, het was misschien wel een geluk. Ik wilde graag mijn handen vol hebben, want ik wilde Minna niet laten merken hoe zenuwachtig ik in feite was. Integendeel. Ik wilde laten zien hoe nuttig ik was, en bereid tot samenwerken en hoe enorm goed het was dat dit restaurant over mij kon beschikken.

Feit was dat het me speet. Ik had Minna boven in haar keuken geen duw moeten geven. Ik had niet moeten zeggen wat ik zei. Toen ik bepaalde delen van het verhaal aan mijn moeder vertelde, sloeg die haar ogen ten hemel en ze zei dat als ik ontslagen werd, ik het echt aan mezelf te danken had. Daarna vertelde ze het allemaal aan mijn vader en die was het natuurlijk met haar eens. Wie dacht ik wel niet dat ik was? De koningin van Sheba? Snapte ik niet dat een mens af en toe een beetje respect moest tonen? Vooral ten opzichte van iemand

357

die net een kind had verloren. En hij was echt niet van plan mij een öre te betalen, echt nog geen öre, als ik inderdaad werd ontslagen. Dan moest ik maar mooi bij de sociale dienst aankloppen. Dan kon ik eens zien hoe leuk dat was! Maar misschien dat Sonny mij dat alvast kon vertellen, want die liep daar nu al jaren en die zou het wel gewend zijn om te worden vernederd ...

Dat zijn nou mijn ouders. De chagrijnen. Zeurkousen.

Ze zijn het nog nooit met me eens geweest. Ze hebben me nog nooit verdedigd. Soms vraag ik me af of ik hun dochter eigenlijk wel ben.

Ik trek de stofzuiger de keuken in en leg de slang op de grond om de stoelen op de tafel te kunnen zetten. Jawel, ik weet dat hier niemand heeft zitten eten sinds ik hier de vorige keer heb gestofzuigd, maar ik til ze toch op, want ik wil het schoon hebben onder de tafel, echt schoon. Ik ben zo grondig aan het stofzuigen dat ik eerst niet hoor dat de telefoon gaat, maar dan ren ik snel de hal in om op te nemen. Misschien is het een ongelooflijk spannend iemand die belt, iemand die ... Maar dat is natuurlijk niet zo. Het is mijn moeder.

'O', zegt ze. 'Dus je bent er wel.'

Natuurlijk ben ik er wel, dom mens, denk ik, maar dat zeg ik natuurlijk niet.

'Inderdaad', zeg ik alleen.

'De bel ging zo vaak over voor je opnam dat ik dacht dat je weg was.'

Maar ik was dus niet weg.

'Ik was aan het stofzuigen', zeg ik alleen en ik zucht een beetje.

Het blijft even stil, dan slaakt mijn moeder ook een zucht. Iets dieper dan ik. Oké, dit is een zuchtwedstrijd.

'Vandaag alweer?'

Ik ben nog steeds heel kort van stof en antwoord met een zucht: 'Ja.'

'Heeft Sonny de boel vies gemaakt?'

'Nee. Sonny heeft de boel niet vies gemaakt. Hij ligt in bed want hij is ziek.'

'Ziek? Hij heeft eerder een kater, zou ik denken.'

Wat heeft zij daar verdomme mee te maken? Nou? Ik bijt op mijn lip. Best hard.

'Nee. Hij heeft helemaal geen kater. Hij heeft een of ander buikgriepvirus.'

Ze haalt haar neus op.

'O, warempel. Dus Sonny heeft weer buikgriep, maar een kater heeft hij helemaal niet. Wat een toeval, zeg.'

Nu word ik kwaad. Behoorlijk kwaad.

'Wat moet je?' vraag ik en ik voel hoe ik mijn lippen samenknijp. Zij antwoordt op precies dezelfde toon.

'Ik wilde alleen maar zeggen dat ik een nieuw donsjack voor Madeleine heb gekocht. Dus dat hoef jij niet te doen.'

Ik slik. Dat helpt niet; er zit een brok in mijn keel.

'Madeleine heeft geen nieuw donsjack nodig.'

'O', zegt mijn moeder. 'Dat zeg jij. Maar ze groeit anders behoorlijk uit haar oude jas. Bovendien is die te dun. Daar zit alleen maar een synthetische vulling in. Dus heb ik vandaag een donsjack voor haar gekocht.'

Nu kan ik me niet langer inhouden en mijn gedachten vliegen door mijn mond naar buiten.

'Een donsjack? Ben je niet goed snik?'

'Hoezo?' zegt mijn moeder en ze klinkt echt tevreden. 'Ze moet toch een warme jas hebben?'

'Jij gaat een donsjack voor een negenjarige kopen? Denk je dat ik van geld gemaakt ben?'

Ze grinnikt een beetje.

'Alsjeblieft, Annette! Ten eerste was het geen bijzonder duur jack en ten tweede is het nog geen seconde bij me opgekomen dat jij of Sonny het zou betalen. Het is een cadeautje van papa en mij voor Madeleine.'

Een cadeautje! Alsof dat kind nog niet voldoende cadeautjes heeft gekregen! Op haar laatste verjaardag schoof ze het pakje van Sonny en mij gewoon aan de kant om zich op de vierennegentig of honderdzeventien of driehonderdachtenvijftig pakjes van opa en oma te storten. En nu heeft ze dus weer wat gekregen. Ik schraap mijn keel om mijn stem vast te laten klinken.

'O. Maar dat ik geen fatsoenlijke laarzen heb, dat interesseert jou natuurlijk niks.'

Ze zucht. Echt diep. Ze staat nu 1-0 voor in de zuchtwedstrijd.

'Annette. Jij bent een volwassen mens. Je hebt een fulltime baan. Je moet je eigen laarzen kunnen betalen.'

Nu komen de tranen. Ik kan ze niet tegenhouden. Godverdomme! Madeleine heeft alles gepakt wat van mij is. Zij woont in mijn oude kamer in het vrijstaande huis van mijn ouders. Zij krijgt de hele tijd nieuwe donsjacks en speelgoed en warm gevoerde rubberen laarzen. En wat krijg ik? Geen drol. Niemand heeft ook maar een drol voor me over!

'Weet je hoeveel ik verdien met die klotebaan? Nou?'

'Ja. Dat weet ik en veel is het niet. Maar toch moet je ...'

'En weet je wat ik moet verdragen van die gek voor wie ik werk? Nou?'

'Maar alsjeblieft, Annette ... Minna is zwaargewond. God weet of ze het zelfs wel zal overleven.'

Wat dan nog? Waarom zou het mij een snars interesseren of dat mens leeft of doodgaat? Maar dat zeg ik natuurlijk niet, zo veel verstand heb ik nog wel.

'Je hebt geen idee hoe ze is ...'

'Nee, dat heb ik misschien niet, maar je moet toch ...'

Nu komt het! Nu komt die eeuwige preek dat ik bij Sonny weg moet gaan en een opleiding moet volgen en moet zorgen dat Madeleine – dat lieve prinsesje van me – het goed heeft. Maar ik ben niet van plan daar weer naar te luisteren. Ik heb er genoeg van.

'Ik moet weg', zeg ik alleen en ik val het mens midden in een zin in de rede. Daarna gooi ik de hoorn erop en slaak een diepe zucht.

Ze belt opnieuw, dat weet ik zeker. Of anders kletst ze erover tegen mijn vader en dan gaat hij bellen. En dan krijg ik te horen wat echt belangrijk is. Met wat voor lamstraal ik getrouwd ben. Wat een onverantwoordelijke moeder ik ben. Hoe absoluut noodzakelijk het is dat ik mijn verstand eens ga gebruiken en ervoor zorg dat ik een opleiding volg. Hoe oneindig veel beter het is om van een lullige studiebeurs te leven dan van een uitkering.

Wat geen van die twee snapt, is dat ik verdomme geen opleiding wil. Het enige wat ik kan worden is zorgassistent en de enige baan die een zorgassistent in deze stad kan krijgen is werk in de thuiszorg. Nooit van mijn leven, zeg ik! Liever verdraag ik Minna tot in eeuwigheid dan dat ik één dag de kont van allerlei oudjes moet gaan afvegen. Dat is toch verschrikkelijk smerig. En ik ben van plan om tot ik doodga getrouwd te blijven met Sonny! Want ik houd namelijk van hem. Houd van hem! Houd van hem! Houd van hem!

Ik doe de deur van de slaapkamer open en kijk naar hem. Hij ligt nog steeds op zijn buik en is zo diep in slaap dat je nauwelijks kunt zien dat hij ademt. Dat geeft niet. Ik weet dat hij leeft en dat hij behoorlijk lang zal leven. Wanneer mijn ouders doodgaan, trekken wij in hun huis en nemen we de hele zooi over. Dan maak ik van mijn kamer – want het is mijn kamer en niet die van Madeleine – een naaikamer. En Sonny mag alle nachten op mijn vaders bed liggen, alleen maar om die vent achteraf te stangen.

Sonny doet alleen maar alsof hij een mens is, zei Minna. *Doet alleen maar alsof!* Ik had haar wel dood kunnen slaan.

Ik zet de stofzuiger weg, pak de plumeau, loop de woonkamer in en kijk om me heen. Is het nodig om af te stoffen? Nee, eigenlijk niet, maar ik weet ook dat als ik nu niet afstof, alles in de hele kamer morgenochtend bedekt zal zijn met een dun laagje stof. Dus moet ik nu afstoffen en bovendien moet ik de Swarovski-beeldjes meenemen naar de keuken om ze af te wassen. Het is ook alweer een paar dagen geleden dat dat voor het laatst is gebeurd.

Ik loop naar de keuken om een blad te halen om ze op te zetten, maar net wanneer ik weer over de drempel naar de huiskamer stap, hoor ik een vreselijke gil. Ik blijf staan. In de verte brult iemand. Jankt. Krijst.

Dat is Sonny niet, dat weet ik toch, want zo klinkt Sonny's geschreeuw niet. Het is iemand anders, maar toch kan ik het niet laten om terug te lopen naar de hal en de deur van de slaapkamer te openen. En ik heb natuurlijk gelijk, het is Sonny niet. Die ligt op zijn buik te slapen en is helemaal stil. Zijn het misschien de Turken onder ons? Ik loop op mijn tenen naar de voordeur en leg mijn oor tegen het bruine oppervlak om heel goed te luisteren, maar ik hoor niets. Toch gaat het gillen door, het is echt een akelig, trillend en jankend gegil, het klinkt ongeveer zoals ik klonk toen ik klein was en mijn vader een beetje verstand in me wilde slaan en ik gilde en schreeuwde en worstelde en vocht en jankte en krijste …

Dan heb ik het door. Ik ben degene die gilt. Hoewel ik dat eigenlijk niet doe, dat zie ik immers in de spiegel in de hal, want daar staat immers alleen maar een asgrijze vrouw met een gesloten mond en een dienblad tegen haar buik. Een meid die alleen een zuipschuit kon krijgen. Een waardeloze moeder. Een jaloers mens. Een echt heb-medelijden-met-me-type. Lelijk. Geschift. Onnozel. Belachelijk. Maar ze gilt niet. Ik gil niet. En toch gil ik, toch brul ik zo hard dat de lucht om me heen begint te trillen. Ik ben echter de enige die dat gegil hoort, het bestaat alleen in mijn binnenste en het ergste is dat ik opeens besef dat die gil al eeuwen in me zit. Altijd al heeft gezeten. Op alle ogenblikken van mijn leven.

Ik laat het dienblad vallen. Met een klap valt het op de grond.

* * *

Sonny wordt niet wakker wanneer het blad op de grond valt, maar pas een uur later. Hij staat natuurlijk niet op, hij blijft gewoon in bed liggen en schreeuwt mijn naam. Ik hoor hem wel, maar ik kan het niet opbrengen om daadwerkelijk op te staan; ik blijf aan de keukentafel zitten en houd mijn handen nog steeds voor mijn gezicht, bid nog steeds tot God dat hij me bevrijdt, dat ik niet meer hoef te zijn wie ik ben en niet het leven hoef te leven dat ik leef, ik smeek dat ik verlost zal worden van mijn naam en mijn geschiedenis, mijn man en mijn kind, mijn ouders en familieleden, heel mijn ellendige bestaan ...

De gil in mijn binnenste is verstomd, maar ik ben heel moe. Als het over achten was geweest was ik naar bed gegaan, maar zo laat is het natuurlijk nog niet. Eerder half zes. Of kwart over zes. Of zoiets. Zo vroeg kan ik in elk geval niet naar bed gaan. Dan laat ik me kennen als de slons die ik ben en ik wil geen slons zijn. Ik wil een fatsoenlijk mens zijn. Met een fatsoenlijke man. Met een fatsoenlijk kind en een fatsoenlijke baan. Dat is wat ik wil.

Die gedachte is bijna troostend. Ik kan mijn handen van

mijn gezicht halen, knipperend met mijn ogen vanwege het licht van de keukenlamp, en in de keuken om me heen kijken. Een bijzonder mooie keuken is het niet, de kastjes zijn oud en grijs en zouden wel een likje verf kunnen gebruiken, maar het is er erg schoon en netjes opgeruimd. Een tamelijk grote geranium voor het raam, een blinkend aanrecht en overal mooie kleedjes. Eentje ervan komt zelfs van Arvika Kunstnijverheid; die heb ik cadeau gekregen van Minna toen ik dertig werd. Ik kon zien dat ze haar best had gedaan om een kleur uit te zoeken waarvan ze wist dat ik die mooi vond. Een lichte seringenkleur. Het is mooi. Echt mooi en vast heel duur.

'Annette! Annette, kom alsjeblieft ...'

Ik herken Sonny's toon en een tiende van een seconde voel ik iets wat op woede lijkt over wat me nu wacht, maar dan neemt de macht der gewoonte het over en sta ik op. Ik leun tegen de tafel om niet te gaan wankelen, hoewel ik ondertussen weet dat heel die beweging een leugen is, want ik ben niet iemand die begint te wankelen. Ik kan niet eens wankelen. Die gedachte is zo nieuw dat ik recht voor me uit blijf staren. Maar het is waar. Ik kan niet wankelen.

In de slaapkamer klinkt een bons. Sonny is blijkbaar zelf uit bed gekomen en voor het eerst in ons huwelijk ren ik er niet meteen naartoe om hem te helpen. Ik blijf staan waar ik sta en wacht tot hij zal komen. Weer een bons, de deur van de slaapkamer gaat open en zijn blote voeten kletsen op de vloer in de hal. Dan staat hij opeens in de deuropening van de keuken. Slaapdronken. Halfnaakt. En onmiskenbaar met een kater.

'Wat is er verdomme met jou', zegt Sonny terwijl hij zich op zijn harige borst krabt. 'Waarom kom je niet?'

Dan gebeurt het weer. Ik denk drie dingen tegelijk, drie totaal nieuwe gedachten op hetzelfde moment. Ten eerste dat Sonny een schone onderbroek nodig heeft, want deze heeft hij al drie dagen aan. Ten tweede dat hij liever is wanneer hij slaapt; nu hij wakker is en uit bed, ziet hij er vooral slonzig uit. Slap rond zijn kin, slap rond zijn mond en met smalle turende oogjes, alsof alleen al het openhouden ervan hem moeite kost. Ten derde dat ik eigenlijk een hekel aan hem heb. Jawel. Het is waar. Gedurende één ademtocht denk ik dat ik echt een hekel heb aan Sonny, en aan zijn gezuip en eeuwige geklaag, en dat ik al jaren een hekel aan hem heb. Dat vind ik beangstigend. Want wie heb ik als ik Sonny niet eens heb?

Niemand. Absoluut geen enkel levend wezen op de hele aarde.

'Hebben we nog wat in huis?' lalt Sonny terwijl hij naar de koelkast stommelt en die opendoet. Hij pakt het laatste blikje bier, maar ziet niet de fles Johnnie Walker die in de deur staat, een halfvolle fles die vannacht door puur toeval in mijn tas gleed toen we uit Sally's Café-Restaurant tuimelden. Het was geen diefstal. Het was gewoon een extra vergoedinkje voor alles wat ik had moeten doormaken ...

Sonny maakt het blikje open en wanneer een beetje schuim door de opening naar boven komt, glimlacht hij echt gelukzalig . Bijna verliefd.

'Potverdomme, Annette ... Eindelijk.'

Ik pak een glas voor hem, een heel gewoon melkglas, want het leven heeft me geleerd dat het niet veel zin heeft om Sonny bier te serveren in mooiere glazen. Dan gaan ze stuk. Sonny ploft aan de keukentafel neer en wuift met zijn rechterhand. Dat betekent dat ik het glas voor hem neer moet zetten zodat hij zelf kan inschenken. Hij wil altijd zelf inschenken, omdat hij zó streng wordt opgevoed – *huhhuhhuh!* – dat hij het bier niet zo uit het blikje mag drinken.

'Doe nou kalm aan', zeg ik. 'Zie het als een medicijn tegen epilepsie. Niet te veel!'

Hij reageert eerst niet, het glas moet immers worden gevuld en het bier moet worden geproefd. Hij doet zijn ogen dicht en ziet eruit alsof hij geniet, doet ze dan weer open en werpt mij een glimlach toe die je als schalks zou kunnen omschrijven.

'Ja, moeder ...'

Een herinnering floept voorbij, een herinnering aan het gevoel dat hij zo-even bij me opriep, maar dat schuif ik ter zijde en ik laat me op de stoel tegenover hem zakken. Hij neemt opnieuw een slok en kijkt tevreden om zich heen. Zo dadelijk zal hij in die toestand glijden waarin hij zich opperbest voelt. Vlak voordat hij dronken wordt. Ik knik naar zijn naakte bovenlijf.

'Heb je het niet koud?'

Hij schudt zijn hoofd.

'Nee, potverdomme! Ik heb het niet koud.'

'Maar waar jij zit, tocht het toch ...'

Hij werpt een blik door het raam.

'Dat loopt wel los. Het is toch mooi weer.'

Ik kan het niet laten mijn gezicht tot een grimas te vertrekken.

'Mooi weer? Het heeft dagen gestormd. En weken geregend.'

Hij begint te grijnzen: 'Hierbinnen, bedoel ik. Hierbinnen in onze flat is het toch mooi weer. Warm en droog.'

Ik snap niet wat ik heb. Waarom ik het niet kan opbrengen om dat grapje te lachen. Sonny wil immers dat ik ga lachen. Ik bespeur de smeekbede in zijn blik, maar ik kan het niet. Ik zal wel te moe zijn. Er is misschien iets te veel gebeurd de afgelopen vierentwintig uur. Of de laatste week. Of het laatste jaar. Of de laatste tien jaar. Dus zucht ik maar een beetje.

'Wat is er met jou?' vraagt Sonny weer terwijl hij zijn glas oppakt en het daarna in een paar grote genotvolle slokken leegdrinkt.

'Ik ben moe. Ik heb vannacht niet geslapen. Ik ben de hele tijd wakker geweest.'

Sonny laat een boertje.

'Waarom kon je dan niet slapen?'

Hij weet het blijkbaar niet meer. Hij leeft in zijn eigen universum, heeft geen idee van de storm of de overstromingen, of van het feit dat er hier thuis een journalist in onze woonkamer is geweest. Heel het afgelopen etmaal is uit zijn hoofd weggewist. Inclusief het feit dat ik vannacht laat thuiskwam en hem in zijn eigen braaksel aantrof. Mijn stem wordt iets scheller dan mijn bedoeling is.

'Ik had best kunnen slapen als ik maar had kunnen gaan liggen. Maar ik kwam op het werk vast te zitten. Omdat er overstromingen waren en er geen bussen gingen. Ik moest met een rupsvoertuig mee om in de stad te komen …'

Sonny's mond valt open: 'Een rupsvoertuig?'

Mijn stem wordt nog scheller: 'Ja. Zo'n ding als het leger heeft. Met rupsbanden.'

'Maar hoe kwam je dan aan een rupsvoertuig?'

Ik zou hem willen slaan, hem met de rug van mijn hand een pets in zijn gezicht willen geven. Stomme idioot, denk ik, maar die gedachte wis ik heel snel uit en ik doe een nieuwe poging.

'Door de reddingsbrigade natuurlijk. De brandweer. Die waren op pad en …'

'De brandweer? Waar was er dan brand?'

'Er was nergens brand. Het stormde en er waren overstromingen. Het stórmt en er zíjn overstromingen.'

Sonny staart me vragend aan, maar draait zich dan om om door het raam de duisternis in te loeren. Behalve een straatlantaarn iets verderop en de lichten van de huurflats hiertegenover ziet hij natuurlijk niets.

'Storm? En overstromingen?'

'Ja.'

'De brandweer heeft toch niks met stormen en overstromingen te maken!'

'Jawel, ze rijden rond om …'

Op Sonny's gezicht verschijnt een superieure glimlach. Een domme en ongelooflijk geschifte glimlach.

'Nou moet je ophouden, Annette. Dat heb je gedroomd!'

Nu kan ik mezelf niet langer inhouden, mijn woede stroomt er gewoon uit. Ik word zo ontzettend kwaad. Gewoonweg razend. Bozer dan ik in mijn hele leven ooit ben geweest. Daarom sla ik met mijn vuisten op de keukentafel. Ik bonk er hard mee op die bekraste oude vurenhouten tafel die we mochten overnemen toen mijn moeder had besloten om een echt mooie, een echt poepchique witgelakte keukentafel aan te schaffen, en ik sla zo hard dat Sonny's bierglas erdoor opspringt. En het kan me nu geen moer meer schelen hoe mijn stem klinkt, hoe schel, schreeuwerig en onvrouwelijk dan ook.

'Ach, hou je bek, ouwe dronkenlap! In tegenstelling tot jou weet ik toevallig wel wat er zich buiten deze flat afspeelt! In tegenstelling tot jou kom ik nog eens ergens anders dan op dat platgetrapte pad naar de slijterij waar jij je op ophoudt! En als ik zeg dat de reddingsbrigade, wat precies hetzelfde is als de brandweer, de ambulance en de hele zooi, buiten de stad heeft rondgereden om mensen op te pikken die door de overstroming vast waren komen te zitten, dan is dat zó. Met rupsvoertuigen! Snap dat dan, stomme idioot!'

Ik ben opgestaan en heb steun gezocht tegen de tafel, en nu buig ik me daaroverheen en schreeuw Sonny recht in zijn gezicht. Hij kijkt bang, en één onderdeel van mijn driedubbele ik wil alleen maar giechelen om zijn belachelijke gezichtsuitdrukking, een ander onderdeel wil hem zo hard op zijn neus beuken dat die ervan zal gaan bloeden, maar het derde en sterkste deel wil alleen maar gelijk krijgen, wil alleen maar dat die domme klootzak aan de andere kant van de tafel eindelijk, eindelijk, eindelijk toegeeft dat ik gelijk heb.

'Maar ...' zegt Sonny en ik zweer dat zijn stem trilt. Alsof hij bang voor me is. Maar daar heb ik lak aan.

'Ach, hou gewoon je bek! Gewoon je bek houden!'

Ik tril zelf. Niet met mijn stem, maar van binnen. Heel mijn binnenste is in ontbinding en ik moet gaan zitten om niet op de vloer in elkaar te zakken. We blijven allebei roerloos zitten, maar dan slaat Sonny opeens zijn handen voor zijn gezicht en begint te snikken. Ergens hoor ik in mijn hoofd een echo van de vraag die Minna minder dan een etmaal geleden stelde: *Huilt hij met tranen?* En ik ken het antwoord wel, ik kende het antwoord immers toen al, en dat was de reden, de enige reden, dat ik zo ontzettend boos op haar werd. Natuurlijk huilt Sonny niet met tranen. Hij heeft geen tranen. Hij speelt dat hij leeft, zoals Minna zei.

Maar dat betekent niet dat hij geen mens is.

Sonny is een mens. Een echt, levend iemand. Niet bepaald knap en niet bepaald aardig, integendeel, een tamelijk lui, bang en laf persoon. Een mens die opschept om zich niet waardeloos te voelen, die liegt en geld uit mijn handtas steelt, die zijn drankflessen verstopt, een mens die zo zwaar drinkt dat hij stuipen krijgt en die zich binnenkort, zeer binnenkort, dood zal drinken. Maar hij is mijn mens. Hij is absoluut het enige wezen in de wereld dat ik het mijne kan noemen.

Daarom leun ik over de tafel en strijk ik met mijn hand over zijn harige arm.

'Rustig maar, Sonny', zeg ik. 'Niet huilen. Sorry.'

Dan haalt hij zijn handen voor zijn gezicht weg en kijkt hij me met volledig droge ogen aan.

* * *

Een uur later is hij weer bezig. Wanneer ik in de woonkamer kom met de net afgewassen Swarovski-beeldjes zit hij voor de tv de pasja te spelen. De whiskyfles is bijna leeg, het kan zijn dat er nog een glas of twee in zit, maar het overhemd dat hij van mij moest aantrekken hangt nog steeds open om zijn buik. Het zou nooit bij hem opkomen om zich zo aan te stellen dat hij de knoopjes dicht zou doen. Hij zit ver achterovergeleund op de leren bank tv te kijken. Zijn mond staat half open, zijn lippen zijn vochtig. En hij heeft zijn voeten op de salontafel gelegd.

'Haal die voeten daar weg', zeg ik.

Hij staart me aan, maar hoort me blijkbaar niet. Hij krabt alleen wat op zijn harige borst en wendt zijn blik dan weer naar de tv. Homer Simpson probeert Bart weer eens een keer te wurgen, en daardoor schiet er even een trillend glimlachje over Sonny's gezicht, maar dan wordt hij weer serieus en begint hij naar zijn glas te tasten. Ik haal diep adem.

'Hoor je niet wat ik zeg? Haal die voeten van tafel!'

Hij kijkt weer naar me, maar reageert niet. Hij pakt gewoon zijn glas en brengt dat naar zijn mond. Heel even overweeg ik het blad te laten vallen; ik kan de klap al horen wanneer het op de houten vloer slaat, ik kan zien hoe de dunne vleugels van de adelaar versplinteren en hoe de scherven over de hele vloer in het rond vliegen, maar tegelijkertijd kan ik ook mijn moeders stem horen wanneer zij dit te weten komt. *Alsof je in een huis met een dronkenlap Swarovski-beeldjes zou kunnen hebben. Dat zou zelfs jij moeten snappen.*

Waarom kan ze niet gewoon doodgaan? Waarom kunnen ze allemaal niet doodgaan? Waarom kunnen mijn moeder en Madeleine niet afbranden? Waarom kan mijn vader niet van een steiger vallen op zijn werk? Waarom kan Minna niet inzien dat het wat haar aangaat afgelopen is, voorbij, over, en waarom kan ze niet gewoon wegzakken in de zwarte dood? En waarom kan Sonny op een nacht, het maakt niet uit welke nacht, niet stikken in zijn eigen braaksel en verdwijnen?

Waarom kunnen ze niet bij me weggaan? Waarom kunnen ze me niet met rust laten?

De Swarovski-beeldjes op het blad beginnen te rinkelen. Ik kijk ernaar. Ze zijn heel. Ze zijn allemaal heel en ik draag ze heel voorzichtig naar het tafeltje waar ze moeten staan. Ik steun het dienblad op de rand van de tafel en zet elk van de figuurtjes op zijn plek. Ze schitteren in alle kleuren van de regenboog. Sonny haalt zijn voeten van de tafel en schenkt nog een whisky in. Hij vult het glas tot aan de rand en brengt het heel voorzichtig naar zijn mond. Hij morst geen druppel.

Ik haal de wasmachine leeg terwijl ik mezelf een standje geef. Ik weet toch dat ik zo niet mag denken. Je mag andere mensen niet dood wensen, want het risico bestaat immers altijd dat het gaat zoals je wilt en dat is niet zo leuk. En natuurlijk, ik zie mezelf al in rouwkleding op het bed liggen in het huis van mijn ouders met in mijn hand een geldbedrag dat ik opgenomen heb bij de bank, een geldbedrag dat laat zien dat ik niet alleen het huis heb geërfd, maar dat ik ook rijk ben geworden van hun levensverzekeringen. Maar ik weet ook dat het zo gemakkelijk niet is.

Als de mensen die je dood wenst, echt doodgaan, dan voel je je niet zo best.

Ik wilde dat Sofia dood zou gaan. Dat was mijn wens. Ik heb het hardop tegen mezelf gezegd. Dus ik weet dat je voorzichtig moet zijn met je wensen.

Anderzijds had ik mijn redenen. Sofia was een arrogant kutkind. Zelfs toen ze nog echt klein was, was ze al veel te zelfverzekerd en had ze het hoog in haar bol. Ik weet nog heel goed dat ze voor het eerst de keuken binnenkwam toen ik daar was gaan werken. Ze was nog piepklein, een jaar of twee, drie nog maar, maar toen ze bleef staan en met haar vinger naar me wees, zag ik toch dat ze toen al iets berekenends in haar blik had.

'Hoe heet zij?' vroeg ze met een schuin hoofd.

Sally, die indertijd al halfdood was, maar toch nog zo'n beetje de hele tijd in de keuken rondstommelde, gaf al antwoord voordat ik mijn mond had kunnen opendoen.

'Ze heet Annette. Ze komt hier werken.'

Sofia keek me aan en liet haar blik van top tot teen over me heen gaan, ze bestudeerde me als een volwassen mens en kwam klaarblijkelijk tot de conclusie dat ik niks waard was, want ze begon met haar ogen te knipperen en schudde zachtjes haar hoofd. Waarschijnlijk wilde ze dat ik iets zou zeggen over haar haren. Over hoe fantastisch donker, dik en buitengewoon krullerig haar haar was. Maar ik zei eerst niets, ik stond haar gewoon doodstil in haar bruine ogen te kijken, en heel even ging de gedachte door me heen dat haar vader een zigeuner of een Turk of zoiets moest zijn geweest. Ik besefte echter ook dat ik iets moest doen om de situatie niet ongemakkelijk te laten worden. Dus ik schraapte mijn keel even en zei: 'Ben jij Sofia?'

Ze gaf geen antwoord, maar knikte alleen en bleef me aankijken met die taxerende blik.

'Hoi, Sofia', zei ik.

'Hoi', zei Sofia en toen sloeg ze haar ogen neer en glipte weg om zich in Sally's armen te verbergen.

Sally vertrok haar gezicht van de pijn, maar protesteerde niet en streek alleen met haar hand over Sofia's rug.

'Ze is verlegen', zei ze terwijl ze haar doodshoofdglimlach liet zien. 'Onze kleine Sofia is best een beetje verlegen.'

Maar Sofia was niet verlegen. Je kunt veel van haar zeggen, maar dat niet. Toen ze nog echt klein was, drentelde ze vaak in het restaurant rond om met de mensen te praten. Dan hield ze haar hoofd schuin en probeerde ze de een na de ander om haar vingers te winden. Meestal lukte dat prima. Grote grove vrachtwagenchauffeurs begonnen helemaal te blozen wanneer zij bij hun tafeltje kwam staan en hen begon uit te vragen over hoe ze heetten en waar ze woonden en of ze ook kinderen hadden en of die kinderen dan op de crèche zaten. Kleine tengere schooljuffrouwen die zomervakantie hadden, kregen de tranen in de ogen wanneer het prinsesje met de donkere ogen met een schuin hoofd verkondigde dat ze later ook juffrouw wilde worden als ze groot was. Maar als er op zo'n moment een knappe vent in het restaurant verscheen, draaide Sofia de schooljuffrouwen meteen de rug toe en glipte ze naar de man toe. Dan ging ze vlak naast zijn been staan, pakte ze zijn hand en zei ze: 'Jij mag mij wel dragen ...'

En het interessante was dat verscheidene van deze kerels zich inderdaad vooroverbogen om haar op te tillen en dat ze onhandig lachten wanneer zij haar armen om hun nek sloeg en zich dicht tegen hen aan vlijde. Misschien dacht ik het toen voor het eerst, dat wat pas jaren later bewaarheid zou worden: *Het is echt een hoertje!*

Schaamde ik me voor die gedachte?

Ja. Dat deed ik. Toch dacht ik dit vaak. Dag in, dag uit. Maand in, maand uit. Jaar in, jaar uit.

Sofia was pas vier toen ze al leerde lezen en dat werd ongelooflijk bijzonder gevonden. Net als het feit dat ze haar prentenboeken aan de kant schoof en al op zevenjarige leeftijd aan leesboeken begon. Toen ze groep twee mocht overslaan barstte Minna bijna uit elkaar van trots, en toen Sofia in het schoolteam mocht meedoen aan een landelijke scholierenquiz die op radio en tv werd uitgezonden kon Minna zich gewoon niet meer beheersen en jankte ze het uit als een gelukkige wolvin. Ze reden naar de stad om het te vieren en kwamen thuis met nog meer mooie kleren, nog meer speelgoed en een hele zooi dure boeken.

De volgende dag kwam Sofia vanaf het restaurant naar de weg geparadeerd net toen ik uit de bus was gestapt. Ze droeg een nieuwe, helemaal roze jas met een bijpassende roze geruite sjaal en ze had een nieuwe vlindervormige haarspeld die haar haren uit haar gezicht hield. Ik herkende die haarspeld, want ik had er zelf mee in mijn handen gestaan bij Hennes & Mauritz, maar ik had hem niet gekocht omdat het de duurste haarspeld was die ik ooit had gezien. Meer dan honderd kronen. Maar hier kwam de kleine madam glimlachend aan met die speld in haar haren, hier liep ze net te doen of ze een blij en onschuldig klein meisje was.

'Hoi Annette', riep ze en ze bleef voor me staan. Ze wilde vast pronken met al haar nieuwe kleren en spullen. Maar dat liet ik haar niet doen. Ik keek niet eens naar haar, maar liep gewoon door en toen ik haar net gepasseerd was, voer de duivel in me en zei ik: 'Je ziet eruit als een turk!'

'Wat?' zei Sofia en ook al had ik haar de rug toegekeerd, ik meende toch dat ik de uitdrukking op haar gezicht kon zien. Haar mond open. Beduusd. Maar ik was niet zo dom dat ik mezelf herhaalde; ik wist immers wat Minna van mijn opmerking zou vinden.

'Niets', zei ik daarom en puffend liep ik tegen de heuvel omhoog.

Het kostte me in die tijd tamelijk veel moeite om tegen de heuvel op te lopen. Ik was namelijk zwanger. Dat was niet echt de bedoeling geweest, dat hadden Sonny en ik niet echt gepland, dat gebeurde gewoon. Zodra ik het vertelde, begon mijn vader natuurlijk tekeer te gaan dat ik abortus moest plegen, maar toen ging ik kaarsrecht voor hem staan en sloeg ik mijn armen over elkaar, precies zoals Minna altijd deed wanneer ze in haar meest bazige humeur was. Ik was echt niet van plan om abortus te plegen. Absoluut niet, zei ik en ik vond zelf dat ik voor het eerst in mijn leven volwassen klonk. Bovendien, zei ik, was Sonny dolblij dat we een baby zouden krijgen. Dat was weliswaar niet helemaal de waarheid, want hij wist het niet eens, maar dat kon mij geen moer schelen. Sonny zou een goede vader worden, zei ik tegen mijn pa toen ik daar met mijn armen over elkaar stond. In tegenstelling tot sommige anderen. Hij zou een vader worden die geen losse handjes had.

Toen ik dat zei, balde mijn vader zijn vuisten, maar hij verhief ze niet. Hij durfde me niet te slaan nu ik zwanger was en toen ik dat besefte, glimlachte ik. Ik lachte gewoon recht in zijn gezicht. En daarna kon ik natuurlijk geen abortus meer plegen, want dan was hij vast weer met slaan begonnen.

Ik kreeg er wel spijt van, dat geef ik toe. Al toen ik in het begin van mijn zwangerschap op mijn knieën voor een toiletpot zat over te geven moest ik dat zelfs voor mezelf toegeven. Sonny kwam natuurlijk niet om een hand op mijn voorhoofd te leggen zoals mijn moeder altijd had gedaan toen ik nog echt klein was; hij lag in de slaapkamer en ging helemaal op in de drank. En tijdens de rest van de zwangerschap werd het niet anders. Toen ik met de eerste babykleertjes thuiskwam, was hij dronken en hij was even dronken toen ik eindelijk een tweedehands kinderwagen voor een schappelijke prijs had gevonden, een kinderwagen die ik in mijn dooie eentje vanaf het andere einde van de stad door de natte sneeuw moest trekken. Op de dag dat ik me realiseerde dat ik te dik was om bij de ritssluitingen van mijn laarzen te kunnen komen had hij een enorme kater, zo'n kater dat hij het klaarspeelde om midden in de hal in slaap te vallen toen hij naar me toe wilde kruipen om me te helpen. Ik liet hem liggen waar hij lag en trok mijn lage schoenen maar aan, ook al lag er buiten sneeuw. Die lage schoenen trok ik ook aan toen een maand later de vliezen braken. Er zat toen niets anders op dan mijn ouders te bellen om te vragen of ze mij naar de kraamkliniek wilden brengen, omdat Sonny natuurlijk weer dronken was. Die keer kon ik hem niet uit de wind houden. Die keer kwamen ze onze flat in en zagen ze hoe het er in onze slaapkamer uitzag als hij had overgegeven. Voordat we vertrokken, dweilde mijn moeder het ergste op. Ze zei natuurlijk wat ik wist dat ze zou zeggen: *Wat heb ik gezegd?* Maar daar trok ik me niets van aan. Ik had het veel te druk met spijt hebben. Spijt dat ik überhaupt geboren was en dat ik nu zelf een kind zou baren.

Het duurde meer dan een maand voordat ik weer thuiskwam bij Sonny. Van mijn moeder moest ik met haar mee naar huis na de tijd in de kraamkliniek. Ik kon in mijn oude kamer, maar dat had in elk geval als voordeel dat ik 's nachts slaap kreeg. Madeleine mocht bij opa en oma op de slaapkamer liggen en zodra ze ook maar het kleinste piepje gaf, vloog mijn moeder al uit bed. En overdag rende ze zo snel naar de wieg dat ik er eigenlijk nooit op tijd bij was, en als dat al eens een enkele keer wel het geval was, duwde ze me gewoon aan de kant. Zij wist het immers allemaal zo veel beter. Ze wist precies hoe alles moest. En ietsje verbitterd constateerde ik alleen maar dat ik van geluk mocht spreken dat ik iemand had die voor mij dacht, zodat ik dat zelf niet hoefde te doen. De luiers moesten immers om de haverklap verschoond worden, want het was blijkbaar levensgevaarlijk dat het kind een beetje rode billetjes kreeg, en het was warempel niet voldoende om de speenflessen gewoon af te wassen, nee, die moesten gesteriliseerd worden in een pan met kokend water en daarna moesten ze omgekeerd op een heet gestreken linnen doek aan de lucht drogen.

Het enige wat ik eigenlijk mocht doen was gaan wandelen

met Madeleine wanneer mijn moeder aan het schoonmaken was, en omdat mijn moeder was wie ze was, waren dat veel en tamelijk lange wandelingen. Bijna elke dag liep ik naar het centrum en maakte ik een rondje over de markt, en bijna elke dag liep ik wel een oude vriendin of een klasgenoot tegen het lijf die zich over de wagen boog en in lofliederen op mijn kind uitbarstte. Dan voelde ik me wel een beetje trots.

Op een van die dagen kwam ik Minna en Sofia tegen. Ze kwamen – natuurlijk! – bij de bank vandaan en liepen hand in hand, hun ineengevlochten handen naar voren en naar achteren zwaaiend. Het leek wel of ze wilden gaan volksdansen of een spelletje doen, en ik weet nog dat ik abrupt bleef staan alsof ik bang werd. Een tel later liep ik echter weer door. Ik was toch niet bang. Ik was toch een vrolijke en trotse jonge moeder die met haar dochtertje op pad was en die haar zo dadelijk, heel snel al, aan haar werkgeefster zou laten zien.

Minna merkte me bijna meteen op en lachte: 'Annette! Hallo! Gefeliciteerd!'

Ik lachte terug, een volkomen oprechte lach.

'Hallo Minna! Hallo Sofia!'

Sofia wendde haar blik af en keek me niet aan, maar Minna boog zich over de wagen. Mijn moeder had net een schattig gebloemd mutsje voor Madeleine gekocht en omdat het nu voorjaar was geworden had ze dat op. Ze lag op haar rug met haar hoofd opzij en zag eruit als een boekenlegger. Helemaal perfect.

'O', zei Minna. 'Ze is geweldig! Fantastisch! Ben je niet blij?'

Ik knikte. Ja hoor, ik was blij. Eigenlijk heel blij, op dat moment. Minna wierp me een snelle blik toe en ik meende te zien dat haar ogen vochtig waren.

'Wat is het toch helemaal geweldig om een kind te krijgen', zei ze en ze begon met haar ogen te knipperen zodat die weer werden zoals anders. 'Gewoon weergaloos! Het absoluut meest fantastische …'

Zo verschrikkelijk fantastisch vond ik het nou ook weer niet, maar ik knikte toch maar en bleef glimlachen; ik kon me er gewoon niet toe zetten om iets te zeggen. Minna wendde zich tot Sofia, een Sofia die nog steeds op een paar passen afstand van de kinderwagen stond.

'Kom', zei ze. 'Kom eens kijken naar de baby van Annette!'

Sofia glimlachte niet, integendeel, ze wierp me een tamelijk kille blik toe, maar stapte toch plichtmatig naar voren om een blik op Madeleine te werpen. Daarna stapte ze meteen weer naar achteren en pakte ze haar moeders hand.

'Lief, hè?' zei Minna.

Sofia vertrok haar gezicht een beetje en schudde toen met haar donkere krullen.

'Ze heeft geen haar', zei ze toen. 'Dat kind is helemaal kaal.'

Waardeloos. Mijn kind was waardeloos. Net als ik.

Volgens mij dacht ik dat op dat moment niet; dat ik dat zo voelde, wist ik eigenlijk pas jaren later, toen mijn moeder me op een dag afsnauwde. Ik was toch veel te hardhandig met Madeleine! En Madeleine klampte zich natuurlijk jankend en huilend aan haar vast, alleen maar omdat ik haar een klein tikje op haar billen had gegeven. Maar wat moest ik verdomme anders doen? Die blaag was vier jaar en plaste nog elke dag in haar broek, en ik was het zo verrekte moe – ik was het echt verrekte zat! – om dag in, dag uit haar nat gezeken onderbroekjes te wassen. Alsof ik nog niet genoeg aan mijn hoofd had! Sonny lag in het ziekenhuis omdat hij voor het eerst een poging had gedaan om met drinken te stoppen en nu zijn eerste echt flinke stuip had gekregen. Toen dat gebeurde, dacht ik dat hij doodging, maar wie bekommerde zich daarom? Niemand. Minna zeurde alleen maar dat ik niet had gebeld om te zeggen dat ik niet op mijn werk zou komen, en toen ik er uiteindelijk naartoe ging om mijn eerste dienst te draaien, begon die verdomde Sofia in de lucht te snuffelen zodra ze bij mij in de buurt kwam. Ze liep rond te snuffelen en trok haar neus op alsof ik naar een kadaver rook. Maar op diezelfde dag kwam ik erachter dat het mijn eigen kind was dat zo stonk! Toen ik haar van de crèche ophaalde, stonk ze verdomme al naar een hele fles ammoniak en toen we thuis waren gekomen en ik haar winterpak had uitgetrokken, toen plaste dat kind gewoon op de vloer in de hal. Er ontstond echt een plasje onder haar. Ik werd natuurlijk woest en gaf haar een pets en uitgerekend op dat moment belde – natuurlijk! – mijn moeder aan, die zonder te wachten tot ik de deur zou openen naar binnen stapte. En toen was het natuurlijk allemaal mijn schuld, volgens mijn moeder.

Ik reageerde er maar niet op. Het heeft geen zin om mijn ouders tegen te spreken, maar ik weet nog dat ik er wel het mijne van dacht toen ik die vieze onderbroek in de wasmachine stopte en die aanzette. Mijn moeder vond dus dat ik te hard was voor Madeleine. Veel te hard. Dat moest zij nodig zeggen! Zij had er al die jaren met de armen over elkaar bij gestaan wanneer mijn vader weleens even wat verstand in me zou slaan, en zij was er buitengewoon goed in geweest om lange lijsten met mijn fouten op te sommen. Ik was te verlegen en te bangelijk, mijn haar was te steil en ik at veel te weinig en daarom groeide ik niet en bovendien moest ik wel een beetje een stomkop zijn omdat de leraren altijd zeurden dat ik te weinig opstak! Om nog maar te zwijgen over hoe brutaal ik was wanneer we alleen waren. Verschrikkelijk brutaal en wanneer papa thuiskwam, zou ze hem weleens even vertellen wat ik had gezegd en dan zou ik nog weleens wat zien! En ik zag inderdaad wat. Keer op keer kreeg ik wat te zien, ook toen ik was opgehouden met brutaal zijn. Wie dacht ik wel niet dat ik was? Nou? De koningin van Sheba?

Ik weet nog dat ik ter plekke mijn rug rechtte en mijn vuisten balde. Nooit had dat verdomde mens een goed woord voor me overgehad, nooit had ze me verdedigd. Nog nooit!

Toen ik weer in de hal kwam, stond mijn moeder Madeleines spullen in een oude plastic tas van de supermarkt te pakken. Ze keek heel even op, vouwde toen nog een truitje op en zei: 'Madeleine gaat nu met mij mee naar huis. Ze mag een poosje bij ons wonen, want jij kunt dit duidelijk niet aan.'

Ik zei niets terug, hield gewoon mijn mond stijf dicht bij wat ik dacht. Neem haar maar mee! Neem jij dat waardeloze kind maar gewoon mee en loop naar de hel!

En sindsdien, al vijf jaar lang, woont mijn dochter bijna fulltime bij mijn ouders. Bij hen thuis doet ze nooit iets verkeerd. Integendeel. Ze is altijd zo lief en aardig en doet zo haar best. Daarom slaan ze haar nooit.

De volgende dag ging ik natuurlijk naar mijn werk, ook al voelde ik me net een uitgescheten appel. Het was een gewone donderdag, eigenlijk een heel grauwe donderdag, een dag waarop zelfs de sneeuw op de heuvel bij Sally's Café-Restaurant lichtgrijs was, de hemel als een aluminium deksel boven de wereld hing en het water in de Glafsfjord eruitzag als lood. Gekleed in haar blauwe jasje kwam Minna me in de keuken tegemoet. Ze had op me gewacht, want de bus had blijkbaar een paar minuten vertraging gehad en daarom bestond het risico dat zij ook te laat zou komen, ze moest immers naar de tandarts, dat wist ik toch, dat had ze een paar dagen geleden toch tegen me gezegd. Maar het ergste was dat de lieve Sofia ziek was geworden; die lag boven met koorts in haar bed, de arme schat. Of ik zo oneindig lief wilde zijn om over een poosje naar haar toe te gaan, het liefst met een kopje thee of een beetje warme chocolademelk, om ervoor te zorgen dat alles in orde was met haar. Zo 's ochtends was de kans niet erg groot dat het druk zou worden, dus als ik gewoon wilde zorgen dat er in het restaurant koffie en broodjes waren, dan had ik daar vast wel tijd voor en …

En weg was ze.

Ik weet nog dat ik op een kruk neerplofte nadat ze vertrokken was. Ik zat daar gewoon een hele poos naar het gesuis van de stilte en het geplop van het koffiezetapparaat te luisteren, maar ik dwong mezelf uiteindelijk om overeind te komen en dic broodjes klaar te maken. En daarna deed ik een paar theelepels cacaopoeder in een mok met lauwe melk en liep ik naar boven.

In die tijd zag het er in Minna's woning een beetje anders uit. Gebloemde gordijnen in de keuken. Een blinkend aanrecht. Open deuren in de gang. Schilderijen aan de muur. Geborduurde kleedjes, heel discreet, onder plantenpotten en snuisterijen. Een netjes opgemaakt bed in Minna's slaapkamer, drie grote potten met bloeiende hibiscus in de woonkamer en geel, vriendelijk licht van de lamp in Sofia's slaapkamer aan het uiteinde van de gang.

Het was er helemaal niet onaangenaam. Integendeel: echt gezellig.

Toen ik kwam sliep Sofia. Ze lag met haar rug naar me toe en daarom kon ik blijven staan om rond te kijken. Ik was nog nooit in haar kamer geweest en had alleen maar een glimp van dat blauwe kleed met de turkooizen strepen opgevangen dat Minna een paar jaar eerder voor een vermogen had gekocht. Maar nu zag ik hem. Nu stond ik in de deuropening en zag ik heel Sofia's kamer.

Hij was mooi. Dat moet ik toegeven. Het was een heel mooie kamer. Een kamer die rust, zorg en geborgenheid uitstraalde. Dunne gordijnen die zelfs op een dag als die dag, waarop alles grijs was, schitterend wit waren. Het donkerblauwe kleed met zijn geometrische patronen. Een oude rotanstoel met een heel hoge rugleuning in een hoek. Een ouderwetse witte boekenkast, propvol boeken, naast een even wit bureau met gedraaide poten en een gloednieuwe laptop erop. Het bureau stond bij het raam en het bijzondere was dat de wereld buiten mooi was. Het meer was weliswaar nog steeds grijs en de hemel slechts een tintje lichter, maar toch was het heel mooi. Kalm. Rustig. Zacht als in een wiegenliedje.

En Sofia sliep. Ze lag in haar rustige en geborgen kamer te slapen in haar rustige en geborgen bed terwijl een lampje met een wit geplisseerd kapje zijn gele licht over het grijze daglicht verspreidde. En op het nachtkastje naast haar bed stond een zwart-witfoto in een zilveren lijstje. Ik stapte de kamer binnen en bekeek de foto.

Vreemd.

Ik ging op de rand van Sofia's bed zitten, zette de beker neer en gaf een zacht duwtje tegen haar rug.

'Wakker worden!'

Misschien was ze de hele tijd al wakker geweest, misschien deed ze daarom bijna meteen haar ogen open en draaide ze zich om. Ze keek me met grote glimmende ogen aan. Bijna een beetje bang.

'Je moeder is naar de tandarts. Ze heeft me gevraagd om je chocolademelk te brengen. Daar staat het.'

Ik wees op de beker. Sofia volgde mijn blik, kwam toen wat overeind om te gaan zitten en propte haar kussen een beetje in elkaar zodat ze daar tegenaan kon leunen, maar ze zei niets.

'Daar staat het', herhaalde ik.

'Dank je', zei Sofia en ze streek met haar hand over het dekbed. Misschien probeerde ze me weg te duwen, misschien wilde ze niets liever dan dat ik wegging en precies daarom moest ik wel blijven zitten. Ik deed er een poosje het zwijgen toe, keek nog eens om me heen en bestudeerde opnieuw het prettige uitzicht achter het raam. Sofia bewoog niet, ze was op haar hoede en zat me met een kaarsrechte rug en gevouwen handen op te nemen. Het was bijna grappig om te zien wat voor gezicht ze trok. Ze mocht me echt niet.

'Ben je ziek?' vroeg ik.

Ze knikte en pakte de beker.

'Wat heb je dan?'

Ze maakte een soort beweging met haar schouders terwijl ze dronk. Misschien betekende dat dat ik daar niets mee te maken had. Jawel, ik wist het zeker. Ze bedoelde dat iemand als ik het recht niet had om aan iemand als zij te vragen wat haar mankeerde. Alsof ik niet volledig lak had aan wat zij vond. Ik was volwassen en zij was nog maar een snotneus, hoe verdomde deftig en poepchic ze zichzelf ook vond. Dus strekte ik me uit naar de foto die op haar nachtkastje stond en wierp ik haar een snelle blik toe.

'Vind je hem leuk?'

Ze hield de beker met beide handen vast en knikte ernstig. Ze sprak met een heel iel stemmetje.

'Natuurlijk.'

'Waarom?'

'Het is toch mijn vader.'

Mijn mond viel open. Letterlijk. Ik voelde het gewoon gebeuren, dat mijn kin naar beneden zakte en ik er dus met open mond bij zat.

'Dean Martin? Wil je zeggen dat Dean Martin je vader is?'

Sofia keek verward.

'Wie?'

'Dean Martin. De Amerikaanse acteur. Zou die je vader moeten zijn?'

Ze schudde haar hoofd.

'Nee, natuurlijk niet. Mijn vader was professor in de natuurkunde. Hij leeft niet meer.'

Ik schoot in de lach.

'En dit zou hem dus zijn. Een professor in de natuurkunde.'

Nu fluisterde ze bijna.

'Ja. Mama zegt …'

Ik moest opnieuw lachen.

'Je bent voor de gek gehouden! O, jeetje, wat ben jij voor de gek gehouden! Dat is geen professor in de natuurkunde, dat is Dean Martin, ik zweer het.'

'Maar …'

'Kijk maar op internet', zei ik. 'Google maar op Dean Martin, dan zul je het zien. Ik denk zelfs dat je dan deze foto tegenkomt.'

Ik stond op en nam de beker uit haar handen hoewel ze die nog niet leeg had. Haar witte vingers lieten zo gemakkelijk los dat ze wel van leem gemaakt konden zijn. Bij de deur draaide ik me om en glimlachte ik naar haar. Ze zat volkomen roerloos naar me te staren en had haar vingers nog steeds gekromd alsof ze de beker nog vasthield.

'Voor de gek gehouden', zei ik weer en glimlachend sloeg ik de deur dicht.

Daarna zag ik haar een paar weken niet en toen ze weer verscheen, was ze op een rare manier veranderd. Ze was magerder en volwassener en haar wangen waren minder rond. Helaas werd ze ook behoorlijk knap. En dat wist ze, dat kon je zien aan de manier waarop ze zich spiegelde in donkere vensterruiten, met haar hand over haar volle paardenstaart streek en elk wezen van het mannelijk geslacht lange, smachtende blikken toewierp. Maar aardiger was ze er niet op geworden. Integendeel. De eerste keer dat ik haar zag, liep ze tamelijk luidruchtig snuffelend achter me aan. Daarna ging ze met haar rug tegen het aanrecht staan en volgde ze me met een blik vol verachting. Ze bleef maar naar me staan loeren totdat mijn dienst erop zat en ik mijn schort kon afleggen. Ik rende toen naar de vestiaire en trok snel mijn jas aan, want ik wilde weg van haar valse ogen, maar natuurlijk kwam ze me achterna voordat ik de gelegenheid had gehad om weg te komen. Ze ging achter me staan, op zo'n manier dat ik ons allebei in de spiegel zag: zij met haar dikke donkere haarbos en ik met mijn dunne asblonde haar, zij met haar grote donkere ogen en ik met mijn smalle blauwe oogjes. Daarna snoof ze één keer, twee keer en vertrok haar gezicht van afkeer. Ik stonk echt erg.

'Wat ben jij lelijk', zei ze toen. Ze sprak op een gewone gesprekstoon en haar stem klonk net als anders. 'God, wat ben jij verschrikkelijk lelijk.'

En ik keek naar mijn gezicht in de spiegel en besefte dat ze gelijk had.

Ze bleef bijna meer dan een jaar snuffelend achter me aan lopen. Onderhand was ze echt mooi geworden. Donker en slank, hoewel niet bepaald lang, altijd goedgekleed en enorm goed verzorgd. Bovendien was ze blijkbaar behoorlijk goed op school. Toen ze de middenschool afsloot, kon Minna het natuurlijk niet laten om in de keuken van het restaurant haar cijfers voor te lezen, zodat Staffan en ik konden horen hoe enorm goed haar dochter het gedaan had. Overal negens voor, behalve voor muziek en sport, maar dat waren ook vakken die je kon laten zitten …

Sofia haalde haar neus alleen maar op voor haar moeder die daar stond te pochen. Vervolgens zuchtte ze demonstratief en griste de cijferlijst naar zich toe, waarna ze met resolute stappen de keuken verliet en de deur achter zich dichtsloeg.

Heel haar houding, heel haar manier van lopen drukte uit wat ik dacht. *Mijn cijfers gaan die stomme onbenullen toch niets aan!*

En Minna stond maar naar de gesloten deur te glimlachen als een echte idioot.

Tegen die tijd was ze niet alleen maar gemeen tegen mij. Ook tegen Minna was ze niet aardig. Ze gaf haar snauwend antwoord als Minna haar aansprak. Ze glimlachte schamper als ze toevallig zag dat Minna zich kamde of haar lippen stiftte, alsof het gewoonweg belachelijk was om te zien hoe een oud wijf als zij zich mooi probeerde te maken. Ze marcheerde het restaurant in, opende de kassa en keek Minna recht in het gezicht terwijl ze er geld uit nam. Open en bloot. En Minna, die sul, stond er maar bij en slikte het en liet die verdomde blaag gewoon doen waar ze zin in had.

'Sofia, alsjeblieft,' zei ze een keer, 'pak daar geen geld uit, dan wordt het zo'n rommeltje met de boekhouding. Wacht! Ik ga mijn portemonnee wel even halen …'

Maar Sofia reageerde niet, die ging gewoon door met geld pakken uit de kassa, vier briefjes van honderd kronen, een briefje van vijftig, drie van twintig, waarna ze de la met haar heup dichtschoof, even met haar kont deinde en vertrok.

'Vijfhonderdtien kronen', zei ik automatisch.

'Wat?' zei Minna, die me aanstaarde.

'Dat heeft ze gepakt. Vijfhonderdtien kronen.'

Minna keek me met een enigszins verwilderde blik aan en kreeg toen een schelle stem: 'En wat heb jij daarmee te maken? Nou? Kun je dat uitleggen?'

Een paar gasten blikten op van hun bord en keken naar ons. Ik deed een stap achteruit en Minna deed er eentje naar voren. Opeens was ik bang dat ze me zou slaan, maar dat deed ze niet, ze slaakte alleen een nijdige zucht, draaide zich om, duwde de deur naar de keuken open en verdween.

Staffan was de enige van het personeel die in Sofia's ogen genade kon vinden. Deze laatste zomer zat ze hem vaak op de hielen, ze hing om hem heen en wierp hem flirtende blikken toe. Het heette dat hij haar zou leren koken, maar wat haar betrof, kwam er van dat koken niet zo veel terecht. Niet dat het wat uitmaakte. Minna had immers nooit gewild dat haar kostbare dochter zich zou vernederen door aan het werk in het restaurant te moeten deelnemen. Sofia kon in haar zomervakanties rustig tot lunchtijd in bed blijven liggen en kwam daarna heel kalmpjes met een boek naar het terras slenteren. Ze zat daar dan uren te lezen en kwam niet eens van haar luie krent als er opeens twee of drie bussen vol toeristen verschenen. Dan trok ze alleen een beetje zuchtend en geïrriteerd haar wenkbrauwen op en sloeg de bladzijde om, hoe hard haar moeder en ik ook tussen de tafels heen en weer renden. Het kon weleens gebeuren dat ze haar boek na een poosje weglegde om naar de keuken te gaan, waar ze dicht bij Staffan ging staan om hem van zijn werk te houden, terwijl hij alle bestellingen op volgorde probeerde te houden. Dan stak ze haar vinger in de bearnaisesaus en likte die af met haar lange puntige tong. Vervolgens wierp ze hem een lange zinnelijke blik toe, waarna ze haar boek pakte en naar de oever van het meer liep om te gaan zwemmen.

En toen gebeurde er iets. God weet wat. Ik weet alleen dat het op die avond geweest moet zijn toen we een speciale reservering hadden voor een groot diner van een paar elandenjagers, een diner waar zowel Staffan als ik een paar uur overwerktoeslag voor zou krijgen. Dat was precies wat ik nodig had, want mijn oude laarzen waren net kapot en ik had nieuwe nodig. Dus ik had positief gereageerd op de vraag of ik de tafel wilde dekken en wilde bedienen. En de tafel dekken deed ik ook inderdaad, echt mooi trouwens, met linnen tafellakens, gevouwen servetten, kaarsen en de hele mikmak. Ik had net het vuur in de tegelkachel aangestoken toen Minna uit de keuken kwam vliegen om te zeggen dat er telefoon voor me was. Ze keek niet blij, dat kun je niet beweren. Niet eens meelevend. Integendeel, ze keek chagrijnig. Ze had natuurlijk gehoord dat het Sonny was die belde en ze vermoedde al wat dat betekende.

'Help', zei Sonny toen ik aan de telefoon kwam. Meer niet. En wat dat betekende wist ik, dat hij maar één woord zei. Er zat een aanval aan te komen. Hij had mij dat al vaak uitgelegd, dat hij het als het ware kon voelen dat iets wat op elektriciteit leek langs zijn ruggengraat op en neer ging voordat hij een aanval kreeg, dus daarom gooide ik de hoorn er gewoon op. Ik deed mijn schort af en vloog weg. Ik geloof dat Minna me nog in de vestiaire achternaliep en probeerde over te halen om me niks van Sonny aan te trekken, maar dat kon ik toch niet maken, ik kon hem toch niet in zijn eentje met epilepsie laten liggen zodat hij misschien doodging, dat was volslagen onmogelijk. Dus schudde ik gewoon mijn hoofd en rende ik naar de bushalte. En voor één keer was God mij genadig, want de bus kwam er bijna meteen aan en binnen een half uur was ik in onze flat. Sonny lag op de grond in de slaapkamer, maar ik geloof niet dat hij een stuip had gehad want hij had zich niet in zijn tong gebeten of op zijn wangen, maar dat hij buiten bewustzijn was, daar was geen twijfel over mogelijk. Misschien was hij alleen maar dronken, ik weet het niet. In elk geval lukte het me na verloop van tijd leven in hem te krijgen en hem in bed te krijgen, en daarna bleef ik bijna een half uur roerloos aan zijn zijde staan. Ik zag hem inademen en uitademen, inademen en uitademen, en ik weet nog dat ik dacht dat er nooit iemand zo lang aan mijn zijde had gestaan om te zien of ik wel echt ademde. Dat was een nieuwe gedachte en daar moest ik echt van huilen.

Daar stond ik dan in onze slaapkamer te huilen, helemaal alleen. En nieuwe laarzen kwamen er ook niet. Nieuwe laarzen zijn er nog steeds niet gekomen.

Maar die avond moet er in het restaurant iets gebeurd zijn, want de dag daarna was Minna echt buitengewoon chagrijnig. Niet dat ze mij met een verklaring verwaardigde; daarom dacht ik eerst dat het om mij ging en om het feit dat ik weg had gemoeten. Na verloop van tijd snapte ik echter dat Sofia er op de een of andere manier bij betrokken moest zijn. Dat kon je zien. Minna wierp haar boze blikken na en dat was nog nooit voorgekomen. Niet dat Sofia zich er iets van aantrok; de dagen na dat diner liep ze gewoon rond te kijken als een kat die een buitengewoon moeilijk te vangen en lekkere muis heeft verschalkt. Heel zelfvoldaan, met een nog rechtere rug dan anders en met een verwachtingsvol glimlachje op haar knappe smoeltje. Wanneer iemand haar aansprak, verwaardigde ze zich alleen bij uitzondering om te antwoorden, maar wanneer ze dat een keer deed, was haar stem koel en afstandelijk. Natuurlijk had ze haar huiswerk gemaakt. Natuurlijk had ze haar kamer schoongemaakt. En nee, ze wilde echt niets eten. Waarom dachten de mensen dat ze de hele tijd wilde eten? Nou?

Maar hoewel ze de eerste weken na dat diner bijna niets at, hield ze zich opeens wel veel meer beneden in het restaurant op. Op een gewone avond sloop ze wel drie, vier keer de trap af, de keuken in en verder de eetzaal in, waar ze dan rondliep en de gasten opnam op een manier die soms gewoon pijnlijk was. Het gebeurde weleens dat een man haar aansprak, een volwassen man dus, geen jongen van haar leeftijd, en dan bliksemde haar glimlach tevoorschijn. Nog vaker echter werd haar rondwandeling onderbroken doordat haar mobieltje ging en dan wist ze niet hoe snel ze naar de keuken moest rennen, maar het gesprek aannemen deed ze pas wanneer ze halverwege de trap was.

Raar, vond ik. Die hele meid was raar, maar dat kon ik natuurlijk niet zeggen, want dan had haar moeder me afgemaakt. Dus zweeg ik en bemoeide ik me zoals gewoonlijk met mijn eigen zaken. En na een paar weken hield Sofia op met de hele tijd rondhangen in het restaurant. Daarentegen nam ze steeds vaker de bus naar de stad. Wat ze daar nou te zoeken had.

Op een dag werd ik Sofia gewaar toen ze in de Spoorstraat uit een zwarte Audi glipte en ondertussen haar jas aantrok. Ze wierp de chauffeur een kushandje toe en trok haar rits dicht. Snel om zich heen kijkend haastte ze zich in de richting van de Markt. Mij zag ze niet; het was al donker en ik was op een parkeerplaats bezig om een vriendin te helpen bij het inladen van de boodschappentassen in de achterbak van haar auto. Soms mag ik uit goedertierenheid met haar mee wanneer ze groot inslaat en dan brengt ze me ook naar huis. Dit was zo'n dag. Toen we wegreden, stond de zwarte Audi er nog. We reden eromheen en mijn vriendin stak groetend haar hand op.

'Wie is dat?' vroeg ik.

Mijn vriendin haalde haar schouders wat op.

'Een dokter. Van mijn werk.'

'Hoe oud is hij?'

'Geen idee. Een jaar of vijftig denk ik.'

Ik trok mijn wenkbrauwen op. Wat deed de zestienjarige Sofia bij een vijftigjarige dokter in de auto?

Een goeie vraag. Een heel goeie vraag.

Een paar weken later zag ik haar door het keukenraam toen ze snel de heuvel afliep en ondertussen haar jas aantrok. Ik kon mezelf niet bedwingen; ik liep het kantoor in, hoewel ik weet dat Minna daar een hekel aan heeft en hoewel ik wist dat ze elk moment kon verschijnen. Maar ik moest zien waarom Sofia zo'n haast had. Ik moest het gewoon zien. Er stond een rode auto op de weg te wachten. Sofia sprong erin. Ze deed het portier heel vanzelfsprekend open en sprong in de auto.

En ten slotte, slechts enkele weken later, zag ik haar op precies dezelfde plek uit een grijze BMW naar buiten glippen. Zelf stond ik bij de bushalte te wachten om naar huis te gaan. Het was in het vroege voorjaar, maar al donker en daarom zag ze mij niet. Maar ik zag haar wel. Ik zag haar en ik zag die man in zijn dure auto in het licht dat aanging toen zij het portier opende. Hij was minstens vijfenvijftig en behoorlijk dik. Grijs, dik en gelukkig. Hij stak zijn mollige hand op en wierp haar een kushandje toe, waarna hij het portier dichttrok en gas gaf. Zij bleef hem een halve minuut staan nakijken. Ze knipperde met haar ogen alsof ze moe was. Haar rug gebogen. Beide handen in een greep om iets wat bankbiljetten moesten zijn.

'Dag, Sofia', zei ik.

Ze schrok en staarde me aan, maar ze groette niet terug.

Meer weet ik eigenlijk niet over wat er gebeurde, maar ik weet wel dat het aanleiding gaf tot het nodige geklets. Niet dat ik iets tegen iemand gezegd heb, dat zweer ik; ik heb geen woord gezegd, niet tegen mijn moeder of Sonny of mijn vriendin, die eigenlijk helemaal geen vriendin is, maar gewoon iemand in de flat waar wij wonen. Ik zweeg zoals ik altijd zwijg. Maar horen deed ik wel, zoals ik altijd hoor. Toen mijn moeder in augustus jarig was en koffievisite hield, dempten haar vriendinnen na een poosje hun stem en begonnen over Sofia te fluisteren. Ik hoorde hen. Ik hoorde elk woord.

Een paar weken later schraapte mijn vader zijn keel en zomaar ineens, zonder enige aanleiding, vroeg hij of ik wist wie Sofia was en of het waar was dat zij de dochter van Minna was. Ik was zo verbluft over die vraag dat ik niets anders wist te verzinnen dan maar snel iets te mompelen, maar de volgende dag al werd het helemaal stil in het restaurant toen Sofia er een van haar tegenwoordig zeldzame bezoekjes bracht. Zo stil, dat ze opeens bleef staan en vragend om zich heen keek. Maar ze had het natuurlijk moeten snappen. Iemand die zo waanzinnig intelligent was als zij had natuurlijk moeten snappen wat die stilte betekende.

Ik heb echter geen woord gezegd. Ik zweer het. Ik heb nooit geroddeld. Ik ben geen roddelwijf.

Dus wat er gebeurde was niet mijn fout.

Het was niet mijn fout!

Minna

Er slaat een deur dicht en ik word met een schok wakker, maar weet eerst niet waar ik ben. Ik probeer overeind te komen, maar na een paar centimeter dwingt de pijn me al terug. Goeie genade! Mijn lichaam staat in brand. Ik heb blijkbaar allerlei ribben gebroken. Misschien ook mijn sleutelbeen. En het zou me niet verbazen als ik een schedelbasisfractuur heb, maar ik kan niet voelen of er ook een verband om mijn hoofd zit, want het doet te veel pijn om te proberen of ik mijn linkerarm kan optillen. Mijn rechterarm is volkomen onbruikbaar; die ligt als een dood voorwerp in een mitella op mijn borst. Ik probeer mijn vingers te bewegen, maar geef het meteen op. Het lukt niet. Het moet wachten.

Gek genoeg voel ik me toch veel beter. Ik ben weer mezelf. Ik ben weliswaar helemaal gebroken en lig in het ziekenhuis, maar toch lijk ik opeens meer op mezelf dan ik in lange tijd gedaan heb. Misschien heeft dat met mijn gezichtsvermogen te maken. Dat ik beter zie. Het plafond boven me is helemaal leeg en wit, maar toch vind ik dat ik het aanzienlijk beter kan zien dan ik ooit eerder een wit plafond gezien heb. Dat geeft een behoorlijk raar gevoel.

In een poging naar mijn overleden grootmoeder te kijken draai ik mijn hoofd behoedzaam naar links, heel voorzichtig, om niet misselijk te worden, maar een den buiten voor het raam is het enige wat er te zien is. Een vochtige den met donkergroene takken die zich aftekenen tegen een helderblauwe lucht. Helderblauwe lucht? De lucht is toch maandenlang grijs geweest? Ik doe mijn ogen weer dicht en draai mijn hoofd naar de andere kant. Ditmaal beweeg ik me minder voorzichtig en dat gaat goed. Ik word niet misselijk. Ik kan onder het bewegen zelfs mijn ogen opendoen, ermee knipperen en constateren dat de muur aan de andere kant geel is. Warempel. Vannacht was hij niet geel. Dus doe ik mijn ogen opnieuw dicht en til ik mijn hoofd een tikje op. Ik doe mijn ogen pas weer open als ik recht vooruit kan kijken. Iemand heeft daarginds de kasten weggehaald. Bovendien hebben ze de muur net zo geel geverfd als de andere, en een schilderij opgehangen, een rustgevende en heel realistische afbeelding van een zeilboot op lichtblauw water. Het is geen symbolische zeilboot des doods op weg naar de eeuwigheid, integendeel, het is een heel licht en hoopvol beeld van de Zweedse zomer. We mogen op dit moment storm en overstromingen hebben, zegt dat plaatje, en binnenkort komt de lange donkere winter, maar vergeet de heerlijkheid die in de verte wacht niet. Het weelderige groen. De vlinders. De vogelzang.

Ik begin met mijn ogen te knipperen en probeer me iets omhoog te duwen, maar realiseer me algauw dat het hoofdeinde niet meer omhoogstaat. Ik lig plat, helemaal plat op mijn rug. En de zon schijnt door mijn raam naar binnen.

Zon. Dat is ook gek. Ik heb de zon al een jaar niet meer gezien. Niet sinds de dag waarop mijn dochter Sofia zich aan blauw nylon touw op haar kamer verhing.

Onder me opent zich een diepe wond. Ik word duizelig. Ik val.

Nee. Ik weiger. *Weg! Vort! Aan de kant ermee!* Gewoon weg met die gedachte! Die absurde fantasie! Dat belachelijke waanbeeld!

Sofia is niet dood.

Sofia is niet dood.

Sofia is niet dood.

Ik zweer het! Ik heb haar immers gezien. Een paar keer. Afgelopen voorjaar stond ze op een dag met haar rug naar me toe in mijn eigen restaurant haar jas aan te trekken. Met haar rechterhand deed ze haar paardenstaart omhoog en daarna liet ze haar krullen vallen. Ik herkende die hand, dat haar en dat gebaar, heel haar jonge wezen, maar ik lette goed op dat ik me inhield. Ik glimlachte alleen een beetje en verzond een stille groet. *Dag Sofia, wat leuk dat je eindelijk thuis bent gekomen!* Maar net toen ik op een heel gewone, alledaagse toon haar naam wilde zeggen, zonder geroep, gehuil en gesnik, draaide ze zich iets om en toonde ze haar gezicht, ze toonde dat ze in een mum van tijd een gedaanteverwisseling had ondergaan en iemand anders was geworden, en ze wierp me een schuine blik toe alsof ze om vergiffenis vroeg. En ik begreep het. Ze moest immers wel een gedaanteverwisseling ondergaan. Ze moest zich verbergen. Ze moest een geheim worden. En daarom kon ze gedaanteverwisselingen blijven ondergaan. Elke keer dat ik bij haar in de buurt kwam, werd ze iemand anders. Wanneer ik haar over de Grote Markt zag snellen. Wanneer ik achter haar stond in de rij bij de apotheek. Wanneer ze met haar rug naar me toe stond in de bibliotheek. Soms maakte ze zich helemaal onzichtbaar, in het bijzonder wanneer ze 's nachts laat thuiskwam om uit te rusten. Op zulke nachten kon ik haar voetstappen horen, kon ik horen hoe ze door de gang naar haar eigen kamer sloop en de deur dichtdeed. En dat was zo fijn. Dat voelde zo veilig. Ze was er, ook al was ze er niet.

Mijn Sofia.

Wanneer ik weer wakker word, staat er iemand bij mijn bed en het eerste wat ik zie, is haar helderblauwe tuniek. Die kleur komt me eigenaardig bekend voor, die doet me denken aan iets waaraan ik niet herinnerd wil worden. De zon schijnt nog steeds door mijn raam naar binnen, maar zijn licht is nu roder. Warm oranje en heel mooi.

'Hallo daar', zegt de vrouw bij mijn bed en ik rol voorzichtig op mijn rug om te kijken wie er is. Het is Maggie. De vrouw van Tyrone. Toen mijn moeder overleed, heeft zij de kampioenstitel van prater overgenomen.

'Misschien moet je eens wat te eten krijgen', zegt ze. 'Ook al doe je niks dan slapen. Je slaapt nou al twee etmalen. Bijna twee etmalen. We hebben ons echt ongerust over je gemaakt, want je kwam niet eens goed bij bewustzijn toen we je naar dit bed hebben verplaatst en ook niet toen we je door de gang naar deze kamer hebben gebracht. Zelfs niet toen we hier aan het schoonmaken waren. Je bleef maar slapen. Dokter Hansson was vanochtend een beetje bezorgd over je. Hij heeft gisteren een e.e.g. van je laten maken en zodra hij vandaag in het ziekenhuis aankwam, heeft hij meteen weer bij je gekeken. Hij zei dat het niet goed was om na een hersenschudding zo lang bewusteloos te zijn; hij dacht erover om je naar de neuroloog in Karlstad te sturen, maar nu je wakker bent, is dat misschien niet nodig … En dat is misschien maar beter ook, want de wegen zijn nog steeds behoorlijk nat en vannacht heeft het ook nog gevroren, dus de kans bestaat dat het hier en daar glad is en dan is het voor de ambulances natuurlijk niet zo gemakkelijk. Nu moet je even helemaal stil blijven liggen, dan zet ik het bed hier wat hoger, zo ja. Hier heb je een boterham en een glas melk, en als je wilt, kan ik een kopje koffie voor je halen.'

'Ja, graag', zeg ik en ik ben zelf verbaasd mijn eigen stem te horen. Die trilt niet. Die klinkt niet hees en raar. Het is een heel gewone stem.

'Ja, kijk, dat is goed', zegt Maggie. 'Een kop koffie is precies wat je nodig hebt, arme stakker. En ik moet je de groeten doen van Tyrone. Hij is nu thuis aan het bijkomen, en dat heeft hij ook echt wel nodig, want die narigheid die hem is overkomen ...'

Voordat ik gelegenheid heb om te vragen wat voor narigheid Tyrone is overkomen is ze de deur al uit, maar slechts een halve zin later is ze alweer terug. Ze zet het kopje koffie op mijn nachtkastje en schuift dat dichterbij zodat ik met mijn linkerhand gemakkelijk het kopje kan pakken. Het doet maar een klein beetje pijn.

'... een collega bij de politie aangeven, ja, het is me wat. Het is gewoon te schandalig voor woorden, dat vindt iedereen, zelfs de jongere kerels op de kazerne. En ik heb tegen Tyrone gezegd dat het nu welletjes is; ze kunnen toch niet verwachten dat hij, hoewel hij al met pensioen is, eerst meewerkt in rampsituaties en zich er daarna in moet schikken dat er aangifte bij de politie tegen hem wordt gedaan. Het is toch een schandaal, heb ik gezegd, en volgens mij vindt hij dat ook wel, ook al heeft hij er niet direct wat over gezegd, maar zo is het altijd met Tyrone, als het niet direct nodig is zegt hij nooit wat, dat weet jij ook wel.'

Ze haalt adem en ik zie mijn kans schoon om ertussen te komen.

'Heb ik twee etmalen geslapen?'

Maggie zucht, vouwt haar handen op haar ronde buik en houdt haar hoofd schuin.

'Ja, dat heb je echt, lieve schat. Twee etmalen, en of dat kwam door je hersenschudding of door dat medicijn dat Tyrone je heeft gegeven weten we eigenlijk niet, dat weet zelfs dokter Hansson niet. Maar nu ben je weer wakker en het lijkt redelijk met je te gaan, dus dat ga ik nu aan het hoofd vertellen en daarna ga ik Tyrone bellen, want ik weet dat hij zich ongerust over je maakt, en niet alleen maar vanwege zichzelf, dat moet je weten, maar vanwege jou. Hij heeft zelfs gezegd dat hij vond dat jij al genoeg had moeten meemaken, met die zelfmoord van je dochter en zo, ja, dat heeft hij gezegd en dat is voor Tyrones doen heel wat.'

Ik begin met mijn ogen te knipperen. Sofia. Dat mens staat daar gewoon voor me en praat over het feit dat mijn dochter een jaar geleden zelfmoord heeft gepleegd alsof het iets vanzelfsprekends is. De herinnering aan Sofia's voeten schiet voorbij, de herinnering aan haar blote kinderlijke voeten, helemaal wit en roze, die voor me bungelden en de zon die ze bescheen en het heerlijke uitzicht achter het raam, het meer en de bossen en de blauwe lucht en de donkere vogels die opeens opvlogen van een boom beneden aan de oever, en opeens meen ik mijn eigen gegil van toen te kunnen horen, en daar wil ik me bij aansluiten, ik wil opnieuw janken, krijsen en brullen, ja, ik wil janken, krijsen en brullen tot aan mijn dood, maar dat doe ik niet. Ik knipper alleen nog een keer met mijn ogen en bekijk dat eigenaardige mens dat voor me staat. Maggie is de enige. Niemand anders heeft het er ooit met mij over gehad. En daarom is zij ook degene die me uitnodigt in de werkelijkheid.

'Bedankt voor de koffie', zeg ik. Nu trilt mijn stem wel een beetje, maar dat lijkt haar niet op te vallen.

'Neem nou ook een hap van die boterham', zegt ze met een glimlachje. 'Ik ga niet weg voordat je dat gedaan hebt.'

Dus neem ik een hapje van de boterham. Ik kauw en proef de bekende smaak van zure kaas. Ik slik.

'Kijk eens aan', zegt Maggie terwijl ze me even over mijn hoofd aait. 'Dat was heel goed van je.'

Wanneer ze weg is, bekijk ik mijn nieuwe kamer. Die is heel rustgevend. Schoon in elke hoek. Bijna geheel ontdaan van voorwerpen. Het enige wat je hier hebt, zijn het bed, het nachtkastje en een roodbruine bezoekersstoel. Plus een glas water op het nachtkastje en een half leeggedronken kopje koffie. De deur naar de gang staat open en daar hoor ik stemmen en voetstappen. Iemand schiet in de lach, een ander rammelt met metaal, een derde praat met dat speciale toontje dat mensen in de gezondheidszorg altijd aanslaan tegenover patiënten. *Zo! Dat ging heel goed!*

Ik doe mijn ogen dicht, maar dat is niet zo geslaagd, daardoor beginnen er een heleboel beelden door mijn hoofd te spoken. Sofia's voeten bungelen opeens weer voor me, maar ik weiger, ik ga er niet in mee dat ze dood is, het is niet waar, het mag niet waar zijn. Maar opeens zie ik ook hoe het ging toen de wereld mijn zin begon te doen, hoe die langzaam een draai maakte en een andere werd. Sofia was alleen maar naar buiten gegaan. Misschien had ze eindelijk een maatje gekregen, misschien zelfs wel een vriendje. Of ze had zich in haar kamer opgesloten om te leren. Als ze althans niet naar Uppsala was verhuisd om te gaan studeren, ook al duurde het nog een paar jaar voordat ze aan haar eindexamen toe was. Het maakte niet uit, hield ik mezelf voor, dat was alleen maar goed, want het laatste jaar waren haar uitzonderlijke cijfers een tikje minder uitzonderlijk geworden, maar in feite was ik bitter jaloers op haar nieuwe leven en probeerde ik haar terug te lokken met cadeaus. Met dure cadeaus. Een nieuwe laptop en een echt mooi mobieltje. Een televisie voor haarzelf alleen, ook al betekende dit dat ze nooit meer naast me op de bank in de woonkamer zou zitten. Boeken waarvan ik dacht dat ze die wilde hebben, boeken over natuurkunde, biologie, neurologie en over heel dat mysterieuze mechanisme dat zich ervoor uitgeeft de ultieme schepping van het universum te zijn. De mens.

Goeie genade! Wat had ik mezelf voorgelogen!

Maar daar wil ik niet aan terugdenken. Ik wil niet eens kunnen terugdenken. Een automaat, dat is wat ik wil zijn. Een machine die kan eten, slapen, praten en die net doet of hij leeft, maar verder niets. Daarom sla ik mijn ogen weer op en kijk ik om me heen, bestudeer ik het schilderij, de stoel en het nachtkastje, het koffiekopje op mijn nachtkastje en het glas melk.

Is dit de werkelijkheid?

Dit is de werkelijkheid. Dingen. Voorwerpen. Meer niet.

Wat moet ik met die werkelijkheid aan?

Ik ben niet gek. Het kan zijn dat ik bijna een jaar lang gek ben geweest, maar nu ben ik niet gek meer. Ik weet wat er is gebeurd. Ik buig en beken. Ik weet het nog. Maar toch wil ik mijn geheugen niet vertrouwen. Ik wil mijn geheugen net zomin vertrouwen als dat ik mijn gezichtsvermogen en mijn gehoor vertrouw. En ik vertrouw mijn gezichtsvermogen en mijn gehoor net zomin als dat ik de werkelijkheid vertrouw. Dat is de trieste waarheid.

Een koperkleurige engelenvleugel zwiept even over mijn gezicht, maar ik weiger zijn bestaan toe te geven. Hij is er niet. Toch brengt hij mijn verdriet tot leven. Ik staar neer in een diep zuigend duister, een zwart gat dat de heerlijkste straf en oneindig lekkere verschrikkingen bevat, maar ik tast tegelijkertijd naar het laken van mijn bed, probeer dat beet te pakken om me vast te houden, maar dat lukt natuurlijk niet, ik vergeet dat ik gewond ben en pijn heb. Ik begin te steunen. Precies op dat moment gaat de deur open en daar staat Maggie. Breed, blauw en bezorgd, haar handen diep in de zakken van haar tuniek.

'Voel je je niet goed? Heb je pijn?'

Ik knik zwijgend. Ze strijkt me over mijn haren, wiegt met haar hoofd heen en weer.

'Ik ga met de dokter praten', zegt ze. 'Ik zal ervoor zorgen dat je iets krijgt wat helpt.'

Dan komt eindelijk de grote rust, al is het via de chemische weg. Een half uur later begint het te schemeren, slechts een smal streepje zon valt nog op mijn gele muur. Dat streepje wordt allengs kleiner en roder; weldra zal het eruitzien als het rode stipje van een lasergun en ik kijk er gefascineerd naar. Dan gaat opeens de deur open en komt er een hele kudde in witte jassen gestoken personen mijn kamer binnen. Ik moet me inspannen om mijn blik naar hen te verplaatsen, om hen te tellen, een, twee, drie, vier, om hun sekse vast te stellen, twee vrouwen en twee mannen, en om te proberen te begrijpen wat ze zeggen. De pijnstilling heeft me een beetje sloom gemaakt. Ik knipper met mijn ogen naar hen en probeer op te letten. Dat lukt maar half.

'… geen blijvend letsel', zegt een van de vrouwen. Ze is van mijn leeftijd en zou misschien eens moeten gaan lijnen.

'Maar misschien …' zegt een van de mannen. Hij is jong, blond en hij glimlacht onzeker.

'… afwachten, maar denk toch …' zegt de andere man ernstig. Hij is was ouder en heeft heel donker haar, maar hij was niet degene die de zorg voor Ebba van Tynne had toen ze stierf. Deze man heeft nooit elandenfilet gegeten in Sally's Café-Restaurant. Hij neuriet niet.

'… moet misschien worden verwerkt', zegt de jongste vrouw terwijl ze haar wenkbrauwen fronst in een poging er serieus uit te zien. 'Morgen, om twee uur.'

Ik snap er niets van, heb geen idee wie dit zijn en wat ze willen, maar ik kijk wel uit om dat te laten merken; ik knik gewoon zwijgend en mompel 'bedankt' wanneer ze zich als één man omdraaien en weggaan. Maggie heeft blijkbaar op de gang staan wachten, want ze komt binnen zodra ze zijn vertrokken.

'Wil je nog wat koffie?' vraagt ze.

Ik knik, hoewel ik me opeens een beetje angstig voel voor

de werkelijkheid die zij met zich meedraagt.

'Goed', zegt Maggie. 'Dan drinken we samen wat.'

Ze zet mijn kopje op het nachtkastje en geeft daar met grote precisie een zetje tegenaan zodat het blad op de juiste plaats komt. Het kopje komt precies voor me terecht. De pijnstillende tabletten werken; ik heb totaal geen pijn in mijn linkerhand wanneer ik de koffie wil pakken. Maggie heeft de bezoekersstoel naast mijn bed getrokken. Ze verdwijnt nog even naar buiten, maar komt meteen weer terug met een kopje voor zichzelf en een paar speculaasjes. Met een zucht laat ze zich in de stoel zakken.

'God, wat lekker om te kunnen zitten. Hier rent een mens dagenlang aan één stuk door ... Maar voor vandaag zit het erop. Mijn dienst is afgelopen, dus je kunt mij nu als bezoek beschouwen.'

'Moet je dan niet naar huis?'

Ze geeft niet meteen antwoord, maar grimast alleen een beetje en leunt met haar hoofd tegen de rugleuning van de stoel. Ze ziet er best lief uit zoals ze daar zit. Haar gezicht rond en vriendelijk, haar figuur een beetje propperig en haar haren in een heel praktisch kapsel geknipt. Haar ogen zijn donkerblauw en heel helder. Ze glinsteren, alsof er een glimlachje op de loer ligt.

'Het heeft geen haast. Soms heb je even rust nodig voordat je thuis weer aan de slag gaat.'

Ik knik begrijpend en pak opnieuw mijn eigen kopje. Ik heb echt koffie nodig.

'Wat voor gezelschap was dat?' vraag ik wanneer ik een slok genomen heb. 'Die mensen die hier net waren, bedoel ik. Ik heb niet goed gehoord wat ze zeiden.'

'De artsenvisite', zegt Maggie terwijl ze haar benen uitstrekt. 'En de psycholoog.'

'De psycholoog?'

Maggie trekt haar wenkbrauwen op en glimlacht een beetje.

'Inderdaad. Maar als je het mij vraagt, is dat mens wel heel erg psycholoog volgens het boekje.'

'O.'

'Ja.'

We pakken tegelijk onze kopjes op om nog een slok te nemen. Nu heeft de grijsblauwe schemering het helemaal overgenomen, geen zonnestraaltje gloeit meer op mijn gele wand. Het blauwe uur heeft zijn intrede gedaan. Het beste en het ergste uur van de dag. Afhankelijk van de omstandigheden.

'Kun je me ergens mee helpen?' vraag ik ten slotte.

Maggie kijkt op.

'Natuurlijk.'

'Kun jij me vertellen of Ebba van Tynne dood is? Of ze is gestorven in dezelfde nacht als waarin ik werd opgenomen?'

Maggie kijkt me vorsend aan, aarzelt wat, maar neemt dan een besluit.

'Ja. Ze is laatst overleden.'

'Lag ze naast me?'

'Ja. In een reservekamer. Op dat moment hadden we natuurlijk nogal wat patiënten. Vanwege de storm en de overstromingen. Maar jij was helemaal van de wereld, dus ...'

'Toch hoort een mens wel het een en ander.'

Maggie bestudeert me met een waakzame blik.

'Ja, dat zeggen ze.'

'Het is waar.'

Ze slaat haar ogen neer en antwoordt niet.

'Je weet misschien dat zij mijn grootmoeder was', zeg ik en ik hoor dat mijn stem begint te trillen. Potverdorie. Dat mag niet gebeuren. Ik mag nooit meer met trillende stem praten. Nu ben ik in de werkelijkheid en ik kan het me niet permitteren om te onthullen dat ik ergens anders ben geweest.

'Ja', zegt ze. 'Ik zat immers bij je moeder in de klas. Dus dat weet ik.'

Ze zwijgt en wacht op de volgende vraag, maar durft me niet goed aan te kijken.

'En Dag Tynne?' zeg ik. 'Hoe gaat het met hem?'

'Niet zo goed', zegt Maggie. 'Het gaat eigenlijk helemaal niet zo goed met hem. Hij wordt buiten bewustzijn gehouden. Hoewel ik dit natuurlijk eigenlijk niet mag vertellen. Je mag de ene patiënt niets over een andere vertellen. Dat zijn de regels.'

'Oké.'

'Maar ik weet natuurlijk dat hij jouw vader is, dus ...'

'Ja.'

'Heb je hem weleens ontmoet?'

'Nee.'

'Nooit? Helemaal nooit?'

'Nee.'

Maggie knikt langzaam. Een minuutlang is ze helemaal stil. Misschien is dat een nieuw persoonlijk record voor haar. Zo lang heeft ze vast nog nooit gezwegen.

'Sommige kerels zijn rare snuiters', zegt ze dan. 'Heel rare snuiters. Je zou toch denken dat ze wel een beetje belangstelling zouden hebben. Een beetje belangstelling voor hun eigen kinderen ...'

Ik kijk in mijn koffiekopje.

'Dat zou je kunnen denken.'

Maggies blik glijdt weg, ze kijkt naar de deur en het licht dat van de gang naar binnen schijnt, maar dat is niet wat ze ziet. Ze bekijkt een andere tijd.

'Ik ben ooit ook een beetje verliefd op hem geweest.'

O. Wat moet een mens daarop zeggen? Niets. Maar ze trekt zich van mijn zwijgen niets aan, ze praat meer tegen zichzelf dan tegen mij.

'Er was iets met zijn ogen. Je had het gevoel dat hij je werkelijk zág. En dat was al vroeg zo; toen we een jaar of twaalf waren, merkte ik dat al voor het eerst. Zo is het met Tyrone natuurlijk nooit geweest; die was immers niet in staat om iemand aan te kijken of iets zinnigs te zeggen. Die werd alleen chagrijnig als ik wilde praten, dat was zo ontzettend belachelijk dat het niet normaal was, en toch hing hij mij zo'n beetje de hele tijd aan mijn rokken. Liep twee passen achter me boos te kijken om maar te zorgen dat ik niet toevallig mijn blik op een ander manspersoon richtte. En dat is dus nooit veranderd. Bij Tyrone moet je gewoon je mond dichthouden en het gewone leven verder laten rollen, misschien dat je een woord of twee kunt zeggen als er iets heel bijzonders gebeurt, als je bijvoorbeeld een lekkage in huis hebt of als de kat wordt overreden of zo. Dan mag je wat zeggen en krijg je misschien soms zelfs een reactie, maar dat is ook het enige. Verder moet je gewoon je mond houden, op vaste tijden het eten op tafel zetten en hem 's nachts troosten op de manier waarop alle kerels getroost willen worden …'

Ze slaakt een zucht en gaat over op iets anders.

'Maar misschien was Dag in wezen niet eens zo anders. Want die wilde immers ook nooit luisteren, hij deed alleen alsof. Het enige wat hij wilde was dat je je benen spreidde. Ja, je moet het me maar vergeven dat ik op deze manier over je vader praat, maar zo was het. Daar was hij volkomen ziekelijk in, en ik was niet zo dom dat ik niet algauw in de gaten had hoe hij het aanlegde, hoe hij van de ene meid naar de andere ging. En toen hield ik het voor gezien, ook al was ik nog behoorlijk verliefd op hem. Niet dat hem dat wat uitmaakte; hij had zijn handen al vol. En dat was eigenlijk niet alleen op schoolfeesten en zo, nee, hij was er fulltime mee bezig. Een van de meiden uit de klas vertelde dat hij 's ochtends met haar aan het foezelen was geweest en 's middags met Kristin.

Op dezelfde dag! Maar daarna, toen Kristin zwanger was – ja, trouwens, ze moet toen van jou in verwachting zijn geweest – en het een groot schandaal werd, toen was wat mij betreft de liefde over. Ik laat dat figuur nooit meer aan me zitten, dacht ik toen. En er moeten er meer geweest zijn die er ook zo over dachten, want er zat toen voor hem niets anders op dan zich een hele maand gedeisd houden. Maar daarna begon hij natuurlijk weer opnieuw en zo is het doorgegaan tot hij examen deed. De ene meid na de andere, en – hoewel niemand het echt zeker weet – zeggen ze dat hij ook nog met onze lerares Engels en met de verpleegkundige van de schoolgezondheidsdienst naar bed is geweest. En dat allemaal alleen omdat hij met die blik rondliep en als het ware beloofde om te luisteren en belangstelling te hebben en zich om je te bekommeren, hoewel hij natuurlijk nooit echt … Ach!'

Ze schudt haar hoofd.

'Ik kan dat niet uitleggen, want hij zei natuurlijk nooit ronduit dat hij van plan was om te luisteren en belangstelling te hebben en zich om je te bekommeren, het was als het ware gewoon iets wat hij je je in je hoofd liet halen. Zo was het. Hij was er geweldig in om je je van alles in je hoofd te laten halen.'

'Tja. Dat zal dan zijn talent wel zijn.'

Maggie staart me bijna verbijsterd aan.

'Inderdaad', zegt ze dan terwijl ze langzaam knikt. 'Dat zal dan zijn talent wel zijn. Dat hij je laat geloven dat je wat voorstelt.'

Ze neemt nog een slok van haar koffie en zakt dan weer terug tegen de rugleuning van haar stoel.

'Ja, je moet het me maar vergeven, maar ik heb vaak gedacht dat ik blij en dankbaar moest zijn dat het Kristin was die zwanger werd en niet ik. Want je kunt over Tyrone zeggen wat je wilt, maar hij is in elk geval betrouwbaar. Hij zou nooit hebben gezegd en gedaan wat Dag zei en deed. En als ik zwanger was geworden toen we nog op school zaten, dan had hij zijn verantwoordelijkheid genomen, dat weet ik zeker, hij zou het nooit hebben ontkend en mij ervan hebben beschuldigd dat ik met allerlei anderen naar bed was geweest en hij zou nooit allerlei rottigheid over mij zijn gaan rondstrooien en over me hebben gezegd dat ik een …'

Ze kijkt opeens of ze haar tong wel kan afbijten. Ik grijns wat.

'Wat zei hij dat mijn moeder was?'

Ik houd haar vast met mijn blik, dwing haar om me aan te kijken. We weten allebei welk woord het is. Dat vervloekte woord dat de gevangenis van Sally en mij is geweest, dat woord waar mijn grootmoeder eeuwig onder gebukt ging en dat de oorzaak was van mijn moeders afkeer van mij, dat woord dat uiteindelijk mijn kind de dood in heeft gejaagd. Dat woord waarvan ik ooit dacht dat het was uitgeroeid en opgeruimd, dat het door de ratio, de gelijkberechtiging en heel de verrekte moderne tijd was weggewist, maar dat wedergeboren en driedubbel zo hard is teruggekomen. Dat woord waarmee je elke vrouw kunt brandmerken en vernederen, dat woord dat geen mannelijke tegenhanger heeft, dat woord dat in wezen de wortel is van onze achterstand.

'Je weet wel', zegt Maggie terwijl ze opzijkijkt. Ze kan het niet uitspreken.

'Ja', zeg ik en ik doe mijn ogen dicht. 'Ik weet het.'

Terwijl dat woord tussen ons in wegsmelt, lig ik een hele poos doodstil. Ik zeg niets. Maggie zwijgt ook en na een poosje hoor ik aan haar ademhaling dat ze in slaap is gevallen. Ik doe mijn ogen open om haar te bestuderen. Haar hoofd is wat naar opzij gevallen en het gekke is dat ik al haar leeftijden in haar gezicht kan zien. Het meisje met de appelwangen dat ze ooit was. De mollige tiener. De glimlachende moeder. De verrukte grootmoeder. En de oude vrouw die ze zal worden. Ze glimlacht niet, integendeel, ze kijkt behoorlijk bits wanneer ze slaapt, maar toch zie ik hoe diep en rijk haar vreugde is. Hoewel Tyrone niet wil praten, is ze toch blij, want hij tast 's nachts wel naar haar hand en wil in haar armen liggen. Hoewel haar werk zwaar is en slecht betaald wordt, is ze blij, want ze heeft immers haar collega's om mee te lachen en patiënten om zich om te bekommeren. Ze is blij omdat ze een volwassen dochter heeft die bijna elke dag belt en kleinkinderen die nog klein genoeg zijn om vaak langs te komen en zich op limonade en wat lekkers te laten trakteren, en ze is blij omdat ze een kat heeft die om haar benen strijkt wanneer ze van haar werk thuiskomt.

Maggie is blij omdat ze veel heeft om blij mee te zijn.

Er gaat een steek van afgunst door me heen.

Ik zou Maggie willen zijn. Ik zou haar leven willen hebben.

* * *

Wie klopt er 's nachts aan mijn raam?
Gaat met scherpe nagels over het gladde oppervlak?
Glipt naar binnen en gaat aan het voeteneinde van mijn bed staan?
Kijkt naar me met de naakte blik van een baby?

Zij die een lus kon knopen.
Zij wier lus zo knap geknoopt was dat haar halswervels braken.
Zij die aan wurging ontsnapte.
Zij die zo abrupt stierf als ze wilde sterven.

Haar hoofd hangt schuin, maar ze smeekt niet.
Haar hoofd zal in mijn herinnering altijd schuin hangen.

Toch spreekt ze. Al is het wat hortend.

Ma, zegt ze. Ma.

H-oe-r.

* * *

De volgende ochtend word ik wakker doordat ik koude botten heb. Een koud skelet.

Kun je echt een koud skelet hebben? Ja, hoor. Klaarblijkelijk. Ik heb een gevoel alsof mijn beenderen een hele winter buiten in de sneeuw kou hebben liggen opzuigen en nu langzaam hun vrieskou aan mijn lichaam beginnen af te geven. De kou komt diep van binnen en verspreidt zich door zenuwen, pezen en spieren. De kou maakt dat mijn bloedvaten samentrekken tot nanodunne draden. De kou maakt dat mijn hart bijna ophoudt met kloppen. De kou maakt dat mijn hersenen een zware grijs glanzende klomp worden zonder één enkel van hun unieke talenten.

Misschien zal ik weldra doodvriezen. Verstijven. Een ijspilaar worden.

Ja. Dat wil ik. Niet zo wanhopig als gisteren, maar ik wil het nog voldoende om me door het idee met een stil geluk te laten vervullen. Ik lig doodstil te wachten tot het zal gebeuren, maar dan gaat de deur van mijn kamer open en er komt een jong meisje binnen.

'Ja warempel', zegt ze kordaat en met een stralende glimlach. 'U ligt hier te luieren. Maar dat is nu afgelopen. Uit bed!'

Het mens is gek. Hoe zou ik uit bed kunnen komen?

'U hebt uw benen niet gebroken, denk daaraan. Alleen uw bovenlichaam heeft een pak slaag gehad, en een flink pak slaag ook, maar van gewoon stil liggen wordt het allemaal niet beter. Integendeel. Dat kan echt gevaarlijk zijn, dus uit bed nu. Ik zal u helpen …'

411

Ik steun een beetje protesterend, maar dat helpt niet. Ze is al begonnen met het omhoogzetten van het hoofdeinde van mijn bed en ze klapt dat zo ver omhoog dat ik algauw helemaal rechtop in bed zit. De lucht buiten voor het raam is inmiddels weer grijs, de takken van de den bewegen licht in de wind en vertellen wat ik niet weten wil. Er is een nieuwe dag aangebroken en opnieuw heeft een lagedrukgebied zijn plek boven ons ingenomen. Bedankt. Net wat we nodig hadden.

'Zo', zegt het meisje. 'Ik hou u vast. Ik draai u nu om. Nu gaat u op de rand van het bed zitten.'

Dat doe ik helemaal niet, maar dat helpt niet. Ze pakt mijn benen, trekt ze voorzichtig naar zich toe en ze laat pas los wanneer ik op de rand van het bed zit, precies zoals zij wilde. Ik word niet misselijk van die beweging en dat is ondanks alles natuurlijk een troost.

'En dan trekken we nu de sloffen aan', zegt het meisje terwijl ze mijn voet pakt. 'Hoewel, jeminee, wat bent u koud! We zullen ook maar een paar sokken aantrekken, blijf maar gewoon zo zitten, ik kom er zo weer aan ...'

Wanneer ze de kamer uit rent, begin ik te wankelen, maar ik val niet. Ik steun met mijn linkerarm op het matras. Dat doet duivels veel pijn, maar ik stel me voor dat het nog veel zeerder zou doen om met mijn rechterkant tegen het hoofdeinde van het bed te leunen. Ik krijg geen tijd om nog meer te denken, want ze is al terug met een paar dikke witte katoenen kousen. Ze doet ze aan mijn voeten. Een paar zwarte sloffen vormen de finishing touch van de hele uitmonstering. Mijn hart bonkt, maar dat voelt niet eng. Het bonkt alleen maar alsof het ernaar heeft verlangd om flink te bonken en mij te verwarmen. De opgewektheid van het meisje lijkt aanstekelijk te zijn.

'En dan de ochtendjas', zegt ze met een glimlach terwijl ze een pas gestreken katoenen badjas met een lila motief uitvouwt. De badjas heeft pofmouwen.

'Potverdorie, zeg', zeg ik.

Ze begint te giechelen.

'Het spijt me. We hebben de schone was nog niet binnen-gekregen. U moet zich er maar mee troosten dat dit vintage is. Dit model moet uit de jaren tachtig zijn.'

Ze helpt me om met mijn linkerarm in de mouw te komen en blijft dan een beetje verbouwereerd staan kijken naar mijn rechterarm. Die arm ligt immers dood in zijn mitella; er is geen schijn van kans dat ik die vreselijke badjas aan kan krijgen zoals hij bedoeld is om te zitten.

'O jee', zegt het meisje. 'U moet het me maar vergeven. Ik ben nieuw hier.'

'Hang hem maar gewoon over mijn schouder', zeg ik. 'En hou me vast, dan probeer ik te staan.'

En ik ga staan, met mijn hand op de onderarm van het meisje, en ik wankel maar een klein beetje.

'Mooi', zegt het meisje. 'U doet het goed!'

Ze mag hier dan nieuw zijn, maar ze weet al wel hoe je moet klinken.

Nadien blijf ik een hele poos in mijn eigen bezoekersstoel zit-ten om de kamer vanuit een heel andere hoek te bestuderen. Er rennen voortdurend meisjes in en uit, eentje haalt mijn la-kens van het bed en brengt ze naar buiten, een ander maakt het bed voor me op, een derde komt met eten op een dien-blad. Gekookte vis en gekookte rijst. Daar word je ook niet echt vrolijk van.

'De lunch?' vraag ik wanneer ze het nachtkastje met het uitklapblad naar me toe schuift. 'Of het avondeten?'

'De lunch.'

'En wat voor dag is het?'

Ze werpt me een snelle glimlach toe.

'Vrijdag. Vandaag is het eindelijk vrijdag.'

Ik glimlach terug en pak mijn vork op. Een klein hapje gekookte rijst trilt op het uiterste puntje.

'Neemt u me niet kwalijk,' zegt het meisje terwijl ze rechtop gaat staan, 'maar bent u niet de moeder van Sofia?'

Mijn glimlach dooft uit, mijn vork blijft halverwege steken en zakt dan weer terug naar het bord. Ik knik. Inderdaad, ik ben de moeder van Sofia. Ooit was ik de moeder van Sofia. Het meisje begint met haar ogen te knipperen.

'Ze zat bij mijn zusje in de klas. En ze was een ontzettend goede leerling, ook al was ze een jaar jonger dan de rest. Echt ontzettend goed.'

Ik doe mijn ogen dicht. Ik weet het.

'Dank je', zeg ik dan. Omdat Sofia hier zelf niet is om voor het compliment te bedanken.

Een goede leerling. Ontzettend goed.

Ik kan mijn eigen stem horen. Wat doe je toch goed je best, Sofia. Er zijn geen andere vierjarigen die zo goed kunnen lezen als jij. En geen andere eersteklassers die de tafels van vermenigvuldiging kennen. Om nog maar te zwijgen over het feit dat jij de basis al beheerst van de wis- en natuurkunde van de bovenbouw, ook al zit je zelf nog maar in de middenbouw. En je Engels is gewoon uniek. Niet zo gek dat de rector wilde dat je een klas zou overslaan.

Alleen? Ach. Jij bent toch niet alleen. Ik ben er toch. En de hele klas was toch hier toen je jarig was. Iedereen vond je taart heel lekker. Je bent enorm goed in het maken van taart. Echt enorm goed. En morgen gaan we naar de stad om een nieuw jack te kopen. Ja, precies. Dat roze jack dat je zo graag wilde hebben …

Dat wordt vast leuk.

Een lichte klop op de deur en ik ben terug in de bezoekersstoel in mijn kamer. Ik begin met mijn ogen te knipperen en
staar naar de witte rijst en de witte vis op het bord voor me,
maar verman me.

'Ja?'

De deur gaat open, maar degene die buiten staat stapt niet
naar binnen; ze blijft daar gewoon staan met een ordner tegen
haar buik. Gekleed in een witte jas die openhangt over een
donkerblauwe broek en een even donkerblauwe trui.

'O,' zegt ze en er gaat een trillinkje door haar rechterooglid,
'bent u aan het eten?'

Dat kan ik niet echt beweren. Ik kijk voornamelijk naar
mijn eten, maar dat kan ik natuurlijk niet zeggen. Daarom
lach ik wat en probeer ik een beetje vriendelijk te kijken.

'Het geeft niet. Kom maar binnen.'

Ze is erg jong. Eerder een meisje dan een vrouw. Bovendien
een tamelijk onzeker meisje, dat zoekend rondkijkt.

'Er is hier geen extra stoel. Ik ga er eentje halen ...'

'Ga maar op het bed zitten', zeg ik, maar dat hoort ze niet
want ze is de deur al uit. Even later komt ze zeulend met een
stoeltje terug in de kamer. Ze draagt het met haar rechterhand; met haar linker houdt ze nog steeds de ordner tegen
haar buik.

'Poeh', zegt ze glimlachend en ze zet de stoel pal tegenover
me neer. Iets te dichtbij. Alleen het nachtkastje staat tussen ons
in. Ik zegt niets, ik observeer haar alleen. Van dichtbij zie je dat
ze geen meisje is. Ze is een jonge vrouw. Een enorm goedver-
zorgde jonge vrouw. Haar nagels zijn zorgvuldig gemanicuurd
en ze heeft haar haren net zo strak naar achteren gekamd als
alle andere jonge vrouwen: het verplichte paardenstaartje bungelt in haar nek. Op haar wimpers zit keurige mascara. Verder
is ze erg blond, maar in de duidelijke sporen van de kam zie je

op haar schedel een zweem van een donkere uitgroei.

'Ik ben Ingegerd', zegt ze en ze strekt haar smalle handje vlak boven mijn bord uit. Ik strek mijn linkerhand uit en pak onhandig haar vingertoppen.

'Minna.'

Ze glimlacht.

'Dat weet ik. Dat is best een ongebruikelijke naam.'

Dat moet zij nodig zeggen. Wanneer hoorde je voor het laatst over een Ingegerd die de pensioengerechtigde leeftijd nog niet had bereikt? Opeens voel ik me groot, onhandig en misvormd. Lelijker dan lelijk. Zij houdt haar hoofd schuin.

'Bent u van Finse afkomst?'

'Nee.'

'Nee. O. Dat dacht ik. Minna is toch een tamelijk veelvoorkomende naam onder Finland-Zweedse mensen.'

Ik reageer niet, ik vertrek mijn gezicht niet eens een beetje om wederzijds begrip of distantie uit te drukken. Daardoor begint haar rechterooglid weer te trillen en ze buigt zich snel over haar ordner en opent die.

'U herinnert zich misschien dat we elkaar eerder hebben ontmoet?'

Opeens voel ik me heel erg moe. Ik ben mezelf beu en ik ben deze vrouw en de gevoelens die ze bij me opwekt even beu. Ik heb geen reden om chagrijnig tegen haar te doen en argwanend te zijn.

'Nee', zeg ik niettemin, maar ik probeer toch zo aardig mogelijk te klinken. 'Helaas.'

Ze kijkt naar me op.

'Ik ben hier gisteren geweest. Met het visite lopen. Dat weet u misschien nog wel?'

Nu weet ik het weer. De psycholoog. De vrouw die er met gefronste wenkbrauwen bij stond en er serieus probeerde uit te zien.

'Inderdaad. Natuurlijk. U bent de psycholoog. Of niet?'

Ze begint met haar ballpoint te klikken en zegt met een zekere nadruk: 'Correct!'

Dan wordt het stil tussen ons. En het blijft tamelijk lang stil. Ingegerd heeft de gelegenheid om een poosje op haar lip te bijten en de ordner op haar schoot grondig te bestuderen.

'Tja', zegt ze dan. 'Ik wilde alleen …'

Ik kan het niet opbrengen om haar te helpen. Ik wil niet weten wat ze van me wil. Dus valt er weer een stilte. Ditmaal ben ik niet van plan om daar iets aan te doen, daarom pak ik met mijn linkerhand mijn vork en stop wat eten in mijn mond. Koude rijst en koude vis zonder kruiden. Heerlijk. Ik probeer te slikken en zeg nog steeds niets, ik leun gewoon achterover om haar te bestuderen.

'U hebt een behoorlijk ernstig ongeluk gehad', zegt ze uiteindelijk terwijl ze van haar ordner opkijkt.

Ik knik.

'Inderdaad. Dat heb ik begrepen.'

'En daarna hebt u een hoge dosis medicijn gekregen. Van iemand die niet bevoegd was dat type medicijn toe te dienen.'

Mijn wenkbrauwen gaan omhoog.

'Is dat zo?'

'Ja. Helaas. Misschien dat u om die reden zo veel hebt geslapen sinds u bent binnengebracht.'

O. Dat verklaart het een en ander.

'Wie heeft me dat medicijn dan gegeven?'

Ingegerd weet niet goed waar ze moet kijken, maar wijst dan op een blad in haar ordner.

'Tja, ik weet niet of ik dat mag zeggen … Nou, waarschijnlijk wel. Een man van de reddingsbrigade.'

Tyrone. Ik herinner me zijn warme adem op mijn gezicht. Ik moet hem bedanken. Zodra Maggie terugkomt, ga ik hem een boodschap sturen om hem te bedanken. Bedankt, Tyrone, voor de rust die je me hebt gegeven. Bedankt voor alle uren slaap die ik sindsdien heb gekregen.

'U was er behoorlijk slecht aan toe', zegt Ingegerd terwijl ze me wat angstig aankijkt. Ze kijkt alsof ze bang is dat ik een aanklacht tegen haar zal indienen. Maar ik ben niet van plan een aanklacht tegen haar in te dienen. Ik ben niet van plan om tegen wie dan ook een aanklacht in te dienen. 'U had waarschijnlijk enorm veel pijn. Dus misschien dat hij het daarom heeft gedaan.'

'Hij heeft mijn leven gered', zeg ik.

Heel even laat Ingegerd haar mond open hangen. Opeens is ze helemaal zichzelf en vergeet ze zich te verstoppen achter haar professionele rol en perfectie. Ze vermant zich echter en grimast even.

'De artsen zien dat helaas niet helemaal zo. Die zijn van mening dat het medicijn u bijna het leven heeft gekost.'

Ik grijns.

'Maar dat heeft het immers niet gedaan. Het heeft me niet mijn leven gekost.'

Ik leef. Gedurende één ademtocht voel ik dit in elke cel van mijn lichaam en wil ik alleen maar jubelen. Dan glijdt de herinnering aan een paar witte meisjesvoeten voorbij en ik zink weer terug in mijn normale gemoedstoestand.

'Nou ja', zegt Ingegerd terwijl ze haar benen over elkaar slaat. 'Dat is natuurlijk ook niet mijn zaak. Ik ben eigenlijk hiernaartoe gekomen om uw geheugen te testen. En u te vragen wat u zich mogelijk van dat ongeluk herinnert.'

Haar ooglid verraadt haar. Dat begint begerig te trillen wanneer ze het over het ongeluk heeft. Daar gaat haar belangstelling naar uit, ook al wendt ze wat anders voor. Ze is de slechtste manipulator van de wereld. Echt slecht. Ik grijns wat.

'Aan mijn geheugen mankeert niets.'

Aan de randjes is het weliswaar een poosje wat mistig geweest, maar daar heeft zij echt niets mee te maken. Ze begint weer met haar pen te klikken.

'Weet u welke dag het vandaag is?'

Ik glimlach weer. Dat weet ik. Dat heb ik net gehoord. 'Vrijdag.'

'Waar bent u?'

'In het ziekenhuis van Arvika.'

Nu vuurt ze een hele batterij vragen af en bij elke vraag klikt ze met haar pen. Wanneer ben ik geboren? Hoe oud ben ik? Waar woon ik? Wat is mijn telefoonnummer? Wat is honderd min veertien? Hoe luidt de tekst van 'Er zaten zeven kikkertjes'?

'Wat?'

Ze klikt weer met haar pen en glimlacht naar me. Haar ooglid trilt niet meer.

'Dat is de verdiepingslijst. Dat is een vraag die ik alleen aan mensen stel van wie het geheugen goed lijkt te functioneren.'

Ik schraap mijn keel even en lepel half zingend de tekst van 'Er zaten zeven kikkertjes' op. Ze steekt haar hand op en stopt me voordat ik bij het kwekken ben. Dat is maar goed ook. Ik doe mijn ogen even dicht en probeer wat rust te stelen. Ik raak helemaal uitgeput van haar.

'Nou', zegt ze ten slotte terwijl ze nog één keer met haar pen klikt. 'Kunt u vertellen over het ongeluk?'

Mijn eerste impuls is om nee te zeggen. Ik heb echt geen zin om over het ongeluk te vertellen. Maar ik vermoed dat ze zich niet gewonnen zal geven, dus onderdruk ik een zucht en begin ik te vertellen, ook al is het met weinig woorden en met mijn ogen dicht.

'Het stormde, dat weet je. Ik zat met een gast op mijn kantoor. Vlak bij het raam. De eik buiten knapte af in de wind en een tak waaide door het raam naar binnen. Ik hield een glas in mijn hand en dat ging stuk. Ik heb me behoorlijk lelijk gesneden. En daarna kreeg ik die tak boven op me. Een tamelijk dikke tak. Of een heel dikke tak.'

Het blijft een poosje stil, maar ik weiger mijn ogen te openen om haar aan te kijken. Na een halve minuut hoor ik dat ze beweegt. Ze verandert als het ware van positie.

'Is dat alles?'

'Ja. Dat is alles.'

'Maar heeft het niet behoorlijk lang geduurd voordat u in het ziekenhuis kwam?'

Ik doe mijn ogen open en kijk haar recht aan.

'Jawel. Misschien. Maar ik was zo'n beetje de hele tijd bewusteloos.'

Ze laat haar schouders zakken. Kijkt een beetje teleurgesteld. Ik ben gesloten en het lukt haar niet om me ertoe te brengen me te openen.

'Nou', zegt ze dan terwijl ze heel even afwezig voor zich uit staart, maar dan weer met haar pen begint te klikken.

'Nog één ding. Hebt u verwanten? Familieleden van u met wie we contact moeten opnemen?'

'Nee', zeg ik terwijl ik mijn ogen weer sluit. 'Ik heb geen familieleden.'

'Niet een? Bent u helemaal alleen?'

Ik begin te knorren.

'Ja. Ik ben helemaal alleen. En heel moe.'

'Wilt u gaan liggen?'

'Ja', zeg ik. 'Ik wil graag geholpen worden om te gaan liggen.'

* * *

Al. Leen. Al. Leen. Al. Leen.

Sofia zingt met haar gebroken stem en de donkere ruimte trilt.

Ik zucht haar na. Ik weet het. Je was erg alleen.

Nooit zal ik meer cadeaus kopen voor mijn dode dochter. Ik zal haar graf opzoeken, want ik weet niet meer waar dat ligt, en als het niet naast dat van Sally ligt, zal ik het laten verplaatsen. Ik zal ervoor zorgen dat mijn dochter eindelijk een grafsteen krijgt. Ik zal een grijze steen kiezen uit de helling bij mijn huis en daarop zal ik niet alleen Sofia's naam en data laten graveren, maar ook een engeltje met koperkleurige vleugels, maar dan aan de achterkant, zodat niemand het ziet. Vervolgens zal ik blauwe viooltjes op het graf planten. En wanneer dat gedaan is, zal ik naar de beheerder van het kerkhof gaan om precies het bedrag te betalen dat het kost om het graf minstens vijfentwintig jaar te laten onderhouden. Of dertig. Of hoelang ze het onderhoud ook op zich nemen.

Daarna zal ik een makelaar in de arm nemen om mijn wegrestaurant te verkopen.

Ik zie het al voor me. Dat ik beneden aan de weg sta met in elke hand een koffer, vlak onder het reclamebord dat vertelt dat dit Sally's Café-Restaurant is. Dat ik om me heen kijk. Dat ik voor het laatst het witte gebouw bekijk dat mijn thuis is geweest. Ik neem geen afscheid, want ik heb niemand om afscheid van te nemen. Ik vertrek gewoon. En Sofia zingt me na, zingt met haar gebroken stem: Al. Leen. Al. Leen. Al. Leen.

Mijn dochter wilde alles wat ik haar gaf helemaal niet hebben.

Ze wilde iets anders.

Maar je kunt niet iets geven wat je zelf nooit gehad hebt.

* * *

Ik kan mezelf wel redden. Absoluut. Ik ga rechtop zitten. Doe het laken opzij. Steun met mijn linkerhand op het matras. Zwaai mijn benen over de rand. Tast met mijn tenen naar de zwarte sloffen. Ik vind ze. Ik kom overeind. Sta op.

Ha! Ik sta. Ik kan staan. Helemaal zonder steun.

Bij wijze van proef slof ik een paar passen naar voren. Dat gaat goed, maar toch grijp ik naar het voeteneinde van mijn bed terwijl ik verder slof. Voor de zekerheid; ik wil natuurlijk niet vallen en op nog meer plekken wat breken. Het is wel voldoende zoals het nu is. Dat is meer dan voldoende. Heel erg bedankt.

Bij het raam steun ik op de vensterbank en ik kijk naar buiten. Het licht is bleek en nevelachtig, maar de zon laat een paar stralen op het bosje buiten vallen. De den staat roerloos voor me en zijn roestbruine stam gloeit op. Het waait niet meer, de storm is al een herinnering geworden, het is buiten koud en stil. Arvika wacht op de winter en die is niet ver meer verwijderd. Alle loofbomen en struiken staan naakt in het gras en in de schaduw onder een spar zie ik nog een paar vegen van nachtelijke rijp. Weldra zal 's ochtends de hele wereld wit schitteren. Dat is misschien goed.

'O jee', zegt iemand achter me. 'Rent u al rond?'

'Rennen' is nou niet direct het woord. Ik draai me voorzichtig om en probeer te zien wie er sprak. Het duurt een paar seconden voordat ik haar herken. Dat is dat meisje wier zusje bij Sofia in de klas heeft gezeten. Ze staat in de deuropening met een dienblad in haar handen.

'Wilt u ontbijt?'

Ik knik zwijgend en strek mijn linkerhand weer uit naar het voeteinde van het bed. Het is niet zo gemakkelijk om terug te sloffen naar het bed; ik zou mijn rechterhand op dit moment heel goed kunnen gebruiken, maar weldra besef ik dat ik het ook wel red als ik me vasthoud met mijn linkerhand en zijwaarts verder slof.

'Wacht', zegt het meisje en ze zet het dienblad op het nachtkastje. 'Ik zal u helpen.'

Ik schud mijn hoofd.

'Dat is niet nodig.'

Ze trekt zich niets aan van wat ik zeg, maar gaat gewoon achter me staan en probeert mijn linkerarm te pakken.

'Laat me los', zeg ik. 'Raak me niet aan. Ik wil zien of ik dit in mijn eentje kan …'

Het lijkt wel of ze zich gebrand heeft, zo snel laat ze me los. Vervolgens blijft ze met uitgestrekte armen twee passen achter me staan. Klaar om me op te vangen als ik zou vallen. Ik vind het niet prettig dat ze daar staat, het is veel te dichtbij, maar ik zeg niets, ik loop gewoon verder. Ja. Nu loop ik. Ik slof niet meer. Ik zet een stap. Ik zet een tweede stap. En dan de derde en laatste. Vervolgens zijg ik neer op de rand van mijn bed om uit te blazen.

'*Yes!*' zeg ik triomfantelijk.

Het meisje kijkt nog steeds een beetje bezorgd. Een rood-blonde pluk haar valt over haar ene oog en ze blaast een beetje om die weg te krijgen.

'Voelt u zich goed?'

'Ik voel me uitstekend. Alleen een beetje moe.'

Ik probeer de sloffen uit te schoppen, maar dat lukt niet. Daarom til ik alleen mijn rechtervoet een beetje op en het meisje begrijpt de hint. Ze laat zich op haar knieën zakken om de sloffen uit te trekken. Ik trek mijn benen op in bed en laat me tegen het opgeklapte hoofdeinde zakken. Ik heb een gevoel alsof ik tien kilometer gerend heb.

'Niet slecht', zegt het meisje. Ze trekt het laken over me heen en glimlacht. Ze heeft sproeten op haar neus en haar ogen hebben een lichtbruine tint.

'Barnsteen', zeg ik zonder erbij na te denken.

'Wat?'

Ik lach een beetje gegeneerd.

'Je ogen. Die hebben de kleur van barnsteen.'

Ze recht haar rug en kijkt beduusd.

'Vindt u?'

Ik knik en daardoor glimlacht ze nog een keer. Al is het wat aarzelend.

'Dank u', zegt ze. En meteen erachteraan herhaalt ze: 'Heel erg bedankt.'

En zo heb ik totaal onverwacht een vriendin gekregen. Maar hoe ze heet weet ik niet.

Na een klein poosje komt ze alweer terug naar mijn kamer om te vragen of ik nog wat koffie wil. Dat wil ik, dus neemt ze mijn kopje mee. Ze rent ermee de kamer uit om het bij te schenken, zet het op mijn nachtkastje, vuurt een stralende glimlach af en is alweer naar de gang vertrokken.

Vreemd. Hoe kon ze nou zo blij worden van het feit dat ik zei dat ze barnsteenkleurige ogen had? Wist ze dat niet? Heeft dat nog nooit iemand tegen haar gezegd?

Dat zou helaas heel goed zo kunnen zijn.

'Wilt u douchen?' vraagt ze wanneer ze terugkomt om het dienblad op te halen.

'Ja, graag', zeg ik. 'Maar gaat dat?'

Ze glimlacht al net zo verrukt als eerst en nu zie ik dat ze een onderkin heeft.

'We plakken het verband helemaal af', zegt ze. 'Ik ga het alleen even navragen bij het hoofd.'

En ze rent de deur weer uit met mijn dienblad, maar is twee minuten later alweer terug met een rolstoel en dezelfde grote glimlach.

'Dat gaat prima', zegt ze. 'Als ik het maar goed afplak en heel voorzichtig doe, dan kunnen we in elk geval uw haar wassen onder de douche. De rest doen we daarna wel met een washandje.'

Het is heerlijk om mijn haar te laten wassen. Ik doe mijn ogen dicht en geniet van het lauwe water over mijn hoofd.

'Is het niet te warm?' vraagt het meisje.

'Nee. Het is heerlijk. Niet ophouden.'

Ze begint te giechelen.

'Ik doe er even shampoo in.'

Die geur is niet helemaal fantastisch, maar dat geeft niet. Ik heb hier al een paar dagen naar verlangd, zonder precies te weten waar ik nou naar verlangde. Mijn schedel is weliswaar behoorlijk gevoelig, maar dat maakt niet uit. Ik heb daar geen open wonden. En dit meisje heeft een enorm zachte hand.

'Hoe heet je?'

'Magdalena. Maar iedereen noemt me Magda.'

'Dat is een mooie naam.'

'Magda?'

Nu ben ik degene die giechelt.

'Nee. Magdalena.'

Ze zucht.

'Ja. Ik weet het. En dat zal de reden wel zijn dat ze me Magda noemen.'

'Wie?'

'Nou, u weet wel … Mijn ouders en mijn zus. En de rest.'

'Ik kan je Magdalena noemen.'

Ze zucht. De barnsteenblijdschap is voorbij.

'Ja. Maar het maakt natuurlijk geen verschil.'

'Hoezo niet?'

'Ik ben toch lelijk.'

Ik doe één oog open en gluur naar haar omhoog.

'Jij bent toch niet lelijk.'

Opeens stopt ze met het masseren van mijn hoofdhuid en zet ze de douche aan. Het water is opeens veel te koud.

'Dik en roodharig', zegt ze nijdig. 'Lelijk.'

Het doet pijn wanneer ze me een schoon ziekenhuisjasje aan-
trekt, maar ik zeg niets, ik laat nog niet de geringste klacht
over mijn lippen komen. Magdalena is nu geïrriteerd en ik
heb het gevoel dat ze er niet voor zou terugdeinzen om mij
echt pijn te doen als ik haar tergde.

'Zo', zegt ze ten slotte terwijl ze mijn benen in bed tilt.
'Klaar.'

'Dank je wel, Magdalena', zeg ik.

Ze haalt haar neus op en verzamelt de vuile was, die ze stevig tegen haar buik drukt.

'U moet daarmee ophouden!' zegt ze met een nijdige blik in
mijn richting. 'Ik word gewoon Magda genoemd.'

Nadien slaap ik urenlang diep en wanneer ik wakker word,
ben ik nog steeds moe. Er staat iemand bij mijn bed. Ik zucht.
Het begint een beetje vermoeiend te worden met al dat ge-
draaf hier. Ik wil echt niemand zien, ik wil echt geen mens
ontmoeten. Daarom zeg ik eerst niets, daarom lig ik gewoon
doodstil naar haar te kijken.

'Hallo', zegt ze ten slotte. 'Ken je me nog?'

Jawel hoor, ik herken haar. Het is Ritva. De journaliste die
tijdens de stormnacht in Sally's Café-Restaurant verscheen.
Toch zeg ik niets; ik knik alleen zwijgend. Er schiet een herinnering door mijn hoofd, ik zie haar opeens bij de kamer
van Sofia staan en de sleutel omdraaien. Dat moet ik hebben
gedroomd.

'Mag ik gaan zitten?'

Ik knik. Ga je gang.

Ze zet een paar voorzichtige stappen naar het voeteneinde
van het bed, trekt de bezoekersstoel die de psycholoog daar
heeft neergezet naar achteren, maar draait zich dan om om de
deur goed dicht te doen. Ze wil dus niet dat iemand hoort wat
wij zeggen. Ze schraapt haar keel even en laat zich heel voor-

zichtig op de stoel zakken, alsof ze bang is dat die het onder haar gewicht zal begeven.

'Hoe gaat het met je?'

Ik zou mijn schouders hebben willen optrekken, maar dat kan ik natuurlijk niet.

'Het gaat wel, dank je.'

'Fijn om te horen. Je ziet er ondanks alles redelijk fit uit.'

Ik heb zo mijn vermoedens hoe ik eruitzie en 'fit' is waarschijnlijk niet het woord dat ik zou hebben gebruikt. Ik zie er vast eerder uit als een overreden das. Ik produceer dus maar een mompelend geluidje dat van alles kan betekenen. Dan wordt het stil tussen ons, zo lang dat het bijna pijnlijk wordt.

'En met jou dan?' zeg ik ten slotte. 'Heb je je openingsartikel nog gekregen zoals je wilde?'

Even schiet er een glimlach over haar gezicht.

'Ja, hoor. En daarna heb ik er nóg een geschreven.'

'En die Lieve Louise niet?'

Ze slaakt een zachte zucht.

'Godzijdank niet.'

'Dan zul je zien dat je die vaste aanstelling wel zult krijgen.'

Ze zucht opnieuw en laat haar blik door de kamer gaan.

'Je weet maar nooit.'

Het blijft weer even stil.

'Ik heb iets voor je meegenomen', zegt Ritva dan en ze begint met een plastic tasje te ritselen. 'Of twee dingen, beter gezegd.'

Het is een gewoon zakje van de supermarkt. Het bovenste deel heeft ze tot een hard worstje opgerold en het duurt even voordat ze het heel omstandig heeft ontrold.

'Kijk', zegt ze dan en ze overhandigt me een grote ouderwetse sleutel. Die herken ik. Dat is mijn sleutel. Die is van de blauwe dubbele deuren van Sally's Café-Restaurant. Ik houd mijn adem in. Dromen kunnen dus waar zijn. Toch verroer ik me niet. Toch strek ik mijn linkerhand niet uit om hem aan te nemen. Ritva aarzelt wat, maar legt de sleutel dan op mijn nachtkastje.

'Ik ben eergisteren naar jouw huis gegaan', zegt ze. Ze strijkt met haar hand over haar voorhoofd alsof ze daar haren heeft die ze aan de kant wil schuiven. 'Ik weet eigenlijk niet waarom; ik had gewoon het gevoel dat ik dat moest doen ...'

Absoluut. Dat geloven we. Ze gaat nu steeds sneller praten.

'Ik kon me niet meer herinneren of we de boel op slot hadden gedaan toen het rupsvoertuig ons kwam halen. Het was een beetje rommelig, snap je. Zij, die actrice, had iets te diep in het glaasje gekeken en het was nog niet zo simpel om haar mee in het voertuig te krijgen, en Annette was alleen maar de hele tijd aan het huilen over haar Sonny, dus ...'

Ze kijkt me smekend aan, maar ik help haar niet. Ik zeg niets. Ze weet niet goed waar ze kijken moet en vervolgt: 'Dus ik wilde er gewoon naartoe om te kijken of alles in orde was. En het was een geluk dat ik dat deed. Echt een geluk. Want we hadden helaas vergeten om af te sluiten. Hoewel ik geloof dat we de deuren wel hadden dichtgedaan, dat geloof ik absoluut, maar ze zullen wel opengewaaid zijn. Helaas. Want toen ik kwam, stonden ze te klapperen in de wind en het regende zo het restaurant in ... Ik heb die mat er dus meteen uitgehaald, die mat die bij de entree ligt, je weet wel. Die was kleddernat, maar hij had de vloer in elk geval wel enigszins beschermd. Ik heb het ergste opgedweild en volgens mij is de vloer niet beschadigd, maar die mat ... Tja.'

Die mat maakt me toch geen moer uit. Ik ben echter niet van plan om dat te zeggen, en mijn stilte dwingt haar om haar verhaal te vervolgen.

'Ja, en daarna ben ik naar de keuken gegaan om die jas waarmee ik de boel had opgedweild in de gootsteen te leggen. Dat je dat weet, dat je niet verbaasd bent wanneer je

428

weer thuiskomt en die jas daar vindt, en verder heb ik ge-
controleerd of de deur van het kantoor dicht was en op slot
zat, zodat er langs die kant niet ook nog een boel regen naar
binnen kwam, maar hij zat dicht, en dat was maar goed ook.
En daarna …'

Ze zwijgt weer. Durft me niet aan te kijken. Ik zwijg ook
een poos, maar zeg dan: 'En daarna ben je naar boven gegaan.'

Ik praat met vaste stem. Die verraadt niet dat mijn hart zo
tekeergaat dat ik het gevoel heb dat ik zo dadelijk geen lucht
meer krijg.

'Ja', zegt Ritva terwijl ze wegkijkt. 'Dat heb ik gedaan. En
daar heb ik dit gevonden.'

Ze steekt haar hand in het plastic tasje en haalt er een boek
uit. Een blauw boek met een gele tekst op het omslag. En een
afbeelding van het menselijk brein.

'Dat lag in de kamer van je dochter. En ik weet niet waarom, maar ik kreeg gewoon het gevoel dat je dat zou willen
hebben …'

Ik val haar in de rede.

'Dus dat heb je op mijn dochters kamer gevonden?' zeg ik.

Ze durft me nog steeds niet aan te kijken. Haar ogen schieten alleen even snel over mijn gezicht, maar dan buigt ze haar
hoofd en kijkt ze naar haar handen.

'Ja', zegt ze met ingehouden adem. 'Inderdaad.'

Maar hoe is het daar gekomen? Dat is de grote vraag. Hoe is
dat boek van mijn gesloten kantoor op Sofia's kamer terechtgekomen? Ik ga met mijn linkerhand op de tast naar de knop
waarmee de rugleuning van mijn bed omhoog kan en wanneer ik die vind, druk ik erop. Een paar seconden is het stil
tussen ons. Het enige wat je hoort, is het zachte gesis van een
bed waarvan het hoofdgedeelte omhooggaat. Daarna wordt
het doodstil.

'Ze is dood', zeg ik dan. Voor het eerst in mijn leven zeg ik dat, en ik kijk Ritva recht in de ogen terwijl ik spreek. 'Mijn dochter is dood.'

Haar ogen zijn vochtig.

'Ik weet het. Annette heeft het verteld.'

'Ze is al meer dan een jaar dood. Voor iedereen, behalve voor mij.'

Ritva knikt zwijgend en haalt haar rechterhand onder haar neus door.

'Maar nu weet ik het', zeg ik. 'Dankzij die eik.'

Er valt een stilte. We kijken elkaar aan zonder iets te zeggen, maar ook zonder schichtige blikken. Ten slotte neemt Ritva het woord: 'Was het beter geweest als die eik niet ...'

Ik val haar in de rede.

'Nee', zeg ik. 'Dat was niet beter geweest.'

En dat meen ik.

* * *

Er staat een lege fauteuil op de oever van de Lethe. Een lege fauteuil aan de rivier der vergetelheid. En er gaat een diepe zucht door de wereld.

Sofia's stem echoot uit het bos. Haar woorden zijn nog steeds gebroken.

Ma, roept ze. Ma!

Ik probeer terug te roepen, maar mijn stem is op. Opgehouden. Bestaat niet meer. Nee, wil ik zeggen. Blijf in de wereld! Maar er komt geen geluid uit mijn keel, het enige wat je hoort is mijn eigen ademhaling. In en uit. In en uit.

Ma!Ma!

Ik kom, wil ik terugroepen. Blijf waar je bent! Ik zal je vinden.

Ge-h-ei-m.

Nee! Dat is niet wat je je zult herinneren! En ik zal het hele verhaal vertellen, ik zal alles onthullen. Ik beloof het!

Al-leen. H-oe-r.

Nee! Je bent geen van beide. Ik zweer het! Maar pas op voor de vergetelheid! Drink niet van het water uit de rivier. Vergeet niet! Denk eraan dat je hebt geleefd!

Tot.Ziens.Ma.Ma.

* * *

Mijn hart bonkt wanneer ik mijn ogen opsla. In mijn kamer schemert het. Ritva zit nog steeds in de stoel naast me. Ze is wat in elkaar gezakt en ziet er helemaal niet zo jong, fit en brutaal uit als onlangs in mijn restaurant.

'Je bent in slaap gevallen', zegt ze met gedempte stem.

Ik reageer niet, ik kijk haar alleen maar aan. Ritva heeft mijn geheime verval gezien. Ze is door de gang van mijn woning gelopen en heeft gezien hoe ik mezelf heb gestraft. Maar ze heeft ook de kamer van mijn dochter gezien. De mooiste kamer van de wereld. Met het mooiste uitzicht van de wereld. De kamer die ooit werd bewoond door het mooiste meisje van de wereld.

Ik begin met mijn ogen te knipperen.

'Wat wil je eigenlijk?'

Door mijn stem maakt ze een ongemakkelijke beweging, alsof ze wil ontsnappen. Dan kijkt ze me toch recht aan.

'Ik weet het niet.'

'Wil je eigenlijk wel iets?'

Ze slaakt een lichte zucht.

'Jawel.'

'Maar wat?'

Ze begrijpt me verkeerd. Denkt dat mijn vraag existentieel is.

'Ik wil erbij horen. Meedoen. Toegelaten worden.'

'Toegelaten worden?'

431

'Ja. Ik wil die meid bij de krant zijn van wie bijna iedereen weet wie het is … Die hier woont. Die hier thuishoort. Dit jaar en volgend jaar en het jaar daarna. Die mag meedoen.'

'En als er niets is om aan mee te doen?'

'Hoe bedoel je?'

'Als er geen verbondenheid bestaat? Als niemand mag meedoen? Als we allemaal buitenstaanders zijn?'

Ze knippert met haar ogen en heel even lijkt het of ze zal gaan huilen, maar ze snottert alleen maar een keer.

'Ach', zegt ze dan met een heel droge stem. 'Ik zal het dan maar bekennen …'

Ik trek mijn wenkbrauwen op.

'Bekennen?'

'Ja.'

'Eigenlijk ben ik hiernaartoe gekomen om uit te zoeken wat er met Dag Tynne is gebeurd. Jouw vader.'

Mijn stem is ook heel droog en zakelijk.

'O. Dus dat weet je. Dat hij mijn vader is.'

Ze trekt haar schouders wat op.

'Dat heeft Annette verteld, volgens mij.'

Een welbekende nijdigheid vonkt in me op. Annette. Uiteraard. Natuurlijk heeft zij geroddeld, hoewel ik niet wist dat zij een vermoeden had van mijn verwantschap met de plaatselijke grote zoon. Anderzijds begint het tot me door te dringen dat bijna iedereen in deze stad weet wie het sperma leverde waarmee mijn moeder werd bevrucht. Stom van mij dat ik dat niet eerder heb begrepen.

'Nou, warempel. Je lijkt heel wat met Annette te hebben bepraat.'

Ze vertrekt haar gezicht even.

'Ja. Dat wil zeggen … Ze belde me en wilde dat ik naar haar toe zou komen …'

'Waarom dat?'

Haar blik glijdt verder.

'Ze zal wel hebben willen vertellen dat Tyrone op het politiebureau zat omdat hij je die spuit had gegeven ...'

Een leugen. Je ziet het van verre aankomen. Ritva is een slechte leugenaar. Ik grijns. Nu ben ik weer volledig mezelf, nu herken ik de directeur en eigenaar van Sally's Café-Restaurant weer, Kristins dochter en Sally's nichtje, de vrouw die ooit de moeder van Sofia was. Met haar valt niet te spotten.

'Ze had misschien verder ook nog het een en ander te vertellen?'

Ritva knikt, ze is er duidelijk op gebrand om te laten zien dat ze begrip voor me heeft. Nu is het zij en ik tegen Annette. Althans, voor dit moment.

'Inderdaad. Ze praatte behoorlijk veel. Maar niet over iets waarover je kunt schrijven.'

'Nee, nee.'

'Nee. Onder ons gezegd en gezwegen klonk het voornamelijk als geroddel. Na afloop had ik de indruk dat het leek of ze wilde dat ik over haar zou schrijven ...'

Dat kan ik me voorstellen. Tragische heldin huilt uit. Jawel. Dat was spekje naar haar bekje geweest. Ik pluk zachtjes met de duim en wijsvinger van mijn linkerhand aan het laken, laat het dan los en pluk weer.

'En verder heeft ze misschien het een en ander over mijn dochter gezegd?' zeg ik. 'Over mijn overleden dochter?'

Ritva weet weer niet waar ze kijken moet.

'Nou', zegt ze. 'Dat wil zeggen ...'

Ze zwijgt en gaat verzitten. Ritva had zich haar bezoek aan mij vast anders voorgesteld.

'Nou?'

'Het was toch alleen maar geroddel. Ongegrond geroddel. Niet iets wat ik geloofde. Niet iets waarover ik van plan ben te schrijven.'

Dat is toch enorm vriendelijk. Maar ik ben niet van plan los te laten.

'Wat zei ze dan?'

Ritva gaat weer verzitten.

'Ze heeft gezegd', zegt ze en ze slikt voordat ze opnieuw een aanloop neemt. 'Ze heeft gezegd dat je dochter een – uh – prostituee was.'

Pros-ti-tu-ee. Of wat voor woord Annette ook gebruikte.

O. Op die manier.

Veel geluk in je leven, Annette. Je zult het nodig hebben. Want je hebt net ontslag gekregen.

De duisternis valt door het raam naar binnen. Het is een zware donkere duisternis die duizend stemmen bevat. Daar dendert de hemelse stem van De Koperen Engel, daar snikt Annette, daar mompelt Tyrone, daar praat mijn moeder – *jamaarikheb-tochgezegddatjenietmag* – daar lacht Sally en daar redeneert Sofia, daar neuriën vijf mannen een mysterieuze melodie in mijn restaurant en daar vermengen de stemmen van Maggie, Magdalena en Ingegerd zich tot één schelle, kruiperige verplegerstoon. Het duurt een hele eeuwigheid voordat ik in staat ben mijn rechterhand omhoog te brengen en het licht aan te doen en ondertussen hoor ik mijn eigen ademhaling. Die klinkt alsof ik heel lang heb hardgelopen.

Door het licht verstommen de stemmen. Ik zal hierna altijd het licht aanhouden. Heel mijn leven.

'Hoe is het?' vraagt Ritva terwijl ze me aanstaart. 'Ben je oké?'

Nee, ik ben niet oké. Ik ben nooit oké geweest. Ik ben geen oké-mens. Mijn gedachten schieten alle kanten op en het scheelt maar een haartje of ik val weer terug in mijn eigen krankzinnigheid, ik val zo diep dat ik er nooit van mijn leven weer uit zal kunnen komen. Maar dat gebeurt niet. Ik grijp met mijn linkerhand de deken, ik houd me vast aan de gestreepte werkelijkheid daarvan en ik weiger. Ik ben niet gek. Ik ben niet van plan ooit nog gek te worden.

'Ik ben moe', zeg ik. 'Maar ik weet dat Dag Tynne buiten bewustzijn wordt gehouden. Dat was onlangs althans zo.'

'Waar? Op welke kamer?'

'Dat weet ik niet. Vraag het maar aan het personeel.'

'Dat heb ik gedaan, maar die geven geen antwoord. Je moet familie zijn om een antwoord te krijgen.'

'O', zeg ik. 'En daarom ben je bij mij gekomen.'

'Ja', zegt Ritva met een gelaten zucht. 'Onder andere daarom.'

Precies op dat moment gaat de deur open, de tl-buis aan het plafond begint te knipperen en gaat aan. En daar staat Maggie met een dienblad.

'Het avondeten', zegt ze. 'En vandaag krijg je echt eten. Gehaktballetjes met aardappelpuree.'

Maggie heeft iets magisch, met haar praatgrage alledaagsheid slaagt ze erin de hele werkelijkheid te betoveren. Als De Koperen Engel in haar wereld zou opduiken, zou hij om zijn gewonde vleugel een steunverband krijgen en zouden zijn tenen gemasseerd worden, en als dat niet hielp, zou zij een warm voetbad voor hem regelen, en dat alles om zijn bloedsomloop weer op gang te krijgen. En als hij aan haar vertelde dat hij het betreurt dat hij geen contact krijgt met degene die hem ooit de wereld in zond, zou zij hem over zijn wang aaien en in haar vetste Värmlandse dialect verzekeren dat dit niet erg was. Als het Opperwezen niet voor De Koperen Engel wilde zorgen, dan zou zij het doen en voor altijd nog wel. Dus dat was dat. En als Sofia in haar gezin geboren was, als ze Maggies kleindochter was geweest in plaats van mijn dochter, dan had ze nooit zo verdomd knap om te zien en zo verdomd knap op school hoeven zijn en was ze nooit zo eenzaam geworden dat ze een blauw nylon touw had gezocht, en nooit zo verrekte vertwijfeld geraakt dat ze op internet had gezocht naar de meest effectieve manier om een lus te knopen …

'Hallo', zegt Maggie tegen Ritva. 'Zou u iets opzij willen gaan zodat ik het blad op het nachtkastje kan zetten? Zo, ja. Bedankt.'

Ritva staart haar met open mond aan.

'Dit is Ritva', zeg ik. 'Zij was ook in het restaurant toen het ongeluk gebeurde. Ze is journalist.'

Maggie glimlacht naar Ritva.

'Ja, natuurlijk', zegt ze alsof haar net een licht is opgegaan. 'Dat bent u. Ik heb uw foto op tv gezien.'

Ritva doet haar mond dicht en knikt zwijgend.

'En nu wil ze weten hoe het met Dag Tynne is', zeg ik.

'O, waarachtig', zegt Maggie terwijl ze haar handen in de zakken van haar tuniek stopt. 'Is dat zo?'

* * *

Het is al laat wanneer we eindelijk vertrekken. De patiënten liggen er allemaal in, op de kamers zijn de lichten uitgedaan, de tv op het dagverblijf is ook uit. Dit is het moment dat ik overeind ga zitten om mijn pasgewassen haar te borstelen; ik voel hoe zacht het is geworden. Maggie staat naast me en houdt een gestreken katoenen badjas op, ditmaal een lichtblauwe badjas, zonder pofmouwen. Hij is groot genoeg om over mijn mitella heen dichtgeknoopt te kunnen worden. Maggie trekt de witte kraag van mijn ziekenhuisjasje boven de badjas uit, vouwt hem zorgvuldig over de lichtblauwe kraag en strijkt hem glad.

'Zo', zegt ze op heel gewone toon, zonder ook maar iets zachter te gaan praten. Alsof wat wij gaan doen iets heel gewoons en alledaags is. 'Nu ben je mooi.'

Ritva staat achter haar nerveus van haar ene voet op haar andere te wippen, maar ze zegt niets.

'Ik neem je wel bij de arm', zegt Maggie en ze strekt haar rechterarm naar mijn linker uit. 'En dan moet Ritva een stukje achter je lopen om je op te vangen als je valt.'

Ik knik zwijgend en dan gaan we op pad. Het is gemakkelijker dan ik had gedacht. En tegelijkertijd moeilijker.

'En dan nu rechtsaf', zegt Maggie wanneer we op de gang staan.

Hij heeft ook een kamer voor zichzelf. Die ligt maar vijf, zes meter van de mijne en de deur ervan staat op een kier. Boven zijn bed brandt een lampje. Zijn beide benen zitten in het verband en het rechter hangt daarbij ook nog in een stellage.

We zetten een paar passen naar binnen en ik kan horen dat Ritva de deur achter ons dichtdoet, maar ik draai me niet naar haar om. Ik kijk naar Dag Tynne. Mijn vader. Papa. Hij is nog steeds grauw in zijn gezicht en zijn lippen hebben een blauwige tint. Op zijn voorhoofd zit een groot wit kompres en in de opening van zijn ziekenhuisjasje zie je op zijn borst nog een kompres zitten. De slang van het infuus slingert naar zijn rechterarm en een andere slang slingert onder de deken door naar een plastic zak aan de rand van het bed. De plaszak.

We zeggen niets. We staan gewoon vlak bij elkaar naar hem te kijken, Maggie, Ritva en ik. Heel even meen ik ons van bovenaf te kunnen zien en ik vind dat we er alle drie bang uitzien. Alsof we vrezen dat die restanten van wat ooit een man was, uit bed zouden kunnen komen om ons kwaad te doen. Maar zo is het natuurlijk niet. We weten dat hij ons geen kwaad zal kunnen doen.

'Hallo, Dag', zegt Maggie opeens met een onbarmhartig alledaagse stem. 'Je hebt bezoek.'

Er gaat een trilling door zijn verpletterde lichaam, een heel duidelijke rilling, maar hij doet zijn ogen niet open om ons aan te kijken. Hij ademt gewoon uit, in een lange diepe ademtocht. Bijna als een zucht.

'Pak de bezoekersstoel', zegt Maggie tegen Ritva. Die staat aan het voeteneinde van het bed en Ritva doet meteen wat haar gezegd wordt. Ze pakt de stoel op en zet die zo dicht bij het hoofdeinde van het bed als maar kan. Daarna draait ze zich naar Maggie om. Ze krijgt als dank een knikje.

'Nu kun je gaan zitten', zegt Maggie tegen mij en ze brengt me naar de stoel.

Ik zijg neer, nog steeds zonder iets te zeggen. Ik heb helemaal geen idee wat ik zou kunnen zeggen, maar dat is geen probleem. Maggie is er immers bij en die buigt naar voren en legt haar mollige hand heel licht op zijn arm.

'Hier is je dochter, Dag. Je dochter Minna komt bij je langs.'

Hij begint te steunen en beweegt zijn hoofd een beetje, maar hij zegt nog steeds niets. Zijn ogen zijn nog steeds gesloten, maar ik weet, ergens diep van binnen weet ik dat als hij wilde, hij ze zou kunnen openen om me aan te kijken. Maar hij wil niet. Na al die jaren weigert hij nog steeds, nog net zo koppig mijn bestaan te erkennen als hij alles uit het verleden weigert te erkennen. Misschien vermoedt Maggie dat ook, want haar stem krijgt nu een scherp randje. Een heel klein scherp randje dat ze niet echt weet te verbergen.

'En ik ben er ook bij', zegt ze. 'Maggie. Als je je mij althans nog van school kunt herinneren. De vriendin van Tyrone. Of de vrouw van Tyrone, al meer dan veertig jaar.'

Nu geeft hij al helemaal geen antwoord. Integendeel, hij knijpt zijn lippen en ogen samen op een manier die er tamelijk belachelijk uitziet. Misschien vindt Maggie dat ook, misschien is dat de reden dat ze hem opeens in zijn arm knijpt.

Het is geen harde kneep, nee, het is juist een heel licht kneepje; ze pakt de huid slechts ietsje op, maar er is geen twijfel over mogelijk of Dag Tynne voelt dat. Zijn mondhoeken gaan heel even naar beneden, maar dan weer omhoog om hun normale stand in te nemen. Koppig. Verrekte koppig. Hij is niet van plan ons aan te kijken. Hij is niet van plan ooit antwoord te geven.

'En dan hebben we Ritva', zegt Maggie. 'Een collega van je. Een journaliste. Jong, knap en een groot bewonderaarster.'

Achter me hapt Ritva naar adem; misschien wil ze protesteren tegen de manier waarop ze wordt voorgesteld, maar daar krijgt ze geen gelegenheid voor. Gesteun uit het bed legt haar het zwijgen op. Dag Tynne, mijn ouweheer, mijn moeders zeer geliefde spermadonor, doet zijn ogen open. Zijn blik glijdt echter langs me heen naar achter me. Hij kijkt naar Ritva en naar alles te oordelen vindt hij dat een prettige aanblik, want opeens trilt er iets rond zijn blauwe lippen wat het begin van een glimlach zou kunnen zijn. Daarna doet hij langzaam zijn ogen weer dicht en het lijkt of hij in slaap zal vallen. Even is het heel stil.

'Nee, nee', zegt Maggie en ze legt opnieuw haar hand op zijn arm. 'Je gaat nu niet slapen, Dag. Kijk me aan!'

Nu is hij achter zijn gesloten oogleden op zijn hoede, dat zie je. Hij is wakker en heel aandachtig. Desondanks weigert hij zijn ogen open te doen.

'Nee', zegt Ritva opeens. 'Kijk míj maar aan.'

Om zijn mond begint het te trillen, misschien probeert hij weer naar haar te glimlachen, maar tegelijkertijd lijkt het of hij dat niet wil of kan.

'Ik wil een foto maken', zegt Ritva. 'Hoort u dat? Ik wil een foto van u maken zodat iedereen die zich nu zorgen over u loopt te maken zal weten dat u nog leeft en dat u weer de oude bent. Ook al bent u zo zwaar gewond. Dus kijk me aan!'

En het wonder geschiedt. Dag Tynne slaat zijn ogen op en kijkt haar aan. Op zijn gezicht ligt een glimlachje op de loer; het is nog niet tot volle bloei gekomen, misschien komt het wel nooit tot volle bloei, maar je kunt het toch duidelijk zien.

'Doe het plafondlicht aan', zegt Ritva. 'Het is hier te donker.'

Maggie gehoorzaamt meteen, de tl-buizen beginnen te knipperen en een tel later baadt het kamertje in het licht. Ritva doet paar stappen naar achteren om zich bij het voeteneinde van zijn bed te posteren en steekt haar mobieltje omhoog. Dag Tynne kijkt in de cameralens van de telefoon, probeert te glimlachen en maakt met zijn linkerhand een V-teken. Hij poseert. Hij is halfdood, maar hij ligt in zijn ziekenhuisbed naar beste kunnen te poseren.

'Mooi', zegt Ritva. 'Hartstikke mooi. Nog even een paar foto's. En dan mag u vertellen …'

Midden in haar zin onderbreekt ze zichzelf. Dag Tynne is weggedommeld, zijn linkerhand is op het laken gevallen, zijn ogen zijn dicht en zijn gezicht zakt in. Opeens is hij een heel erg oude man.

'Goeie genade', zegt Ritva. 'Ik heb hem omgebracht! Ik heb Dag Tynne omgebracht!'

Maggie en ik reageren geen van beiden op haar; het lijkt wel of we opeens vastgevroren zijn. Dan buigt Maggie zich over hem om zijn pols te voelen. Terwijl ze overeind komt, gaat ze met haar hand over zijn voorhoofd.

'Hij is niet dood', zegt ze en voor het eerst klinkt haar stem niet meer zo gewoon. Eerder een beetje gespannen. 'Hij leeft. Maar we moeten hier weg. Nu meteen.'

Ze trekt me bijna van mijn stoel en dwingt me om me zo veel mogelijk te haasten. Ritva doet het plafondlicht uit en loopt op een holletje naar de gang. Een paar meter verderop staat ze nerveus op ons te wachten, haar ene been al in de richting van de deur van de afdeling, alsof ze er gewoon op staat te wachten tot het startpistool haar toestemming zal geven om zo snel mogelijk bij ons, het ziekenhuis en Dag Tynne weg te rennen.

'O nee', zegt Maggie grimmig. 'Jij gaat met ons mee.'

Zodra we op mijn kamer zijn laat Maggie mijn arm los; de laatste paar stappen naar mijn bed mag ik zelf zetten, ik mag er zelfs zonder ondersteuning op neerploffen. Maggie heeft zich tot Ritva gewend. Ze fronst haar wenkbrauwen en kijkt behoorlijk kwaad. Het slagschip De Vrouwelijkheid heeft zijn ankers gelicht.

'Wat had jij je in godsnaam voorgesteld?'

Ritva trekt een ongelukkig gezicht en haalt haar schouders een beetje op.

'Ik dacht ...'

'Je kunt toch godverdomme geen halfdood mens gaan fotograferen?! Of wel? Hem dwingen om een V-teken te maken en zo. Je bent niet goed snik!'

Nu is ze onrechtvaardig. Ze heeft zelf meegeholpen; zij was immers degene die het licht aandeed zodat Ritva die foto's kon maken. Maar Ritva is niet goed in staat zich dat te herinneren, ze weet niet hoe ze zich moet verdedigen, ze kijkt gewoon heel schuldbewust.

'Ja, sorry, het was niet mijn bedoeling om ...'

Maggie steekt haar hand op en zwaait met haar wijsvinger voor Ritva's neus heen en weer.

'Als je er ook maar met één woord,' zegt ze, 'met één woord rept over dat Minna en ik op zijn kamer zijn geweest is, het met je gedaan. Als je dat maar weet!'

Ritva gaat wat achteruit. Misschien is ze zelf te zeer van streek om te begrijpen dat Maggie bang is, dat als Dag Tynne in de komende uren toevallig zou overlijden er voor Maggie veel meer op het spel staat dan voor haarzelf. Ze schudt slechts haar hoofd en zet nog een stap naar achteren.

'Ik beloof het', zegt ze, maar ze praat met een heel zacht stemmetje.

'Ik versta je niet', zegt Maggie.

'Ik zweer het', zegt Ritva. Ze schraapt haar keel en klinkt opeens weer als zichzelf. 'Niemand zal erachter komen dat Minna en jij er in zijn kamer bij waren. Dat beloof ik.'

Maggie neemt haar onderzoekend op. Van boven tot onder laat ze haar blik over Ritva's magere gestalte gaan, dan stopt ze haar handen in de zakken van haar tuniek.

'Goed', zegt ze. 'Je kunt gaan.'

Ik moet zelf weer in bed kruipen, want opeens zijn ze allebei verdwenen. Maar dat geeft niet. Het enige probleem is dat ik mijn sloffen niet uit kan krijgen. Dat moet ik dan maar voor lief nemen. Ik ga op het bovenlaken liggen en schop net zo lang tot de gele wafeldeken die als een worst aan het voeteneinde van mijn bed ligt ter hoogte van mijn knieën zit. Vervolgens trek ik die omhoog tot mijn schouders.

Ik blijf lang wakker en staar het halfduister van mijn kamer in. Het lampje bij mijn hoofdeinde is aan, maar dat heb ik weggedraaid zodat ik er alleen de weerschijn van kan zien. Ik wil het immers niet helemaal donker hebben, maar wel donker genoeg om te kunnen slapen. Uiteraard vooropgesteld dat ik kan slapen. Daar lijkt het niet op. Niet dat me dat stoort. Ergens hoor ik een auto voorbijrijden, maar verder is het stil; er dringen geen stemmen van de gang naar binnen, er is niet één ziekenverzorgster die van het ene ziekbed naar het andere snelt, geen dokter die met resolute stappen naar de kamer van Dag Tynne loopt.

Het is volkomen stil in de wereld en ik ben met mezelf alleen.

Tja. Dus nu heb ik mijn vader ontmoet.

Vervult me dat met de heerlijkste bevrediging? Wil ik alleen maar huilen van geluk? Zijn er sterretjes in mijn ogen ontstoken bij de aanblik van deze man?

Nee. Dat kan ik niet echt beweren. Feit is dat ik niets voel. Behalve misschien een lichte irritatie over het feit dat hij mijn bestaan weigerde te erkennen, maar dat is geen ergere irritatie dan die ik al honderden keren eerder heb gevoeld bij mensen, zowel vrouwen als mannen, die recht door me heen keken. Maar iedereen ontmoet weleens andere mensen die recht door hen heen kijken, die hen volkomen onzichtbaar maken, iedereen, behalve misschien diegenen die hun hele leven besteden aan gezien worden, aan zich zichtbaar maken, aan ervoor zorgen dat de hele wereld hun bestaan erkent. Mensen zoals mijn lieve vader.

Maar die oude klootzak kan me toch geen zak schelen.

Wat mij betreft mag hij doodgaan. Het maakt mij geen moer uit.

* * *

De Koperen Engel slaat zwaar met zijn vleugels, zo zwaar dat ik een koude windvlaag over mijn voorhoofd voel gaan. Hij stijgt in een wijde boog op naar de hemel en blijft dan recht boven me hangen, zijn glinsterende vleugels helemaal uitgeklapt. Achter hem is de hemel donker en helder zodat je de sterren ziet, zijn huid glanst nog steeds als paarlemoer en zijn witte krullen staan als een aureool rond zijn hoofd. De spanwijdte van zijn vleugels is enorm.

Lieg niet, zegt hij en zijn stem dreunt door de ruimte.

Ik lieg niet, antwoord ik.

Je liegt. Je bent een leugenachtig mens.

O. Maar wat is de waarheid dan?

Hij ritselt wat met zijn vleugels en trekt een grimas. Een echt lelijke grimas.

Dat weet je wel.

Nee. Dat weet ik niet.

O jawel, zegt hij en hij begint half te neuriën: *De waarheid zal u vrij-ij-ij-maken.*

Ik trek mijn ene mondhoek iets op in een glimlach. Dit is blasfemie van hem!

Hij slaat zijn armen over elkaar en schudt zo hard met zijn hoofd dat zijn krullen ervan dansen: Helemaal niet! Dat is geen blasfemie. Dat heb ik van de hoogste instantie. Zie het juist als een goed advies.

Ik snauw: Ach, hou je bek!

Hij begint met zijn vleugels te klapperen en opeens is de hemel weg. Nu zit hij op de rand van mijn bed aan zijn zwarte tenen te pulken. Van dichtbij ziet hij er behoorlijk shabby uit, veel shabbyer dan ik me hem herinner. Zijn kleding is slonzig en hij zou zich eens moeten wassen. Zijn ene vleugel hangt slap en er zijn een paar koperen veren uit. Je ziet een glimp van dunne, roze huid waar die hebben gezeten.

Kst, zeg ik. Weg jij!

Hij trekt zijn wenkbrauwen op en wendt zijn gezicht naar mij.

Kst? Zeg je 'kst' tegen mij?

Ja. Dat doe ik.

Alleen maar omdat ik tegen je zei dat je de waarheid moet spreken?

Nee. Omdat ik je hier niet wil hebben.

De Koperen Engel slaakt een diepe zucht.

Je liegt, Minna. Wat ben jij ontzettend aan het liegen …

Dan is hij verdwenen.

* * *

Het is nog steeds nacht wanneer ik de deken wegtrek en recht-op ga zitten. Ik heb de lichtblauwe badjas aan en de sloffen aan mijn voeten en ik kan staan en lopen. Dus is er niets aan de hand. Ik hoef niet bang te zijn. Ik speel dit klaar. Ik kan dit.

Het licht in de gang verblindt me en ik blijf even in de deuropening staan, met samengeknepen ogen proberend om in evenwicht te blijven voordat ik voorzichtig naar buiten stap. De deur gaat met een zucht en een klik achter me dicht, maar verder is het heel stil. Geen mens te zien, geen mens op de hele wereld weet waar ik naartoe op weg ben. Bij die gedachte moet ik glimlachen, die roept de herinnering bij me op aan hoe verrukt Sofia ooit was toen we uit Rome vertrokken. Het vliegtuig naar huis had vertraging en dat maakte haar dolgelukkig. Op dit moment is er niemand die weet waar we zijn, mama! Geen mens op de hele wereld!

Ik stop even en zoek steun tegen de muur. Rustig aan! Langzaam en voorzichtig lopen, jaag je niet op, denk nergens anders aan dan aan wat je je hebt voorgenomen. Na heel even te hebben gerust loop ik alweer verder. Eén stap. Twee stappen. Drie. Ik ben er zo.

Zijn deur gaat heel zachtjes open en hij gaat met dezelfde klik weer dicht als de mijne. Vlak over de drempel blijf ik staan om me te oriënteren. In het donker kijk ik in zijn kamer om me heen en constateer ten eerste dat hij zijn bedlampje ook aanheeft, en ten tweede dat hij het op dezelfde manier heeft weggedraaid als ik. Misschien is dat een familietrekje. Bij die gedachte moet ik een beetje glimlachen, maar ik word snel weer serieus. Ik moet die kamer door. Ik moet naar die bezoekersstoel die daar in de hoek staat.

Het gaat langzaam, maar het gaat. Ten slotte plof ik neer, leun tegen de hoge rugleuning om uit te blazen. Ik doe mijn ogen dicht en luister naar het kloppen van mijn hart. Ik ben er.

Dan doe ik mijn ogen weer open om eens goed om me heen te kijken, om te zien wat ik niet heb gezien toen ik hier eerder binnen was. De kamer van mijn vader lijkt niet op die van mij. Het bed staat in een andere hoek en de muren lijken meer wit dan geel. En hij heeft geen schilderij. Die ontdekking vervult me met iets wat op kinderlijke triomf lijkt. Haha! Hij heeft geen schilderij!

Buiten voor het raam is het donker, maar ergens heel in de verte zie ik iets van het licht van een straatlantaarn. Dat is het enige wat ik zie. En het is buiten helemaal stil; Arvika slaapt haar allerdiepste nachtelijke slaap. Net als Dag Tynne, die in zijn half omhooggeklapte bed ligt met zijn rechterbeen in tractie en met een infuuszak naast zich. De druppels vallen heel langzaam, dat zie ik in het licht van het weggedraaide lampje; ik kan tot vierennegentig tellen tot de volgende druppel valt. En Dag Tynne ligt roerloos in zijn bed met zijn ogen dicht en zijn handen op zijn borst, de ene hand verborgen in de andere. Hij ademt nog steeds. Tamelijk rustig zelfs. Misschien gaat hij het inderdaad redden, misschien zal hij op een dag, over een maand of twee, in zijn bed overeind gaan zitten, opstaan en weglopen. Dit ziekenhuis en deze stad verlaten. Waar zal ik dan zijn?

Ik slaak een zuchtje. Het maakt niet uit. Het doet er totaal niet toe.

'Kun je me horen?' vraag ik zachtjes.

Hij geeft geen antwoord en slaat zijn ogen niet op, maar iets zegt me dat hij me wel hoort. Misschien omdat het een seconde of twee te lang duurt voordat hij uitademt. Het kan ook komen door die bijna onzichtbare trilling die opeens door zijn rechterhand gaat.

'Ik ben het. Je dochter. Die je bij Kristin verwekt hebt.'

Nu ligt hij volkomen roerloos, zijn rechterhand ligt helemaal stil op de linker, alsof speciaal de linkerhand verborgen

446

en beschermd moet worden. Maar hij kan zijn ademhaling niet helemaal beheersen. Die is nu ietsje sneller, niet veel, maar voldoende om te onthullen dat hij ondanks zijn gesloten oogleden wakker is.

'Je herinnert je Kristin toch nog wel?'

Geen antwoord.

'Jawel, natuurlijk herinner je je haar. Maar je hoeft je niet ongerust te maken, ze zal hier niet opduiken. Ze is al jaren dood. Net als haar zus Sally. Allebei gestorven aan kanker.'

Een kleine uitademing. Misschien te beschouwen als een zucht van verlichting.

'Je hebt ook een kleinkind gehad', zeg ik en ik hoor zelf hoe mijn stem verandert, een beetje huilerig wordt. Verdomme! Inwendig vloek ik. Nu niet huilerig worden! Ik mag naar hartelust zeuren en klagen en janken en huilen, maar niet in deze kamer. Nooit van mijn leven in het bijzijn van dit figuur, deze nepmens, deze luis die zich zo graag in de kijker speelt en zo op bevestiging geilt dat hij daar alles voor doet! Ik schraap mijn keel en haal diep adem. Rustig. Gewoon rustig.

'Ze heette Sofia', zeg ik dan. Mijn stem is weer helemaal gewoon. 'Ze zou binnenkort achttien zijn geworden.'

Ik zwijg om de boodschap tot hem te laten doordringen.

'Hoewel je dat misschien al weet. Je moeder heeft het je misschien verteld. Dat ze een buitengewoon knap en getalenteerd meisje als achterkleindochter had. Maar dat dit meisje zich een jaar geleden heeft verhangen. Omdat ze het slachtoffer was geworden van een vent van jouw leeftijd.'

Nu ademt hij niet meer. Hij houdt zijn adem in en wacht. En opeens kan ik mijn stem niet langer onder controle houden. Wanneer ik opnieuw tegen hem spreek, sis ik; ik sis zoals mijn moeder mij altijd nasiste: 'Heb je dat gehoord? Nou? Heb je gehoord dat mijn dochter zich heeft verhangen omdat ze het slachtoffer was geworden van een vent als jij?

Engerd! Afschuwelijk onderkruipsel!'

Ik ril van mijn eigen stem. Ik leun naar achteren en pak de armleuningen van de stoel, dwing mezelf om rustig te ademen. Dag Tynne heeft zich nooit aan mijn dochter vergrepen, vermoedelijk heeft hij zich nooit aan iemand vergrepen, althans niet naar de letter van de wet. Ik heb het recht niet om hem aan te vallen vanwege Sofia. Dat moet ik niet vergeten. Ik heb het recht niet om hem te veroordelen voor iets waaraan hij niet schuldig is. Zijn schuld is toch al groot genoeg. Niet dat hij bereid is om dat toe te geven; hij reageert helemaal niet op mijn gesis en mijn scheldwoorden, hij beweegt zich niet en hij lijkt de controle over zijn ademhaling weer terug te hebben. Het klinkt alsof hij slaapt, het is in feite nog maar een kwestie van tijd voordat hij net zal doen of hij snurkt. Ik weet dat hij wakker is, dat hij mij ergens in zijn duisternis hoort, maar hij is niet van plan zich gewonnen te geven, dat is duidelijk. Hij weigert te erkennen dat ik besta, dat ik gewoon anderhalve meter van zijn bed zit, dat hij een heel leven geleefd heeft zonder mij daar ooit in toe te laten.

'Als je begint te snurken ga ik op je linkerbeen zitten', zeg ik. 'Dat je dat weet.'

Hij snakt naar adem wanneer hij beseft hoeveel pijn dat zou doen. Daar moet ik om glimlachen.

'*Got you!* Dan zijn we het eens. Jij bent wakker en je hoort wat ik zeg. Dat is voldoende. Of je me wilt zien of niet, maakt me geen ene moer uit. Geen bal. Maar ik heb je het een en ander te vertellen. Het een en ander dat je misschien niet weet.'

Nu houdt hij zijn adem in. Hij ligt daar in feite nieuwsgierig te zijn. Dus blijf ik een tamelijk lange poos zwijgend zitten, zo lang dat hij uiteindelijk wel moet uitademen.

'Hoewel het misschien wel oud nieuws is', zeg ik ten slotte. 'Het personeel heeft het misschien al verteld. Dat je moeder dood is.'

Uit het bed komt een kreetje. Een geluid dat je zou kunnen uitleggen als een uitdrukking van vertwijfeling.

'O', zegt mijn vader en opeens is hij ver verwijderd van alle charme en veinzerij. Zijn gezicht verliest zijn vorm, het wordt grijs en slap, en zijn mond verandert in een zwart gat wanneer hij herhaalt: 'O! O! O!'

'Ja', zeg ik, zonder enige compassie. 'Of niet?'

Het eerste stadium van het verdriet doorloopt hij heel snel, in protest schudt hij zijn hoofd, één keer, twee keer, hoewel dat duidelijk veel pijn doet. Voordat hij een derde keer zijn hoofd schudt, bedaart hij echter. Hij begint met zijn ogen te knipperen en kijkt naar het plafond, maar doet zijn ogen weer dicht. De acceptatie is al ingetreden. Ik noem dat goed geneesvlees. Bij mij duurde het een jaar.

'Ik lag naast haar toen het gebeurde', zeg ik met zachte stem. Vervolgens doe ik er weer het zwijgen toe.

'Uh', zegt Dag Tynne na een poosje. Kijk eens aan. Zijn woordenschat wordt groter, ook al is die nog lang niet volledig. Maar ik snap wat hij bedoelt. Wat heeft ze gezegd voordat ze stierf? Dacht ze aan mij? Had ze nog een boodschap voor me?

'Helaas zei ze niet veel', zeg ik en ik praat nu heel langzaam. 'Eigenlijk geen woord. Maar ik denk toch dat ze wist wie ik was. Dat ze me herkende. Ja, daar ben ik bijna zeker van …'

Ik leun iets naar voren en strek mijn hand uit, maar ik kan niet bij het bed. De kamer is weliswaar klein, maar de afstand tussen mijn bezoekersstoel en zijn bed is te groot. Ik probeer me met mijn voeten op de grond af te zetten om de fauteuil met mijn billen naar voren te schuiven, maar ik stop er meteen mee. Het maakt te veel lawaai. En ik wil natuurlijk stil zijn. Ik wil natuurlijk niet dat iemand dit gesprek komt verstoren.

'Ze heeft namelijk een nierbekkentje naar mijn hoofd gegooid', zeg ik en ik begin te giechelen. 'Zo'n niervormig schaaltje, je weet wel. Knap. Echt heel knap als je nagaat dat het mens de negentig al gepasseerd was en half verlamd was door een hersenbloeding. Maar ze gaf zich niet gewonnen. Ze slaagde erin die schaal te pakken te krijgen en die gewoon naar mijn hoofd te smijten ...'

Hij begint te grommen en opnieuw begrijp ik wat hij bedoelt. Waarom? Ik slaak een zuchtje.

'Volgens mij vond ze het niet fijn dat ik haar over mijn leven vertelde. En dat was natuurlijk jammer, gezien het feit dat ik het enige kleinkind ben dat ze ooit heeft gekregen ...'

Weer gegrom uit het bed. Ik proef een zeker ongenoegen bij mijn lieve vader. Een heel, heel klein beetje afkeuring van wat ik te vertellen heb.

'Hou op', zeg ik zuur. 'Stel je niet aan. Ik weet dat je gewoon kunt praten. Je ligt je daar alleen maar aan te stellen.'

Het blijft een tamelijk lange poos stil. Het duurt nog een aantal uren voordat de afdeling zal ontwaken en nog meer uren voordat de zon opgaat. De grote duisternis is gekomen, de duisternis die ons maanden in haar greep zal houden. Er schiet een fantasie door mijn hoofd, een fantasie waarin ik ergens op een balkon in de warmte sta, me over de dikke stenen rand buig om iemand met een gelukkige stem na te roepen. Boven me bloeit een bougainville, het is een complete waterval van roze bloemen, en achter de grove groene bomen schittert de zee in haar diepste blauw. De droom is ogenblikkelijk weer verdwenen, maar er wordt diep van binnen bij mij hoop door ontstoken. Dat balkon bestaat ergens. Net als die bougainville en die zee. Dan herinner ik me wie en waar ik ben, de hoop lost op en verdwijnt. We gaan naar donkerder tijden. Weldra zal de zon het nauwelijks kunnen opbrengen om boven de horizon te kruipen en als hij daar eens een keer in slaagt, dan gaat hij midden op de middag alweer onder.

'Nou', zeg ik. 'Ben je nog van plan om antwoord te geven als je wat gevraagd wordt? Of wat wil je?'

Een beweginkje is de enige reactie die ik krijg. Hij trekt zijn rechterschouder iets op. Volgens mij betekent dat niets en ook al zou het een ongelooflijk zinvolle boodschap zijn, mijn lust om hem te duiden is inmiddels verdwenen. Opeens snap ik niet eens waarom het zo belangrijk voor me was om naar zijn kamer te komen. Dat was toch belachelijk. Alsof dat halfdode figuur enig verband met mij zou hebben.

Al mijn schimpscheuten hebben opeens hun zin verloren. Die moeder van hem mag dan een vreselijk wijf zijn geweest en zelf is hij niets anders dan een ouwe snoeper, maar wat kan ik daaraan doen? Geen bal. Waarom moet ik überhaupt in zijn kamer zitten om hem met mijn belangstelling te vleien? Hij kan me toch geen donder schelen. De Koperen Engel had ongelijk, ik heb niet gelogen toen ik zei dat hij me volkomen onverschillig laat. Zo is het. Hij kan me niets schelen. Dus sta ik op, even wankelend voordat ik mijn evenwicht vind, en begin ik naar de deur te sloffen. Ik ben moe. Veel moeër dan ik ooit geweest ben.

'Verbeeld je maar niets', zegt hij opeens achter me. Zijn stem is zwak, maar heel karakteristiek. Elke Zweedse burger zou hem herkend hebben. 'Ik zal je niets nalaten! Nog geen öre!'

Ik draai me langzaam naar hem om en neem hem op. Ik kijk recht in zijn blauwe ogen. Hij staart me opstandig aan, maar zijn mondhoeken trillen. Misschien heb ik echt diepe indruk op hem gemaakt. Misschien is hij gewoonweg bang van me geworden. Dat is goed. Dat is precies wat ik wil. Dus antwoord ik niet meteen, maar slof ik naar zijn bed. Glimlachend leun ik een klein beetje over hem heen.

'O', zeg ik. 'En waarom denk jij dat ik wat van je zou willen erven, stuk ellende?'

Dan til ik mijn linkerhand op en laat die even vlak boven zijn linkerbeen zweven. Mijn hand trilt een beetje, maar dat geeft niet. Dag Tynne kijkt ongerust. Echt bang. Ik glimlach nog steeds een beetje.

'Het enige wat ik wil, is dat jij echt pijn zult hebben!'

* * *

Het buitenhuis ligt ergens in Italië. Het is heel oud en heel koel, ondanks de hitte buiten. Dat is heel aangenaam. Ik blijf onder mijn donsdekbed in mijn bed liggen genieten in de pure wetenschap dat ik elk moment deze koelte kan verlaten om de warmte buiten in te duiken.

Een meisje komt met een dienblad om mijn ontbijt te brengen. Ze glimlacht wanneer ik overeind ga zitten, maar ze zegt niets, ze loopt alleen naar de ramen om ze wijd open te zetten. Voordat het meisje ook de groene luiken openzet zoekt de zoele lucht zich al een weg door hun latwerk naar binnen om me te strelen en te omhelzen. Het zonlicht stroomt naar binnen, tot in elke hoek van de kamer, het schiet over de grijze marmeren tegels van de vloer, legt elke oneffenheid in het witte stucwerk van de muur bloot en speelt wat met het geornamenteerde plafond. Het is heel mooi.

Het meisje glimlacht nog even snel naar me en haast zich dan naar de deur. Ik kijk haar met niet meer dan een vluchtige blik na alvorens die weer naar het raam te wenden. In de raamopening zijn een paar bloemen van de bougainville te zien. Erachter staat een bosje bomen en tussen hun grove stammen door zie ik een glimp van de zee. Een heel blauwe zee.

Ik leun met mijn hoofd in het kussen en glimlach in stilte.

Eindelijk aangekomen.

* * *

'Het paradijs bestaat', zeg ik.

Magdalena, die naast mijn bed staat, kijkt beduusd.

'Wat?'

Ik knijp mijn ogen even dicht, doe ze dan weer open en glimlach een beetje.

'Ach, ik droomde maar …'

Haar wenkbrauwen schieten de lucht in.

'Over het paradijs?'

'Ja. Sorry.'

Maar het is niet iets om je voor te verontschuldigen en dat beseft ook Magdalena.

'Maakt niet uit', zegt ze enigszins chagrijnig. 'U mag wat mij betreft dromen wat u wilt. Wilt u koffie?'

'Ontbijt?'

'Nee. Het ontbijt is uren geleden al geweest. U hebt het niet aangeraakt. Er viel geen leven in u te krijgen.'

'O jee.'

Ze haalt haar schouders wat op.

'U sliep als een tiener. Niet dat het mij wat uitmaakt. Maar wilt u koffie?'

'Ja, graag. Kan ik ook een boterham krijgen?'

Magdalena lacht met witte, gezonde tanden. Opeens is ze bijna mooi zoals ze daar staat met haar ronde wangen, rode haren en barnsteenbruine ogen, maar ik pas wel op om dat te zeggen. Ik glimlach enkel terug.

'Waarachtig', zegt ze. 'U hebt uw eetlust terug. Dan bent u vast weer aan de beterende hand.'

Buiten is het een stralende dag. Zonneschijn en een helderblauwe hemel met slechts één wit wolkje dat gelukzalig in westelijke richting koerst. Het is net zo aangenaam om in dit bed in het alledaagse ziekenhuis in Arvika te liggen als dat het

453

was om onder het donsdekbed te liggen in het paradijselijke buitenhuis waar ik zonet over droomde. De herfst buiten is licht en vriendelijk, zoals hij wordt wanneer hij weldra zijn taak heeft vervuld. De lucht is hoog en helder, die zal gemakkelijk in te ademen zijn, slechts een tikkeltje gekruid door verrotting. Weldra is alles opgeruimd en gereed. De bomen staan er kaal en donker bij na de storm, de bladeren zijn eraf gewaaid en hebben zich als een geel kleed over de grond gedrapeerd, alle bloemetjes en sporenplanten hebben zich eronder opgerold en zijn in de eerste sluimering gevallen die aan de diepe slaap voorafgaat. Slechts een beetje regen is het enige wat nog ontbreekt om het allemaal volmaakt te maken voor de bedwelmende aankomst van de winter, slechts enkele druppels vocht die achtergelaten worden om elk grassprietje met rijp te glazuren, witte lijnen te tekenen rond de contouren van de vergeelde bladeren en de takken van de bomen te laten veranderen in volkomen onvergelijkbare zwart-witte fractals.

Ik verlang naar de winter. Naar de vorst en de pure witte sneeuw.

Magdalena zet het koffiekopje en het bordje met het broodje kaas op mijn nachtkastje en blijft dan staan om door het raam naar buiten te kijken.

'Het is een mooie dag', zeg ik.

'Inderdaad.'

Ze lijkt wat afwezig, haar gezicht is zachter geworden en ze houdt haar hoofd een beetje schuin. Het lijkt of haar blik is blijven steken op iets buiten, maar wanneer ik die blik volg en een poging doe om te zien waar zij naar kijkt, zie ik niets. Opeens vermant ze zich.

'De artsenvisite is vast wat verlaat', zegt ze.

'O', zeg ik, want mij laat dat onverschillig, ik ga nergens naartoe.

'Het is de hele ochtend allemaal al een chaos.'

Ik neem een grote slok van mijn koffie. Ik geniet een beetje van de smaak ervan. Inderdaad. Ik kan er voor het eerst in heel lange tijd echt van genieten.

'Waarom dan?'

Magdalena stopt haar handen in de zakken van haar tuniek, op dezelfde manier als de veel oudere Maggie dat altijd doet. Ze werpt me een snelle blik toe waarna ze zich opnieuw naar het niets voor mijn raam wendt.

'Dag Tynne heeft vanochtend hartkramp gekregen.'

'Dag Tynne?'

Ze werpt me weer een snelle blik toe. Stel je niet aan, zegt die blik. Ik weet wie Dag Tynne voor jou is. Iedereen weet wie Dag Tynne voor jou is.

'Ja. Hij heeft een hartinfarct gekregen.'

Ik kijk naar mijn handen. Die klemmen zich om het koffiekopje en trillen totaal niet.

'Heeft hij het gehaald?'

Mijn stem is volkomen helder en onpersoonlijk, maar ik stel me echt niet aan. Ik wil dat Magdalena dat snapt. Ik moet lachen noch huilen; het kan me namelijk niet schelen. Maar dat lijkt Magdalena niet te begrijpen, want ze geeft me een troostende aai over mijn schouder.

'Ja. Hij had geluk, hij heeft het ditmaal gehaald. Maar de vraag is hoe het de volgende keer zal gaan.'

Ik neem een mondvol van mijn koffie. Die is echt lekker.

'Tja', zeg ik met een glimlach naar haar. 'Dan zullen we maar hopen dat zijn geluk blijft aanhouden.'

Wanneer zij is weggegaan zak ik terug in mijn kussen en adem uit. O. Dus mijn lieve papseflaps heeft vanochtend een hartaanval gekregen. Zou er misschien een verband zijn met het feit dat ik vannacht bij hem langs ben geweest?

Misschien. Maar dat kunnen we niet weten, hij noch ik. Het zou kunnen zijn dat het is gekomen doordat ik hem toevertrouwde dat zijn moeder is overleden, maar dat had hem redelijkerwijs niet zo diep moeten schokken. Het mens was de negentig al gepasseerd en voor zover hij er niet diep en intens van overtuigd was dat ze het eeuwige leven had, zou haar dood toch eigenlijk niet als een verrassing mogen komen. Vooral niet omdat ze een paar dagen daarvoor al een hersenbloeding had gehad. Enerzijds. Maar anderzijds, wie ben ik om te oordelen over de heerlijke band die een zoon met zijn moeder verbindt? Die is misschien oneindig veel sterker en dieper verankerd dan het slappe genetische draadje dat een dochter met haar vader verbindt.

Godverdomme!

Het koffiekopje komt rammelend op zijn schoteltje terecht, wiebelt even en valt dan om, een beetje heen en weer bewegend totdat het oortje het tegenhoudt. Er is nog maar een klein beetje van mijn koele houding over, maar daardoor zie ik dat het kopje bijna leeg was en dat er maar een paar druppels op het witte oppervlak van het nachtkastje zijn gespat. Dan golven de zelfverwijten over me heen en benemen ze me bijna de adem. Ik hap naar lucht, probeer een soort zuurstof te vinden om me mee te verdedigen. Het was mijn schuld niet! Ik heb hem immers niet aangeraakt! Ik stond alleen bij zijn bed en heb hem met mijn hand gedreigd, maar die heb ik nooit op zijn gewonde been laten neerkomen. Ik heb hem nooit pijn gedaan, ik heb niet eens gezegd dat ik hem haat. Ik zweer het! Zelfs dat heb ik niet tegen hem gezegd!

Maar ik kan me niet tegen mezelf verdedigen. Ik draag een verschrikkelijke aanklager in mijn borst en dit was het enige wat zij nodig had om op te staan en aan haar requisitoir te beginnen. Minna is harteloos en wreed. Ze heeft eerst haar moeder geminacht en belasterd en daarna haar vader, zonder in ogenschouw te nemen dat ze zelf een veel slechtere ouder is geweest dan een van deze twee mensen. Haar eigen dochter heeft een jaar geleden zelfmoord gepleegd, maar het schijnt niet bij haar op te komen dat haar eigen ouders er wel in geslaagd zijn haar te laten overleven, misschien dankzij en niet ondanks het feit dat ze haar met rust lieten. Haar onredelijke gezeur en ziekelijke zelfmedelijden hebben haar tot een overbeschermende ouder gemaakt, maar aan dat getut met haar dochter heeft werkelijk niemand iets gehad. Aan een beetje gezonde weerstand had de dochter in haar jeugd meer gehad, maar die heeft ze niet gekregen. Integendeel, neurotische leugens, ziekelijke uitvluchten en allerlei ondermijnend bedrog werden haar voorgeschoteld, terwijl ze tegelijkertijd met overdreven complimenten en belachelijke materiële giften werd overspoeld, hetgeen bij haar tot een totaal verwrongen werkelijkheidbeleving leidde. Na de dood van haar dochter is Minna blijven liegen en heeft ze de mensen in haar omgeving, mensen die afhankelijk van haar waren, bijvoorbeeld restauranthulp Annette, gedwongen met haar mee te liegen. Bovendien heeft ze zichzelf toegestaan totaal te vervuilen door haar woning niet meer schoon te houden. Het afgelopen jaar heeft ze twee keer afgewassen – twee keer in één jaar! – de troep van de grond opruimen, afstoffen en stofzuigen, de planten water geven en de vloer dweilen heeft ze echter helemaal niet gedaan. Ondertussen heeft ze de onbewoonde kamer van haar dochter wel minutieus verzorgd en heeft ze zich belachelijk gemaakt door het ene cadeau na het andere te kopen voor een dochter die dus al op het kerkhof ligt. Dientengevolge kunnen we constateren dat we te maken hebben met iemand die in elke redelijke zin haar bestaansrecht heeft verloren en die dus ter dood veroordeeld zou moeten worden, ware het niet dat ze een dergelijke straf als een opluchting en een bevrijding zou ervaren. Daarom moeten we haar dus eigenlijk tot het leven veroordelen, haar dwingen om jaar na jaar, decennium na decennium met zichzelf te leven.

Ik heb niets ter verdediging aan te voeren. Het enige wat ik doe, is overgeven in mijn koffiekopje, en wanneer dat vol is in mijn tot een kom gevormde linkerhand.

'Oeioeioei', zegt Magdalena. 'Lieve deugd!'

Ik heb mijn plakkerige hand voor mijn gezicht geslagen. Hij stinkt verschrikkelijk. Ik durf niet te denken, durf niet te praten, ik verstop me gewoon voor mezelf en de hele wereld. Het heelal boven me is opeens leeg en verlaten, er vliegt geen Koperen Engel met klapperende vleugels voorbij, al mijn doden hebben me uiteindelijk verlaten. Het vonnis is geveld en ze willen noch kunnen mij troosten. Er zeurt geen moederstem op de achtergrond, er is geen Sally die me met een lach in de verte kalmeert en geen Sofia die me met haar gebroken woorden naroept. Het enige wat je hoort is een lied, een geheimzinnig geneurie dat steeds dichterbij komt. *Hum-hum-hum. Hum-hum-hum.*

De deur van mijn kamer gaat open en ik hoor iemand binnenkomen. Zijn schoenen hebben zachte zolen, maar zijn stappen zijn zeer resoluut. Er sluipen een paar andere wezens achter hem aan, maar die hoor je niet zo duidelijk. Die bewegen voorzichtig, die zetten slechts drie stappen wanneer de neuriënde man er vijf zet, dan blijven ze staan en lijken ze hun adem in te houden. De eerste daarentegen houdt zijn adem niet in; hij neuriet nog steeds. *Hum-hum-hum. Hum-hum-hum.* Dan stopt hij opeens om zijn keel even te schrapen.

'Tja', zegt hij. 'En hoe is het hier dan?'

Ik beweeg me niet. Ik zeg niets. Ik druk nog steeds mijn plakkerige hand tegen mijn gezicht, zuig nog steeds mijn eigen stank in mijn longen op.

'O sorry', zegt de stem van Magdalena naast me. Die is

veel hoger dan anders, die klinkt bijna smekend. 'Ze heeft net overgegeven. Het spijt me verschrikkelijk ...'

'Overgegeven?'

Hij klinkt niet of hij er erg van walgt. Dat verbaast me. Als ik voor mezelf had gestaan zou ik er wel van hebben gewalgd.

'Zo', zegt hij dan. 'Nou ja. Dan komen we later wel terug. Wanneer je het hier onder controle hebt.'

'Dank u wel', zegt Magdalena buiten adem, en ik stel me voor dat ze er zelfs een kniebuiginkje bij maakt. 'Heel erg bedankt.'

Wanneer de deur achter het groepje dichtgaat, slaakt ze een zucht van verlichting en ik kan horen hoe ze zich haast om mijn kamer op orde te krijgen. Ze vliegt heen en weer, dweilt op, gooit leeg, zet het raam op een kiertje om de frisse geur van de herfst binnen te laten, verdwijnt dan om bijna meteen terug te komen met iets wat klotst.

'Haal uw hand weg', zegt ze. Ze klinkt een beetje geïrriteerd. Ik ben er echter niet toe in staat. Ik wil tot in eeuwigheid in deze stank blijven zitten. Maar Magdalena pakt gewoon mijn linkerarm en trekt die naar beneden.

'Bah', zegt ze wanneer ze mijn gezicht ziet en ik begrijp haar wel. Plakkerig. Walgelijk. Werkelijk weerzinwekkend. Ik kan slechts mijn ene oog openen; van het andere zit het ooglid dichtgeplakt met mijn eigen braaksel. En ik voel hoe een grote klont van iets anders precies onder mijn linkermondhoek zit. Toch moet zij haar werk doen, dus ze gaat met het lauwe washandje over mijn gezicht. Eén keer. Twee keer. Drie.

'Arme ziel', zegt ze terwijl ze het washandje een vierde keer uitspoelt. Ik begin met mijn ene oog te knipperen. Ik ben geen arme ziel. Wat ik ook ben en wat ik ook ooit zal worden, een arme ziel is het niet.

'Slecht', zeg ik.

'Ja, ik weet het', zegt Magdalena die me niet begrijpt. 'Ik begrijp dat u zich slecht voelt, maar als u nu even rechtop gaat zitten, dan krijgt u een schone nachtpon en zult u zich veel beter voelen. En dan zal ik ook zorgen dat u schone lakens krijgt.'

Als ik in mijn eigen bezoekersstoel zit, tocht het een beetje van het raam, maar daar zeg ik niets van. Het is gewoon mijn verdiende loon. Ik mag het niet eens opmerken, het enige wat ik mag is hier zitten toekijken hoe Magdalena mijn bed opmaakt. Haar huid is net zo marmerwit als die van De Koperen Engel. En haar haren hebben bijna dezelfde kleur als zijn vleugels.

'Wat?' zegt ze.

Ik wist niet eens dat ik iets gezegd had.

'Jawel, hoor', zegt Magdalena. 'U zei iets over koper …'

Ik moet oppassen. Dus schraap ik mijn keel en glimlach ik maar wat.

'Ik ben waarschijnlijk een beetje in de war. Wat voor dag is het vandaag?'

'Dinsdag', zegt Magdalena. 'En het is niet zo vreemd dat u instort. U hebt ook zo veel meegemaakt.'

'Ja. Dat is natuurlijk zo.'

'Weet u wie die dokter was? Die hier net binnen was?'

Ik begin met mijn ogen te knipperen; ik weet het zonder het echt te weten, maar speel tegelijkertijd de vermoorde onschuld.

'Nee. Wie was dat?'

Magdalena onderbreekt het uitvouwen van mijn schone bovenlaken even, werpt een vluchtige blik achter zich en dempt haar stem.

'Dat was de man die iets had met Sofia. Dat zeggen ze, tenminste.'

Dat weet ik wel, maar toch begint de kamer te draaien. Ik doe mijn ogen dicht en zie die oude dronkenlap van een verloofde van mijn moeder voor me. Bertil. Zo heette hij. Die leuke Bertil die zijn middelvinger in de vagina van een negenjarig meisje stak en haar vervolgens de schuld daarvan gaf. Mijn moeder schiet ook voorbij, maar slechts als een herinnering. Ze is niet langer een giebelend spook, ik kan haar niet zien of horen, ze is slechts de herinnering aan een vrouw die haar dochter met een enorm verwijtende blik aankijkt. De aanklager roert zich in mijn borst, maar nu heb ik de kracht om tegenstand te bieden, mezelf te verdedigen. Ik was negen jaar en totaal niet verleidelijk! Mijn moeder had mij moeten verdedigen en beschermen. Net zoals ik mijn eigen dochter zou hebben verdedigd en beschermd, als ik maar had geweten wat er gaande was. Ik zou nooit hebben gezegd dat het haar eigen schuld was. Nooit van mijn leven.

Wanneer ik weer opkijk, is alles net als eerst. Er zijn alleen een paar seconden verstreken. De kamer is niet gekanteld. Er zijn geen meubels omgevallen. Er ligt geen Magdalena jammerend in een hoek om hulp te smeken; ze staat waar ze zo-even ook stond en is nog steeds bezig met het uitvouwen van mijn bovenlaken.

'Wat bedoel je?'

'Alstublieft, u weet toch wel wat ik bedoel?'

Ze gaat op haar hurken voor me zitten en neemt mijn hand tussen de hare.

'Mijn zusje', zegt ze. 'Mijn zusje is helemaal geen aardig persoon.'

Ik knik en probeer het te begrijpen, maar het is niet helemaal duidelijk wat Magdalena's zusje ermee te maken heeft. Behalve dan dat ze bij Sofia in de klas zat.

'Ze houdt niet van mensen die haar niet meteen vereren.

En die het lef hebben om dat ook te laten zien. Die zich alleen maar met hun eigen zaken bemoeien. Daar houdt ze niet van.'

'En?'

'Anderzijds heeft ze natuurlijk een hele club meiden om zich heen. En die zijn dol op haar. Maar zij mocht Sofia niet. Totaal niet.'

Magdalena laat mijn hand los en staat op. Ze ploft nu neer op het bed en kijkt me met een schuwe blik aan.

'Vóórdat dat gebeurde, mocht ze haar al niet.'

Ik staar haar aan. Ik kan het niet opbrengen om te reageren. Ik kan nog geen geluid uitbrengen. Magdalena kijkt heel serieus.

'Ja, u weet wat ik bedoel. Dat ze met de dokter naar bed ging. En dat hij haar daarna aan zijn vrienden begon uit te lenen.'

Magdalena buigt haar hoofd en kijkt naar haar handen. Die zijn ook marmerwit.

'Volgens mij was mijn zusje de eerste die het op internet zette. En toen gingen de anderen dat ook doen. Allemaal. Maar volgens mij was mijn zusje de eerste die haar zo noemde … U weet wel. En daarna was het voor uw dochter een hel op school.'

Ze strijkt met haar hand over haar mond alsof ze de woorden wil verbergen, die woorden die de hele tijd naar buiten dringen.

'Mijn zus was tamelijk in shock toen het haar duidelijk werd dat Sofia zich had opgehangen. Echt waar. Ze is dagen van school thuisgebleven. Ze beweerde dat ze diarree had.'

Opeens kijkt ze me aan, ze kijkt in mijn opengesperde ogen.

'Misschien was ze echt ziek geworden. Dat zou me niet verbazen. Want je geweten zit niet in je hoofd of je hart, dat weten we toch allemaal. Dat zit in je buik. Als je althans een geweten hebt.'

* * *

Dat ze met de dokter naar bed ging. En dat hij haar daarna aan zijn vrienden begon uit te lenen.

Stil!

Dat ze met de dokter naar bed ging. En dat hij haar daarna aan zijn vrienden begon uit te lenen.

Stil!

Dat ze met de dokter naar bed ging. En dat hij haar daarna aan zijn vrienden begon uit te lenen.

Stil!

Stil!

Stil!

* * *

'Mag ik binnenkomen?'

Ik knipper met mijn ogen om mijn blik scherp te stellen, probeer te zien wie de zo moeizaam opgebouwde stilte doorbreekt. Ik ben een beetje beduusd. Het is die actrice. Marguerite. De moeder van Anton. Ze blijft met een gelukkige glimlach op de gang staan en ziet er bijna absurd gezond uit. Wat doet zij hier?

Ik knik, maar zeg niets. Ze pakt het bezoekersstoeltje, zet dat vlak bij mijn bed en pakt mijn hand.

'De verpleegkundige zei dat je je niet zo goed voelt. Dat het wat slechter met je gaat. Klopt dat?'

Door haar stem schieten me de tranen in de ogen, maar die knipper ik snel weg.

'Misschien.'

Mijn stem is niet meer dan een fluistering. Eerst schraap ik mijn keel een beetje om die te reinigen. Ik heb het recht niet om hier te liggen fluisteren alsof je medelijden met me zou moeten hebben, maar ik kan niet meteen iets bedenken wat ik zal zeggen nu mijn keel er klaar voor is; mijn verstand moet elk hoekje in mijn hersenen afgaan voordat ik de juiste woorden vind.

'Hoe is het anders met jou?'

Ze haalt haar schouders een beetje op en knoopt ondertussen haar mantel open. Het is een mooie jas. Niet die waarmee ze Sally's Café-Restaurant binnenkwam. Deze is donkerblauw.

'Heel goed. Ik ben een nieuw leven begonnen.'

Opnieuw moet ik zoeken naar de juiste woorden.

'O ja?'

Ze gaat met haar hand over haar kapsel. Niet dat dit nodig is. Het zit volkomen onberispelijk.

'Ja. Ik ben sinds zes dagen geheelonthouder. En binnenkort ben ik gescheiden.'

Ik begin met mijn ogen te knipperen. Word nu goed wakker. Zie opeens haar nieuwe uiterlijk en contouren heel duidelijk. Ik druk het knopje even in om het hoofdeinde van mijn bed omhoog te zetten. Nu zit ik overeind en kijk ik om me heen. De schemering is ingevallen, voor mijn raam is de hemel diep lavendelblauw. Het leven gaat gewoon door, ook zonder mij.

'Waarachtig.'

Een glimlach schiet over haar gezicht.

'Inderdaad.'

Na dat ene woordje zwijgt ze en ook zij laat haar blik door mijn raam naar buiten gaan. Misschien zoekt ze ook naar de juiste woorden, maar vermoedelijk niet de woorden die ik wil horen. Dus haast ik me om als eerste het woord te nemen.

'Ik dacht dat je naar Stockholm terug zou gaan.'

Ze knikt.

'Ja, dat dacht ik ook. Maar toen heb ik besloten om nog een poosje te blijven. Vanwege Anton.'

Ze zwijgt even en wendt haar gezicht dan naar mij.

'Ze zeiden dat ik hem niet mocht zien, die figuren in die religieuze commune. Dat ik mijn eigen zoon nooit meer mocht zien! En dat was precies wat ik moest horen om bij zinnen te komen. Stomme idioten! Ik werd zo ontzettend kwaad dat ik er bijna van flauwviel, dus ben ik er gewoon naartoe gereden en ben dat verdomde sieradenatelier binnengestormd. De eerste dag was Anton daar niet en ze gooiden me er natuurlijk meteen weer uit, maar ik heb ondertussen wel een hoop stennis geschopt. De dag daarna ben ik er weer naartoe gegaan en gooiden ze me er weer uit. Net als de derde en de vierde dag. Maar daar heb ik me geen bal van aangetrokken.'

Ze werpt me een stralende glimlach toe.

'Maar vandaag hoefde ik niet naar binnen te stormen. Vandaag stond hij gewoon bij het hek toen ik kwam, mager, met gebogen rug en heel ellendig, maar hij stond er in elk geval. En voor de verandering deed ik alles goed. Ik ben gewoon op hem toe gelopen en heb hem aangekeken, maar ik heb hem niet aangeraakt, hem niet eens over zijn wang gestreken. Ik heb alleen gevraagd hoe het met hem ging. Maar er kwam niet veel uit. Ik heb heel summier verteld dat ik ben opgehouden met drinken, dat ik weet dat ik een alcoholist was, maar dat ik nooit een druppel meer zal drinken, en dat ik met Henrik heb gebroken. Dat ons appartement in Stockholm verkocht zal worden. Ik heb heel voorzichtig gevraagd of hij zich zou kunnen voorstellen om samen met mij naar een nieuw appartement te verhuizen. Of dat hij ergens een eigen flat wilde. In dat geval zou ik de huur betalen.'

Haar ogen zijn helemaal vochtig, maar ze glimlacht nog steeds.

'En toen knikte hij. Hij knikte heel duidelijk naar me. Het overweldigde me zo; ik had hem om de nek willen vliegen, maar ik wist natuurlijk ook dat ik dat niet kon doen, dan zou ik hem afschrikken. Dus heb ik alleen gezegd dat hij met mij mocht meerijden als hij wilde, dat hij alleen het hek hoefde open te doen om mee te komen. Maar toen schudde hij zijn hoofd alleen maar. Morgen, zei hij. Kom hier morgen maar naartoe …'

In protest schud ik zachtjes mijn hoofd. Wees nou niet zo naïef, wil ik zeggen. Nu hebben ze hem een heel etmaal voor zichzelf, nu zullen ze hem tot morgen met liefde overladen, hij zal zo enorm belangrijk, betekenisvol en geliefd zijn dat hij gewoon wegsmelt, en wanneer jij terugkomt, zal hij zich niet laten zien.

Dat ik zwijg helpt echter niet. Marguerite begrijpt me en fronst haar wenkbrauwen.

'Geloof jij er niet in?'

Ik zucht. De waarheid doet veel te veel pijn en ik wil haar geen pijn doen.

'Ik weet het niet. Ik hoop het gewoon. Net als jij.'

Haar gezicht verandert, de blijdschap stroomt van haar weg. Ze wordt bleek en hapt naar adem, haar rechterhand balt zich tot een harde bol, haar linkerhand legt zich er als een beschermende stolp omheen. Maar ze is sterk. Veel sterker dan ze eigenlijk beseft.

'Ja', zegt ze na een poosje. Haar stem trilt totaal niet. 'Je hebt natuurlijk gelijk. Een mens kan alleen maar hopen.'

Terwijl de lavendelhemel buiten voor het raam langzaam donkerder wordt en in blauwgrijs verandert, doen wij er het zwijgen toe. Weldra zal ik het licht aandoen om de waanzin op een afstand te houden, maar ik doe het niet meteen.

'Mijn dochter is dood', zeg ik en ik richt mijn blik op de den buiten voor mijn raam. 'Sofia is er niet meer.'

Ik zie het niet, maar toch meen ik te kunnen zien hoe Marguerites hand naar haar keel gaat.

466

'Lieve hemel ... Wanneer is dat gebeurd?'

'Een jaar geleden.'

'Wat?'

'Ja. Het is waar. Ze is al een heel jaar dood.'

De skaileren bekleding van de stoel kraakt een beetje. Misschien dat Marguerite zich tegen de rugleuning terug laat zakken. Misschien staart ze ook naar mij. Ik kijk haar echter niet aan, ik kijk de dieper wordende duisternis voor mijn raam in. Dat is niet gevaarlijk.

'Maar je zei toch dat ze binnenkort achttien zou worden?'

'Ja. En dat was ook zo. Ze zou binnenkort achttien zijn geworden. Maar dat gaat niet gebeuren. Ze is gestorven vlak voordat ze zeventien zou worden.'

'Ach', zegt Marguerite met een snik. 'Ach, dat arme meisje ...'

Ik draai mijn hoofd om en neem haar op. Ze huilt. Deze persoon, die ik eigenlijk niet ken, die iemand is wier levenspad ik toevallig heb gekruist, is de eerste die om mijn overleden dochter huilt.

De allereerste.

En opeens schieten mij ook de tranen in de ogen. De allereerste tranen om Sofia. De eerste tranen sinds die dag waarop ik de deur van mijn dochters kamer opendeed en zag dat ze zich had verhangen. En nu kan ik eindelijk huilen. Eindelijk, eindelijk mag ik huilen.

'Vertel', zegt Marguerite een poos later terwijl ze me over mijn rug strijkt. Ze heeft haar armen om me heen geslagen en hoewel ik heel goed luister, met precies dezelfde argwaan als gewoonlijk, hoewel ik weet dat zij een actrice is en een góéde actrice, hoewel ik bereid ben om onmiddellijk en zonder aarzeling die dunne draad van vriendschap die we voorzichtig hebben gesponnen af te kappen zodra zij het verkeerde zegt, hoor ik toch niets onheilspellends in haar stem. Ze is niet begerig. Niet belust op roddel. Nergens op uit. Ze wil alleen dat ik vertel, omwille van mezelf en omwille van haar.

Ik maak me voorzichtig los en leun in het kussen op mijn omhooggeklapte bed. Ik haal diep adem en maak me op om te beginnen, maar realiseer me op het laatste moment dat er iets ontbreekt. Ik strek mijn hand uit om het lampje boven mijn bed aan te doen, geef er een duwtje tegenaan zodat het opzij gericht is en slechts een zachte weerschijn geeft.

'Ik heb tegen haar gelogen', zeg ik eerst. En het gekke is dat de aarde niet begint te beven terwijl ik praat, dat de vloer niet begint te golven, de muren niet loskomen om me te bedelven. Alles is net als anders. Marguerite luistert met haar mond een beetje open, ze glimlacht wat wanneer ik vertel over de foto van Dean Martin die Sofia op haar verjaardag kreeg, maar ze wordt weer serieus wanneer ik vertel hoe Sofia zich op die foto fixeerde, en ze slaat haar hand voor haar mond wanneer ik vertel hoe het na verloop van tijd tot Sofia doordrong dat ze voor de gek gehouden was. En dat ze een hekel aan me begon te krijgen.

'Maar waarom?' zegt Marguerite. 'Waarom kon je de waarheid niet zeggen?'

Ik trek een grimasje. Ik weet het immers niet.

'Misschien schaamde ik me. Ik wilde natuurlijk niet dat Sofia zou weten wie ik in wezen was ...'

Marguerite knikt en trekt haar rechtermondhoek omhoog.

'Ik weet het. Ik wilde immers nooit dat Anton zou weten dat ik een alcoholist was.'

'En ik wilde nooit dat Sofia zou weten dat ik een ... Dat ik een ...'

Marguerite kijkt me recht in de ogen: 'Was je dat werkelijk? Een hoer?'

Ik knijp mijn lippen op elkaar, bijt er met mijn voortanden

zo hard op dat ik voel dat er een beetje bloed uit komt en zich vermengt met speeksel. Dan schud ik mijn hoofd.

'Nou ja', zegt Marguerite. 'Dat was je toch ook niet. Voor zover ik het begrijp, was je een tamelijk eenzame student. Iemand die verlangde naar iets wat ze niet op een andere manier kon krijgen dan door seks aan te bieden. En je deed er toch niemand kwaad mee door met die jongen naar bed te gaan.'

Ik knik zwijgend met mijn hoofd. Jawel, ik deed er wel iemand kwaad mee.

'Nee', zegt Marguerite terwijl ze haar hoofd schudt. 'Het was niet beter voor Sofia geweest als ze niet had mogen leven.'

Eindelijk krijg ik mijn spraakvermogen terug.

'Jawel', zeg ik. 'Het was het beste geweest als ik niet geboren had hoeven worden. Dan had zij ook niet geboren hoeven worden.'

'Onzin', zegt Marguerite. 'We zijn misschien niet zo geweldig, jij en ik. Geen van beiden maken we die algehele sprookjesachtige voortreffelijkheid die we voorwenden waar, maar dat maakt niet uit, want dat doen andere mensen ook niet. Niemand. De enige normale mensen die er zijn, zijn immers degenen die je niet kent. Maar midden in al onze ellende, hebben we toch veel geluk gehad. We mogen immers leven in deze wereld. We mogen in ons leven de zon immers elke ochtend zien opgaan. We hebben kinderen ter wereld mogen brengen en dicht tegen ons aan mogen houden. En we houden van hen … Ondanks al onze mislukkingen.'

Ik doe mijn ogen dicht en rust in haar woorden. Het is waar. Ik heb Sofia ter wereld mogen brengen en haar dicht tegen me aan mogen houden. Wanneer ik weer opkijk, zie ik door het raam dat het buiten nu echt donker is geworden.

'Ik geloof dat ik even naar buiten moet voor een sigaretje', zegt Marguerite. 'Ik ben zo weer terug.'

Terwijl Marguerite weg is, komt Sofia terug. Maar niet als een spook of een schim, ze roept niet langer met gebroken stem, haar hoofd hangt niet opzij en ze draagt niet langer alle onderscheidingstekens van de waanideeën. Ze is gewoon een herinnering. Een glimlachende herinnering. Een klein meisje dat met mollige beentjes ronddart. Een meisje met krullend haar dat me met open armen en een glimlach tegemoet rent. Een dertienjarig Sneeuwwitje met donkere ogen dat echt naar me glimlacht terwijl ze het water van de Glafsfjord in rent en zich daarna op haar rug werpt en naar me roept dat ik een lafaard ben dat ik er niet ook in durf.

Ik glimlach terug, ik glimlach gelukkig naar mijn dochter en ren haar in het ijskoude water achterna.

'Maar dat is niet alles', zeg ik wanneer Marguerite de deur opent en weer terugkomt in mijn kamer. Ze draagt de vage geur van tabak met zich mee; misschien ruikt ze dat zelf niet. Maar dat maakt me verder niet uit. Nu wil ik gewoon vertellen. Nu wil ik gewoon dat ze luistert.

'Oké', zegt Marguerite. 'Wat verder nog?'

'Ze volgde in mijn voetsporen', zeg ik.

Opeens ben ik terug in de eetzaal van Sally's Café-Restaurant. Opeens sta ik opnieuw achter de kassa van mijn eigen restaurant en zie ik mijn dochter met blote voeten op de houten vloer dansen. Dertien mannen zijn opgestaan, klappen in hun handen en zingen, *hum-hum-hum, hum-hum-hum*, maar opeens komt er ergens muziek vandaan, de raspende geluiden van een gitaar en een trommel die klinken alsof ze vanuit de diepte van een pan komen, en heel even denk ik dat ik gek geworden ben. Dan zie ik echter dat een van de Noren een mobiel of een iPod tevoorschijn heeft gehaald en dat hij die in de lucht steekt zodat iedereen zijn heel slechte opname van 'Fever' kan horen.

'*Fever*', schreeuwt de zangeres en een tel later met zachtere stem: '*Fever when you kiss me …*'

'Hou op', zeg ik, maar niemand hoort me. Sofia keert me de rug toe en draait nog eens met haar heupen, gooit haar hoofd in de nek en trekt eerst haar ene en dan haar andere schouder op. Ze glijdt in de richting van een van de Noren en laat haar zwiepende haren eerst over haar eigen rug en dan over zijn gezicht gaan. De andere twaalf mannen juichen en klappen in hun handen, de vijf elandenjagers schuiven de hibiscusplanten opzij en doen een paar stappen in haar richting. De elandenfilet is vergeten, de Pavlova uit het geheugen gewist, de lekkere rode wijn betekent niets meer, het enige wat ze zien, het enige wat ze willen, is het lichaam van mijn jonge dochter. Het kan hun niets schelen dat zij de beste van de klas is, dat ze Stephen Hawking in het Engels leest hoewel ze nog maar zestien is, dat ze zonder enige twijfel op een dag een fantastische natuurkundige of arts zal worden, dat ze aangewezen is om een heel ander soort vrouw te worden dan haar moeder, grootmoeder en overgrootmoeder. De Noren komen ook een paar stappen dichterbij en binnen slechts enkele seconden hebben ze samen met de elandenjagers een kring gevormd, een kring van middelbare mannen die ook dansen, of althans hun voeten bewegen, en die naar mijn dochter loeren, haar verslinden en …

'Nee', roep ik, maar er is nog steeds niemand die mij hoort, nog steeds gaan ze zo op in hun eigen lust dat ze zijn vergeten wie ze zelf zijn. Ze denken niet langer aan hun echtgenotes, ze herinneren zich hun kinderen niet, en de drie of vier mannen die eigenlijk een minnares hebben, een echte minnares helemaal voor henzelf, zijn opeens vergeten hoe trots ze op dat feit zijn, ze zijn zelfs vergeten hoe zij eruitziet en hoe ze heet. Het enige wat ze zien is mijn dochter Sofia. Een Sofia die er overduidelijk van geniet om begeerd te worden, die zich in bochten wringt en stotende bewegingen met haar onderlichaam maakt, die met haar haren zwiept en haar jonge borsten laat deinen …

Ja maar, hou daar godverdomme mee op!' brul ik en op hetzelfde moment realiseer ik me dat ik op een tafel sta. Ik ben blijkbaar zonder dat ik het gemerkt heb op een tafel geklommen. En ik begin te bulderen. En ik bulder en ik bulder nog eens. 'Stoppen! Horen jullie dat! Ophouden! Allemaal!'

De kring voor me wordt verbroken en iedereen kijkt naar mij. Zelfs Sofia. Ze staat me met haar donkere ogen aan te kijken, staart me met een glimlachje recht in mijn gezicht. En om haar heen staan de dertien mannen. Slechts een van hen kijkt een beetje gegeneerd, de anderen grijnzen, glimlachen schamper en gniffelen.

'Rustig aan maar', zegt een van de Noren.

'Kalmeer', zegt een van de Zweden. Eentje met een tandwieltje op zijn revers.

'Waarom schreeuw je zo?' zegt de tandarts, die zijn handen in zijn broekzakken steekt. 'We hebben toch niks gedaan. Ze begon zelf.'

Opeens zijn ze allemaal terug bij hun plaatsen. De dokter zit zelfs al. Zijn lippen zijn heel rood.

'Komt er nog een dessert?' vraagt hij. 'Ik vraag het maar.'

Sofia kijkt me opnieuw aan met een blik vol verachting. Dan draait ze zich met een glimlach om naar de elandenjagers.

'Een ogenblikje', zegt ze. 'Dan kom ik het dessert brengen.'

En ik laat me op mijn knieën zakken en begin van de tafel te klauteren.

'Ik kon de nacht daarna niet slapen', zeg ik tegen Marguerite. 'Ik voelde me zo vernederd. En zo verward.'

'Waarom?'

'Ik weet het niet. Dat was het nou juist. Ik wist het niet.'

Ik sluit mijn ogen en probeer me die nacht en mijn eigen kwellingen te herinneren. Ik schaamde me, maar waarom schaamde ik me? Omdat ik als een gek tegen de gasten had geschreeuwd? Omdat ik me zo buitengewoon onhandig had gedragen toen ik van de tafel klom? Omdat ik ten overstaan van die mannen met mijn voeten naar mijn pumps moest tasten en ondertussen ontdekte dat er een knoopje van mijn serveersterjasje was opengegaan en er dus een stukje van mijn bleke buik ontbloot was geweest toen ik op de tafel stond te brullen? Of schaamde ik me omdat mijn dochter er overduidelijk van genoot om voor die mannen te dansen, dat ze op zestienjarige leeftijd stond te genieten van hun lust en begeerte? Of was het gewoonweg jaloezie? Was ik jaloers op mijn eigen dochter? Wilde ik degene zijn die de begeerte van deze mannen en van alle andere mannen opwekte?

'Dat is heel goed mogelijk', zei Marguerite droog. 'Maar niet uitsluitend.'

'Wat bedoel je?'

'Ze probeerden je uiteraard in verwarring te brengen. Daarom deden ze zo schamper.'

'Denk je?'

'Dat denk ik niet, dat weet ik. Ik heb immers heel wat jaren samengeleefd met een man die altijd schamper deed. Het is een behoorlijk effectieve methode om andere mensen te sturen. Vooral mensen die aanleg voor schaamte hebben. Zoals jij en ik.'

Ik zucht. Marguerite aait wat over mijn deken in een pretentieloze poging me te troosten.

'Maar die methode is maar tijdelijk effectief. Daarna krijgen ze het met bakken vol terug.'

Ik zucht nog dieper. Ze heeft het over zichzelf. Niet over mij. Geen van die mannen heeft al iets van mij teruggekregen. Dus doe ik er een poosje het zwijgen toe.

'Maar Sofia was niet schamper', zeg ik ten slotte. 'Zij was minachtend.'

'Is daar verschil tussen?'

'Ja. Schamperheid is oppervlakkig. Minachting zit dieper.'

Marguerite haalt haar schouders op.

'Ik ben het niet met je eens. Ze was pas zestien jaar. Het is vanzelfsprekend dat ze je minachtte. Dat hoort bij die leeftijd. Zo zijn zestienjarigen. Maar ik denk niet dat het echt diep zat.'

Ik wend mijn blik af, staar naar mijn donkere raam. Marguerite begrijpt het niet en dat is niet zo vreemd. Ze is er in die laatste periode niet bij geweest.

'Op het laatst keek ze me nooit meer aan. Haar blik gleed als het ware gewoon van me af. Dat was daarvoor ook al wel zo, maar nu was het alsof er nog iets anders bij kwam. Alsof ze me echt wilde doodslaan. Me echt vermoorden. Me vernietigen door me te negeren. En ik werd zo bang. Het beangstigde me zo verschrikkelijk om haar avond na avond te zien weggaan en om ochtend na ochtend haar blik te zien. Het was alsof ze eerst opbloeide, opzwol van trots en macht, en daarna stukje bij beetje begon te krimpen en te verdwijnen. Alle vrolijkheid gleed van haar af. Alle trots. Elke zweem van vrijheid van handelen. En ten slotte was alleen de haat nog over. De argwaan. De verachting voor mij en de hele wereld.'

Marguerite reageert niet en wanneer ik me omdraai om haar aan te kijken begrijp ik waarom dat zo is. Ze begint dit akelig te vinden. En dat is het ook. Echt akelig.

'Het ergste was dat ze zo gehoorzaam werd. Niet aan mij natuurlijk, maar aan iemand anders. Iemand die de macht over haar overnam. Die haar ertoe dwong elke avond van huis te gaan. Die haar wijsmaakte dat ze geen keus had ...'

Marguerite knikt zwijgend.

'En ik snapte natuurlijk wel dat er iets mis was, maar dat

het zo verschrikkelijk mis was als bleek, dat kon ik me gewoon niet voorstellen. Ik kon immers niet met haar praten, ik zat zo vol schaamte en schuldgevoel dat de woorden de hele tijd in mijn keel klonterden. Maar uiteindelijk kwam ze toch. Op een avond kwam ze gewoon de woonkamer binnen toen ik tv zat te kijken. Opeens stond ze daar zomaar naar me te kijken ...'

∗ ∗ ∗

'Sofia? Hoe is het?'

Ze kijkt me aan, maar geeft niet echt antwoord. Ze knippert alleen een beetje met haar ogen, alsof ze door een scherp licht verblind wordt, maar hier in onze woonkamer is niets wat haar kan verblinden. Alleen een klein lampje is aan. En de tv. Ik druk op de afstandsbediening om de tv uit te zetten, maar sta niet meteen op; ik blijf met de afstandsbediening in mijn hand zitten.

'Voel je je niet lekker?'

Ik heb reden om die vraag te stellen. Het poppengezicht van mijn dochter is erg bleek en haar haren hangen in verfomfaaide plukken voor haar gezicht. Misschien kan ze mijn gedachten lezen, want ze brengt haar handen omhoog om haar haren achter haar oren te doen. Nu ziet het er wat beter uit.

'Nee', zegt ze met een zwak glimlachje. 'Ik voel me geloof ik niet helemaal lekker.'

Ik sta op. Blijf wat afwachtend staan in de krappe ruimte tussen de bank en de tafel.

'Ben je verkouden aan het worden? Heb je koorts?'

Door dat laatste woord begint ze te trillen en wordt ze een ander. Een zweem van irritatie klinkt door in haar stem.

'Nee. Ik heb geen koorts. Dat is het niet.'

Door haar stem ga ik weer op de bank zitten, een beetje ongerust door haar abrupte toon. Ik wil geen verwijten horen. Er mag van alles gebeuren, maar ik wil niet opnieuw door mijn dochter aangeklaagd worden.

'Ben je verdrietig vanwege dat proefwerk?'

Toen ze vanmiddag uit school kwam, was ze immers al chagrijnig. Ze had een wiskundeproefwerk teruggekregen en voor het eerst had ze niet alle antwoorden goed. Integendeel. Vier van de twaalf vragen fout. Dat is niets voor haar. Desondanks schudt ze haar hoofd bij mijn vraag.

'Nee. Dat maakt niet uit. Dat doet er niet toe.'

Ik ben verbijsterd. Doet er niet toe? Wiskundeproefwerken zijn voor mijn dochter altijd van enorm belang geweest.

'Wat bedoel je? Ik dacht ...'

Ze steekt haar hand op om mij het zwijgen op te leggen en ik gehoorzaam ogenblikkelijk. Ik zit kaarsrecht op het randje van de bank en staar mijn dochter zwijgend aan. Ze slikt even voordat ze weer wat zegt.

'Morgen. Ik zou morgen liever niet naar school willen.'

Ik vertrek mijn gezicht een beetje. O. Sofia heeft nog nooit gespijbeld, maar waarom niet. Misschien heeft ze slaap nodig; ze is de laatste tijd behoorlijk vaak tot diep in de nacht uit geweest.

'Tja', zeg ik. 'Natuurlijk. Wil je uitslapen?'

Ze knikt.

'Ja. Dus je moet alsjeblieft niet binnenkomen om me morgenochtend vroeg te wekken. Je moet niet komen als het nog donker is.'

Ik haal mijn schouders een beetje op.

'Natuurlijk. Slaap jij maar.'

'Ja. Maak me midden op de dag maar een keer wakker. Wanneer het buiten licht is.'

Ik knik. Uiteraard. Sofia laat haar blik over me heen gaan, maar slechts vluchtig. Daarna kijkt ze weg, naar de duisternis achter in onze woonkamer.

'En verder ...' zegt ze, maar dan zwijgt ze.

'Ja?'

Ze kijkt me nog steeds niet aan, maar keert haar beeldschone profiel naar mij toe om een schilderij te bekijken dat hangt waar het altijd heeft gehangen, aan de muur tussen de bank en de deur.

'Nog één ding. Ik wil je om vergeving vragen.'

Ik trek een verbaasd gezicht. Verwarring. Complete verwarring.

'Voor wat? Wat moet ik je vergeven?'

Ze kijkt naar de grond. Ze is op kousenvoeten en gaat met de punt van haar teen over het parket.

'Ik ben het laatste jaar immers niet aardig geweest. Helemaal niet aardig.'

Haar stem trilt een beetje, maar daar bekommer ik me niet om. Ik word namelijk zo gelukkig, zo intens gelukkig over het feit dat mijn kleine meisje eindelijk teruggekomen is. Misschien is het nu voorbij, denk ik wanneer ik opsta en mijn armen spreid, misschien is die vreselijke puberteit voorbij, misschien is ze nu wel volwassen geworden. Dat is vroeg, maar Sofia is natuurlijk altijd al vroeg geweest in haar ontwikkeling.

'Alsjeblieft, Sofia', zeg ik terwijl ik me uit de krappe ruimte tussen de bank en de tafel wurm en met open armen op haar af loop. 'Jij hebt toch niets om vergeving voor te vragen! Jij bent de beste dochter die iemand kan hebben, de knapste en ...'

Sofia slaat haar armen over elkaar en doet een stap naar achteren.

'Raak me niet aan!'

Van teleurstelling val ik bijna omver. Ik blijf abrupt staan, maar nog wel met uitgestrekte armen. Sofia werpt me een snelle blik toe en doet nog een stap naar achteren. Ik laat mijn armen zakken en voel hoe mijn hart bonkt, ik voel elke slag door mijn lichaam vibreren, hoor het machtige ritme ervan. *Ka-doenk, ka-doenk, ka-doenk.* Het is of er een eenzame trommelslager voorbijkomt om mij voor iets te waarschuwen. Maar waarvoor?

Sofia is nu bijna helemaal tot de deuropening naar achteren gelopen. Ze probeert een beetje te glimlachen, maar dat lukt niet zo best. Haar onderlip begint te trillen.

'Ik ben gewoon zo moe', zegt ze. 'Ik ben niet ziek of zo, maar ik ben zo verschrikkelijk moe. Maar ik geloof niet dat ik kan slapen als ik niet weet of jij me vergeven hebt. Heb je dat?'

Ik zucht een beetje.

'Maar alsjeblieft, Sofia, ik begrijp niet goed wat je bedoelt. Ik ben je moeder en ik hou meer van jou dan van wat ook ter wereld. Echt. Je hebt mij nooit pijn gedaan. Dat verzeker ik je. Als er iemand is die om vergeving moet vragen ben ik het wel.'

De herinnering aan Dean Martin en de verzonnen natuurkundeprofessor schiet door mijn hoofd, maar ik besef dat het niet het goede moment is om het daarover te hebben, om voor eens en voor altijd te vertellen hoe het werkelijk zat. Dat moeten we morgen maar doen. Ja. Morgen gaat het er eindelijk van komen. Sofia buigt haar hoofd en kijkt naar de grond. Heel haar lichaam smeekt om absolutie; die heeft ze echt nodig. Daarom zet ik me opnieuw schrap.

'Ik vergeef je, Sofia. Wat je ook gedaan meent te hebben. Ik vergeef je alles.'

Ze recht haar rug en kijkt me aan, kijkt me voor het eerst in heel lange tijd echt aan.

'Dank je', zegt ze dan. 'Dank je wel voor alles, mama.'

En dan zet ze een stap naar voren en slaat ze haar armen om me heen. Ze omhelst me snel voor de allerlaatste keer, laat me dan los en gaat op een holletje door de gang naar haar kamer. Ze doet de deur achter zich op slot. Een ogenblik later hoor ik een kleine bons, maar daar trek ik me niets van aan.

Het zal wel gewoon een van Sofia's boeken zijn die per ongeluk op de grond is gevallen.

* * *

'Nee', zegt Marguerite.

'Jawel', zeg ik.

'Maar waarom heb je niets gezegd? Waarom heb je het niet verteld toen we in je kantoor zaten?'

'Omdat ik het me niet herinnerde.'

'Hoe bedoel je?'

'Ik herinnerde het me gewoon niet. Ik had mijn hoofd helemaal schoon gewist. Ik herinner me nog steeds niet alles. Ik begrijp bijvoorbeeld wel dat ik bij de begrafenis was, maar ik herinner het me niet. Ik weet niet eens waar mijn dochter begraven is.'

'Goeie God!'

Ik glimlach een beetje.

'Ja. Nietwaar? Hij is zeker goed.'

Marguerite schudt haar hoofd.

'Maar hoe heb je het kunnen vergeten?'

Ik haal mijn schouders op en merk tot mijn verbazing dat dit goed gaat. Misschien begin ik te genezen.

'Ik weet niet goed hoe dat ging. Op een bepaald niveau wist ik natuurlijk precies wat er was gebeurd, maar ik stond mezelf nooit toe dat te voelen. Of te erkennen. Ik gaf niet eens toe dat ik een timer op de verlichting in haar kamer had gezet. Zij was degene die het licht aandeed, hield ik mezelf voor.'

'Maar ...'

'En verder kocht ik cadeautjes voor haar. Een heleboel cadeautjes. En ik maakte elke vrijdag haar kamer schoon zodat het er blinkend schoon was. Maar de rest van het woongedeelte liet ik vervallen. Ik nam nooit stof af. Ik stofzuigde nooit.

Ik zette nooit iets in de koelkast, liet de melk gewoon op de keukentafel staan om zuur te worden. Ik heb in een heel jaar maar twee keer afgewassen. Ik gooide alle rotzooi gewoon op de grond, maar ik zag het niet eens, ik stapte gewoon over de rommel heen. Ik was gewoonweg niet goed snik.'

Marguerite slaakt een diepe zucht en in haar stem klinkt enig wantrouwen door.

'Maar heb je nu dan je verstand terug?'

Ik zucht een beetje.

'Ja. Helaas.'

Het verbaast me dat ze blijft zitten, dat ze ondanks alles aan mijn zijde blijft. Ze veroordeelt me niet, ze staat niet op om mij te bespugen, ze zegt geen van die woorden die mijn moeder me een week geleden nog nasiste toen ik door de gang liep. *Verdomddeslechtstemoedervandewereld.Smeerkees. Viespeuk.Goorlap.Leugenaar.Leugenaarleugenaarleugenaar.* Marguerite zit daar maar gewoon met haar handen gevouwen op haar schoot de duisternis in te staren, zit een hele poos doodstil.

'Maar jij was degene die haar heeft gevonden', zegt ze ten slotte. 'Nietwaar? Jij was degene die de volgende dag haar kamer binnenging en haar hebt gevonden?'

Ik antwoord niet meteen.

'Ik weet het niet', zeg ik dan. 'Ik kan het me niet herinneren.'

Leugenaarleugenaarleugenaar.

Want natuurlijk kan ik het me herinneren. Die herinnering heeft de hele tijd vlak onder de oppervlakte gelegen. Die heeft daar liggen opzwellen als een etterbuil, en al paste ik wel op om ernaar te kijken of eraan te zitten, om erover te praten of aan te denken, ik ben me wel elke minuut van die etterbuil bewust geweest. Maar nu gaat het niet langer, nu sta ik opnieuw met een dienblad in mijn eigen gang, en het is donderdag, een buitengewoon mooie donderdag in november met een helderblauwe lucht en een stralende zon, en ik klop zachtjes aan de deur van mijn dochters kamer. Er komt geen antwoord, maar dat geeft niet, ze slaapt immers altijd zo vast, en aangezien alle kamersleutels op de bovenverdieping identiek zijn, hoef ik alleen het dienblad maar bij haar deur neer te zetten en de sleutel uit mijn eigen slaapkamerdeur te halen, en wanneer ik vervolgens die sleutel in het sleutelgat van de kamerdeur van mijn dochter steek, valt haar sleutel er aan de binnenkant uit, ik hoor een klikje en ik denk nog dat ze de sleutel er waarschijnlijk half heeft uitgetrokken zodat die eruit zou vallen wanneer ik er van de buitenkant een andere sleutel in zou steken, hetgeen bewijst dat ze in al haar afkerigheid en dwarsigheid toch een enorm attent persoon is, maar dan draai ik de sleutel om en doe de deur van het slot, buig me voorover naar het dienblad met het ontbijt en druk de deurklink in één beweging naar beneden, en de deur gaat open en het licht, het stralend witte novemberlicht, slaat me tegemoet en ik zie haar, ze bungelt zachtjes in de trek die ik veroorzaak heb toen ik de deur opendeed, en de stoel, de stoel waarop ze gisteravond heeft gestaan is omgevallen, die ligt met militaire groet onder haar en ik kan erop zweren dat die stoel met afgrijzen naar haar staart.

Ze is al koud. Dat voel ik wanneer ik mijn armen om haar benen sla en begin te gillen. Wanneer ik met mijn hoofd tegen haar knieën sla. Wanneer ik haar slappe handen pak en die probeer te dwingen de mijne te pakken. En te midden van dit alles kijk ik door Sofia's raam naar buiten, zie ik de wereld die vergeefs op haar komst wacht, zie ik de hoge hemel, de blauw wordende bossen die zich in de verte uitstrekken, zie ik het gladde water van de Glafsfjord. Het is een mooie dag. Helemaal windstil. Een dag waarop het meer volkomen kalm

481

en roerloos voor mijn ogen rust, maar waarop een vlucht krijsende vogels opeens uit een boom aan de oever opvliegt.

'Ik heb gelogen', zeg ik. 'Natuurlijk herinner ik het me. Ik kan er alleen niet over praten.'

Marguerite knikt. Misschien kan zij er ook niet over praten. Dus blijven we een hele poos zwijgend zitten, totdat de deur opeens opengaat en er een verzorgster met een dienblad staat.

'Bah, wat is het hier donker', zegt ze terwijl ze met haar elleboog het lichtknopje naast de deur indrukt. 'Maar hier ben ik met de warme maaltijd.'

Marguerite en ik beginnen beiden met onze ogen te knipperen tegen het scherpe licht, daarom duurt het een paar seconden voordat ik dat meisje in haar blauwe tuniek en met dat opwippende korte paardenstaartje in haar nek herken. Het is Ann, Anna of Annika, een van de drie die er de eerste nacht ook bij waren.

'Neem me niet kwalijk', zegt ze terwijl ze zich langs Marguerite wringt zonder haar aan te kijken, maar met een warme glimlach naar mij. 'Hier kom ik met worst stroganoff.'

Ik zal wel een vies gezicht getrokken hebben, want ze lacht een beetje om me terwijl ze het bord op mijn nachtkastje zet. Worst stroganoff heeft nooit tot mijn favorieten behoord. Schuimplastic in tomatensaus, naar mijn bescheiden mening.

'Het is heerlijk! Dat verzeker ik!'

Als antwoord grom ik wat. Ik wil gewoon dat ze weggaat, maar ze blijft staan, met haar armen over elkaar, om te proberen mij te overtuigen.

'U moet eten, dat begrijpt u toch wel. Anders wordt u nooit gezond. Neem gewoon een klein hapje om te proeven ...'

'Ik ben geen kind!'

Ze deinst iets achteruit, maar niet veel, alleen zo veel dat ik kan zien dat ik haar echt bang heb gemaakt. Misschien komt dat door mijn stem, die klinkt eigenlijk erg gek. Hees en schel tegelijk. Maar ondertussen weet ik dat ik me moet gedragen. Het is niet belangrijk om te eten, maar het is ontzettend belangrijk om me fatsoenlijk te gedragen, anders mag ik hier misschien nooit weg.

Die gedachte is nieuw en heel vreemd; ik moet een paar keer met mijn ogen knipperen voordat ik begrijp wat die eigenlijk betekent. Het beeld van een hum-hummende dokter schiet door mijn hoofd. Warempel. Ik ben bang voor hem. Ik vrees zijn macht. Maar ik ben niet van plan dat te laten merken. Niet aan Ann, Anna of Annika, niet aan Maggie of Magdalena, niet eens aan Marguerite en al helemaal niet aan die man zelf. Dus pak ik met mijn linkerhand mijn vork, doop die in de rode saus en doe wat me gezegd wordt. Ik proef van mijn worst stroganoff.

'Inderdaad', zeg ik vervolgens met mijn heel gewone stem terwijl ik naar Ann, Anna of Annika probeer te glimlachen. 'Het is echt lekker.'

Maar dat is natuurlijk niet zo. Het stuk schuimrubber in mijn mond wordt steeds groter en de vingers van mijn rechterhand beginnen te schokken van protest.

De vingers van mijn rechterhand. Ik wiebel er wat mee heen en weer en zie dat ze inderdaad bewegen. Ik ben aan het genezen.

Wanneer Ann, Anna of Annika is verdwenen helpt Marguerite me mijn bord leeg te eten. Ze werkt bijna de hele portie weg terwijl ik het nagerecht voor mijn rekening neem. Aardbeiencompote zonder zichtbare aardbeien. Na afloop leunen we beiden achterover en verzinken in stilte, we zitten roerloos in het schelle licht van de tl-buizen aan het plafond en laten het verleden in ons binnenste fluisteren. Opeens realiseer ik me iets. Het was erger geweest als Sofia de zus van Magdalena

was geweest. Als ze een meisje was geweest dat zo weinig in-
levings- en voorstellingsvermogen had gehad dat ze ertoe in
staat was dat woord over een klasgenoot op internet te zetten.

Dat woord. Over mijn dochter.

Ik beweeg opnieuw met de vingers van mijn rechterhand.
Ik kan mijn wijsvinger en middelvinger buigen. Het doet
maar een klein beetje zeer.

'Kijk', zeg ik tegen Marguerite. 'Ik kan mijn vingers bewegen.'

Een glimlach is het antwoord.

'Ja', zegt ze. 'Misschien ben je aan het genezen.'

* * *

Op de gang gebeurt wat. Ik kan het horen. Eerst komt er een
gedempte kreet, dan snelt er iemand op zachte rubberzolen
de ene kant op, even later beent er iemand de andere kant op,
weer een paar minuten later komt er een derde op een holletje
door de gang. Dan blijft het heel lang stil. Misschien hebben
ze zich allemaal verzameld in dezelfde ziekenkamer, misschien
staan ze allemaal verzameld rond mijn vaders ziekbed en proberen ze zijn leven nog een keer te redden.

Misschien sterft hij van verdriet. Mijn vader. Maar daar kan
ik niet veel aan doen.

Dus zet ik voor het eerst de radio aan, lig ik daarna doodstil
in mijn ziekenkamer te luisteren naar de gedempte muziek
van de nachtradio.

Een uur later gaat, midden in een enorm aangename saxo-
foonsolo, de deur open en komt Maggie binnen.

'Hoi', zegt ze zachtjes terwijl ze een klopje op mijn deken
geeft. 'Je bent dus nog wakker?'

Ik knik zwijgend.

'Wil je iets hebben om te slapen?'

'Nee', zeg ik. 'Bedankt.'

Maggie gaat op de rand van mijn bed zitten.

'Ik moet je de groeten doen van Tyrone. Hij wenst je een goed herstel. Zo zei hij dat. Een goed herstel.'

Ze kijkt een beetje verbaasd terwijl ze dit zegt en ik kan een glimlach niet onderdrukken. Tyrone moet het werkelijk zo hebben uitgedrukt.

'Doe hem de groeten terug. En zeg dat ik jullie allebei op een dag wil uitnodigen voor een etentje in het restaurant. Als dank.'

Maggie trekt een grimasje.

'Je hoeft ons niet te bedanken. We doen toch gewoon ons werk.'

'Het is niet jullie werk waarvoor ik jullie wil bedanken', zeg ik. Ze begrijpt wat ik bedoel, maar neemt er genoegen mee dat ik het niet ronduit zeg. Dat zou pijnlijk worden. En op dit moment is ze niet haar gewone, praatgrage zelf. Ze zit een poosje zwijgend op de rand van mijn bed en gaat dan opeens met haar hand over haar gezicht.

'Hij is zonet gestorven', zegt ze dan. 'Jouw vader. Hij heeft weer een hartinfarct gekregen.'

Ik slaak een zuchtje.

'O', zeg ik. Want dat is het enige wat ik te zeggen heb over mijn vaders dood.

O.

Wanneer ik weer wakker word, is het laat in de nacht. Zowel de plafondlamp als het bedlampje is uit, maar toch is het niet helemaal donker in de kamer. Buiten is het vollemaan en een paar bleke stralen zoeken hun weg naar binnen. Ik kan de contouren van het schilderij op de muur tegenover me zien en onderscheid bijna mijn bezoekersstoel, die in het donker in een hoek staat. Het is een heel aangenaam licht, misschien nog aangenamer dan van een bedlampje dat brandt. Rustgevend. Kalm. Het zegt me dat het op dit moment eindelijk mogelijk is om net te doen of de dood in zijn witte schrijn rust en alles goed is met de wereld. En als een bevestiging hoor ik Maggie iets zeggen buiten op de gang, ook al kan ik niet verstaan wat. Het geeft niet. Haar stem lijkt kalm en ontspannen, dus kan ik het mezelf ook toestaan kalm en ontspannen te zijn. Ik beweeg de vingers van mijn rechterhand wat heen en weer. Dat gaat goed. Ik genees.

Maar het zou anders kunnen zijn. Heel anders.

'Wat deed je in zijn kamer?'

Zijn stem is donker en mannelijk. En die stem zou de nacht voor mijn ogen laten flikkeren. Het zou een poosje duren voordat ik hem meende te kunnen zien, eerst zou ik een paar keer met mijn ogen moeten knipperen voordat hij echt goed zichtbaar werd. Eerst de witte jas. Daarna de over elkaar geslagen benen. Het laatst de handen. Hij zou zijn ellebogen op de armleuningen van de stoel laten rusten en zijn vingertoppen tegen elkaar houden in het eeuwige alwetende doktersgebaar. Zijn gezicht zou in de schaduw zitten, maar dat zou niet uitmaken.

Ziet het kwaad er zo uit? Dat kwaad waar we voortdurend over fantaseren, dat ons zaterdagavondvermaak is en onze meest oppervlakkige horror. Is het een man met zijn gezicht in de schaduw? Een wezen net zo bekend en toch net zo vreemd als de trol?

Nee. Het geheim van het kwaad is iets anders. Dat ligt gevat in de onbegrijpelijkheid ervan. In het feit dat we het inderdaad niet begrijpen, dat we gewoonweg niet kunnen snappen uit wat voor machtsgevoel een man zoals deze dokter het onuitsprekelijke doet. Hij moet een slang in zich verbergen, houden we onszelf voor, en tegelijkertijd vergeten we dat zich in ieder van ons een slang verbergt. Daarom weigeren we te zien dat zijn onverschilligheid ook onze onverschilligheid is, dat zijn afgunst ook onze afgunst is, dat zijn angst ook onze angst is. Het onderscheid zit alleen in hoe we ons opstellen ten aanzien van de slang, of we die uit zijn gat omhoog laten kruipen en zijn giftanden laten ontbloten, of dat we hem diep in ons wegsluiten, proberen te vergeten dat hij daar opgerold zijn tijd ligt te beiden. Die tijd wanneer we zelf onze giftanden gaan ontbloten. De dag dat we wraak gaan nemen.

Maar hoe moet ik me op deze figuur kunnen wreken? Moet ik aangifte tegen hem doen bij de politie? Dat heeft niet zo veel zin. Sofia was al vijftien en had alle recht van de wereld om zelf te bepalen met wie ze naar bed wilde. Moet ik proberen hem in opspraak te brengen? Tja. De waarheid is immers dat hij al in opspraak geraakt is, dat meisjes zoals Magdalena al weten wat hij heeft gedaan, maar dat ze toch met het diepste respect in hun stem tegen hem praten. Dus wat moet ik doen? Moet ik proberen hem te slaan? Hem mishandelen? Hem met een keukenmes uit Sally's Café-Restaurant ombrengen? Ik zou het niet denken. Het is zeer waarschijnlijk dat hij terug zou slaan, dat hij mij veel erger zou mishandelen dan ik hem ooit zou kunnen mishandelen, dat hij het keukenmes uit Sally's Café-Restaurant zo uit mijn hand zou wringen om het mij op de keel te zetten. En als ik tegen alle verwachtingen in erin zou slagen hem om te brengen, dan zou dat toch volkomen zinloos zijn. Een dergelijke daad zou toch alleen maar betekenen dat de schuld van zijn schouders op de mijne zou overgaan.

Wraak is nergens goed voor. Die is waardeloos. Dus blijft er maar één ding over. De waarheid. En misschien zou mijn stem daarom volkomen vast zijn wanneer ik hem antwoordde: 'Ik had een dochter. Ze heette Sofia.'

Een beweging is het enige antwoord dat ik zou krijgen, een

snelle beweging waardoor de skaibekleding zou gaan piepen. Dat zou mij geen angst aanjagen. Ik heb immers niets meer te verliezen.

Daarna zou het heel lang stil blijven. Geen van beiden zouden we ons bewegen, we zouden bijna ophouden met ademen. Het zou voor hem moeilijker zijn dan voor mij, stel ik me voor, dat zou ik horen wanneer hij opeens heel diep zou inademen en zuchtend de lucht weer zou laten ontsnappen. Toch zou hij nog steeds niets zeggen en ik zou hem laten zwijgen, ik zou volkomen roerloos in mijn bed liggen en op hem wachten. Volgens mij is hij geen prominente zwijger. Daarom zou hij het ten slotte niet meer uithouden.

'Jij hebt hem omgebracht. Je hebt hem zo overstuur gemaakt dat hij is gestorven. Ik hoop dat je dat beseft.'

O. Dus hij was degene die het leven van mijn lieve vader niet heeft weten te redden. Toch begrijp ik niet waarom hij daar zo ontdaan over moet zijn. Het zal hem toch wel eerder zijn overkomen dat een patiënt van hem stierf.

'Hij heeft massaal hartinfarct gekregen.'

'O.'

'O? Is dat het enige wat je hebt te zeggen?'

'Ja. Dat is het enige wat ik heb te zeggen.'

Het zou opnieuw stil worden, ik zou een beetje met mijn vingers bewegen, eerst met mijn linkerhand, dan met de rechter. De rechtermiddelvinger zou wat weerstand bieden, maar dat zou niet uitmaken.

'Waarom ben je zo ontdaan?'

Hij zou naar adem happen, duidelijk verontwaardigd. Dit was blijkbaar niet wat hij had verwacht dat ik zou zeggen. Zijn vingertoppen zouden van elkaar gaan, maar zijn ellebogen zouden op de armleuningen van de stoel blijven liggen wanneer hij zijn handen wat zou spreiden.

'Vraag je mij waarom ik ontdaan ben?'

'Ja. Dat wil ik weten.'

'Jij bent anders degene die hem heeft omgebracht. Dat heeft hij gezegd. Hij heeft gezegd dat je in zijn kamer bent gekomen en ...'

Hij zou zichzelf onderbreken en de rest van de zin in de duisternis tussen ons in laten zweven. Een truc die hem vast vaak lukte, maar dan met goedgeloviger zielen tegenover zich. Ik zou me echter niet laten beïnvloeden, ik zou alleen met een grijns mijn wenkbrauwen optrekken.

'En?'

Hij zou zijn vingertoppen weer tegen elkaar zetten en nerveus worden.

'Ik hoef daar tegenover jou geen verantwoording voor af te leggen. Of beter gezegd: ik ben niet van plan om daar tegenover jou verantwoording voor af te leggen. Ik heb zwijgplicht.'

Ik zou mijn schouders ophalen in de hoop dat hij dat in het maanlicht zou zien.

'O. Laat dan maar zitten.'

Het zou een poosje stil blijven, maar slechts voor de duur van de tijd die het hem kostte om zijn eerste punt van beschuldiging te formuleren. Zijn zwijgplicht zou al vergeten zijn.

'Hij heeft gezegd dat je gisternacht in zijn kamer bent gekomen. Dat je beweerde dat je had gezien dat zijn moeder stierf. Dat je bovendien beweerde dat je zijn dochter bent. Dat je eiste dat hij zijn vaderschap zou erkennen zodat je heel het landgoed Tynneberg en al het andere zou kunnen erven.'

'Dan heeft hij gelogen.'

'O. Wie heeft hem dan verteld dat zijn moeder is gestorven? Niemand van het personeel, dat kan ik je verzekeren. Wij begrepen dat dit verwoestende consequenties zou kunnen krijgen, daarom ...'

Ik zou een beetje glimlachen.

'Daar heeft hij niet over gelogen.'

Hij zou wat achteroverleunen in zijn stoel, mijn half verborgen bekentenis zou hem opeens iets minder zeker van zichzelf maken.

'Nee, nee. Waar heeft hij dan wel over gelogen?'

Ik zou een schuin glimlachje tonen.

'Ik heb nooit gewild dat hij zijn vaderschap zou erkennen. Ik weet dat hij mijn vader is, maar ik zou dat nooit zwart op wit willen hebben.'

Hij zou verbaasd zijn. Natuurlijk zou hij erg verbaasd zijn.

'Waarom niet?'

'Omdat ik hem verachtte.'

Daarvan zouden zijn wenkbrauwen hoog de lucht in schieten, maar hij zou er geen commentaar op geven.

'Maar jij was wel degene die heeft verteld dat zijn moeder was gestorven?'

'Ja. Dat was ik.'

'Dan was jij ook degene die hem heeft omgebracht.'

En gek genoeg zou hij daarna blijven zitten, tevreden met zichzelf en met het vonnis dat hij net had uitgesproken. Hij zou achteroverleunen in mijn stoel en zich heel content voelen. De dochter had zonet toegegeven dat ze haar vader zozeer verachtte dat ze geen verwantschap wilde toegeven. Dat zou misschien het enige zijn waar hij op uit was. Alleen dat.

Maar waarom? Waarom zou hij er in godsnaam zo tevreden mee zijn dat ik mijn vader niet wilde erkennen?

Ik heb geen idee. Misschien was hij wel getrouwd met een nicht van Dag Tynne, een nicht die nu heel Tynneberg en wat er verder maar van het oude vermogen resteerde zou erven. Bijvoorbeeld. Als hij althans niet de laatste overlevende was in een tontine en in zijn eentje de baas zou worden over die lap grond daar. Als ik moeilijk had gedaan en een DNA-test had geëist, zou hij maar de helft hebben gekregen, ongeacht welke bindende wettelijke documenten hij had kunnen overleggen. Dus hij had zeker zijn redenen kunnen hebben om tevreden te zijn.

Maar zo eenvoudig kon het natuurlijk niet zijn. Hij zou niet alleen op het landgoed en op een hoop geld uit zijn, dat zou zijn drijfveer niet wezen. Hij zou iets willen wat nog kostbaarder was, iets waardoor zijn dikke slang terug in zijn hol zou glijden om zich voor altijd schuil te houden. Wraak. Hij wilde zich vanwege zijn schuld op mij wreken, omdat ik de moeder van Sofia was, omdat ik, die jonger was dan hij, dat meisje had gebaard wier hals hij had gelikt, aan wier roze tepels hij had gezogen, dat meisje dat hij avond na avond, nacht na nacht in zijn auto had geneukt, tot haar fluweelwitte perfectie hem begon te vervelen. Misschien voelde hij zich gekrenkt door haar duidelijke verlangen naar een vader, misschien vormde haar tere jeugd een belediging, misschien deed haar toekomst dat, die toekomst die in de verte schitterde en glinsterde, maar die voor hem alleen maar dood en as bevatte. En daarom begon hij in het oor van dat meisje te fluisteren, begerig te fluisteren over de vaardigheden die andere mannen haar zouden kunnen bijbrengen, verleidelijk te fluisteren hoe hij zelf zou genieten van de wetenschap dat ze ook met anderen naar bed ging, verleidelijk te fluisteren dat dit het ultieme bewijs van haar liefde voor hem zou zijn. Of iets in die trant. En daar trapte ze in. Ze was zestien jaar en heel getalenteerd, maar toch trapte ze daarin. Juist omdat ze pas zestien was.

En nu zou hij zich willen wreken op mij. Mij straffen omdat ik dit wezen had gebaard dat zijn slang had blootgelegd. Die hem schuldig had gemaakt. Maar hij zou één ding vergeten, zoals hij daar zat. Dat ik een mens was. En dat het nog maar een jaar geleden was dat ik de moeder van een andere mens was geweest.

Dus zou hij oprecht geschokt zijn wanneer ik, degene die net was aangeklaagd, zich opeens met de waarheid tot hem zou wenden.

'Jij hebt Sofia omgebracht', zou ik zeggen. 'Het was jouw schuld dat ze zich heeft verhangen. Jouw schuld. Alleen die van jou.'

Hij zou zich ietsje dieper in de schaduw terugtrekken.

'Bewijs dat maar', zou hij zeggen, en de stralen van de maan zouden vergeefs naar hem zoeken. Hij zou nu een stem in het donker zijn. Trillend en een beetje schel.

'Zie maar dat je dat bewijst!'

Maar daar houdt mijn voorstellingsvermogen op. Daar verbleekt de dokter en verdwijnt hij. Ik kan me niet voorstellen hoe hij zou reageren op mijn beschuldigingen aan zijn adres; het wordt allemaal één brij van belachelijke fantasieën die ik uit allerlei tv-series heb gehaald. In die brij overvalt hij mij en probeert hij me tot zwijgen te slaan, daarin steekt hij een injectienaald met gif in de lucht om mij voor altijd het zwijgen op te leggen, daarin vermengt hij waarheid en leugen in een doktersverklaring waardoor ik voor eens en voor altijd in een gesloten psychiatrische inrichting opgenomen zal worden. Maar hij is geen gekke dokter uit Midsomer, of een geraffineerde gestoorde uit New York, hij is maar een heel gewone dokter in een heel gewoon Zweeds ziekenhuisje, zij het ietsje minder succesvol dan andere dokters van dezelfde leeftijd. Dat kan komen doordat hij er nooit helemaal in slaagt zijn cynisme en genotzucht te verbergen, omdat hij, al ver in de vijftig, nog steeds niet snapt dat cynisme niet hetzelfde is als intelligentie, of dat zijn infantiele genotzucht niet hetzelfde is als sensualiteit; hij weet niet eens dat de grijns rond zijn rode lippen hem verraadt, dat zijn voortdurende gehum hem belachelijk maakt en er geen werkelijk volwassen mens is die bijzonder van hem onder de indruk is. De enigen die zich laten imponeren zijn de echt jonge mensen. Meisjes. Meisjes die je kunt manipuleren. Meisjes die gemakkelijk zijn aan te zetten om dingen te doen die hen dieper en ernstiger schaden dan ze zich ooit hebben kunnen voorstellen.

Ik steek mijn hand op en doe het lampje boven mijn bed aan. De duisternis van die man vind ik beangstigend.

* * *

De volgende dag zit ik pasgewassen en schoon op de rand van mijn bed wanneer de artsenvisite komt. Ik heb zelf gedoucht, Magdalena heeft me alleen geholpen om het verband om mijn rechterarm goed af te plakken en me na afloop aan te kleden. De badjas van deze dag heeft een oranje met wit patroon. Hij is bijna mooi. En Magdalena heeft de kraag van mijn nachtpon zorgvuldig over de kraag van de badjas gevouwen, zoals het hoort. Daarna heb ik zelfs een wandeling op de gang gemaakt. Een volkomen pijnloze, normale wandeling die me naar de eetzaal en een kleine gemeenschapsruimte bracht. Daar heb ik op de bank gerust, maar niet langer dan een paar minuten, vervolgens ben ik teruggelopen en nu zit ik hier kaarsrecht en zie ik de artsenvisite binnenstromen. De lange dokter loopt voorop, degene die nooit elandenfilet met cantharellensaus in Sally's Café-Restaurant heeft gegeten. Na hem komt de dokter die dat wel gedaan heeft, en het interessante is dat hij maar een blik op mij hoeft te werpen om te besluiten zich op de achtergrond te houden. Hij stapt snel wat opzij en laat een vrouwelijke arts en een verpleegkundige voor hem plaatsnemen. Het lijkt wel of hij wil dat zij hem aan het zicht onttrekken.

Waarachtig.

De lange dokter knikt alleen groetend en kijkt dan in zijn papieren.

'Dit ziet er goed uit', zegt hij wanneer hij opkijkt.

'Inderdaad', zeg ik. 'Het begint redelijk goed te gaan.'

'De zuster zei dat u net een stukje op de gang hebt gelopen.'

'Inderdaad.'

'En dat ging goed?'

'Dat ging uitstekend.'

'Geen duizeligheid?'

'Nee.'

'En u had nergens pijn?'

'Nee, niet dat ik kan zeggen.'

Hij knikt tevreden. De vrouwen achter hem glimlachen vriendelijk, de verpleegkundige zet zelfs een stapje in de richting van de deur en maakt zich op om weg te gaan. De blik van de man achter haar kruist de mijne, maar hij slaat meteen zijn ogen neer. Hij is grauw in zijn gezicht. In een compleet grauw gezicht zien die rode lippen er absurd uit. Ziekelijk.

Ik wend mijn blik naar de lange arts. Misschien is hij Hansson, de dokter over wie Maggie het had toen ik bijkwam. Ik glimlach naar hem, een volkomen oprechte, gewone en vriendelijke glimlach.

'Wanneer mag ik naar huis?'

Hij begint te grinniken.

'De komende dagen nog niet. Dat is een ding dat zeker is.'

'Maar wanneer wel?'

Hij haalt zijn schouders een klein beetje op.

'In de loop van volgende week. Als alles gaat zoals het moet gaan.'

De andere dokter heeft zich al omgedraaid, hij is op weg naar de gang, op weg om voor altijd uit mijn gezichtsveld te verdwijnen. Hij is bang voor me, dat zie je aan heel zijn houding, hij zal nooit meer terugkeren naar Sally's Café-Restaurant.

'Mooi zo', zeg ik.

'Ja', zegt dokter Hansson, maar hij begrijpt me verkeerd. 'Het komt wel goed.'

Een uurtje later komt Maggie mijn kamer binnen met twee koppen koffie. Ze doet de deur achter zich dicht, trekt de bezoekersstoel erbij en ploft dan met een diepe zucht neer.

'Ik kom alleen even uitrusten voordat mijn dienst begint', zegt ze, waarna ze een slok uit haar kopje neemt.

'Rust jij maar.'

'Hoewel het wel ellendig is als je moet uitrusten voordat je aan je werk begint.'

Ik proef van mijn koffie. Die is lekker.

'Ja ...'

Maggie schopt haar zachte schoenen uit en met een nieuwe zucht legt ze haar mollige benen op mijn bed.

'Nog maar vier maanden te gaan', zegt ze dan.

'Tot wat?'

'Tot ik met pensioen ga.'

Heel even kan ik haar toekomst voor me zien, ik zie hoe ze op de ochtend na haar laatste werkdag op de veranda van een rood houten huis staat uit te kijken over haar tuin. Het voorjaar komt eraan, in het bloemperk knikken een paar sneeuwklokjes voorzichtig met hun kopjes, een krokusje ernaast vertoont een streepje paars. Maggie ziet er tevreden uit wanneer ze hen bekijkt. Het is jaren geleden dat ze bollen heeft geplant, maar toch weigeren deze sneeuwklokjes om het op te geven; elk jaar in maart bloeien ze trouw. Ze overpeinst om er een paar te plukken en in een vaasje in de keuken te zetten, maar besluit dat niet te doen. Ze zal een paar takken forsythia nemen en in warm water zetten zodat die mooi op tijd kunnen uitkomen voor haar verjaardag volgende week. Dan komen haar vriendinnen op de koffie, mollige vrouwen van haar eigen leeftijd, eentje van hen neemt een stekje mee, een ander een bloeiend Kaaps viooltje, een derde een begonia die in de knop zit. Ze weten dat dit het enige is wat zij wil hebben. Leven. Leven om te verzorgen. En iemand om mee te praten.

Zonder erbij na te denken strek ik mijn linkerhand uit om haar voet even te aaien. Misschien zal ik een van degenen zijn die op haar verjaardagsvisite komen. En misschien zal ik een kleine hibiscus meebrengen. Misschien zal ik te midden van die pas gepensioneerde vrouwen kunnen zitten en net kunnen doen of een van hen, of allemaal, mijn moeder is, misschien zal ik zelfs kunnen verdragen dat ze het over mijn echte moeder, over Sally en over Sofia hebben. Misschien zou het mogelijk zijn om hun in de ogen te kijken, om te durven geloven dat zij naar mij kunnen kijken zonder brandende nieuwsgierigheid of verachting.

'Ik moest weer de groeten doen van Tyrone', zegt Maggie. 'Hij zei dat hij je naar huis zal brengen wanneer je uit het ziekenhuis komt. Als je dat wilt.'

Ik begin met mijn ogen te knipperen. Dat aanbod betekent iets, maar ik weet niet goed wat. Alleen dat het me verheugt.

'Ja, graag', zeg ik. 'Dat wil ik heel erg graag.'

* * *

En dan is het opeens volgende week. Volgens mij wordt iedereen in Arvika deze ochtend met zon wakker. Die zoekt zich een weg door lamellen van neergelaten luxaflex en zijspleetjes van rolgordijnen, die schijnt monter en zonder aanzien des persoons ook op mensen die zijn aanwezigheid normaal gesproken niet met enorm enthousiasme begroeten. Mensen zoals Sonny. Hij heeft een hekel aan ochtendzon, die doet hem te intens denken aan wat hij van zijn leven gemaakt heeft en aan wat hij ervan zal maken, en daarom doet hij een poging om van die zon weg te draaien, maar dat lukt niet goed. Annette ligt in de weg, zij is ook wakker geworden, maar houdt haar ogen nog dicht, ze wil gewoon opnieuw in slaap vallen en wel een eeuwigheid doorslapen. Gewoon slapen, slapen en nog eens slapen, en alles vergeten. Haar vader en haar moeder, haar dochter en haar echtgenoot, haar verdriet, haar armoede en haar eenzaamheid vergeten. Maar ergens in een vrijstaand huis in een andere wijk gaat ondertussen Madeleine ook overeind zitten en ze wrijft zich in haar ogen. Heel vluchtig laat ze de gedachte aan haar ouders door haar hoofd schieten en ze voelt hoe haar hart op hol begint te slaan, maar ze troost zich wanneer ze haar grootmoeder van de slaapkamer naar de badkamer hoort sluipen. Ze wordt beschermd. Hier bij oma is ze altijd veilig.

Ritva is vroeg op. Vandaag is het de langverwachte dag, de dag waarop Hasse de Hufter zal meedelen wie die begeerlijke vaste baan krijgt, zij of Lieve Louise.

Ze staat lang onder de douche, zeept zich heel grondig in en heeft zelf niet in de gaten dat ze de hele tijd haar bezwering mompelt: *Vier openingsartikelen in drie weken, Vier openingsartikelen in drie weken, Vier openingsartikelen in drie weken.* Daar kan Lieve Louise niet prat op gaan. Lieve Louise heeft gedurende haar hele vervanging nog geen openingsartikel gehad. Anderzijds heeft zij elke dag heel geraffineerde strings gedragen waarvan je in de opening tussen haar broekband en haar strakke topje altijd een glimp zag, dus je weet maar nooit. Je weet nooit met welke kop Hasse de Hufter zijn beslissingen neemt. Dus mompelt Ritva terwijl het water over haar magere lichaam stroomt: *Vier openingsartikelen in drie weken, Vier openingsartikelen in drie weken, Vier openingsartikelen in drie weken …*

Marguerite is ook vroeg op. In Stockholm staat zij slechts gekleed in haar nachtpon voor de deur van Anton te luisteren of ze iets hoort. Slaapt hij? Ze wil niets liever dan dat hij slaapt, ze wenst dat zo intens dat ze er bijna van uit elkaar barst. Hij heeft slaap nodig. Hij heeft rust nodig. Dat begreep ze toen hij drie dagen geleden naar buiten kwam struikelen uit het atelier van die verdomde sekte en naar haar keek zonder dat hij haar eigenlijk herkende. Ze deed toen het hek open, maar zonder iets te zeggen, ze sloeg haar arm om hem heen, leunde tegen zijn schouder en voerde hem naar haar auto. Ze liet hem zelf op de bijrijderstoel plaatsnemen, maar maakte wel zijn veiligheidsgordel voor hem vast. Precies op het moment dat zij het portier aan de kant van haar zoon dichtdeed, kwam K naar buiten vliegen, maar ze rende snel om de wagen heen en was al ingestapt en had het contactsleuteltje al omgedraaid voordat hij bij de auto was. K bonkte nog snel op de ruit, maar het was al te laat, de auto rolde al en zij reed plankgas weg, met razende snelheid eerst naar Sulvik, daarna langs Sally's Café-Restaurant, zonder daar ook maar een blik op te werpen, vervolgens in volle vaart door Arvika en door naar Karlstad. Ze stopte pas toen ze in Örebro aankwamen. Anton sliep nog steeds en heel even was ze bang dat hij niet wakker zou worden, dat hij zijn ogen nooit meer zou opslaan, maar dat deed hij wel. Dat deed hij toen hij de geur van hamburgers en frites rook, en hij greep naarstig naar de zak met voedsel die bij de *drive-thru* naar binnen werd gestoken. Hij scheurde de zak open, tastte met trillende handen naar zijn *quarterpounder cheese* en begon te eten. Marguerite zei nog steeds niets, ze schakelde gewoon naar de eerste versnelling en maakte zich op om de snelweg weer op te rijden. Opeens voelde ze echter Antons hand op haar schouder.

'Hoi', zei hij.

En Marguerite draaide haar hoofd naar hem toe en keek

haar zoon met een glimlach recht in de ogen.

'Hoi.'

Daarna reden ze in stilte verder.

Tyrone ligt luisterend wakker in zijn rode huis; hij hoort dat de buitendeur opengaat en dat Maggie van haar nachtdienst thuiskomt. Hij blijft roerloos liggen en ziet voor zijn inwendig oog hoe ze zucht van vermoeidheid en in de hal op een krukje neerploft, dat ze daar een poosje met haar ogen dicht blijft zitten en de tragische dingen van het leven overpeinst, waarna ze haar laarzen uittrekt en haar jas open knoopt. Hij wordt vervuld van een gevoel waar hij geen woorden voor heeft, maar dat toch zo sterk is dat hij het dekbed afwerpt en opstaat. Hij doet de deur open en glimlacht wat, maar laat zijn glimlach uitdoven omdat hij denkt dat Maggie er bang van zal worden. Ze is het niet gewend om hem te zien glimlachen.

'Dag', zegt hij. 'Ik maak vandaag het ontbijt klaar.'

Haar enige reactie is een knik en dat benauwt hem opeens, maar hij weet niet wat hij met dat gevoel aan moet, dus loopt hij maar snel verder de keuken in en opent hij een kastje. Waar bewaart ze de koffiefilters ook alweer?

Maggie komt na een poosje de keuken in. Ze leunt tegen de deurpost en slaat hem gade terwijl er een glimlachje in haar ogen schittert.

'Minna mag vandaag naar huis', zegt ze.

Tyrone mompelt iets terug, maar Maggie kent hem zo goed dat ze weet wat dat geluidje betekent.

'Ik heb gezegd dat je na elf uur zou langskomen. Was dat goed?'

Tyrone knikt en drukt het knopje van het koffiezetapparaat in. Hij kijkt tevreden.

'En Dag Tynne wordt blijkbaar aanstaande vrijdag begraven. Samen met zijn moeder. Ik denk dat ik daarnaartoe ga.'

Met een koffiekopje in zijn hand blijft Tyrone voor haar staan; hij weet niet goed wat hij met dat bericht aan moet. Maggie glimlacht naar hem. Ze eist niets, Tyrone moet zelf beslissen of hij mee wil gaan naar die begrafenis of niet.

'Vergeet niet om ook voor Lotta te dekken', zegt ze.

Tyrone glimlacht terug. Voor het eerst in jaren glimlacht hij naar zijn vrouw.

'Natuurlijk vergeet ik niet om voor Lotta te dekken', zegt hij.

Zelf lig ik nog steeds in elkaar gekropen onder mijn deken door het raam te kijken. Stel je voor dat vandaag de zon ook schijnt. Stel je voor dat we na het grote noodweer nu al een aantal dagen met een blauwe lucht en een stralende zon hebben gehad. Dat is niet slecht.

De deur van mijn kamer gaat open en Magdalena komt binnen.

'Hallo', zegt ze met een glimlach. 'Vandaag moet u er maar eens uitkomen en naar de eetzaal gaan als u een ontbijt wilt.'

Ik glimlach terug.

'Goed. Maar ik wil eerst douchen.'

'Oké. Ik zal het verband afplakken.'

En ze plakt niet alleen het verband af, ze haalt ook mijn nieuwe kleren tevoorschijn, de kleren die Maggie voor me heeft gekocht, en ze spreidt ze op mijn bed uit terwijl ik onder de douche sta. Een slip. Een zwarte broek. Een warmrood vest. Het zijn niet echt mijn kleren, maar toch ben ik heel dankbaar. En Magdalena glimlacht naar me wanneer ze me helpt het vest dicht te knopen.

'U ziet eruit als een heel ander mens', zegt ze. En ik loop naar de spiegel om te kijken. Het is waar. Een heel ander mens. Iemand die deze rode kleur goed staat.

Na het ontbijt blijf ik op mijn bed zitten om te wachten op het ontslaggesprek. Ondertussen bungel ik met mijn benen en neem ik afscheid van mijn kamer. Dag, gele muren. Dag, zomerschilderij. Dag, den voor mijn raam. Ik ben bijna vrolijk.

Dan komt hij. De arts die me zal ontslaan.

Hij blijft voor de drempel staan en heel even peilen we elkaars blik. Hij slaat het eerst zijn ogen neer en dat verheugt me. Ik heb de schimpscheuten op het puntje van mijn tong liggen en ik weet dat ik mijn mond maar open hoef te doen om één woord te zeggen of die schimpscheuten zullen eruit komen rollen, en wanneer ze eruit zijn gerold zal hij de overhand hebben. Ik zal niet meer dan een gek wijf zijn, een hysterisch krijsend vrouwspersoon, een volkomen krankzinnig brullend wezen. Maar hij weet niet wat hij aan moet met mijn stille afkeer. Of mijn zwijgende woede. Mijn stomme haat.

Dus geef ik geen antwoord op de vragen die hij stelt, ik knik slechts of schud stil mijn hoofd. Ja, ik voel me goed. Nee, ik ben niet duizelig meer. Ja, ik ben me ervan bewust dat mijn gebroken ribben nog niet genezen zijn. Nee, ik heb nog geen afspraak bij de fysiotherapeut ...

Hij hoedt zich er lang voor mij aan te kijken, mij in de ogen te zien, en hij durft natuurlijk ook geen stap naar voren te zetten om mijn gewonde hand aan te raken, wat hij zou hebben gedaan als hij een ander was geweest. Hij staat daar maar en houdt zijn pen en de status in een stevige greep. Toch doet hij op het laatst een kleine poging om te veinzen dat dit een gewoon ontslaggesprek is tussen een arts en een patiënt. Met een glimlachje zegt hij: 'Ja, dan zal ik u maar veel succes wensen ...'

Dan kan ik mezelf niet langer bedwingen, dan doe ik mijn mond open om te praten. Maar er komt geen stroom scheldwoorden uit. Het is slechts haar naam.

'Sofia', zeg ik. 'Sofia.'

Hij staat bijna een halve minuut als aan de grond genageld, hij staat me doodstil aan te kijken terwijl ik haar naam herhaal, en opeens komt zijn schaamte aan de oppervlakte, die wordt zichtbaar in zijn gezicht, die maakt dat hij niet weet waar hij kijken moet. Hij tilt zijn arm op alsof hij zich wil beschermen, zich wil verbergen achter mijn status, aan mijn ogen wil ontsnappen ...

'Sofia', zeg ik weer.

En dan houdt hij het niet langer uit, dan draait hij zich om en doet hij de deur open. Hij vlucht. Hij ontvlucht mij en mijn kamer. Hij ontvlucht die naam die hij nooit zal kunnen ontvluchten.

Sofia.

Tyrone staat buiten op de parkeerplaats op me te wachten. Misschien staat hij daar al een hele poos, want hij maakt een kouwelijke indruk; hij heeft zijn schouders opgetrokken en staat naar het asfalt te staren, met de punt van zijn schoen tekent hij iets in het grind. Hij ziet me dus eerst niet aankomen.

'Dag', zeg ik.

Hij kijkt op en reageert met een grom. Maar het is heel vriendelijk gegrom. Troostend.

'Het is koud', zeg ik terwijl ik mijn armen om mezelf heen sla. Ik heb alleen mijn rode vest aan; het had immers niet veel zin om alleen voor dit korte stukje een nieuwe jas te kopen. Tyrone gromt opnieuw naar me, maar haast zich ondertussen om het portier van zijn auto te openen.

'Kom in de warmte', zegt hij dan met een glimlach.

Ik word er helemaal door overweldigd. Tyrone glimlacht naar me. En hij praat heel duidelijk.

Toch zeggen we onderweg de stad uit geen woord. Het aparte is dat er om ons heen niets is veranderd, alles ziet er net zo uit als anders. Je ziet nauwelijks dat er overstromingen zijn geweest. Het water is gezakt en de straten zijn opgedroogd, de kerk strekt haar fonkelend witte toren naar de hemel en het water in de baai glanst met het diepste blauw.

Op de provinciale weg heeft het water wat diepere sporen nagelaten; er staan nog steeds behoorlijk diepe plassen waar we doorheen moeten, en hier en daar is het asfalt misschien ook flink gescheurd, maar het is niet zo erg dat je niet in een normaal tempo kunt rijden. In Jössefors zie je net als anders op een doordeweekse dag bijna geen mens; er loopt maar één persoon door het gehucht. Een man met een pas gekochte krant onder zijn arm, een man die zo oud is dat hij om de tien meter moet blijven staan om op adem te komen, maar die toch heel doelbewust doorploegt.

Dan staat het bos donker aan beide zijden van de weg. Het is niet bepaald aanlokkelijk. Ik wil me er niet in verbergen. Ik wil gewoon naar huis. Ik heb immers een thuis.

Het bord aan de weg brandt nog, ook al knippert de letter S van Sally een beetje. Daar moet wat aan gedaan worden. Tyrone rijdt tegen de heuvel op en ik kijk door het raam naar buiten, zie dat de grasmat op allerlei plekken totaal kapotgereden is door de banden van het rupsvoertuig. Daar moet ook wat aan gedaan worden. En mijn rode Toyota is bijna tot de wieldoppen weggezakt in de natte grond ...

'Ik zal dat wel voor je in orde maken', zegt Tyrone en ik knik dankbaar.

'Misschien is het maar beter om hem beneden op de parkeerplaats aan het meer te zetten', zeg ik.

'Ik regel het', zegt Tyrone.

Terwijl hij door zachtjes heen en weer rijden mijn auto los probeert te krijgen loop ik langzaam naar de dubbele blauwe deur. Op de achtergrond gromt en jankt mijn auto, maar dat hoor ik nauwelijks. De oude entreemat ligt als een warboel aan de voet van de veranda en ik moet er een beetje omheen lopen om de drie treden op te komen. Ik houd de grote zwarte sleutel in mijn linkerhand en ik moet een beetje slikken. Dan steek ik de sleutel in het slot en draai hem om. Ik doe de deur open en stap naar binnen. Ik blijf doodstil staan om rond te kijken.

Het ziet er net zo uit als anders. De tafels zijn weliswaar een beetje stoffig, er staan een paar glazen en een halfvolle fles wijn op een ervan en er hangt een bedompte geur van bedorven hachee, maar het is niet zo erg dat Annette daar niet wat aan kan doen.

Annette? Heeft ze haar baan teruggekregen?

Tja. Misschien. We zullen wel zien.

Tyrone wil niet binnenkomen, hij staat bij de buitendeur mompelend afscheid te nemen en zet alleen een tas van de supermarkt met verse spullen op de grond, een beetje melk en kaas en fruit. Hij kijkt verlegen weg wanneer ik hem bedank en zeg dat hij de groeten moet doen aan Maggie. Hij zegt iets terug, maar ik versta niet wat, en voordat ik de gelegenheid heb om te vragen of hij het wil herhalen heeft hij opeens de deur dichtgedaan en is hij verdwenen. En dat is prima. Dat betekent niet dat hij boos, chagrijnig of balorig is; zo is Tyrone gewoon.

Ik pak de tas met voedsel op en loop ermee naar de keuken. Dan blijf ik een poosje staan terwijl ik overweeg wat ik ermee zal doen: naar boven brengen of hierbeneden in de koelkast zetten.

De herinnering aan hoe het er boven uitziet, overtuigt me.

Het eten kan hier blijven. Ik open de deur van de koelcel voor vlees en laat de tas op de grond neerploffen, ook al is dat tegen de regels. Dan draai ik me om naar de dichte deur van mijn kantoor. Met uitgestoken hand overpeins ik of ik die deur zal openen, maar ik besluit dat niet te doen.

Ik wil eerst naar boven.

Ritva heeft het licht niet achter zich uitgedaan. In het trappenhuis brandt de lamp nog en de deur naar mijn woongedeelte staat wijd open. Dat maakt niet uit. Dat is prima. Toch kan ik een kreetje van schrik niet onderdrukken wanneer ik eindelijk boven ben. Kranten, oude brieven en reclamefolders liggen op de grond gegooid. Plus een trui en een gedragen onderbroek. Een ingedroogde sinaasappelschil. Bruine smurrie die ooit een klokhuis van een appel moet zijn geweest. Kruimels. En grote bruingrijze stofvlokken.

Zo heb ik bijna een jaar geleefd.

Ritva moet in al mijn kamers naar binnen hebben gegluurd, de deuren staan open, ook die van Sofia's kamer.

De zon schijnt daar naar binnen, die schijnt zo wit dat ik er aanvankelijk verblind door meen te worden, maar dan wennen mijn ogen eraan en ik zet een eerste stap naar voren. Vervolgens blijf ik een seconde of twee staan voordat ik erheen ren. Opeens sta ik dan in mijn dochters kamer. Die is heel mooi. Het kleed is donkerblauw met streepjes turkoois. Het bureau is wit. En in de hoek staat een oude rotanstoel, de stoel die altijd in die hoek heeft gestaan.

Ik zijg erin neer. Neem plaats in de rotanstoel. Hij kraakt wanneer ik mijn hoofd naar achteren doe en mijn ogen sluit, wanneer ik het landschap bekijk dat zich opeens achter mijn gesloten oogleden aftekent. Het is een landschap in oranje, met donkere bergen en lichte dalen. Het is heel mooi. Maar niet zo mooi als het landschap dat ik buiten door het raam zie wanneer ik mijn ogen weer open. Een helderblauwe hemel. Het glinsteren van het water in de Glafsfjord. En donkere bossen die zich in de verte uitstrekken. De wereld. Mijn wereld.

Ik heb een leven te leven. Ondanks alles.

Die gedachte licht op en laat een glans achter.

Een leven. Te leven.

Dankwoord en verontschuldigingen

Veel dank aan meteoroloog Pererik Åberg, die mij het een en ander heeft uitgelegd over het ontstaan van herfststormen, en evenveel dank aan Håkan Axelsson, die ooit commandant (op lage schoenen) van de reddingsbrigade was in een overstroomd Arvika. Hartelijk dank ook aan Aina Bervall en Kurt Johansson, die me dingen over het leven in de stad hebben verteld, omdat ik Arvika verder niet kende en alleen maar als bezoeker in hotels en cafés had rondgehangen en stiekem naar gesprekken had geluisterd. Eveneens hartelijk dank aan mijn zoon Patrik Axelsson, aan wiens gedegen kennis van de Griekse mythologie ik tijdens mijn werk veel gehad heb, aan Martti Halinen die me een naam heeft gegeven en aan Tove Ellefsen die me heeft geholpen met een vertaling.

Aan het personeel van het ziekenhuis in Arvika wil ik mijn verontschuldigingen aanbieden. Ik ben nooit in het ziekenhuis geweest, heb er alleen buiten naar staan kijken. Daarom zijn zowel de sfeer als de mensen geheel het product van mijn eigen fantasie. Dit geldt ook voor landgoed Tynneberg en voor de plek die ik van alle plaatsen in en rond Arvika het beste ken: Sally's Café-Restaurant.

Majgull Axelsson

Majgull Axelsson bij De Geus

Aprilheks
De lichamelijk gehandicapte Desirée is als baby door haar moeder in een inrichting geplaatst. Terwijl Desirée in eenzaamheid opgroeide, bracht haar moeder drie pleegdochters groot zonder hun te vertellen dat zij een eigen dochter heeft. Als Desirée het leven van haar 'zussen' binnendringt, wordt het evenwicht tussen de vrouwen ernstig verstoord.

Augusta's huis
Het huis waarin Augusta en haar man Isak moeilijke maar ook gelukkige jaren beleefden is na honderd jaar nog altijd in het bezit van de familie. Het fungeert als vakantiewoning voor Augusta's kinderen, kleinkinderen en achterkleinkinderen, en voor sommigen ook als toevluchtsoord.

Huis der nevelen
Diplomate Cecilia Lind keert vanuit de Filipijnen terug naar het Zweedse dorp van haar jeugd om voor haar stervende moeder te zorgen. Aan haar moeders sterfbed wordt ze overspoeld door herinneringen, met name aan de tragische gebeurtenissen rondom het Filipijnse meisje Dolores, dat zij had willen adopteren.

Rosario is dood
Rosario Baluyot is een Filipijns straatkind dat in het stil-
zwijgend getolereerde sekstoerisme werkt en in 1987 op
elfjarige leeftijd sterft. Het meisje is het slachtoffer van
een Oostenrijkse arts, die zodanig gruwelijk misbruik
van haar maakt dat zij maanden later aan de gevolgen
overlijdt. Axelsson reconstrueert het korte leven van Rosario.

De vrouw die ik nooit was
In twee variaties op een leven laat Majgull Axelsson op
ingenieuze wijze zien hoe keuzes je toekomst kunnen be-
palen. Minister van Ontwikkelingssamenwerking Mary
Sundin klapt tijdens een toespraak op een congres dicht.
De pers suggereert dat de black-out te maken heeft met
Mary's man, die tijdens een bezoek aan een minderja-
rige prostituee uit het raam is gevallen en daarbij zijn
nek brak. Tegelijkertijd volgen we het verhaal van Marie.
Zij is veroordeeld voor de moord op haar man, die na
een bezoek aan een minderjarige prostituee in een Oost-
Europese stad uit het raam is geduwd.

Winterzusters
De tweelingzusjes Inez en Elsie zijn tijdens hun kinder-
jaren onafscheidelijk, maar groeien als tieners uit elkaar.
Elsie raakt zwanger, maar laat haar zoontje Björn achter bij Inez. Inez' eigen dochter Susanne groeit op in de
schaduw van haar neef, zeker als die beroemd wordt als
leadzanger van een popgroep. Dan verdwijnt Björn na
een tumultueus optreden ...